D1245327

WINKLER DÜNNDRUCK
AUSGABE

FRANÇOIS RABELAIS

GARGANTUA UND PANTAGRUEL

Band II

WINKLER VERLAG MÜNCHEN

Vollständige Ausgabe in zwei Bänden. Aus dem Französischen übertragen von Walter Widmer † (bis Buch IV, Kap. 12) und Karl August Horst (Buch IV, Kap. 13 bis Schluß) und mit Anmerkungen von Walter Widmer (zu Buch I) und Karl August Horst (zu Buch II bis V). Mit einem Nachwort und einem biographischen Abriß von Karl August Horst und sämtlichen 682 Illustrationen von Gustave Doré.

ISBN Leinen 3 538 05169 0   Leder 3 538 05669 2

VIERTES BUCH

*Das vierte Buch
der heldenhaften Taten und Worte
des guten Pantagruel
verfaßt von
Meister François Rabelais,
Doktor der Medizin*

*Dem durchlauchtigsten Fürsten,
und hochwürdigsten gnädigen Herrn
Monseigneur Odet,
Kardinal von Châtillon*

Durchlauchtigster Fürst, Ihr seid gebührend verständigt, von wie vielen hochgestellten Persönlichkeiten ich täglich ersucht, gebeten, ja gedrängt worden bin (und noch werde), die Pantagruelischen Mären weiterzuführen, indem sie geltend machen, manch einer, der übel dran oder krank war oder sonstwie sich grämte und Trost nötig hatte, habe sich, während er sie las, über sein Leid hinweggetäuscht, ergötzlich die Zeit vertrieben und sei aufs neue heitern Sinnes und getrosten Mutes geworden. Welch allen ich für gewöhnlich zu antworten pflege, daß ich sie spaßeshalber verfaßt habe und auf keinerlei Ruhm und Lob Anspruch erhebe und einzig darauf bedacht und erpicht war, mit meinem Geschreibsel dies bißchen Erleichterung, so gut ich's vermochte, den Betrübten und Kranken, die nicht zugegen sind, zu verschaffen, wie ich's gerne nötigenfalls auch für diejenigen tue, die hier anwesend sind und von meiner Kunst und Handreichung Hilfe erwarten.

Zuweilen lege ich ihnen des langen und breiten dar, wie Hippokrates an mehreren Orten, insonderheit im sechsten Buch über die *Epidemien,* wo er vom vorbildlichen Arzt, seinem Schüler, spricht, desgleichen Soranus aus Ephesos, Oribasius, Cl. Galen, Hali Abbas und andere Autoren nach ihnen, ihn in Gebärden, Haltung, Blick, Bewegung, Gebaren, Anstand, Redlichkeit, reinliches Antlitz, Kleidung, Barttracht, Haar, Hände, Mund, ja bis auf die kurzgeschnittenen Nägel vorgebildet haben, als müßte er in einer vortrefflichen Komödie die Rolle des Liebhabers oder Freiers spielen oder zum Strauß wider einen mächtigen Feind in die Schranken treten. In Wahrheit vergleicht Hippokrates recht eigentlich das Ausüben der Heilkunst mit einem Kampf oder einer Posse, die mit drei Personen gespielt wird: dem Kranken, dem Arzt und der Krankheit.

Als ich einmal diese Stelle las, fiel mir ein Ausspruch ein, den Julia zu ihrem Vater Octavian Augustus tat. Eines Tages war sie in prunkvollen, unzüchtigen und schamlosen Gewändern vor ihn hingetreten, und dies hatte ihm höchlich mißfallen, wenn er auch kein Wort verlauten ließ. Tags darauf legte sie andere Kleider an und kleidete sich in züchtige Gewänder, wie es dazumal bei den keuschen römischen Damen Brauch war. Solcherart gekleidet, erschien sie vor ihm. Er aber, der tags zuvor mit keinem Wort das Mißfallen geäußert hatte, das er empfunden hatte, als er sie so schamlos gekleidet sah, konnte jetzt sein Wohlgefallen nicht verhehlen, da er sie so verwandelt sah, und er sprach zu ihr: »O wieviel schicklicher und liebenswerter ist doch dieses Gewand an der Tochter des Augustus!«

Sie hatte sogleich eine Ausflucht bereit und gab ihm zur Antwort: »Heute habe ich mich für meines Vaters Augen gekleidet. Gestern tat ich's, um meinem Gatten zu gefallen.«

Desgleichen könnte der Arzt, dergestalt vermummt in Gewand und Antlitz, zumal gekleidet in die reiche und seltsame vierärmelige Staatsrobe, wie vordem sie seinem Stand zukam, und ward *Philonium* genannt, wie Petrus Alexandrinus in *VI, Epid.* sagt, denen, die diesen Mummenschanz sonderbar fänden, antworten: »So habe ich mich aufgeputzt, nicht um mich zu schniegeln und in Gala zu werfen, sondern dem Kranken, den ich besuche, zuliebe, denn ihm will ich ganz und gar gefallen und ihm in gar nichts zu nahe treten oder wehtun.«

Mehr noch. Über eine Stelle des verehrungswürdigen Hippokrates in dem oben angeführten Buch schwitzen wir noch heute, streiten und zerbrechen uns den Kopf; nicht

etwa darüber, ob des Arztes grämliche, mürrische, saure, katonisch strenge, unfreundliche, mißvergnügte, finstere, griesgrämige Miene den Kranken traurig stimme und des Arztes heiteres, fröhliches, liebenswürdiges, offenes, freundliches und zufriedenes Gesicht den Kranken erfreue. Dies ist erwiesen und sonnenklar; sondern ob derlei Betrübnis oder Freude herrührt aus der Furcht des Kranken, der diese Mienen und solches Gebaren an seinem Arzt wahrnimmt und aus ihnen auf den Ausgang und das Ende seiner Krankheit schließt, nämlich aus den heiteren auf einen günstigen und erwünschten, aus den betrübten auf einen betrüblichen und schaudervollen Ausgang – oder daher, daß die heiteren oder düsteren, luftigen oder irdischen, fröhlichen oder schwermütigen Lebensgeister des Arztes übergehen auf die Person des Kranken. Dieser Ansicht sind Plato und Averroes.

Vor allen Dingen haben die obgenannten Autoren dem Arzt besondere Anweisung gegeben, wie er mit den Kranken reden, was er zu ihnen sagen, worüber er sich mit ihnen unterhalten, was er ihnen erzählen soll, wenn er zu ihnen geholt wird. Dabei muß er immer ein Ziel im Auge haben und einen Zweck verfolgen: ihn aufzuheitern, ohne gegen Gottes Gebot zu verstoßen, und ihm auf keinen Fall das Herz schwer zu machen. So tadelte Herophilus den Arzt Kallianax aufs strengste, weil er einem Kranken, der ihn ausforschte und frug, ob er sterben müsse, überheblich zur Antwort gab:

> *»Auch Held Patroklus dem Tode nicht entrann*
> *Und war doch – weit mehr als du – ein Ehrenmann.«*

Einem andern, der wissen wollte, wie es um seine Krankheit stehe, und ihn nach der Art des edlen Pathelin fragte:

> *»Und mein Urin?*
> *Sagt er Euch nicht, daß es mit mir zu Ende geht?«*

antwortete er aberklug:
»Nein, hätte dich Latona, die Mutter der schönen Kinder Phoebus und Diana, zur Welt gebracht.«

Desgleichen wird von Cl. Galen, *lib. IV*, *Comment. in VI*, *Epidemi.*, Quintus, sein Lehrmeister in der Heilkunst, bitter getadelt, welcher einem Kranken in Rom, einem ehrenwerten Mann, als der zu ihm sagte: »Ihr habt gefrühstückt, Meister, Euer Atem riecht nach Wein«, hoffärtig entgegnete: »Deiner riecht nach Fieber. Was, meinst du, riecht köstlicher, Fieber oder Wein?«

Aber die Verleumdung gewisser Kannibalen, Misanthropen und Agelasten hatte gegen mich so übel und unsinnig gewütet, daß meine Geduld erschöpft war und ich mir fest vorgenommen hatte, kein Iota mehr zu schreiben. Denn eine ihrer geringsten Schmähreden war der Vorwurf, all diese Bücher seien gespickt mit mancherlei Ketzereien (konnten jedoch an keiner Stelle auch nur eine einzige nachweisen). Freilich, schnurrige Alfanzereien gibt es die Menge, nur daß sie Gott und den König nicht schmähen. Das und sonst nichts ist Stoff und Thema dieser Bücher. Von Ketzereien keine Rede, es sei denn, man lege sie böswillig aus und deute sie entgegen jedem Sprachgebrauch und wider alle Vernunft, was ich – tausendfachen Tod will ich erleiden, wenn das überhaupt möglich wäre – niemals auch nur gedacht haben möchte. Wie wenn einer Brot als Stein auslegte, Fisch als Schlange, Ei als Skorpion. Darüber habe ich mich schon mitunter in Euerem Beisein beklagt und Euch frei heraus gesagt, wenn ich mich nicht für einen bessern Christen hielte, als sie sich ihrerseits erweisen, und wenn ich in meinem Leben, meinen Schriften, Worten, ja sogar in meinen Gedanken auch nur ein Fünkchen Ketzerei erkennte, dann würden sie nicht so abscheulich in die Netze des Verleumdergeistes fallen, will sagen des Διάβολος, welcher mit ihrem Beistand mir diese Freveltat aufhalst. Mit eigner Hand würde ich gleich dem Vogel Phönix das dürre Holz zusammentragen und das Feuer entzünden, um mich darin zu verbrennen.

Darauf gabet Ihr mir zur Antwort, über solcherlei Verleumdungen sei der verstorbene König Franz ewigen Angedenkens unterrichtet; er habe, neugierig geworden, durch Stimme und Vortrag des gelahrtesten und zuverlässigsten Anagnosten des Königreichs sich meine Bücher vorlesen lassen und angehört (ich sage das, weil man mir böswilligerweise etliche falsche und gottlose untergeschoben hat) und darin keine einzige verdächtige Stelle gefunden, auch habe er einen Abscheu gefaßt gegen einen Schlangenfresser, der todeswürdige Ketzerei aus einem N, das die Drucker aus Versehen und Schlamperei statt eines M gesetzt hatten, ableitet.

Ebenso hielt es auch sein Sohn, unser guter, tugendreicher, vom Himmel gesegneter König Heinrich, den Gott uns noch lange erhalten möge, und hat mir um Euretwillen ein Druckprivileg und besonderen Schutz wider diese Lästerzungen gewährt. Selbige frohe Botschaft habt Ihr mir seither in Paris huldreich erneuert und überdies, als Ihr jüngsthin den hochwürdigsten Herrn Kardinal du Bellay besuchtet, der nach langer, schwerer Krankheit zu seiner Wiedergenesung sich nach Saint-Maur zurückgezogen hatte, in einen Ort oder (besser und richtiger gesagt) ein Paradies, gesund, lieblich, heiter, behaglich, köstlich und reich an ländlichen Freuden und Genüssen.

Dies, hochmögender Herr, ist der Grund, weshalb ich jetzt ohne alle Scheu meine Feder zücke in der Hoffnung, Ihr werdet mir durch Eure gütige Huld als ein zweiter gallischer Herkules an Wissen, Klugheit und Beredsamkeit gegen die Verleumder beistehen, ein *Alexikakos* an mannhafter Kraft, Macht und Ansehen, von dem ich wahrhaft sagen kann, was von Moses, dem großen Propheten und Feldherrn in Israel, der weise König Salomon im Buch *Ecclesiastici* 45 sagt: ein Mann, der Gott fürchtet und liebt, allen Menschen angenehm, von Gott und den Menschen wohlgeliebt, dessen Andenken hochgeehrt sein wird. Gott hat ihn auch geehrt wie die heiligen Väter und hoch erhoben, daß ihn die Feinde fürchten mußten, und ließ ihn mit Worten viel Zeichen tun. Er machte ihn herrlich vor Königen und gab ihm Befehl an sein Volk und zeigte ihm seine Herrlichkeit. Er hat ihn auserkoren zum heiligen Stand um seiner Treue und Sanftmut willen und aus allen Menschen auserwählt. Er ließ ihn seine Stimme hören und auch denen, die in der Finsternis waren, das Gesetz des Lebens und der Weisheit verkünden.

Überdies gelob ich Euch, daß ich alle, die mir begegnen und mir zu diesen fröhlichen Geschriften Glück wünschen, inständig bitten will, Euch allein und einzig dafür Dank zu wissen und zu unserem Herrn im Himmel zu beten um Wahrung und Mehrung dieser Eurer Größe. Auch will ich mir selber nichts zuschreiben als demütige Ergebenheit und willigen Gehorsam Euren Befehlen gegenüber. Denn durch Euern ehrenvollen Zuspruch habt Ihr mir Zuversicht und

Erfindungsgeist gegeben, und ohne Euch wäre mir der Mut geschwunden, und der Quell meiner Lebensgeister wäre versiegt. Gott, der Herr, erhalte Euch in Seiner hochheiligen Huld. Zu Paris, am 28. des Januar 1552.

Euer durchlauchtigen Gnaden allergehorsamster und ergebener Diener

Franç. RABELAIS, Arzt.

ERSTES VORWORT ZUM VIERTEN BUCH

Hocherlauchte Zecher, und ihr, preisliche Gichtbrüder, ich habe den Gesandten, den Euer Gnaden gestrenge Herrschaften zu meiner Paternität abgeordnet haben, gesehen, empfangen, angehört und vernommen, und es wollte mich bedünken, er sei ein guter und wortgewaltiger Redner. Den Inhalt seiner Rede fasse ich in drei Worte zusammen, die von so großem Gewicht sind, daß vorzeiten bei den Römern der Prätor mit diesen drei Worten auf alle Gesuche antwortete, die seinem Richterspruch unterbreitet wurden. Durch diese drei Worte entschied er alle Rechtshändel, Klagen, Prozesse und Zwistigkeiten, und wurden die Tage unheilvoll und unselig genannt, an denen der Prätor diese drei Worte nicht aussprach, aber glückverheißend und heilbringend, an denen er sie verwendete: »Ihr gebt, ihr sagt, ihr erkennt zu.« O ihr Ehrenmänner, ich kann euch nicht sehen! Gottes Allmacht steh euch bei, wie auch mir, in Ewigkeit. Wohlan denn, in Gottes Namen, lasset uns nichts tun, sein hochheiliger Name sei denn zuvor gepriesen!

Ihr gebt mir. Was? Ein schönes Brevier, das viel faßt. Potz Ratz und Katz! Dank euch schön dafür. Ist auch das mindeste, was ich tun kann. Was für ein Brevier das sein würde, dacht ich wahrhaftig nicht, als ich die Goldleisten, die Rose, die Schließen, auch Einband und Deckel sah, worauf ich die Haken und Elstern zu betrachten nicht versäumte, welche darauf gemalt und gar schön regelmäßig überall verstreut waren. Womit ihr (als wären's hieroglyphische Lettern) unschwer zu verstehen gebt, daß nur das Werk von Meisterhand zählt und einzig der Mut derer Elstern-Knatscher zählt. »Die Elster knatschen« bedeutet eine bestimmte Kurzweil, metaphorisch hergeleitet von dem wundersamen Begebnis, das sich in der Bretagne kurz vor der Schlacht bei Saint Aubin du Cormier zutrug. Unsre Väter haben es uns erzählt; ist also nur recht und billig, daß auch unsere Nachfahren es kennen. Das war in dem Jahr, da der Wein so gut gedieh: Man gab das Quartel trefflichen, süffigen Weines für einen Nestel ohne Stift.

Aus den Gegenden des Morgenlandes kamen auf der einen Seite ganze Schwärme von Hähern angeflogen, Scharen von Elstern auf der andern Seite, und alle zogen gen Westen. Sie flogen aber in solcher Ordnung nebeneinander her, daß auf den Abend die Häher sich links zur Ruhe niederließen (merkt hier auf, was dieses Vorzeichen kündet) und die Elstern zur Rechten, die einen ganz in der Nähe der anderen. Wo sie auch immer durchkommen mochten, war nicht eine einzige Elster, die sich nicht den Elstern angeschlossen, kein Häher, der sich nicht dem Lager der Häher beigesellt hätte.

So lange zogen sie dahin, so lange flogen sie, daß sie schließlich über Angers, der französischen Stadt an der Grenze der Bretagne, in solch gewaltiger Menge vorbeizogen, daß sie mit ihrem Flug den Landstrichen, die darunter lagen, das Sonnenlicht verdunkelten. Zu Angers lebte um jene Zeit ein hochbetagter Oheim, Herr zu Sankt Georg, Frapin mit Namen, derselbe, der die schönen und heiteren Weihnachtsliedchen in der Mundart des Poitou verfaßt hat. Der hielt zu seines Herzens Wonne einen Häher wegen seines munteren Geschwätzes, mit dem er alle, die auf Besuch kamen, zum Trinken einlud; in einem fort plapperte er nur vom Trinken, drum nannte er ihn auch sein Schnattermaul. Der Häher sprengte seinen Käfig in martialischer Wut und stieß zu den vorbeiziehenden Hähern. Ein Barbier namens

Bahuart, der nebenan wohnte, besaß eine zahme Elster, einen ausnehmend gut abgerichteten Vogel. Auch sie vermehrte die Zahl der Elstern und folgte ihnen in den Kampf. Was für große und abersinnige Dinge, und doch wahr, dennoch erlebt und erwiesen. Merkt euch alles wohl.

Was geschah danach? Wie ging es aus? Was begab sich daraufhin, ihr guten Leute? O Wunder über Wunder! Beim Kreuz von Malchara entbrannte die Schlacht so hitzig, daß einem graust, wenn man nur daran denkt. Das Ende vom Lied war, daß die Elstern unterlagen und ihrer 2.589.325.109 meuchlings niedergemacht wurden, ungerechnet die Frauen und kleinen Kinder, will sagen: die Weibchen und jungen Elstern, ihr versteht mich. Die Häher blieben siegreich, indes nicht ohne Verlust vieler ihrer wackern Streiter, woraus im ganzen Lande großer Schaden erwuchs. Die Bretonen haben es in sich, das wißt ihr ja. Hätten sie aber das Wunder richtig gedeutet, so hätten sie leichtlich erkannt, daß ihnen Unglück bevorstehe. Denn die Schwänze der Elstern haben die gleiche Form wie ihr Hermelin, die Häher hingegen weisen in ihrem Gefieder etliche Ähnlichkeiten mit dem Wappen Frankreichs auf.

Zur Sache: Drei Tage später kam Schnattermaul zurück, krumm und lahm geschlagen, wutentbrannt über diesen Krieg, dazu mit einem verschwollenen Auge. Als er jedoch sein gewohntes Futter gefressen hatte, war er wenige Stunden später wieder munter und guter Dinge. Das quicke Volk und die mutwilligen Scholaren von Angers kamen in hellen Haufen herbeigerannt und wollten den einäugigen Schnattermaul dergestalt zugerichtet sehen. Schnattermaul lud sie wie gewohnt zum Umtrunk ein und setzte jedem Invitatorium am Schluß hinzu: »Schlingt die Elster!« Ich mutmaße, daß so das Losungswort am Tage der Schlacht lautete und alle es sich zur Richtschnur nahmen. Behuarts Elster kehrte nicht wieder; sie war aufgefressen worden. Seither sagte man gemeinhin im Sprichwort, wacker zechen und in vollen Zügen bechern heiße wahrhaft *die Elster verschlingen*. Mit solcherlei Figuren ließ Frapin zu ewigem Gedenken in seinem Hause Speisesaal und Eßstube ausmalen. Ihr könnt's zu Angers auf dem Sankt-Lorenz-Hügel sehen.

Diese Schilderei auf euerm Brevier brachte mich auf den Gedanken, daß ich da irgend etwas mehr als bloß ein Brevier vor mir habe. Ja, aus welchem Grund und Anlaß solltet ihr mir ein Brevier verehren? Ich besitze – Gott und euch sei's gedankt – ihrer genug, alte und neue. Als dieser Zweifel in mir aufstieg, öffnete ich besagtes Brevier und gewahrte, daß es ein Brevier von wundersamer Erfindung war und die Goldbuchstaben allesamt wohlgesetzt und die Inschriften, wie sich's gehörte. Also wollt ihr, daß ich zur Prim weißen Wein trinke, zur Terz, zur Sext und None desgleichen, zur Vesper und Komplet aber hellroten. Das heißt ihr *die Elster verschlingen:* fürwahr, ihr seid auch nicht von schlechten Elstern ausgebrütet worden. Ich werde der Bitte stattgeben.

Was sagt ihr da? Ich hätte euch mit allen meinen Büchern, die zuvor gedruckt wurden, in gar nichts erbost. Wenn ich euch bei dieser Gelegenheit den Ausspruch eines alten Pantagruelisten anführe, wird's euch noch weniger ans Herz greifen:

»Es trägt«, sprach er, »nicht eben Lob beim Volke ein, wenn einer kann der Fürsten Liebediener sein.«

Ferner sagt ihr, der Wein des dritten Buchs habe euch gemundet und er sei gut. Freilich war nur wenig drin, und die gemeine Redensart: »Wenig, aber gut«, sagt euch nicht recht zu. Besser behagt euch, was der treffliche Evispande Verron zu sagen pflegte: »Viel und vom Guten.« Obendrein redet ihr mir zu, ich möge die Pantagruelinische Geschichte weiterführen, und macht geltend, wie nützlich und bekömmlich sie anscheinend für alle wackern Leute zu lesen sei, entschuldigt euch zudem, daß ihr meiner Bitte nicht nachgekommen seiet, wonach ihr das Lachen bis zum achtundsiebzigsten Buch aufzusparen hättet. Ich verzeih's euch von Herzen gern. So rachsüchtig und unversöhnlich, wie ihr meint, bin ich nicht. Aber was ich euch riet, war nicht zu eurem Schaden gemeint. Und zur Antwort geb ich euch den Ausspruch Hektors, wie ihn Naevius anführt: daß es etwas Schönes sei, von lobenswerten Leuten gelobt zu werden. Erkläre hinwiederum, sage und behaupte bis zum Scheiterhaufen (exklusive, wohlverstanden, und dies aus guten Gründen), daß ihr insgesamt liebe, musterhaft ehrenwerte Leute seid, daß ihr alle miteinand von guten Eltern stammt, und verspreche euch, bei meinem Wort als Lanzknecht, wenn ich euch jemals in Mesopotamien begegne, will ich dem Gräflein Jörg von Nieder-Ägypten so lang in den Ohren liegen, bis er jedem von euch ein schmuckes Nilkrokodil und einen Nachtmahr aus dem Euphrat zum Geschenk macht.

Ihr erkennt zu. Was denn? Und wem? Alle alten Mondviertel den Muckern, Duckmäusern, Gleisnern, Augenverdrehern, Leisetretern, Kuttenmännchen, Samtpfoten, Betbrüdern, Reliquienhändlern und Bauernfängern. Das sind greuliche Namen, schon dem bloßen Klang nach, und ich habe gesehen, wie sich, kaum wurden sie ausgesprochen, auf dem Haupt eures edlen Gesandten die Haare zu Berge sträubten. Ich habe davon soviel verstanden wie vom Hochdeutschen und weiß nicht, was für eine Gattung Viecher ihr in diese Benennungen einbegreift. Auch habe ich mich in mancher Herren Ländern eifrig umgesehen und nirgends einen Menschen gefunden, der sich zu ihnen bekannte oder sich's gefallen ließ, daß man ihn so nannte oder bezeichnete. Ich vermute, es war eine ungeheuerliche Gattung barbarischer Tiere zur Zeit, da man noch hohe Mützen trug; jetzt ist sie ausgestorben, wie ja alles unterm Mond seine Zeit und sein Ende hat, und wir wissen nicht, wie wir sie genau bestimmen sollen, wie ihr ja auch wißt, daß mit dem Verschwinden einer Sache leicht auch die Bezeichnung verschwindet.

Meint ihr aber mit diesen Namen die Verleumder meiner Schriften, so könnt ihr sie viel treffender Teufel nennen. Denn auf griechisch heißt Verleumdung *diabole*. Seht denn, wie verabscheuenswert vor Gott und den Engeln dies Laster, genannt Verleumdung, ist (wenn man Guttaten anficht, wenn man über Edelmut lästert), daß nach dieser Unsitte und nicht nach andern, wiewohl manche noch verdammenswerter scheinen könnten, die höllischen Teufel genannt und gerufen werden. Diese sind – im eigentlichen Sinne – nicht Teufel der Hölle, sondern bloß deren Diener und Büttel. Ich heiße sie schwarzweiße Teufel, geheime oder häusliche Teufel, und was sie mit meinen Büchern getrieben haben, das werden sie (wenn man sie gewähren läßt) auch mit allen andern treiben. Aber das haben sie sich gar nicht selber ausgedacht. Ich sage dies, auf daß sie sich künftighin nicht mehr mit dem Zunamen des alten Cato Censor brüsten.

Habt ihr je schon gehört, was »ins Becken spucken« bedeutet? Ehemals, bei den Vorfahren dieser heimlichen Teufel, den Erzvätern der Wollust und Vertilgern jedweder Zucht und Sitte, einem Philoxenos, einem Gnathon und anderen vom gleichen Schlag, war es der Brauch, wenn sie durch die Schenken und Kneipen gingen, allwo sie für gewöhnlich ihre Schule zu halten pflegten, und sahen, daß die Gäste mit guten Speisen und leckeren Happen bedient waren, ihnen schändlicherweise in die Schüsseln zu speien, damit die Schmausenden voll Grausen vor ihrem abscheulichen Speichel und Rotz aufhören sollten, die vorgesetzten Gerichte zu essen, und alles diesen unflätigen Spuckern und Rotzbuben zur Beute bliebe. Fast die gleiche, wiewohl nicht ganz so haarsträubende Geschichte erzählt man uns von dem halbgaren Medikus Bitterlich, dem Neffen des Advokaten; der behauptete kurzerhand, der Flügel eines gemästeten Kapauns sei unbekömmlich und der Bürzel schädlich, der Hals aber leidlich gut, sofern zuvor die Haut abgezogen werde, und das nur, damit die Kranken nicht davon aßen und alles für ihn übrigblieb.

So trieben's auch diese neuen vermummten Teufel, als sie sahen, wie heißhungrig alle Welt darauf versessen war, meine Bücher zu kennen und zu lesen von wegen meiner vorherigen Schriften, da spien sie ins Becken, will sagen: sie haben sie mit ihren Stänkereien verhunzt, verschrien und versaut, mit Absicht und nur damit kein Mensch sie besitze, keiner sie lese außer Hochdero Memmenschwänz Eminenzen. Solches hab ich mit eignen Augen gesehen (nicht etwa mit den Ohren), ja sie verwahrten sie sogar unter ihren

Lieblingsbüchern, die sie nachts mit ins Bett nahmen, und lasen darin wie in Brevieren, die man jeden Tag braucht. Sie nahmen sie den Kranken weg, den Gichtbrüchigen und Unglücklichen, für die ich sie geschrieben und verfaßt hatte, um sie in ihrem Leid zu ergötzen. Wenn ich all die pflegen könnte, die in Krankheit und Siechtum verfallen, hätt ich's gar nicht nötig, derlei Bücher ans Licht zu bringen und zu drucken.

Hippokrates hat ein eignes Buch geschrieben, das er »Über den Stand des vollkommenen Arztes« betitelt hat (Galen hat es mit gelehrten Kommentaren erläutert), in welchem er verlangt, daß am Arzt nichts sein dürfe (sogar die Fingernägel beschreibt er ausführlich), nichts, was den Kranken mißfallen könnte. Alles an dem Arzt, Gebärden, Gesicht, Kleidung, Worte, Blicke und auch Berührung müsse dem Patienten gefallen und ihn erfreuen. So zu tun, was mich anlangt und auf meine grobschlächtige Art, mühe ich mich redlich ab und lasse es mir sauer werden mit allen, deren ich mich annehme. Das gleiche tun auch meine Zunftgenossen ihrerseits, weswegen wir von ungefähr Heilhelfer mit langem Ellgelenk und -bogen genannt werden, nach der Ansicht zweier ungewaschener Schmutzfinken, die ebenso närrisch ausgelegt wie würzelos ersonnen war.

Ja noch mehr: Über eine Stelle im sechsten Buch über die Epidemien des obgenannten Hippokrates schwitzen wir und reden uns die Köpfe heiß, nicht etwa darüber, ob das Gesicht des mürrischen, grämlichen, verdrossenen, mißvergnügten und übellaunigen Arztes den Kranken verstimme und des Arztes heiteres, fröhliches, einnehmendes, lachendes und offenes Antlitz den Kranken erfreue (das ist längst ausgemacht und erwiesen), sondern ob solcherlei Trübsal und freudige Stimmung aus der bloßen Vorstellung des Kranken hervorgeht, der diese Eigenschaften betrachtet, oder daraus, daß die heiteren oder finstern, frohen oder traurigen Geister vom Arzt auf den Kranken übertragen werden, wie die Platoniker und Averroisten meinen. Dieweil es nun doch nicht möglich ist, daß mich alle Kranken rufen, daß ich mich aller Kranken annehme, was ist das denn für eine Sucht, den

Bekümmerten und Bresthaften den vergnüglichen Zeitvertreib und die Kurzweil wegzunehmen, die sie ohne Beleidigung Gottes, des Königs und anderer genießen, wenn sie in meiner Abwesenheit sich die Lektüre dieser lustigen Bücher anhören?

Da nun aber durch eueren Schiedsspruch und Entscheid diese Lästermäuler und Ehrabschneider die ausgedienten Mondviertel zu eigen und in Besitz bekommen haben, verzeih ich ihnen. Wird künftig für alle nichts zu lachen geben, wenn wir sehen, wie diese mondsüchtigen Narren, von denen manche aussätzig, manche Sodomiter, andere aussätzig und Sodomiter in einem sind, über die Felder dahinrennen, die Bänke zerspleißen, mit den Zähnen knirschen, Fensterscheiben einschlagen, Pflaster treten, sich henken, sich ersäufen, sich in Abgründe stürzen und mit verhängten Zügeln zu allen Teufeln fahren je nach Kraft, Fähigkeit und Vermögen der Mondviertel, die sie in ihren Schädeln haben, seien sie zunehmend, beginnend, amphicyrtisch, schwindend oder gänzlich erloschen. Nur möcht ich mir gegen ihre Listen und Trügereien das Anerbieten zunutze machen, das Timon, der Menschenfeind, seinen undankbaren Athenern machte.

Voll Zorn über den Undank des athenischen Volkes gegen ihn begab sich Timon eines Tags in den Rat der Stadt und erbat sich Gehör in einer Angelegenheit, die das öffentliche Wohl betreffe. Auf sein Verlangen wurde es im Ratssaal mäuschenstill, und männiglich erwartete eine wichtige Erklärung, sintemal er im Rat erschienen war, nachdem er so viele Jahre lang jede Gesellschaft gemieden und ganz zurückgezogen gelebt hatte. Alsdann sprach er zu ihnen: »Vor meinem verborgenen Garten steht ein mächtiger, schöner und ausnehmend stattlicher Feigenbaum, zu welchem ihr, meine Herren Athener, wenn ihr verzweifelt, Männer wie Frauen, Jünglinge und Jungfrauen, hingeht und euch abseits aufhängt und erdrosselt. Ich gebe euch bekannt, daß ich mein Haus neu herrichten will und deshalb beschlossen habe, in den nächsten acht Tagen diesen Feigenbaum umhauen zu lassen. Darum, wenn einer von euch und aus der ganzen Stadt sich aufhängen möchte, soll er das schleunig tun. Ist die obenerwähnte Frist abgelaufen, werdet ihr kaum einen so geeigneten Ort und einen so bequemen Baum finden.«

Nach seinem Beispiel verkünde ich diesen teuflischen Verleumdern, daß sie sich samt und sonders binnen des letzten Viertels dieses Mondes zu hängen haben. Die Stricke dazu werde ich ihnen liefern. Als Ort des Aufhängens weise ich ihnen zwischen Mittag und Faverolles an. Wenn wieder Neumond ist, werden sie nicht mehr so billig wegkommen und gezwungen sein, selbst und auf ihre Kosten Stricke zu kaufen und einen Baum zum Aufhängen auszusuchen wie voreinst die Signora Leontium, die Verleumderin des hochgelehrten und redegewaltigen Theophrast.

PROLOG DES AUTORS
M. FRANÇOIS RABELAIS
zum vierten Buch der heldenhaften Taten und Reden
Pantagruels

An die wohlgeneigten Leser

Ihr ehrenwerten Leute, Gott helf und behüt euch! Wo seid ihr? Ich kann euch nicht sehen. Wartet, ich setze meine Brille auf.

Aha, Fasten geht fein sachte vorbei. Ich seh euch! Und was nun? Ihr habt eine gute Weinlese gehabt, so sagt man mir. Würde mich nicht die Spur betrüben. Ihr habt ein unsiegliches Mittel wider jede Art Durst und Wandel. Das heiß ich tugendlich gehandelt. Seid ihr, eure Frauen, Kinder, Verwandten und Angehörigen gesund und wohlauf, wie ihr's wünscht? Dann ist's gut, das freut mich und gefällt mir. Gott, der gütige Gott sei dafür ewig gelobt, und (wenn das sein heiliger Wille ist) möget ihr noch lange gesund bleiben.

Was mich anlangt, so bin ich dank seiner heiligen Güte quick und munter und empfehle mich euch. Ich bin vermittels eines Quentchens Pantagruelismus (ihr wißt ja, das ist eine gewisse Heiterkeit des Geistes sowie auch Verachtung aller zufälligen Dinge) gesund und rüstig, zum Trinken aufgelegt, wann ihr wollt. Fragt ihr mich, warum, ihr ehrenwerten Leute? Meine unwiderlegbare Antwort: So ist's der Willen des gütigen, allmächtigen Gottes, dem ich mich beuge, dem ich gehorche, dessen hochheiliges Wort der frohen Botschaft ich verehre, das Evangelium nämlich, in welchem Lukas IV mit blutigem Hohn und beißendem Spott zu dem Arzt gesagt wird, der seine eigene Gesundheit hintanstellt: Arzt, hilf dir selbst.

Cl. Gal. trug Sorge zu seiner Gesundheit, freilich nicht um solcher Ehrfurcht willen, wiewohl er eine leise Ahnung von den heiligen Schriften hatte und auch mit den christlichen Heiligen seiner Zeit Umgang und Bekanntschaft pflog, wie aus *lib. II, De usu partium, lib.* 2, *De differentiis pulsuum, cap. 3, et ibidem, lib. 3, cap.* 2, und *lib. De rerum affectibus* (wenn es von Galen ist) hervorgeht; sondern aus Angst, er könnte dem im Volk verbreiteten satirischen Spott verfallen, der lautet:

'Ιατρός ἄλλων, αὐτός ἕλκεσι βρύων.
Für andre ist er freilich Arzt, indessen
ist er von Schwären überall zerfressen.

So daß er sich mit großem Nachdruck rühmt und nicht mehr als Arzt gelten will, wenn er seit seinem achtundzwanzigsten Lebensjahr bis ins hohe Alter nicht vollkommen gesund gewesen sei, ausgenommen dann und wann ein ephemeres Fieber von kurzer Dauer, wiewohl er von Natur nicht gerade der Gesündeste sei und offenbar einen schwachen Magen habe. »Denn«, sagt er *(lib. 5 De sanit. tuenda)*, »schwer wird man einem Arzt glauben, er trage Sorge um die Gesundheit anderer, wenn er seine eigne außer acht läßt.«

Noch herzhafter rühmte sich der Arzt Asklepiades, er habe mit Fortuna einen Pakt geschlossen, wonach er nimmer als Arzt zu Ruhm und Ansehen kommen wolle, wenn er von der Zeit, da er in seiner Kunst zu praktizieren begonnen habe, bis in sein hohes Alter krank würde. Dahin gelangte er auch kerngesund und kräftig an allen seinen Gliedern, und Fortuna hatte das Nachsehen. Zuletzt segnete er das Zeitliche, ohne daß er zuvor krank gewesen wäre, durch einen Sturz, den er aus Unachtsamkeit von einer Treppe tat, deren Stufen schlecht zusammengefügt und morsch waren.

Sollte sich durch einen unglücklichen Zufall die Gesundheit Eurer Herrlichkeiten irgendwohin auf und davon gemacht haben, unten, oben, vorne, hinten, rechts, links, innen, außen, weitab oder nahe bei euern Ländereien, wo sie auch sei, möget ihr sie mit unseres Herrn und Heilands Beistand unverzüglich wiederfinden. Habt ihr sie zur guten Stunde gefunden, nehmt sie augenblicks fest, packt sie, faßt sie, haltet sie, versichert euch ihrer! Die Gesetze erlauben's euch. Der König will's so. Ich rat euch dazu, nicht mehr und nicht minder, als die alten Gesetzgeber den Herrn ermächtigten, seinen flüchtigen Sklaven überall dingfest zu machen, wo er seiner habhaft werden könne. Potz Herrgott und Biedermann! Steht's nicht geschrieben und wird im Gewohnheitsrecht unseres so edlen, alten, schönen, blühenden, wohlhabenden Landes Frankreich so gehalten, daß *der Tote dem Lebenden die Hand reicht?* Seht doch nur, was kürzlich der gute, gelehrte, weise, so humane, so leutselige und rechtdenkende And. Tiraqueau, Rat des großen, siegreichen und ruhmbedeckten Königs Heinrich, des zweiten seines Namens, an seinem hochmögenden Parlament zu Paris darüber ausgeführt hat. Gesundheit ist unser Leben, wie Ariphron aus Sikyon sehr treffend dargelegt hat. Ohne Gesundheit ist das Leben kein Leben, ist das Leben nicht lebenswert: ἄβιος βίος, βίος ἀβίυτος. Ohne Gesundheit ist das Leben nur ein Dahinsiechen, ist das Leben ein Schattenbild des Todes. Drum also, wenn ihr der Gesundheit verlustig, will sagen tot seid, nehmt Besitz vom Lebendigen, vom Leben, ich meine die Gesundheit.

Ich hoffe zu Gott, er werde unsere Gebete erhören, in Anbetracht des festen Glaubens, in dem wir sie darbringen, und er werde diesen unseren Wunsch erfüllen, sintemal er maßvoll ist. Mittelmaß wurde von den Weisen im Altertum golden genannt, das heißt kostbar, von allen gelobt und allseits angenehm. Seht nur gründlich in den heiligen Schriften nach, und ihr werdet finden, daß deren Gebete niemals abschlägig beschieden worden sind, die um Ziemliches baten. Ein Beispiel hierfür ist der kleine Zachäus, dessen Leichnam und Reliquien zu besitzen die Musaphis von Sankt Ayl bei Orleans sich rühmen, und sie nennen ihn Sankt Sylvan. Er wünschte nichts weiter, als unsern gebenedeiten Heiland in der Umgegend von Jerusalem zu sehen. Das war doch nur billig und stand einem jeden frei. Aber er war zu klein und konnte ihn unter all dem Volk nicht sehen. Er trampelt, zappelt, müht sich ab, geht dann abseits und steigt auf einen Maulbeerbaum. Der Heiland in seiner Güte erkannte sein aufrichtiges und bescheidenes Verlangen, zeigte sich seinen Blicken, so daß er ihn nicht nur sehen, sondern auch hören konnte, ja er besuchte sogar sein Haus und segnete seine Familie.

Dem Sohn eines Propheten in Israel, der unweit des Jordan Holz hieb, entfuhr das Eisen seiner Axt (wie im vierten Buch Könige, 6, geschrieben steht) und fiel in besagten Fluß. Er betete zu Gott, er möge es ihm wiedergeben. Das war kein unbilliger Wunsch. Und in festem Glauben und Vertrauen warf er – nicht mit der Axt nach dem Stiel, wie mit einem irrigen und ärgerlichen Sölezismus die Zensorenteufel verkünden –, sondern mit dem Stiel nach der Axt, ihr richtig sagt. Alsogleich begaben sich zwei Wunder: das Eisen stieg aus der Tiefe des Wassers empor und fügte sich wieder an den Stiel. Hätte er begehrt, wie Elias in einem feurigen Wagen in den Himmel hinaufzufahren, wie Abraham so kinderreich, so begütert wie Hiob, so stark wie Simson und so schön wie Absalon zu sein, hätte er das auch noch erlangt? Das fragt sich doch.

Hinsichts maßvoller Wünsche, Äxte betreffend (gebt wohl acht, wann's Zeit ist zum Trinken), will ich euch erzählen, was in den Fabeln des weisen Franzosen Aesopus geschrieben steht, ich meine: des Phrygiers und Trojaners, wie Max. Planudes versichert, von welchem Volk, nach den glaubwürdigsten Chronisten, die edlen Franzosen abstammen. Aelian freilich schreibt, er sei ein Thrazier gewesen, Agathias (nach Herodot) ein Samier; ist mir alles eins.

Zu seiner Zeit lebte ein armer Bauer, gebürtig aus Gravot, namens Hodian, ein Baumfäller und Holzhauer, welcher in

diesem niedrigen Stand mit Müh und Not seinen Lebens-
unterhalt verdiente. Da geschah es, daß er sein Beil verlor.
Wer war jetzt arg betrübt und ungehalten? Er – denn von
seinem Beil hingen sein Glück und sein Leben ab, mit seiner
Axt lebte er in Ehren und Ansehen unter all den reichen
Holzfällern, ohne seine Axt mußte er Hungers sterben.

Wäre ihm Gevatter Hein sechs Tage später ohne Beil begegnet, er hätte ihn mit seiner Hippe aus dieser Welt weg-
gemäht und ausgejätet.

In dieser Not hob er an zu schreien, zu bitten, zu flehen,
Jupiter mit gar beredten Gebeten anzurufen (wie ihr ja
wohl wißt, daß Not die Erfinderin der Beredsamkeit ist),
erhob das Antlitz zum Himmel, warf sich barhaupt auf die
Knie, reckte die Arme in die Luft, spreizte die Finger und
sagte unermüdlich als Kehrreim eines jeden seiner Gebete

mit lauter Stimme: »Meine Axt, Jupiter! Meine Axt, mein Beil, sonst nichts, o Jupiter, als meine Axt oder Geld, um eine neue zu kaufen! Wehe, mein armes Beil!«

Jupiter hielt gerade Rat über etliche dringende Geschäfte, und eben äußerte die alte Kybele ihre Meinung, oder, wenn ihr wollt, der junge, lichte Phöbus. Doch so laut war Hodians Wehgeschrei, daß man's mitten im Rat und Konsistorium der Götter mit großem Schrecken vernahm.

»Was für ein Teufel«, fragte Jupiter, »ist dort drunten und brüllt so fürchterlich? Beim allmächtigen Styx! Haben wir nicht schon vorzeiten alle Hände voll zu tun gehabt, und sind wir nicht auch gegenwärtig vollauf damit beschäftigt, so manche Streitfragen und wichtige Geschäfte zu entscheiden? Wir haben den Zwist zwischen dem Perserkönig Presthan und dem Sultan Soliman, dem Kaiser von Konstantinopel, beigelegt. Wir haben den Durchgang zwischen den Tataren und den Moskowitern verrammelt. Wir haben auf das Ansuchen des Scherifs geantwortet, desgleichen auf die frommen Gebete des Guolgotz Rays. Der Staat Parma ist abgefertigt, ebenso Magdeburg, Mirandola und Afrika. So nennen die Sterblichen, was wir im Mittelländischen Meer *Aphrodisium* heißen. Tripolis hat aus Unachtsamkeit den Herrn gewechselt: seine Zeit war gekommen.

Hier sind die abtrünnigen Gaskogner und verlangen die Rückgabe ihrer Glocken. Dort in der Ecke stehen die Sachsen, Osterlinge, Ostgoten und Deutschen, ehmals ein unüberwindliches Volk, jetzt aber auf den Hund gekommen und von einem ganz verkrüppelten Männchen unterjocht. Sie fordern von uns Rache, Beistand und Wiedererstattung ihres einstmaligen gesunden Verstandes und ihrer althergebrachten Freiheit. Doch was machen wir mit diesem Ramus und diesem Galland, die, prunkhaft hofiert von ihren Schranzen, Beifallnickern und Jasagern, in der ganzen Pariser Akademie Unruhe stiften? Ich bin da gänzlich ratlos und habe mich noch nicht entschieden, auf welche Seite ich mich neigen soll. Alle beide scheinen mir sonst gute Gesellen und wackere Kumpane. Der eine hat Sonnentaler, ich meine: schöne, vollwichtige; der andere möcht auch welche haben. Der eine weiß ein bißchen was, der andre ist auch kein Hohlkopf. Der eine liebt die Ehrenmänner, der andere ist bei den Ehrenmännern beliebt. Der eine ist ein schlauer, gewitzter Fuchs; der andere ist ein Lästermaul, ein Schmähschreiber und bellt gegen die alten Philosophen und Redner wie ein Hund. Was meinst du dazu, sag, Priapos, du großer Eselsfochter? Ich habe schon manches Mal deinen Rat und Zuspruch billig und treffend befunden, *et habet tua mentula mentem*.«

»König Jupiter«, antwortete Priapos und lüpfte sein Käppchen, reckte sein rotes, flammendes und strackes Haupt, »da Ihr doch den einen mit einem kläffenden Köter vergleicht, den andern mit einem durchtriebenen Fuchs, bin ich der Ansicht, Ihr sollt Euch nicht länger ärgern und aufregen, vielmehr mit ihnen tun, was Ihr einst mit einem Hund und einem Fuchs getan habt.«

»Was denn?« fragte Jupiter. »Wann? Wer waren sie? Wo war das?«

»Ihr habt mir ein schönes Gedächtnis!« erwiderte Priapos. »Der verehrungswürdige Vater Bacchus, den Ihr mit dunkelrotem Gesicht hier sitzen seht, hatte, um sich an den Thebanern zu rächen, einen Fuchs; der war gefeit, so daß er Schaden und Unheil anrichten mochte, soviel er wollte, und kein Tier auf der Welt konnte ihn fangen noch ihm etwas antun. Der edle Vulkan wiederum hatte aus monesischem Erz einen Hund geschaffen und ihm so lange Odem eingeblasen, bis er lebendig und beseelt war. Er gab ihn Euch: Ihr gabt ihn Europa, Eurem Liebchen, sie gab ihn dem Minos, Minos der Prokris, Prokris schließlich dem Kephalos. Er war gleichermaßen gefeit, so daß er wie heutzutage die Advokaten jedwedes Tier fing, das ihm über den Weg lief; nichts entkam ihm. Da geschah's, daß sie einander begegneten. Was taten sie? Seinem unseligen Schicksal zufolge mußte der Hund den Fuchs fangen; der Fuchs aber durfte, seinem Schicksal zufolge, nicht gefangen werden.

Der Fall wurde in Eurem Rat vorgetragen. Ihr schworet, daß Ihr diesen Schicksalen ihren Lauf lassen würdet; und doch stehn sie zueinander im Widerspruch. Wahrheit,

Zweck und Wirkung zweier Widersprüche zugleich ward für unmöglich in der Natur erklärt. Ihr schwitztet Blut und Wasser, und aus Euerem Schweiß, der zu Boden rann, entstanden die Kohlköpfe. Dies ganze edle Konsistorium verfiel, mangels eines kategorischen Entschlusses, in einen wundersamen Durst, und wurden in dieser Ratsversammlung mehr denn achtundsiebzig Fässer Nektar getrunken. Auf meinen Vorschlag habt Ihr sie in Stein verwandelt. Mit einemmal hatte Eure Ratlosigkeit ein Ende, alsbald ward Waffenstillstand mit dem Durst im ganzen Olymp ausgerufen. Das war im Jahr der weichen Schellen unweit Theumessos, zwischen Theben und Chalkis.

Nach diesem Beispiel, mein ich, solltet Ihr den Fuchs und Hund versteinern. Die Metamorphose ist nicht unbekannt. Beide heißen Peter mit Namen, und weil es nach dem Sprichwort der Leute von Limoges zu einem Ofenloch drei Steine braucht, nehmt noch den Meister Peter du Coignet dazu, den Ihr aus gleichen Gründen einst in Stein verwandelt habt. Und werden diese drei versteinerten Toten, als gleichschenkliges Dreieck im großen Tempel zu Paris oder mitts auf dem Vorplatz aufgestellt, dazu dienen, mit ihrer Nase wie beim Eichkätzchenspiel die brennenden Kerzen, Fackeln, Funzeln und Wachsstöcke auszulöschen, die sie zu ihren Lebzeiten so recht auf Mönchsart entzündeten, als sie das Feuer des Parteihaders, des Unfriedens, der Kuttensekten und der Zwietracht unter den müßigen Scholaren entfachten. Zu ewigem Gedenken, daß solch kleinliche mönchsmäßige Hoffart von Euch eher verachtet als verurteilt wurde. Ich habe gesprochen.«

»Ihr meint es zu gut mit ihnen«, sprach Jupiter, »wie ich sehe, bester Messer Priapos. So kommt Ihr nicht allen entgegen. Denn da sie so sehr danach verlangen, ihren Namen und ihr Andenken zu verewigen, wär's für sie das Beste, daß sie nach ihrem Ableben in harten Stein und Marmor verwandelt würden, und nicht in Erde und Fäulnis übergehen. Seht Ihr, was für Trauerspiele dort hinten gegen das Tyrrhenische Meer und die umliegenden Teile der Appenninen gewisse Pastophoren erregen? Selbige Raserei wird ihre

Zeit dauern wie die Limousiner Öfen und dann ein Ende nehmen, doch so bald nicht. Wir werden unsre Kurzweil haben, und zwar die Menge. Einen Mißstand seh ich freilich dabei: Wir haben nämlich bloß noch einen geringen Vorrat an Blitzen seit der Zeit, da ihr Götter alle mitsammen mit meiner besondern Erlaubnis aufs freigebigste zu eurem Zeitvertreib Donnerkeile auf das neue Antiochia hinabschosset. Wie seither nach euerem Vorbild die Maulhelden, ich meine die Kämpen, die sich anheischig machten, die Festung Truthahnshausenburg gegen einen jeden zu halten, ihre Munition aufbrauchten und damit auf Spatzen schossen, und dann, als Not am Mann war, hatten sie nichts mehr, womit sie sich zur Wehr setzen konnten, und räumten mannhaft die Feste und ergaben sich dem Feinde, welcher allbereits wie rasend und hell verzweifelt die Belagerung aufzuheben sich anschickte und nichts Dringenderes im Sinne hatte, als mit abgesägten Hosen den Rückzug anzutreten. Nehmt Euch also in acht, Vulkan, mein Sohn! Weckt Euere verschlafenen Kyklopen, Asteropen, Brontes, Arges, Polyphem, Steropes, Pyrakmon! Haltet sie wacker zur Arbeit an, und gebt ihnen zu trinken, soviel ihr Herz begehrt. Bei Feuerwerkern darf man mit dem Wein nicht sparen. Jetzt aber laßt uns den Schreihals dort unten abfertigen. Schaut nach, Merkur, wer's ist, und bringt in Erfahrung, was er will.«

Merkur guckte durch das Lugloch des Himmels, durch welches die dort droben hören, was hienieden gesprochen wird, und das genauso aussieht wie eine Schiffsluke (Ikaromenippos meinte, es gleiche einem Brunnenloch), und da sieht er, daß es der Hodian ist, der um seine verlorene Axt bittet, und vermeldet es dem Rat.

»Traun«, sprach Jupiter, »das kommt uns ungelegen. Haben wir zur Stunde nicht anderes zu tun, als verlorne Äxte wiederzugeben? Desungeachtet muß er sie zurückhaben. Es steht nun einmal in den Schicksalsbüchern geschrieben, versteht ihr? Gerade als wäre sie ebensoviel wert wie das Herzogtum Mailand. Ei freilich, sein Beil ist ihm so teuer und kostbar wie einem König sein Reich. Los, nicht lang gefackelt! Dieses Beil soll er wiederkriegen, und jetzt kein Wort mehr davon. Laßt uns nun den Streit zwischen der Klerisei und den frommen Dunkelmännern von Rotheide schlichten. Wo waren wir denn stehengeblieben?«

Priapos stand immer noch in der Ecke beim Kamin. Als er den Bericht Merkurs hörte, sprach er in aller Höflichkeit, leutselig und artig: »König Jupiter, zu der Zeit, als ich auf Euer Geheiß und dank Euerer besondern Gunst Wächter der Gärten auf Erden war, bemerkte ich, daß der Ausdruck *Beil* zweideutig ist und mehrere Dinge bezeichnen kann. Er bezeichnet ein gewisses Werkzeug, mit dessen Hilfe Holz gespalten und entzweigehauen wird. Er bedeutet aber auch (zumindest war es früher so) ein Weibchen, das so recht saftig im Fleisch und oftmals gefickfacknudeltribuliert ist, und ich sah, daß jeder wackere Hach sein Liebchen und Bettschätzchen ›mein Spaltebärtchen‹ nannte. Denn mit diesem Werkzeug« (dabei holte er seinen ellenlangen Rammbolzen heraus) »bosseln sie ihnen solchermaßen mannhaft und keck ihr Stielloch, daß sie gar nie von einer beim Weibervolk epidemischen Furcht befallen werden: daß sie ihnen nämlich mangels solcher Haften einmal vom Bauch auf die Absätze fallen könnten. Und ich weiß noch wohl (denn ich hab ein Gemächt . . ., ich meine: ein Gedächtnis, das ist eine Pracht und groß genug, daß es einen Butterpott ausfüllen würde), wie ich einmal am Tag des Tubilustrium, im Monat Mai am Fest des guten Vulkan, habe auf einem blumigen Anger Josquin des Prés, Ockeghem, Hobrecht, Agricola, Brunel, Camelin, Vigoris, de la Fage, Bruyer, Prioris, Seguin de la Rue, Midy, Moulu, Mouton, Guascoigne, Loyset, Compère, Penet, Fevin, Rouzée, Richardford, Rousseau, Consilion, Constantio Festi, Jacquet Berchem gar wohltönend singen hören:

Als Jochen Lulatsch in der Hochzeitsnacht
mit seinem jungen Weib ins Brautbett kroch,
versteckt' er insgeheim und sacht
zuerst 'nen Klöpfel unterm Kissen noch.
›Oh! liebster Schatz‹, sprach sie zu ihm voll Angst,

›was soll der Klöpfel denn, nach dem du langst?‹
›Den brauch ich‹, sagt darauf der Ehemann,
›damit ich besser dich verbimsen kann.‹
›Wozu der Klöpfel?‹ sagt sie. ›Gib nur acht:
Wenn Vetter Hans mich tüchtig bimsen will,
bimst er mich mit dem Steiß, und ich halt still.‹

Neun Olympiaden und ein Schaltjahr danach (o treffliches
Gemächt . . ., wollte sagen: Gedächtnis – ich rutsch oft mit
der Zunge aus und verwechsle Sinn und Symbol dieser bei-
den Wörter) hörte ich Adrian Villart, Gombert, Janequin,
Arcadelt, Claudin, Certon, Manchicourt, Auxerre, Villiers,
Sandrin, Sohier, Hesdin, Morales, Passereau, Maille,
Maillart, Jacotin, Heurteur, Verdelot, Carpentras, Lhéritier,
Cadéac, Doublet, Waermont, Bouteiller, Lupi, Pagnier,
Millet, du Moulin, Alaire, Marault, Morpain, Gendre und
andere fröhliche Musikanten in einem heimlichen Gärtchen
unter einem lauschigen Laubdach, rings um einen Wall von
Flaschen, Schinken, Pasteten und zierlich behaubten Wach-
teln singen:

Wenn sich's erweist, daß ohne Stiel kein Beil
und ohne Griff kein Werkzeug etwas taugt,
nimm an, damit sich eins ins andere füge,
ich sei der Stiel, dann wirst du flott gebimst.

Nun müßte man wissen, was für eine Art Beil dieser Schreihals Hodian haben will.«

Bei diesen Worten lachten alle die verehrungswürdigen
Götter und Göttinnen laut heraus wie ein Schwarm Fliegen.
Vulkan machte seinem Schätzchen zuliebe mit seinem
Hinkebein drei oder vier lustige ungelenke Hopser.

»Rasch, rasch«, sprach da Jupiter zu Merkur, »steigt geschwind hinab, und werft diesem Hodian drei Beile vor die
Füße: sein eigenes, ein anderes aus lötigem Gold und ein
drittes aus gediegenem Silber, alle gleich groß. Stellt ihm
frei, eines zu wählen, und wenn er seines nimmt und sich
damit zufriedengibt, gebt ihm auch die beiden anderen.

Nimmt er aber ein anderes als das seine, schlagt ihm den Kopf mit seinem eigenen ab. Und von Stund an haltet es mit jedem dieser Axtverlierer so.«

Als er diese Worte gesprochen hatte, drehte Jupiter den Kopf zur Seite wie ein Affe, der Pillen schluckt, und schnitt ein so grimmiges Gesicht, daß der ganze große Olymp erbebte.

Merkur mit seinem spitzen Hut, seiner Sturmhaube, den Flügelschuhen und dem Schlangenstab springt durch das himmlische Lugloch, saust durch die leere Luft, fährt

leichtbeschwingt zur Erde nieder und wirft die drei Äxte dem Hodian vor die Füße. Dann sagt er zu ihm: »Du hast jetzt genug geschrien, wirst durstig sein. Jupiter hat deine Bitten erhört. Sieh zu, welche von diesen drei Äxten dein ist, und troll dich damit.«

Hodian hebt die goldene Axt auf, schaut sie an und findet sie arg schwer; dann spricht er zu Merkur: »Meiner Seel, die ist gar net mir; ich will sie überhaupt net.«

Ebenso tat er mit dem silbernen Beil und sprach: »Die ist's auch net. Die könnt Ihr behalten.«

Hernach nahm er die Holzaxt in die Hand, besah sich das

Stielende, erkannte darauf sein Merkzeichen, zuckte zusammen wie ein Fuchs, der ein paar verlaufene Hühner aufspürt, lächelte dann kaum merklich vor sich hin und sprach: »Potz Moder, die da war die meine. Wenn Ihr sie mir lassen wollt, werd ich Euch an den Iden des Mai (will sagen am fünfzehnten Tag) einen schönen großen Topf Milch gehäuft voll mit prächtigen Erdbeeren opfern.«

»Guter Mann«, erwiderte Merkur, »ich laß sie dir, nimm sie. Und weil du dir bei der Wahl und Kür der Axt Maß auferlegt hast, schenke ich dir auch die beiden andern. Damit kannst du künftig reich werden. Bleib ein Ehrenmann.«

Hodian bedankt sich höflich bei Merkur, erweist dem großen Jupiter seine Ehrerbietung, macht sein altes Beil an seinem Ledergurt fest und schnallt ihn sich übern Arsch wie Martin von Cambray. Die beiden anderen, schwereren hängt er sich um den Hals. So geht er mit geschwellter Brust durchs Land, macht sich unter seinen Nachbarn und im ganzen Kirchspiel wichtig und sagt zu ihnen wie vordem Pathelin sein Sprüchlein: »Bin ich nicht ein schlauer Kopf?«

Anderntags zieht er einen weißen Kittel an, lädt sich die beiden kostbaren Äxte auf den Rücken und begibt sich nach Chinon, der hochgerühmten Stadt, der edlen Stadt, der alten Stadt, ja, der ersten auf der Welt nach Urteil und Aussage der gelehrtesten Massoreten. In Chinon tauschte er seine Silberaxt gegen schöne Weißdukaten und andere Silbermünzen, sein goldenes Beil aber gegen schöne güldne Marientaler, schöne Langwollhammel-Gulden, schöne Rittertaler, blanke Realen, funkelnde Sonnentaler. Davon kaufte er in Menge Meierhöfe, Scheuern, Pachthöfe, Landhäuser, Lustschlößchen, Gartenhäuschen, Wiesen, Rebberge, Weingärten, Wäldchen, Ackerland, Weiden, Teiche, Mühlen, Gärten, Weidicht, Ochsen, Kühe, Schafe, Hammel, Ziegen, Schweine und Ferkel, Esel, Pferde, Hühner, Hähne und Kapaune, Küken, Gänse, Ganter, Enten und Erpel und allerlei Kroppzeug. Und binnen kurzer Zeit war er der reichste Mann im ganzen Lande, reicher sogar als Maulevrier, der Hinkefuß.

Als die Knollfinken und bäurischen Flegel in der Nachbarschaft dieses glückhafte Erlebnis des Hodian sahen, waren sie baß erstaunt, und in ihrem Geist wandelte sich das Mitleid und Erbarmen, das sie zuvor für den armen Hodian empfunden hatten, in Neid auf die großen und unverhofften Reichtümer. Hoben also ein groß Geläufe an, forschten nach, wehklagten und wollten herausbringen, wodurch, an welchem Ort, an welchem Tag und zu welcher Stunde, wie und bei welcher Gelegenheit ihm dieser große Schatz zugefallen war. Als sie vernahmen, daß es nur darum war, weil er seine Axt verloren hatte, riefen sie: »Hoho! lag's nur daran, daß wir kein Beil verloren haben, sonst wären wir jetzt auch reich? Das Mittel ist einfach, und die Kosten sind nicht hoch. Sind also zur Zeit der Umlauf der Himmel, die Konstellation der Gestirne und der Aspekt der Planeten derart, daß ein jeglicher, der seine Axt verliert, im Handumdrehen so reich wird? Hoho, ha! bei Gott, mein Beil, ich will dich verlieren, und nichts für ungut!«

Sohin verloren sie denn allesamt ihre Äxte. Hol der Teufel jeden, der seine behielt! Da war nicht ein einziger Sohn einer braven Mutter, der nicht sein Beil verlor. Kein Baum wurde mehr gefällt in dieser Gegend, kein Holz gespalten, so arg war der Mangel an Äxten.

Des weitern berichtet die Äsopische Fabel, etliche schäbige Eselleute von niedriger Abkunft, die dem Hodian ein Wieslein und eine kleine Mühle verkauft hatten, um an der Heerschau großartiger aufzuprunken, hätten Wind davon bekommen, daß ihm dieser Schatz dergestalt und einzig auf diesem Wege zugefallen sei, und da hätten sie ihre Degen verkauft, um dafür Äxte einzuhandeln, und die hätten sie dann verloren gleich den Bauern. Dank diesem Verlust hofften sie haufenweise Gold und Silber einzuheimsen. Sie machten's wie die Rompilger, die ihr Hab und Gut losschlagen und noch von andern Geld borgen, bloß um von einem neugewählten Papst Ablässe haufenweis zu kaufen. Und alle schrien und beteten und wehklagten und flehten zu Jupiter: »Mein Beil, mein Beil, Jupiter! Mein Beil hier, mein Beil da, mein Beil, hohoho! Jupiter, mein Beil!«

Ringsum widerhallte die Luft von dem Geschrei und Geheule dieser Äxteverlierer.

Flugs brachte ihnen Merkur Beile und gab jedem sein verlorenes, dazu ein anderes aus Gold und ein drittes aus Silber. Alle wählten das goldene, hoben es auf und dankten dem großen Spender Jupiter; doch im selben Augenblick, als sie vorübergeneigt und gebückt es vom Boden aufhoben, hieb ihnen Merkur die Köpfe ab, wie ihn Jupiter geheißen hatte. Und war die Zahl der abgeschlagenen Köpfe gleich groß und entsprechend den verlorenen Äxten.

So geht's, so geschieht's denen, die in aller Einfalt in ihren Wünschen und Begehren Mäßigkeit üben. Nehmt euch alle daran ein Beispiel, ihr Stromerpack vom Flachland. Nicht für zehntausend Franken Rente würdet ihr euren Wünschen entsagen, so gebt ihr groß an; redet fürderhin nicht mehr so unverschämt daher, wie ich euch zuweilen habe wünschen hören: »Gäbe Gott, daß ich augenblicks hundertachtundsiebenzig Millionen in Gold besäße! Hei, wie würd ich frohlocken!« Die Füße voll Frostbeulen sollt ihr kriegen! Was könnte ein König, ein Kaiser, ein Papst mehr wünschen?

Auch wißt ihr aus Erfahrung, daß euch, wenn ihr solch übertriebene Wünsche getan habt, nichts zuteil wird als Schafpocken und Drehwurm, kein Heller im Säckel, so wenig wie den beiden Lausekerlen, die nach Pariser Art allzu gierig in ihren Wünschen waren. Der eine von ihnen wünschte soviel in blanken Sonnentalern zu besitzen, wie in Paris ausgegeben, verkauft und gekauft worden ist, seit man zu seinem Bau die ersten Grundsteine gesetzt hatte, bis zur gegenwärtigen Stunde, das Ganze geschätzt zum Preis, Satz und Wert des teuersten Jahres, das in dieser Zeitspanne verflossen war. Was meint ihr, war der leckerfötzig? Hatte er etwa saure Pflaumen ungeschält gefressen? Hatte er taube Zähne? Der andere wünschte sich die Kirche Unserer lieben Frau pumpvoll mit stählernen Nadeln vom Steinboden bis hinauf in die höchsten Gewölbe, und dann so viele Sonnentaler, wie in ebenso viele Säcke hineingingen, die man mit all den Nadeln nähen könnte, bis sie samt und sonders abgebrochen oder stumpf geworden wären. Das heiß ich mir gewünscht! Was dünkt euch dazu? Was geschah danach? Am Abend hatten beide Frostbeulen an den Fersen, den kleinen Krebs am Kinn, den bösen Husten in der Lunge, den Katarrh in der Kehle, einen mächtigen Furunkel am Hintern und zum Teufel das Bröselchen Brot, sich damit die Zähne zu stochern. Wünscht euch also mit Maß, und ihr werdet's bekommen und noch etwas obendrein nach Gebühr, doch müßt ihr arbeiten und euch ins Zeug legen. »Freilich, ja«, sagt ihr, »aber Gott hätte mir ja ebenso leicht hundertachtundsiebzigtausend geben können wie den dreizehnten Teil eines Halben, denn er ist allmächtig. Eine Million in Gold ist für ihn so wenig wie ein Obolus.«

Ei, ei, ei! Von wem habt ihr denn gelernt, so klug über Gottes Allmacht und Vorsehung zu schwätzen und zu

plappern, ihr armseligen Leutchen? Still jetzt! Pst, pst, pst!
Beugt euch in Demut vor seinem heiligen Antlitz und erkennt eure Mängel.

Darauf, ihr Gichtlinge, baue ich meine Hoffnung und
glaube fest, daß ihr nach Gottes Willen Gesundheit erlangen
werdet, da ihr doch für jetzt nichts darüber hinaus wünscht.
Wartet noch ein weniges, habt nur eine halbe Unze Geduld.
So machen's die Genueser nicht, wenn sie des Morgens in
ihren Kontoren und Kanzleien beredet, überdacht und beschlossen haben, wem und welchen Leuten sie Geld ab-
luchsen und wen sie voll Hinterlist übers Ohr hauen, prellen, bescheißen und nasführen könnten; gehen dann hinaus
auf den Marktplatz und grüßen einander mit den Worten:
Sanità et guadain, messer. Gesundheit allein tut's ihnen nicht,
außerdem wünschen sie sich noch Gewinn, gar die Taler
des Guadaigne. So kommt es, daß sie oft weder eins noch
das andere kriegen. Nun aber hustet euch bei guter Gesundheit einmal gründlich aus, trinkt in drei Zügen leer, schüt-
telt frohgemut die Ohren, und ihr sollt Wunderdinge von
dem edlen und guten Pantagruel erzählen hören.

1. KAPITEL

Wie Pantagruel in See stach, um das Orakel der göttlichen
Bacbuc aufzusuchen

Im Monat Juni, am Tag der Vestalien, demselben, an dem
Brutus Spanien eroberte und die Spanier unterjochte, an
dem auch der habsüchtige Crassus von den Parthern besiegt
und aufs Haupt geschlagen wurde, nahm Pantagruel Abschied von dem guten Gargantua, seinem Vater, welcher
(wie es bei den ersten Christen der löbliche Brauch war, den
heiligen Männern) für die glückliche Seefahrt seines Sohns
und dessen ganzen Gefolges von Herzen betete, und stieg
im Hafen von Thalassa an Bord, begleitet von Panurge,
Bruder Jan von Hackemack, Espistemon, Gymnastes,
Eusthenes, Rhizotomos, Carpalim und andern seiner alten
Diener und Hofleute, insgleichen von Xenomanes, dem
Weitgereisten und Durchquerer gefahrvoller Bahnen, der
wenige Tage vorher auf Panurges Botschaft hin sich ihnen
angeschlossen hatte. Selbiger hatte, aus gewissen und trifti-
gen Gründen, Gargantua seine große Welt- und Seekarte
dagelassen und darauf den Weg eingezeichnet, den sie einschlagen wollten, um das Orakel der göttlichen Flasche
Bacbuc aufzusuchen.

Die Zahl der Schiffe war so groß, wie ich euch schon im

dritten Buch berichtet habe; dazu kam eine gleich große Zahl Triremen, Rambergen, Gallionen und Liburnen, gut ausgerüstet, gut kalfatert, wohlversehen von Pantagruel im Überfluß. Die Offiziere alle, die Dolmetscher, Lotsen, Kapitäne, Bootsleute, Schiffsjungen, Rudermeister und Matrosen versammelten sich auf der *Thalamega*. So hieß Pantagruels großes ·Kommandoschiff, das am Heck als Wahrzeichen eine mächtige, dickbauchige Flasche aufwies, zur Hälfte aus schön glattem und schimmerndem Silber, die andere Hälfte war aus Gold, mit hellrotem Schmelz überzogen. Daraus konnte man leichtlich ersehen, daß Weiß und helles Weinrot die Farbe der edlen Seefahrer war und daß sie auszogen, um den Rat der Flasche einzuholen.

Auf dem Heck des zweiten stand hoch aufgerichtet eine altertümliche Laterne, aus durchsichtigem Phengitidstein sinnreich verfertigt, wodurch aufgezeigt wurde, daß sie durchs Laternenland zu ziehen gedachten.

Das dritte hatte als Wahrzeichen einen schönen, tiefen Humpen aus Porzellan.

Das vierte ein goldenes Krüglein mit zwei Henkeln, als wäre es eine antike Urne.

Das fünfte eine mächtige Schleifkanne aus Prasinstein.

Das sechste einen Mönchshumpen, aus vier Metallen zusammengeschmiedet.

Das siebente einen Ebenholztrichter, über und über mit eingelegtem Golddraht verziert.

Das achte einen kostbaren Becher aus Efeuholz, nach Damaszener Art mit Gold ausgelegt.

Das neunte einen Pokal aus feinem geläutertem Gold.

Das zehnte einen Stauf aus wohlriechendem Agallochum (ihr nennt's Aloe), mit Zyperngold in persischer Arbeit inkrustiert.

Das elfte eine Tragbütte aus Gold, in Mosaik gearbeitet.

Das zwölfte ein Stückfaß aus Mattgold, geschmückt mit einem Zierat aus indischen Perlen in topiarischer Arbeit.

Dergestalt, daß niemand, und wäre er noch so traurig, grämlich, mißlaunig oder trübsinnig, ja wäre er Heraklit, der Trauerkloß, in Person gewesen, nicht von neuem froh geworden wäre und vergnügt gelächelt hätte beim Anblick dieses edlen Geschwaders von Schiffen mit ihren Wahrzeichen, der nicht gesagt hätte, die Mannschaft sei samt und sonders wackere Zecher und brave Leute, und der nicht bestimmt vorausgesagt hätte, die Reise sowohl hin wie heimzu werde in Fröhlichkeit und vollkommenem Wohlbefinden verlaufen.

Auf der *Thalamega* also versammelten sich alle. Dort hielt ihnen Pantagruel eine kurze und erbauliche Ansprache, die sich ganz auf Sprüche aus der Heiligen Schrift berief, über das Kapitel der Seefahrt. Als er zu Ende gesprochen hatte, ward laut und offen zu Gott gebetet im Beisein und angesichts aller Bürger und Einwohner von Thalassa, die auf dem Hafendamm zusammengeströmt waren, um sich die Einschiffung anzusehen.

Nach dem Gebet wurde gar wohltönend der Psalm des heiligen Königs David gesungen, der also anhebt: *Da Israel aus Ägypten zog.* Als der Psalm zu Ende gesungen war, wurden auf dem Hinterdeck die Tische gerüstet und geschwind die Speisen aufgetragen. Die Thalassier, welche gleichfalls den obgenannten Psalm mitgesungen hatten, ließen aus ihren Häusern Essen und Wein in Hülle und Fülle herbeischaffen. Alle tranken ihnen zu. Sie tranken allen zum Wohl. Dies war der Grund, weshalb keiner von der Schiffsmannschaft jemals auf der See sich erbrach oder einen wirren Kopf oder Magen bekam. Solcherlei Beschwerden hätten sie nicht so leicht abgeholfen, wenn sie einige Tage zuvor Meerwasser getrunken hätten, sei's pur oder mit Wein vermischt, oder Quittenfleisch, Zitronenschalen oder Saft von sauersüßen Granatäpfeln zu sich genommen oder lange gefastet oder sich den Magen mit Papier bedeckt oder sonstwie gemacht hätten, was diese Erznarren, die Ärzte, denen verordnen, die zur See fahren.

Nachdem sie wieder und wieder mitsammen Umtrunk gehalten hatten, zog sich ein jeglicher auf sein Schiff zurück, und dann lichteten sie in der Morgenfrühe die Segel, bei Ostwind, nach welchem der Obersteuermann, Jamet Brayer mit Namen, die Fahrt vorgezeichnet und die Magnetsteine sämtlicher Kompasse eingerichtet hatte. Denn er und auch Xenomanes waren der Ansicht, sintemal das Orakel der göttlichen Bakbuk unweit Cataya im obern Indien liege, sollten sie nicht den gewöhnlichen Weg der Portugiesen

einschlagen, welche über den heißen Gürtel und das Kap der guten Hoffnung an der südlichen Spitze Afrikas wie auch über den Äquator hinausschiffen und den Nordpol aus den Augen verlieren und damit vom Weg abkommen, so daß sie einen gewaltigen Umweg machen; vielmehr sollten sie so nah wie möglich dem Parallelkreis des besagten Indiens folgen und um selbigen Pol westwärts herumsegeln, so daß sie ihn, im Norden abdrehend, auf gleicher Höhe wie

im Hafen von Olonne hätten, doch ohne näher an ihn heran-
zufahren, damit sie nicht ins Eismeer gerieten und darin
festgehalten würden. Und wenn sie diesem kanonischen
Umweg auf dem gleichen Längenkreis folgten, hätten sie
ihn zur Rechten, gen Sonnenaufgang, obwohl er bei der
Abfahrt ihnen zur Linken gewesen sei. Dies brachte ihnen
unglaublichen Vorteil. Denn ohne Schiffbruch, ohne Fähr-
nis, ohne Verlust an Menschen, bei heiterstem Wetter (einen
Tag ausgenommen nahe dem Eiland der Makreonen) legten
sie die Fahrt nach dem oberen Indien in weniger denn vier
Monaten zurück, einen Weg, den die Portugiesen kaum in
drei Jahren hinter sich brächten, und erst noch unter tausend
Beschwerden und unzähligen Gefahren. Und ich bin, es sei
denn, man belehre mich eines Besseren, der Ansicht, daß
diesen Weg von ungefähr jene Inder einschlugen, die nach
Deutschland schifften und von dem König der Sueven aufs
ehrenvollste traktiert wurden, zur Zeit, da Q. Metellus
Celer Prokonsul in Gallien war, wie Cor. Nepos, Pomp.
Mela und nach ihnen Plinius berichten.

2. KAPITEL

Wie Pantagruel auf der Insel Medamothi mancherlei schöne Dinge erstand

An diesem und den beiden darauffolgenden Tagen bekamen sie weder Land noch sonst etwas Unbekanntes zu Gesicht, denn sie hatten schon ehedem diese Gewässer durchpflügt. Am vierten Tag entdeckten sie eine Insel, Medamothi mit Namen, anmutig anzusehen und dem Auge wohlgefällig wegen der großen Zahl der Leuchtfeuer und hohen Türme aus Marmorstein, mit welchen ihre ganzen Grenzen rundum, die nicht minder groß waren als die von Kanada, geschmückt waren.

Da Pantagruel sich erkundigte, wer hier der Herrscher sei, erfuhr er, es sei der König Philophanes, derzeit außer Landes zur Hochzeit seines Bruders Philotheamon mit der Infantin des Königreichs Engys. Ging also im Hafen an Land und besah sich, dieweil die Galeerenknechte Trinkwasser an Bord schafften, mancherlei Bilder, Wandbehänge, verschiedene Tiere, Fische, Vögel und andere exotische und fremdländische Handelswaren, die auf dem Hafendamm und in den Hallen des Hafens lagerten. Es war nämlich der dritte Tag des großen festlichen Jahrmarkts, zu welchem Jahr für Jahr alle die wohlhabendsten und berühmtesten Kaufleute aus Afrika und Asien zusammenkamen.

Von diesen Waren kaufte Bruder Jan zwei seltene und kostbare Gemälde, auf deren einem lebenswahr das Gesicht eines Appellanten abgemalt war. Auf dem andern war ein Bedienter abkonterfeit, der einen Herrn sucht, und zwar ganz naturgetreu in Gebärden, Haltung, Miene, Gebaren, Physiognomie und Stimmung, gemalt und ausgedacht von Meister Charles Charmois, Maler des Königs Megistos; und bezahlte sie mit Affenmünze.

Panurge kaufte ein großes Bild, gemalt und kopiert nach der Stickerei, die Philomele voreinst mit der Nadel gestichelt hatte; es stellte dar und schilderte ihrer Schwester Prokne, wie ihr Schwager Tereus sie entjungfert und ihr die Zunge abgeschnitten hatte, damit sie solch eine Untat nicht ans Licht bringe. Ich schwör euch beim Stiel dieses Schöpsen, es war eine wunderhübsche und preiswürdige Malerei. Denkt ja nicht, ich bitt euch darum, es sei das Bild eines Mannes gewesen, der auf einer Maid liegt und ihr beiwohnt. Dies ist zu blöde und plump. Das Bild war ganz anders und weit besser verständlich, ihr könnt's in Thelem sehen, linker Hand, wenn ihr die obere Galerie betretet.

Epistemon kaufte sich ein anderes, auf dem die Ideen des Plato und die Atome Epikurs getreu nach der Natur abgebildet waren.

Rhizotomos erhandelte ein weiteres, auf dem Echo nach dem Leben gemalt dargestellt war.

Pantagruel ließ durch Gymnastes des Achilles Leben und Taten kaufen, auf achtundsiebzig hochschäftigen Wandteppichen, jeder vier Klafter lang und drei breit, sämtlich aus phrygischer Seide mit Gold und Silber durchwoben. Und begann der Teppich mit der Hochzeit des Peleus und der Thetis, zeigte weiter die Geburt des Achilleus, seine Jugend, die Statius Papinius beschrieben, seine Helden- und Waffentaten, wie Homer sie besungen hat, Tod und Leichenbegängnis, wie Ovid und Quintus Calaber sie schildern, und hörte auf mit der Erscheinung seines Schattens und der Opferung der Polyxena, nach des Euripides Darstellung.

Ließ auch drei schöne junge Einhörner kaufen, ein männliches mit brandfuchsrotem Fell und zwei Weibchen, grau und getupft wie Apfelschimmel. Dazu einen Tarandus, den ihm ein Skythe aus dem Lande der Gelonen verkaufte.

Der Tarandus ist ein Tier, so groß wie ein Jungstier, mit einem Kopf wie ein Hirsch, nur etwas größer, mit mächtigem, breit verästeltem Geweih. Die Hufe sind gespalten, das Fell ist zottig wie der Pelz eines ausgewachsenen Bären, die Haut nicht so hart wie ein Brustpanzer. Und behauptete der Gelone, es würden ihrer nur wenige im Skythenland gefunden, weil sie, je nach dem Ort, an dem sie weiden und rasten, die Farbe wechseln und sich färben wie die Kräuter, Bäume, Sträucher, Blumen, Weideplätze, Orte, Felsen, überhaupt alle Dinge, denen sie nahekommen. Das haben sie mit dem Meerkraken, das heißt mit dem Polypen, gemein, mit den Thoen, den indischen Lykaonen und mit dem Chamäleon, als welches eine so wunderliche Eidechsenart, daß Demokrit ein ganzes Buch über sein Aussehen, seinen Körperbau, seine Eigenschaften und magischen Zauberkräfte geschrieben hat.

Jedenfalls habe ich es die Farbe wechseln sehen, nicht nur wenn es farbigen Dingen nahekommt, vielmehr ganz von selbst, je nachdem es Angst oder Zuneigung verspürt. Auf einem grünen Teppich habe ich es fürwahr grün werden sehen; doch als es eine Zeitlang darauf geblieben war, wurde es nacheinander gelb, blau, braun, violett, etwa so, wie ihr den Kamm eines Truthahns sich verfärben seht, wenn er den Koller kriegt. Was uns an selbigem Tarandus so wunderbar vorkam, war dies: nicht nur Gesicht und Haut, sondern auch sein Fell nahm die Farbe der Dinge an, die in der Nähe waren. Neben Panurge in seinem Rock aus grobem grauem Wollstoff färbte sich sein Fell grau; neben Pantagruel, der einen scharlachroten Mantel trug, wurden Haut und Fell rot; neben dem Steuermann, der nach Art der Isispriester des Anubis in Ägypten gekleidet war, erschien sein Fell schlohweiß. Diese beiden letzten Farben sind dem Chamäleon versagt. War es frei von Angst und Brast und in seiner natürlichen Verfassung, war die Farbe seines Fells aufs Haar so, wie ihr's bei den Eseln von Meung seht.

3. KAPITEL

Wie Pantagruel von seinem Vater Gargantua einen Brief
bekam, und von der seltsamen Art, aufs rascheste aus fremden
und fernen Landen Nachricht zu erhalten

Dieweil Pantagruel mit dem Ankauf dieser fremdländischen Tiere beschäftigt war, vernahm man von der Mole her zehn Böller- und Falkonettschüsse, dazu ein lautes Freudengeschrei auf allen Schiffen. Pantagruel wandte sich nach dem Hafen um und sah, daß es eine von seines Vaters Brigantinen war, *Chelidon* mit Namen, weil hoch auf ihrem Heck eine Meerschwalbe, aus korinthischem Erz gegossen, angebracht war. Dies ist ein Fisch, etwa so groß wie ein Loire-Weißfisch, ganz fleischig, ohne Schuppen, mit sehr langen und breiten knorpeligen Flügeln (wie sie die Fledermäuse haben), vermittels deren ich ihn oftmals mehr denn eine Klafter über dem Wasser habe fliegen sehen, mehr als einen Bogenschuß weit. In Marseille nennt man ihn *Lendole*. So war dies Schiff leicht wie eine Schwalbe, so daß es eher auf dem Meer zu schweben als darauf zu schwimmen schien. Auf ihm kam Malicorne, Gargantuas Truchseß, von ihm eigens ausgesandt, seines Sohnes, des guten Pantagruel, Ergehen und Wohlbefinden auszumitteln und ihm vertrauliche Briefe zu überbringen.

Nach kurzer Umarmung und huldvollem Lüften des Baretts, ehe er noch die Briefe geöffnet oder sonst etwas zu Malicorne gesprochen hatte, fragte Pantagruel ihn: »Habt Ihr den Gozal hier, den himmlischen Boten?«

»Ja«, antwortete er, »in diesem Korb eingewickelt.«
Das war eine Taube, die aus Gargantuas Taubenschlag
stammte und ihre Jungen in ebendem Augenblick aus-
brütete, als die obengenannte Brigantine auslief. Wäre Pantagruel Unglück widerfahren, so hätte er ihr schwarze
Lederringe um die Füße gestreift, doch weil ihm alles zum
Heil und Wohlgedeihen ausgeschlagen war, ließ er sie aus
dem Tuch auswickeln, knüpfte ihr ums Bein ein weißes
Seidenbändchen und ließ sie zur Stunde und ohne Verzug
frei in die Lüfte hinauffliegen. Die Taube flog pfeilge-
schwind auf und davon und schoß mit unglaublicher Schnelle
von dannen; wie ihr ja wißt, daß nichts dem Flug einer
Taube gleichkommt, wenn sie Eier oder Junge hat, wegen
der beständigen Sorge, die ihr von der Natur eingewurzelt
worden ist, ihre Täubchen zu betreuen und zu bemuttern.
So durchflog sie denn in weniger als zwei Stunden den
weiten Weg, den die Brigantine mit größter Eile in drei
Tagen und drei Nächten zurückgelegt hatte, obwohl sie mit
Rudern und Segeln fuhr und ständig den Wind im Rücken
hatte. Und ward gesehen, wie sie in den Taubenschlag und
ins Nest ihrer Jungen hineinschlüpfte. Wie nun der preisliche Gargantua vernahm, daß sie ein weißes Bändchen
trage, war er froh und getrost über das Wohlergehen seines
Sohnes.

So war es Brauch bei den edlen Herren Gargantua und
Pantagruel, wenn sie rasch Botschaft von etwas haben wollten, was ihnen zu Herzen ging und was sie heftig begehrten,
wie etwa dem Ausgang einer Schlacht zu Wasser oder zu
Lande, der Einnahme oder Verteidigung eines befestigten
Platzes, der Schlichtung wichtiger Fehden, der glücklichen
oder schweren Niederkunft einer Königin oder einer hochmögenden Dame, dem Hinscheiden oder der Genesung
ihrer kranken Freunde und Verbündeten und desgleichen
bei anderen Dingen. Dann fingen sie den Gozal ein und
ließen ihn von Hand zu Hand durch die Post an den Ort
verbringen, von wo sie Nachrichten erbangten. Der Gozal,
welcher je nach den Umständen und Vorfällen ein schwarzes
oder weißes Bändchen trug, erlöste sie bei seiner Rückkunft

von ihren Sorgen, sintemal er binnen einer Stunde in der Luft einen weiteren Weg zurücklegte, als auf der Erde dreißig reitende Boten in einem vollen Tag hinter sich gebracht hätten. Das heiß ich Zeit gewinnen und einholen. Und glaubt mir: es ist die lautere Wahrheit, daß man in den Taubenschlägen ihrer Landhäuser jeden Monat und zu jeder Jahreszeit eine Unmenge Tauben auf ihren Eiern brüten oder ihre Jungen hegen sah. Das ist auch in der häuslichen Taubenzucht leicht zu erreichen, und zwar vermittelst Steinsalpeter und dem heiligen Verbenenkraut.

Als der Gozal entflogen war, las Pantagruel das Sendschreiben seines Vaters Gargantua, dessen Inhalt wie folgt lautete:

Herzliebster Sohn, die Liebe, die ein Vater von Natur aus seinem vielgeliebten Sohn entgegenbringt, ist in mir aus Achtung und Ehrfurcht vor den besonderen Gnaden, mit denen Dich Gottes Ratschluß gesegnet hat, so sehr gewachsen, daß mir seit Deiner Abreise mehr als nur einmal alle Gedanken geschwunden und in meinem Herzen einzig die Furcht und Bangnis geblieben sind, bei Eurem Einschiffen könnte Euch irgendwelches Unheil oder Mißgeschick betroffen haben: wie Du ja weißt, daß aufrichtige Liebe immerwährende Besorgnis mit sich bringt. Und da ja nach dem Ausspruch des Hesiod einer jeden Sache Anfang schon die Hälfte des Ganzen ist, und nach dem gemeinen Sprichwort, wonach es aufs Einschießen ankommt, ob das Brot gerät, habe ich, um meinen Geist von solcher Angst zu befreien, eigens den Malicorne ausgesandt, auf daß ich durch ihn über Dein Wohlbefinden in den ersten Tagen Deiner Reise beruhigt werde. Denn wenn sie glücklich und wie ich's wünsche verlaufen sind, wird es mir ein leichtes sein, das Weitere vorauszusehen, darauf zu schließen und mir ein Urteil zu bilden.

Ich hab auch wieder ein paar ergötzliche Bücher erhalten, welche Dir durch gegenwärtigen Boten überbracht werden sollen. Du kannst sie lesen, wenn Du Dich erquicken und von den ernsthaften Studien erholen willst. Besagter Überbringer wird Dir ausführlicher über alle Neuigkeiten hier am Hofe berichten. Der Friede des Ewigen sei mit Dir. Grüß mir Panurge, Bruder Jan, Epistemon, Xenomanes, Gymnast und Deine andern Hofleute, meine guten Freunde.

Gegeben in Deinem väterlichen Haus, am Dreizehnten des Juni.

Dein Vater und Freund

Gargantua.

4. KAPITEL

*Wie Pantagruel an seinen Vater Gargantua schreibt und ihm
allerhand schöne und seltene Dinge schickt*

Nachdem Pantagruel obgenannten Brief gelesen hatte,
besprach er sich mit dem Truchseß Malicorne über mancherlei; und er stand so lange mit ihm abseits, daß Panurge ihm
ins Wort fiel und sagte: »Und wann wollt Ihr denn trinken?
Wann werden wir trinken? Wann wird der Herr Truchseß
trinken? Ist noch nicht genug geredet, daß wir trinken
können?«

»Wohlgesprochen«, antwortete Pantagruel. »Laßt den
Imbiß in der Schenke hier nebenan zurichten, wo ein
Wirtshausschild mit dem Bild eines Satyrs zu Pferde hängt.«

Indessen schrieb er, um den Truchseß rasch abzufertigen,
an Gargantua, wie folgt:

Lieber, gütiger Vater, wie bei allen unverhofften, unvermuteten Geschehnissen in diesem vergänglichen Leben
unsere Sinne und Lebensgeister heftiger aufgerührt werden
und maßlose Wirrsale durchmachen (ja oft sogar derart,
daß die Seele sich vom Leibe scheidet, wenngleich solch
unerwartete Neuigkeiten willkommen und erfreulich sind),
als wenn sie schon wären vorbedacht und vorausgesehen

worden; so hat auch mich die unerwartete Ankunft Eures Hofmeisters Malicorne höchlich erregt und aus der Fassung gebracht. Denn ich hoffte nicht, vor dem Ende dieser unserer Reise einen Eurer Hofleute zu sehen noch von Euch Nachricht zu erhalten. Und gerne sonnte ich mich in der süßen Erinnerung an Eure erhabene Majestät, die in der hintern Ventrikel meines Gehirns aufgezeichnet, ja eingemeißelt und eingeprägt ist, und stellte sie mir oft leibhaftig in ihrer eigentlichen und natürlichen Gestalt vor.

Nun Ihr mir aber durch die Wohltat Eures huldreichen Briefes zuvorgekommen seid und durch das Zeugnis Eures Hofmeisters meinen Geist mit Kundschaft über Euer Wohlergehen und Eure Gesundheit erquickt habt, desgleichen über das Befinden Eures ganzen Königshauses, fühle ich mich gedrängt – was ich vordem willig und gerne getan habe –, zunächst den benedeiten Wahrer aller Dinge zu lobpreisen, welcher durch seine göttliche Güte Euch so lange beständig bei voller Gesundheit erhalten hat; dann aber Euch immerfort zu danken für die inbrünstige und eingewurzelte Liebe, die Ihr mir entgegenbringt als Eurem untertänigen Sohn und unnützen Diener. Vorzeiten sagte ein Römer namens Furnius zu Cäsar Augustus, als seinem Vater Gnade und Verzeihung gewährt wurde, obwohl er sich zur Partei des Antonius geschlagen hatte: »Indem du mir heute diese Guttat erwiesen hast, stehe ich so schmählich da, daß ich notgedrungen im Leben oder Sterben für undankbar gelten muß, weil ich Dir meinen Dank niemals werde nach Gebühr abstatten können.« So kann auch ich sagen, das Übermaß Eurer väterlichen Liebe versetzte mich in ebendiese Qual und Not, daß ich als Undankbarer würde leben und sterben müssen; es sei denn, ich würde von solcher Schuld durch den Lehrspruch der Stoiker entbunden, welche sagten, an jeder Wohltat seien drei Nutznießer beteiligt: erstens der Gebende, zweitens der Empfangende, drittens der Vergeltende; und der Nehmende lohne es dem Geber sehr wohl, wenn er die Wohltat gerne annehme und sie stetsfort in seiner Erinnerung bewahre, wie umgekehrt der Empfänger ein heillos undankbarer

Mensch wäre, wenn er die Wohltat geringschätzte und vergäße.

Da ich also niedergedrückt bin von zahllosen Verpflichtungen, die samt und sonders hervorgehen aus Eurer unermeßlichen Güte, und außerstande, sie auch nur zum geringsten Teil zu vergelten, will ich mich zumindest vor übler Nachrede dadurch bewahren, daß in meinem Geist das Gedächtnis daran nimmer ausgelöscht sein und daß meine Zunge nie müde werden soll, zu bekennen und zu beteuern, Euch gebührenden Dank zu sagen gehe über meine Kräfte und Macht.

Im übrigen vertraue ich auf das Erbarmen und den Beistand des Allmächtigen, und baue darauf, daß das Ende dieser unsrer Fahrt dem Beginn entspreche und in eitel Fröhlichkeit und bei bester Gesundheit verlaufe. Werde auch nicht versäumen, den ganzen Verlauf unserer Seefahrt in Kommentaren und Tagebüchern aufzuzeichnen, auf daß Ihr bei unserer Rückkunft einen wahrheitsgetreuen Bericht lesen könnt.

Hier hab ich einen skythischen Tarandus gefunden, ein Tier, seltsam und wunderbar, weil es an Haut und Fell die Farbe wechselt, je nach der unterschiedlichen Färbung der Dinge, in deren Nähe es kommt. Ihr werdet ihn liebgewinnen. Er ist ebenso fromm und leicht zu füttern wie ein Lamm. Insgleichen send ich Euch drei junge Einhörner, zahmer und zutraulicher als Kätzchen. Ich habe mich mit dem Truchseß besprochen und ihm gesagt, wie man mit ihnen umgehen muß. Sie holen ihr Futter nicht am Boden, weil ihnen dabei die langen Hörner auf der Stirn im Wege sind. So fressen sie denn wohl oder übel von den Obstbäumen oder aus geeigneten Raufen oder auch aus der Hand, wie immer sich ihnen Kräuter, Garben, Äpfel, Birnen, Gerste, Korn, kurz, alle Arten Früchte und Getreide zur Nahrung darbieten. Mich wundert, wieso unsere alten Schriftsteller behaupten, sie seien scheu, wild und gefährlich und man habe noch nie eines lebendig zu Gesicht bekommen. Wenn's Euch gut dünkt, könnt Ihr das Gegenteil erproben, und Ihr werdet finden, daß ihnen eine große

Sanftmut innewohnt, wie sie sonst kaum ein Tier hat, wofern man sie nicht böswillig reizt.

Ferner schicke ich Euch Leben und Taten des Achilleus, auf einem Wandteppich sehr schön und kunstreich abgebildet. Auch verspreche ich Euch, daß ich alles, was ich Neues an Tieren, Pflanzen, Vögeln und Gesteinen auf unserer ganzen Fahrt finden und erwerben kann, mit Gottes, des Allmächtigen, Hilfe mitbringen werde, und ich bete zu ihm, er möge Euch in seiner heiligen Gnade erhalten.

Zu Medomothi, am fünfzehnten Juni. Panurge, Bruder Jan, Epistemon, Xenomanes, Gymnastes, Eusthenes, Rhizotomos, Carpalim küssen Euch ergebenst die Hand und grüßen hundertfältig wieder.

Euer untertäniger Sohn und Diener

Pantagruel.

Indes Pantagruel obenstehenden Brief schrieb, wurde Malicorne von allen freudig empfangen, begrüßt und herzhaft umhalst. Gott weiß, wie's dabei hoch herging und wie Zuspruch um Zuspruch von allen Seiten hageldicht erscholl.

Als Pantagruel seinen Brief zu Ende geschrieben hatte, tafelte er mit dem Truchseß, und er verehrte ihm eine dicke goldene Kette, die wog achthundert Taler, und an jedem siebenten Glied waren abwechslungsweise große Diamanten, Rubine, Smaragde, Türkise, Perlen eingefaßt. Einem jeden seiner Schiffsleute ließ er fünfhundert Sonnentaler überreichen. Gargantua, seinem Vater, schickte er den Tarandus, bedeckt mit einer Schabracke aus Goldbrokat, samt dem Wandteppich mit Leben und Taten des Achilleus, dazu die drei Einhörner, die Decken aus aufgerauhtem Goldtuch trugen. So fuhren sie aus Medamothi weg, Malicorne, um zu Gargantua heimzukehren, Pantagruel, um seine Seefahrt fortzusetzen. Ließ sich auch auf hoher See von Epistemon die Bücher vorlesen, die der Truchseß mitgebracht hatte. Davon werd ich euch gerne, wenn ihr's dringend wünscht, eine Abschrift geben.

5. KAPITEL

Wie Pantagruel einem Schiff mit Seefahrern begegnete, die aus dem Lande der Leuchterlinge zurückkehrten

Am fünften Tag, als wir schon begannen, nach und nach um den Pol herumzufahren und den Äquator hinter uns zu lassen, sichteten wir ein Kauffahrteischiff, das backbords auf uns zugesegelt kam. Groß war die Freude, bei uns sowohl als auch bei den Kauffahrern; bei uns, weil wir Nachricht von der See erhielten, bei ihnen, weil sie Kunde vom Festland kriegten.

Wir legten dicht nebeneinander bei und erfuhren, daß sie Franzosen aus Saintonge seien. Während sie hin und her redeten und ihre Gedanken austauschten, vernahm Pantagruel, daß sie aus Leuchterland kamen. Darob wuchs seine Freude noch mehr, und auch die ganze Schiffsmannschaft freute sich mit. Wir erkundigten uns nach Staat und Sitten der Leuchterländer, und als uns kundgetan ward, es sei gegen Ende des kommenden Julimondes das Generalkapitel der Leuchterländer anberaumt, und wenn wir um diese Zeit dort einträfen (wie es uns ein leichtes war), würden wir eine schöne, erbauliche und hochgemute Versammlung von Leuchtern zu sehen kriegen, und man treffe dort bereits große Zurüstungen, als gedächte man, tiefsinnig zu fackeln. Wurde uns auch berichtet, wenn wir durch das große Königreich Gebarim kämen, würden wir vom König Ohabe, dem Beherrscher dieses Landes, ehrenvoll empfangen und traktiert. Er und alle seine Untertanen sprächen gleichfalls Touraner Französisch.

Indes wir diese Neuigkeiten zur Kenntnis nahmen, geriet Panurge mit einem Händler aus Taillebourg namens Puterjan in einen Wortwechsel. Der Grund dieses Streites war folgender.

Als selbiger Puterjan den Panurge ohne Hosenlatz und mit seiner Brille sah, die er an der Mütze festgemacht hatte, sagte er über ihn zu seinen Kumpanen: »Da, seht euch einmal den schmucken Model eines Hahnreis an!«

Panurge hörte wegen seiner Brille mit den Ohren viel deutlicher als sonst. Fragte also, da er diese Worte vernahm, den Handelsmann: »Wieso, zum Teufel, könnte ich ein Hahnrei sein, wo ich doch gar nicht verheiratet bin wie du? Daß du's aber bist, sehe ich deiner ekligen Schnute an.«

»Ja, fürwahr, ich bin's«, versetzte der Händler, »und möcht's um alle Brillen Europas, ja um alle Guckgläser Afrikas nicht ungeschehen machen. Denn ich habe eine der schönsten, artigsten, ehrbarsten, keuschesten Frauen zum Eheweib, die's im ganzen Lande von Saintonge gibt, und mögen mir's die andern nicht verübeln. Ich bring ihr aber auch von meiner Reise einen prächtigen, elf Zoll langen Korallenast als Geschenk mit. Was geht's dich an? Was hast du da dreinzureden? Wer bist du denn? Wo kommst du her? O du Brillenkrämer des Antichrist, gib Antwort, wenn du von Gott bist!«

»Ich frage dich«, erwiderte Panurge, »wenn ich mit Willen und Einverständnis aller Elemente dein bildschönes, artiges, ehrbares, keusches Weib so gottserbärmlich gefickfackfuckelt hätte, daß der steife Gartengott Priapos, welcher hier In Freiheit haust, da ihn ja kein vorgebundener Hosenlatz einzwängt, ihr im Leib steckengeblieben wäre, und zwar so verzwackt und vertrackt, daß er nie wieder herauszukriegen wäre und ewig drinbleiben müßte, außer wenn du ihn mit den Zähnen herauszerrtest, was tätest du dann? Würdest du ihn für immer drinnen lassen? Oder aber würdest du ihn mit den blanken Zähnen herausziehen? Gib Antwort, du Hammelhändler Mohamets, bist du doch von allen Teufeln.«

»Ich gäbe dir«, antwortete der Kaufmann, »eins mit dem Schwert über dieses bebrillte Ohr und stäche dich ab wie einen Hammel.«

Damit zückte er sein Schwert. Doch es stak fest in der Scheide, wie ihr ja wißt, daß alle Wehr und Waffen auf dem Meer wegen der übermäßigen salpeterhaltigen Feuchtigkeit leicht Rost ansetzen. Panurge rennt hilfesuchend zu Pantagruel. Bruder Jan legt die Hand an seine frisch gewetzte Plempe und hätte dem Krämer meuchlings den Garaus gemacht, hätten nicht der Schiffspatron und andere Mitreisende Pantagruel angefleht, kein Ärgernis auf seinem Schiff zu dulden. Also ward ihr ganzer Streit beigelegt, und die beiden reichten sich die Hände, Panurge und der Kaufmann, und tranken einander zum Zeichen ihrer völligen Versöhnung fröhlich Bescheid.

6. KAPITEL

*Wie nach beigelegtem Streit Panurge mit dem Kaufmann um
einen seiner Hammel feilscht*

Als der Streit ein für allemal gütlich beigelegt war, sagte
Panurge heimlich zu Epistemon und Bruder Jan: »Verdrückt
euch ein bißchen abseits und vertreibt euch fröhlich die Zeit
mit dem, was ihr sehen werdet. Kann ein gar vergnügliches
Spiel draus werden, wenn der Strick nicht reißt.«

Hierauf wandte er sich zu dem Händler und trank auf sein
Wohl einen vollen Humpen guten Leuchterländer Wein.
Der Handelsmann tat ihm wacker, höflich und in Züchten
Bescheid. Danach bat ihn Panurge demütig, er möge ihm
doch gütigst einen seiner Hammel verkaufen. Der Kaufmann antwortete: »Au weh, au weh, lieber Freund und
Nachbar, wie versteht Ihr's doch gut, arme Leute zu
hänseln! Wahrhaftig, Ihr seid mir ein sauberer Kunde! Ei,
was für ein tüchtiger Hammelkäufer! Mein Sixtchen, nicht
nach einem Hammelkäufer seht Ihr aus, vielmehr eher nach
einem Beutelschneider. Potz Fickerment, Niklas, mein Sohn,
wär ein gut Ding, im Tauwetter neben Euch eine volle
Börse zum Kuttelstand zu tragen! Hoho, würd Euch einer
nicht kennen, Ihr wäret imstande, ihm einen üblen Streich
zu spielen. Aber schaut nur, hoho, gute Leute, wie er sich
wichtig macht.«

»Gemach, gemach«, versetzte Panurge. »Doch weil wir
grade dabei sind, gewährt mir die besondere Gunst und
verkauft mir einen Eurer Hammel. Was soll er denn kosten?«

»Wie meint Ihr das«, erwiderte der Kaufmann, »lieber

Freund und Nachbar? 's sind Langhaarhammel. Jason holte sich unter ihnen das goldene Vlies. Der Orden des Hauses Burgund stammt von ihnen. Morgenländische Hammel, Prachthammel, Masthammel.«

»Von mir aus«, sagte Panurge, »aber verkauft mir einen davon, und dies aus guten Gründen. Ich zahl Euch gut und rasch, in abendländischer, wertloser und schäbiger Münze. Wieviel also?«

»Lieber Nachbar und Freund«, antwortete der Kaufmann, »hört Euch das einmal ein bißchen mit dem andern Ohr an.«

Pan.: »Ganz wie Ihr befehlt.«

Der Händler: »Ihr fahrt ins Land der Leuchterlinge?«

Pan.: »Freilich.«

Der Händler: »Wollt Euch in der Welt umsehen?«

Pan.: »Freilich.«

Der Händler: »Frohen Sinnes?«

Pan.: »Freilich.«

Der Händler: »Ihr heißt, glaub ich, Krischan Schöps.«

Pan.: »So beliebt's Euch zu sagen.«

Der Händler: »Nehmt's mir nicht übel.«

Pan.: »Wie sollt ich auch?«

Der Händler: »Ihr seid, mein ich, der Hofnarr des Königs?«

Pan.: »Freilich.«

Der Händler: »Schlagt ein! Haha! Ihr wollt Euch in der Welt umsehn, Ihr seid des Königs Hofnarr, Ihr heißt Krischan Schöps. Seht da diesen Schöpsen, er heißt Krischan wie Ihr, Krischan, Krischan, Krischan. – Bäh, bäh, bäh, bäh. – Oh, was für eine schöne Stimme!«

Pan.: »Gar schön und wohlklingend.«

Der Händler: »Schließen wir einen Pakt miteinander, lieber Freund und Nachbar. Ihr seid Krischan der Schöps und hockt Euch hier in die Waagschale, mein Schöps Krischan stellt sich auf die andere. Ich wette ein Hundert Busch-Austern, er wird Euch ebenso jach und hoch emporschnellen lassen, wie Ihr eines Tags aufgeknüpft und gehenkt werden sollt.«

»Kommt Zeit, kommt Rat«, sprach Panurge. »Doch tätet Ihr ein Erkleckliches für mich und für Eure Kinder und

Kindeskinder, wenn Ihr ihn mir verkaufen wolltet oder einen andern aus dem geringeren Haufen. Ich bitt Euch drum, allergnädigster Herr.«

»Lieber Freund und Nachbar«, erwiderte der Händler, »aus dem Vlies dieser Hammel werden die feinen Tuche von Rouen gemacht; dagegen sind die Sarschstoffe von Limestre die reinste Sackleinwand. Aus der Haut werden die guten Saffianleder verfertigt, die man als türkischen, Montelimar- oder zumindest als spanischen Saffian in den Handel bringt. Aus den Därmen macht man Saiten für Geigen und Harfen und verkauft sie so teuer, als wären sie aus München oder Aquila. Was sagt Ihr jetzt?«

»Wenn's Euch recht ist«, versetzte Panurge, »verkauft mir einen davon. Ich werde Euch sehr verbunden bleiben. Seht, hier ist bares Geld. Wieviel?«

Dabei wies er ihm seine Geldkatze voller neugeprägter Henricus-Taler.

7. KAPITEL

Fortsetzung des Handels zwischen Panurge und Puterjan

»Lieber Freund und Nachbar«, entgegnete der Händler, »das ist Speise nur für Könige und Fürsten. Das Fleisch ist so zart, so wohlschmeckend und lecker, daß es wahrer Balsam ist. Ich bring sie aus einem Lande mit, wo die Säue (Gott sei mit uns!) nichts fressen als Mirobolanzen und die Mutterschweine, wenn sie (mit Verlaub der ganzen Gesellschaft) im Kindbett liegen, nur mit Pomeranzenblüten gefüttert werden.«

»Aber«, sprach Panurge, »verkauft mir einen, und ich will ihn Euch königlich bezahlen, auf Bauernehre. Wieviel?«

»Lieber Freund und Nachbar«, antwortete der Händler, »das sind Hammel von derselben Rasse wie der Widder, der Phrixos und Helle durch das Meer, Hellespont genannt, trug.«

»Sapperment«, staunte Panurge, »Ihr seid ja *clericus vel addiscens.*«

»*Ita* sind Kohlköpfe«, versetzte der Händler, »*vere* das sind Lauchstengel. Aber rr, rrr, rrrr, rrrrr. Oho, Krischan, rr, rrrrrr. Diese Sprache versteht Ihr nicht. Was noch zu sagen wär: auf allen Feldern, wo sie hinbrunzen, da wächst das Korn hernach, als hätte Gott selber draufgebrunzt; da braucht's weiter keinen Mergel und Mist. Aus ihrem Urin gewinnen die Quintessentialen den besten Salpeter der Welt. Mit ihrem Dung – mit Verlaub – heilen die Ärzte bei uns zu Lande achtundsiebenzigerlei Arten von Gebresten, von denen das geringste das Übel des Sankt Eutrop zu Saintes ist, vor welchem uns Gott der Herr behüt und bewahr!

Was meint Ihr jetzt, Herr Nachbar und lieber Freund? Kosten mich aber auch ein gut Stück Geld.«

»Kosten hin, Kosten her«, gab Panurge zur Antwort, »nur verkauft mir einen. Ich will ihn gut bezahlen.«

»Lieber Freund und Nachbar«, sprach der Händler, »bedenkt doch nur, was für Wunder die Natur in diesen Tieren gewirkt hat, wie Ihr sie da seht, sogar an einem Glied, das Ihr für unnütz erachten möchtet. Nehmt diese Hörner da und zerstoßt sie ein bißchen mit einem eisernen Stößel oder einem Feuerbock, das kommt auf das gleiche heraus. Vergrabt sie hernach an einem sonnigen Ort, wo Ihr wollt, und begießt sie oft. Binnen weniger Monate werdet Ihr daraus die besten Spargel der Welt wachsen sehn. Nicht einmal die von Ravenna könnte man, mein ich, davon ausnehmen. Nun sagt mir einmal: haben die Hörner, die ihr, meine Herren Hahnreie, tragt, solche Kraft und Wunder wirkende Eigenschaft?!«

»Gemach, gemach«, erwiderte Panurge.

»Ich weiß nicht, ob Ihr ein Schriftgelehrter seid«, sagte der Händler. »Ich hab viele Schriftgelehrte gesehen, ich meine große Gelehrte, die waren gehörnt. Jawohl, so ist es. Da fällt mir noch ein: Wäret Ihr ein Schriftgelehrter, so wüßtet Ihr, daß in den untersten Gliedmaßen dieser göttlichen Tiere, das heißt in den Füßen, sich ein Knochen befindet, der Fußknöchel oder, wenn Ihr wollt, das Sprungbein, mit dem – doch darf es von keinem anderen Tier stammen außer vom indischen Esel und von libyschen Dorkaden – man im Altertum das königliche Knöchelspiel spielte, bei welchem der Kaiser Oktavian an einem Abend mehr als fünfzigtausend Taler gewann. Ihr Hahnreie werdet schwerlich jemals so viel gewinnen.«

»Wartet's ab«, versetzte Panurge. »Aber kommen wir zum Schluß.«

»Und wann werd ich Euch«, sprach der Händler, »lieber Freund und Nachbar, die inneren Teile gebührend preisen? Bug, Vorderblatt, Keulen, Brust, Blatt, Leber, Milz, Kaldaunen, Blutwurst, die Blase, mit der man Ball spielt, die Rippchen, aus denen man im Pygmäenlande die trefflichen kleinen Bogen verfertigt, um Kirschensteine gegen die Kraniche zu schießen, den Kopf, aus dem man mit ein wenig Schwefel einen wundertätigen Absud bereitet, um hartleibige Hunde zum Scheißen zu bringen?«

»Ach, Quatsch«, sagte da der Schiffspatron zu dem Händler, »jetzt ist aber genug gefeilscht. Verkauf ihm einen, wenn du willst, und wenn du nicht willst, halt ihn nicht länger hin.«

»Ich will's Euch zuliebe tun«, antwortete der Händler. »Aber er soll drei tourische Livres für das Stück zahlen, dann kann er auswählen.«

»Ist viel Geld«, sagte Panurge. »Bei uns zu Lande bekäme ich für diesen Betrag gut und gern ihrer fünf oder gar sechs. Seht Euch vor, daß Ihr nicht zuviel heischt. Ihr wäret nicht der erste unter meinen Bekannten, der zu schnell reich werden und emporkommen wollte und statt dessen in Armut geraten wäre und sich sogar den Hals gebrochen hätte.«

»Daß dich das Fieber packt!« schrie der Händler, »du erzdummer Tölpel! Bei der heiligen Beschneidung von Charroux! der geringste dieser Hammel ist viermal soviel wert wie der beste von denen, die voreinst die Coraxier in Tuditanien, einem spanischen Landstrich, für ein Talent Gold das Stück verkauften. Und was meinst du, o du krummgeratener Ölgötz, war ein Talent Gold wert?«

»Liebwerter Herr«, warf Panurge ein, »Ihr redet Euch da in Wut, wie ich seh und erkenne. Wohlan, da nehmt Euer Geld.«

Als Panurge den Händler bezahlt hatte, wählte er aus der ganzen Herde einen schönen, stattlichen Hammel und trug ihn mit sich fort, obwohl er jämmerlich schrie und blökte. Das hörten alle andern und blökten alle zugleich und schauten ihm nach, wohin man ihren Gesellen führe. Indes sprach der Händler zu seinen Hammeltreibern: »Ei, wie gut er zu wählen verstanden hat, der Kunde! Er kennt sich aus, der Hurenbock! Wahr und wahrhaftig, ich hatt ihn für den gnädigen Herrn von Cancale zurückbehalten, weil ich sein Naturell wohl kenne. Denn er ist, wie Gott ihn geschaffen hat, von Herzen froh und vergnügt, wenn er einen recht saftigen und leckeren Hammelbug gleich einem Linkshänder-Ballschläger in der Hand hält und dazu ein scharf gewetztes Messer. Gott weiß, wie er dann damit herumsäbelt!«

8. KAPITEL

*Wie Panurge den Händler samt den Hammeln im Meer
ersaufen ließ*

Mit einemmal – ich weiß nicht wie, es kam so plötzlich,
und ich hatte nicht Zeit genug, richtig zuzuschauen – warf
Panurge, ohne ein Wort zu sagen, seinen schreienden und
blökenden Hammel ins Meer. Alle anderen Hammel schrien
und blökten in der gleichen Tonart und sprangen und
stürzten sich einer hinter dem andern ihm nach ins Meer.
In hellen Haufen drängten sich die Schafe, und jedes wollte
als erstes seinem Gefährten nachspringen. Sie aufzuhalten
war nicht möglich, wie ihr ja wißt, daß es der Schafe Natur
ist, immer dem Leithammel nachzulaufen, wohin er auch
gehen mag. Sagt drum auch Aristoteles, *lib. IX, de Histo.
animal.*, das Schaf sei das dümmste und blödeste Vieh der
Welt.

Der Händler sah voll Entsetzen vor seinen Augen seine
Hammel untergehn und ersaufen und suchte sie aus Leibeskräften aufzuhalten und nicht vorbeizulassen. Doch es war
alles umsonst. Sie sprangen samt und sonders hintereinander ins Meer und kamen um. Endlich packte er auf dem
Oberdeck des Schiffs einen besonders großen, starken Hammel am Vlies, im Glauben, er könne ihn so zurückhalten
und in der Folge auch den Rest noch retten. Doch der

Hammel war so stark, daß er den Händler mit sich ins Meer hinabriß, und er ward ertränkt, ähnlich wie weiland die Schafe Polyphems, des einäugigen Kyklopen, Odysseus und seine Gefährten aus der Höhle wegtrugen. Ebenso schlimm erging's den anderen Hirten und Schaftreibern; sie packten die Tiere teils an den Hörnern, teils an den Beinen, andere wieder am Vlies. Auch sie wurden gleichfalls mit ins Meer hinuntergerissen und ersoffen elendiglich.

Panurge stand neben der Schiffsküche und hielt ein Ruder in der Hand, nicht etwa um den Schaftreibern zu helfen, sondern um sie davon abzuhalten, daß sie auf das Schiff

kletterten und so dem Schiffbruch entgingen. Er hielt ihnen wortgewaltig eine Bußpredigt, als wäre er ein kleiner Bruder Olivier Maillard oder ein zweiter Bruder Jean Bourgeois, stellte ihnen mit viel rhetorischen Gemeinplätzen vor Augen, wie erbärmlich das Leben in dieser Welt und wie herrlich und selig es im Jenseits sei, beteuerte auch, glücklicher seien die Dahingeschiedenen als die Lebenden in diesem Jammertal, und versprach einem jeglichen von ihnen, er werde ihm ein schönes Kenotaph und Ehrenmal zuoberst auf dem Mont Cenis errichten, sowie er aus dem Land der Leuchterlinge zurückkomme. Jedennoch, falls es ihnen nicht zuwider sei, unter den Menschen weiterzuleben, und ihnen das Ersaufen ungelegen komme, wünsche er ihnen gut Glück, und daß sie einem Walfisch begegnen möchten, welcher sie am dritten Tag heil und wohlauf in einer lieblichen Gegend an Land speie wie vor alters den Jonas.

Als das Schiff von dem Händler und seinen Hammeln gesäubert war, sprach Panurge: »Bleibt hier noch eine Hammelseele übrig? Wo sind des Theobald Lämmlein und des Regnaut Belin ihre, welche schlafen, dieweil die andern weiden? Weiß da gar nichts. Das ist ein Handstreich wie im alten Krieg. Was hältst du davon, Bruder Jan?«

»Von Euch nur alles Gute«, antwortete Bruder Jan. »Ich habe nichts daran auszusetzen, außer einem: wie man ehedem im Krieg am Tag einer Schlacht oder eines Sturmangriffs den Söldnern doppelte Löhnung für diesen Tag zu versprechen pflegte, und wenn sie die Schlacht gewannen, hatte man Geld wie Heu und konnte zahlen; wenn sie aber unterlagen, wäre es eine Schmach gewesen, das Geld zu fordern, wie's die Greyerzer Söldner, die das Hasenpanier ergriffen hatten, nach der Schlacht bei Serizolles taten, so solltet Ihr, mein ich, die Zahlung noch zurückstellen, und das Geld würde Euch in der Börse bleiben.«

»Trefflich geschissen fürs Geld«, sagte Panurge. »Potz Keil! Hab doch für mehr denn fünfzigtausend Franken Spaß dabei gehabt. Machen wir, daß wir weiterkommen, der Wind ist günstig. Bruder Jan, hör zu. Noch nie hat ein Mensch mir Freude gemacht, ohne daß ich's ihm gelohnt oder zumindest gedankt hätte. Ich bin nicht undankbar, ich war's nie und werde es nie sein. Nie hat mir auch ein Mensch etwas zuleide getan, ohne daß es ihn gereut hätte, entweder hienieden oder im Jenseits. Ich bin kein solcher Laffe.«

»Du setzt dich der Verdammnis aus wie ein alter Teufel«, sagte Bruder Jan. »Es steht doch geschrieben: *Mihi vindictam*, etc. Lest nur im Brevier nach.«

9. KAPITEL

*Wie Pantagruel auf die Insel Ennasin kam, und von den
seltsamen Sippschaften des Landes*

Zephyr, mit einem leichten Beisatz von Südwestwind,
blieb uns hold, und wir waren einen Tag gesegelt, ohne
Land zu sichten. Am dritten Tag gegen Mittag, als die
Mücken ausschwärmten, kam eine dreieckige Insel in Sicht,
die nach Form und Lage ähnlich wie Sizilien aussah. Man
nannte sie das Eiland der Sippschaften.

Männer und Frauen gleichen den roten Poitevinern, nur
daß sie allesamt, Männer, Weiber und kleine Kinder, Nasen
in der Form eines Treff-As haben. Aus diesem Grunde trug
die Insel vorzeiten den Namen Ennasin. Sie waren alle miteinander verschwägert und versippt, wie sie sich rühmten,
und der Bürgermeister des Ortes sagte uns freimütig:
»Ihr Leute aus der andern Welt haltet's für etwas Unfaß-
bares, daß aus einer Familie (nämlich den Fabiern), an
einem Tag (am dreizehnten des Februar), durch ein Tor (es
war die Porta Carmentalis, einstmals am Fuße des Kapitols
zwischen dem Tarpejischen Felsen und dem Tiber, später-
hin Scelerata zubenannt), gegen gewisse Feinde der Römer
(nämlich die etruskischen Vejier) dreihundert Kriegsleute
auszogen, samt und sonders miteinander versippt, mit
fünftausend anderen Kriegern, ihren Lehnsleuten, welche

allesamt erschlagen wurden. Dies geschah am Fluß Cremera, welcher aus dem See von Baccano abfließt. Aus diesem Lande werden, wenn Not am Mann ist, mehr denn dreihunderttausend ausziehen, lauter Verwandte und aus einer Sippe.«

Ihre Sippungen und Verwandtschaften waren recht absonderlicher Art: denn ob sie gleich alle so miteinander verwandt und versippt waren, fanden wir dennoch, daß niemand von ihnen Vater oder Mutter, Bruder oder Schwester, Oheim oder Muhme, Base oder Neffe, Tochtermann oder Schwiegerin, Pate oder Patin des andern war. Einzig einen alten langaufgeschossenen Enasier sah ich, der ein drei Jahre altes Mägdlein mit »lieber Vater« anredete, und das Dirnchen sagte zu ihm »mein Töchterlein«.

Die Verwandtschaft und Verbundenheit waren unter ihnen dergestalt, daß der eine zu einer Frau sagte: »Mein Blackfisch«, und die Frau sagte zu ihm: »Mein Tümmler«.

»Die da«, sprach Bruder Jan, »müßten heidenmäßig nach Fisch stinken, wenn sie ihren Speck aneinander gerieben haben.«

Einer redete lächelnd ein schöngeputztes Jüngferlein an: »Guten Tag, mein Striegel!« Sie grüßte ihn wieder mit den Worten: »Frohe Zeit, mein Scharwenzler!«

»He, he, he!« rief Panurge. »Kommt her, da seht ihr einen Striegel, eine Schar und einen Wenzel. Das heiß ich scharwenzeln. Dieser Scharwenzel mit dem schwarzen Strich muß recht oft gestriegelt werden.«

Ein anderer begrüßte eins seiner Liebchen und sagte: »Gott befohlen, mein Schreibpult.« Sie gab ihm zur Antwort: »Gleichfalls, mein Prozeß.«

»Bei Sankt Trinian!« sagte Gymnast. »Dieser Prozeß muß aber oft auf dem Schreibpult liegen.«

Einer nannte eine andere »mein Quirl«; sie nannte ihn »mein Wurm«.

»Ist doch«, sprach Eusthenes, »ein bißchen viel Quirlwurm dabei.«

Ein weiterer grüßte seine Verwandte mit den Worten:

»Guten Tag, mein Beil!« und sie erwiderte: »Dasselbe Euch, mein Stiel!«

»Potz Strahl und Hagel!« rief da Carpalim, »wie ist dieses Beil bestielt? Wie steckt dieser Stiel im Beil? Ist's nicht vielleicht wie bei den römischen Kurtisanen: Stiehl den Mannsbildern, was sie nicht freiwillig herausrücken? Oder ein Barfüßer mit weiten Ärmeln im Stil seines Ordens?«

Im Weitergehen begegnete mir ein Hurentreiber, der grüßte sein Schätzchen und nannte sie »mein Lotterbett«, sie aber nannte ihn »mein Leilach«; hatte auch wirklich Ähnlichkeit mit einem sudeligen Leilach.

Einer rief einer anderen zu »mein Krümel«, und sie nannte ihn »mein Ränftchen«. Wieder einer nannte ein Weibsbild »meine Schütze«, sie ihn »mein Scheuerhaken«; einer die Seine »meine Schlarpfe«; sie nannte ihn »mein Pantoffel«. Einer hieß eine »mein Stiefelchen«, sie ihn hinwiederum »mein Schühlein«. Der eine benamste eine andere »mein Fäustling«; sie ihn dagegen »mein Handschuh«. Einer rief eine andere »meine Schwarte«, und sie nannte ihn ihren Speck. Zwei ebenfalls Verwandte sprachen einander als »mein Eierkuchen« und »mein Ei« an; und sie waren verwandt wie ein Eierkuchen mit dem Ei. Desgleichen rief ein anderer eins seiner Bäschen »meine Weidengerte«, und sie nannte ihn ihr Reisigbündel. Und niemals konnte ich herausbringen, welche Verwandtschaft, Verbindung, Verschwägerung oder Blutsgemeinschaft zwischen ihnen bestand, wenn ich's mit unseren Bräuchen vergleiche, außer daß man uns sagte, sie sei eben die Weidengerte dieses Reisigbündels. Ein anderer grüßte sein Mädchen mit den Worten: »Grüß dich Gott, meine Schale.« Sie antwortete: »Sei auch du gegrüßt, meine Auster.«

»Soso«, sagte Carpalim, »eine Auster in der Schale!«

Desgleichen grüßte einer seine Verwandte und sagte: »Leb wohl, meine Schote!« Sie gab zurück: »Gleichfalls, meine Erbse.«

»Jaja«, meinte Gymnast, »eine Erbse in der Schote.«

Noch einer, ein garstiger, baumlanger Zähneklapperer, der auf hohen Holzsandalen daherkam, traf eine dicke, fette, kurzgewachsene Dirn und sagte zu ihr: »Behüt dich Gott, mein Kreisel, mein Triesel, mein Trandel.« Sie aber antwortete ihm hochnäsig: »Helf dir Gott gleichfalls, mein Peitschel.«

»Heiliger Strohsack!« meinte Xenomanes. »Ist er denn auch die rechte Peitsche für solch einen Kreisel?«

Ein tadellos gestrählter und geleckter Magister und Doktor, welcher eine geraume Weile mit einem hochmögenden Fräulein diskurriert hatte, nahm von ihr Urlaub und sagte: »Vielen Dank, gute Miene!« – »Nicht doch«, versetzte sie, »besten Dank Euch, böses Spiel!«

»Gute Miene zu bösem Spiel«, meinte Pantagruel, »die Verwandtschaft mag angehn.«

Ein schon recht angejahrter Bakkalaureus sagte im Vorübergehen zu einer blutjungen Dirn: »Ei, ei, so lange habe ich Euch nicht mehr gesehen, meine Dudel.«

»Ich freu mich, Euch zu sehen«, gab sie zurück, »lieber Sack.«

»Paart sie miteinander«, sagte Panurge, »und blast ihnen ins Arschloch, dann wird draus ein Dudelsack.«

Einer nannte sein Schätzchen »meine Sau« und sie ihn »mein Heu«. Dabei kam mir in den Sinn, daß diese Sau sich freudig mit solchem Heu abgebe.

Ich sah einen windigen Galan, der war ein bißchen bucklig und grüßte grad neben uns eines seiner versippten Weibsen mit den Worten: »Leb wohl, mein Loch!« Sie wiederum grüßte auch ihn und sagte: »Behüt dich Gott, mein Pflock!«

Da sprach Bruder Jan: »Die ist, glaub ich, ganz und gar Loch, und er ist desgleichen ganz Pflock. Jetzt bliebe nur noch auszumachen, ob dies Loch durch solchen Pflock auch zur Gänze gestopft werden kann.«

Ein anderer wieder sagte zum Gruß seiner Verwandten: »Grüß Gott, mein Mauser!« – »Guten Tag, mein Gänschen!« gab sie zurück.

»Ich mein«, sprach Ponokrates, »dies Gänschen ist oft in der Mauser.«

Ein Erzfunk, der mit einer jungen Malefizdirn schwätzte,

sagte zu ihr: »Denk dran, Fist!« – »Werd ich tun, lieber Furz!« erwiderte sie.

»Heißt Ihr das Verwandte?« fragte Pantagruel den Schultheiß. »Mir deucht eher, sie sind einander spinnefeind und mitnichten versippt, denn er hat sie Fist genannt. Bei uns zu Lande könntet Ihr eine Frau nicht ärger beschimpfen, als wenn Ihr sie so nennt.«

»Ihr guten Leute aus der andern Welt«, versetzte der Schultheiß, »habt wenig solcherlei und so nahe Verwandte, wie dieser Fist und dieser Furz es sind. Alle beide sind sie im gleichen Augenblick ein und demselben Loch entwitscht.«

»Hatte also der Westwind«, sprach Panurge, »ihre Mutter gefickfackt?«

»Was für eine Mutter meint Ihr?« fragte der Schultheiß. »Solcherart Verwandtschaft gibt's nur in Eurer Welt. Die haben nicht Vater noch Mutter. So etwas findet sich bloß bei den Menschen drüben überm Wasser, den Leuten mit Strohstiefeln.«

Der gute Pantagruel sah und hörte das alles; doch bei diesem Gerede hätte er schier die Fassung verloren.

Nachdem wir wißbegierig die Lage der Insel und die Sitten des ennasischen Volks erkundet hatten, betraten wir eine Schenke, um uns ein bißchen zu erfrischen. Dort hielt man gerade Hochzeit nach Landessitte. Im übrigen ging es hoch her mit Schlemmen und Demmen. In unserem Beisein ward fröhlich die Vermählung einer Birne, eines drallen Weibes, wie uns schien (doch sagten alle, die schon von ihr gekostet hatten, sie sei bereits ein bißchen matschig), mit einem jungen flaumbärtigen Käse, dessen Haar einen Stich ins Rötliche hatte, gefeiert. Ich hatte vordem davon läuten hören, und auch anderwärts waren mehrere Ehen solcher Art geschlossen worden. Noch heute sagt man in unserem Kuhland, es passe kein Paar besser zusammen als Birn und Käs.

In einem andern Saal sah ich, wie man eine alte Latsche mit einem jungen und geschmeidigen Schnürschuh traute. Und ward Pantagruel erzählt, der junge Schnürschuh

nehme die alte Latsche nur deswegen zur Frau, weil sie
läufig war, prall und gut im Fleisch, wie's dem Haushalt
zugute kam, und wär's gar für einen Fischer.

In einem anderen Gemach sah ich, wie ein junger Tanz-
schuh eine alte Schlarpfe heiratete. Und ward uns gesagt,
das tue er nicht um ihrer Schönheit oder Anmut willen,
vielmehr aus Habsucht und Gier nach den Talern, mit denen sie gespickt sei.

10. KAPITEL

Wie Pantagruel auf der Insel Cheli landete, wo Sankt Panigon als König herrschte

Der Wind blies uns aus Südwest in den Rücken, als wir diese unleidigen Sippschaftler mit ihren Treff-As-Nasen verließen und in See stachen. Gegen Sonnenuntergang gingen wir bei der Insel Cheli vor Anker, einem großen, fruchtbaren, reichen und dichtbevölkerten Eiland, auf welchem Sankt Panigon als König herrschte. Dieser hatte sich, begleitet von seinen Kindern und den Fürsten seines Hofes, zum Hafen begeben, um Pantagruel zu empfangen, und führte ihn in sein Schloß. Am Tor des Bergfrieds erwartete sie die Königin samt ihren Töchtern und Hofdamen. Panigon bestand darauf, daß sie und ihr ganzes Gefolge Pantagruel und alle seine Leute küßten. So verlangten es Höflichkeit und Brauch des Landes. Das geschah, außer mit Bruder Jan, der sich fortstahl und beiseite unter die Hofleute des Königs flüchtete.

Panigon wollte um jeden Preis Pantagruel an diesem und am nächsten Tag zurückhalten. Pantagruel aber begründete seine Absage mit dem Wetter und dem günstigen

Wind, welchen die Seefahrer öfter herbeiwünschten als kriegten, und man müsse ihn ausnutzen, wenn er einmal wehe, denn er wehe nicht jedesmal, wenn man ihn sich wünsche. Auf diesen Einwand hin und nachdem wir jeder noch fünfundzwanzig- oder dreißigmal einander zugetrunken hatten, ließ Panigon uns ziehen.

Als Pantagruel zum Hafen zurückkehrte und Bruder Jan nicht sah, fragte er, wo er denn stecke und warum er nicht mit bei der Gesellschaft sei. Panurge wußte nicht, wie er ihn entschuldigen könnte, und wollte ins Schloß zurückgehen und ihn herbeirufen, da kam Bruder Jan frohgemut angelaufen und rief von Herzen froh: »Hoch lebe der edle Panigon! Potz Fickerment, der lebt in Saus und Braus in seiner Küche. Ich komm gerade von dort; da geht alles schüsselweis. Ich hoffte wohl, mir dort zu Nutz und Frommen des Mönchstums den Model meiner Kutte auspolstern zu lassen.«

»Somit steckst du also die ganze Zeit in den Küchen«, meinte Pantagruel.

»Potz Hühnerbrust!« versetzte Bruder Jan, »da versteh ich mich besser auf Brauch und Drum und Dran als auf die ganzen Alfanzereien mit den Frauenzimmern, eiapopeia, ruckruckruck, lirumlarum, zweimal verbeugen, Kratzfuß, umhalsen, küß den Mund, küß die Hand, Euer Liebden, Eure Erhabenheit, seid herzlich willkommen, larifari, wischi-waschi. Ja, Scheißdreck bleibt Scheißdreck, auch in Rouen! Soviel Gescheiß und Gefummel! Meiner Six, ich will nicht behaupten, daß ich nicht auch gern einmal einen wackeren Stoß ins Spundloch täte mit meinem Zippidilderich, sofern man mich auch mithalten ließe. Aber bei diesem scheißdummen Schöntun und Scharwenzeln erbose ich mich wie ein junger Teufel – äh, wollte sagen: wie ein Hungerhäufel. Sankt Benedikt ist stets bei der Wahrheit geblieben. Ihr meint, ich soll Fräulein küssen? Bei der würdigen, heiligen Kutte, die ich trage, das werde ich bleiben lassen, denn ich fürchte, es könnte mir das zustoßen, was dem edlen Herrn von La Guerche zugestoßen ist.«

»Was denn?« fragte Pantagruel. »Ich kenn ihn wohl, er ist einer meiner besten Freunde.«

»Er war«, sagte Bruder Jan, »zu einem üppigen und prunkvollen Gastmahl geladen, das ein Verwandter und Nachbar von ihm gab und zu dem auch alle Edelleute, Damen und adligen Fräulein der Nachbarschaft gebeten worden waren. Selbige verkleideten, während sie auf sein Kommen warteten, die Edelknaben der Gesellschaft als fein herausgeputzte und schön aufgetakelte Hofdämchen. Die solchermaßen in Fräulein verwandelten Pagen traten ihm bei der Zugbrücke entgegen. Er küßte sie einen nach dem andern ungemein höflich und mit tiefen Bücklingen. Endlich brachen die Damen, die in der Galerie seiner harrten, in helles Lachen aus und bedeuteten den Edelknaben, ihren Putz abzulegen. Als nun der edle Herr dies sah, wollte er sich aus Scham und Verdruß nicht dazu verstehen, selbige echte Damen und Fräulein zu küssen, und brachte für seine Weigerung vor, sintemal man ihm die Pagen solcherart vermummt habe, müßten das Schockschwerenot! die Knechte sein, die noch geschickter verkleidet seien.

Potz Keil! *Da jurandi* – laßt mich eins fluchen. Warum tragen wir unsre menschlichen Belange nicht eher in Gottes hehre Küchen? Was betrachten wir dort nicht das Wenden der Bratspieße, das Zusammenspiel der Bratböcke, die Lage der Speckschnitten, den Wärmegrad der Suppen, die Vorbereitungen des Nachtischs, die Reihenfolge, in der die Weine aufgetragen werden? *Beati immaculati in via.* So steht's im Brevier.«

11. KAPITEL

Warum die Mönche gern in der Küche sind

»Das heiß ich«, sagte Epistemon, »gesprochen wie ein echter Mönch. Ich meine: wie ein Mönchsoberer, nicht wie ein untergebener Mönch. Fürwahr, Ihr gemahnt mich wieder an das, was ich vor ungefähr zwanzig Jahren in Florenz gesehen und gehört habe. Wir waren eine recht gute Kumpanei wißbegieriger Leute, reiselustig und darauf erpicht, gelehrte Männer, Altertümer und Sehenswürdigkeiten Italiens zu besuchen. Und damals schauten wir uns eben wissensdurstig Florenz an, seine Lage und Schönheit, die Bauart des Domes, die Pracht der Kirchen und prunkvollen Paläste, und lagen miteinander im Wettstreit, wer sie am treffendsten durch angemessene Lobreden preisen könne; da sagte zu uns ein Mönch aus Amiens namens Bernard Lardon, sichtlich erbost und betreten: ›Ich weiß nicht, was Teufels ihr hier so sehr zu loben findet. Ich habe ebenso genau hingeschaut und bin ich nicht blinder als ihr. Und weiter? Was gibt's da zu staunen? Es sind schöne Bauten, das ist alles. Aber Gott und Sankt Bernhard, unser guter Schutzpatron, steht uns bei! in dieser ganzen Stadt hab ich noch keine einzige Bratküche zu Gesicht bekommen und habe mir doch fast die Augen danach ausgeschaut, ja, wahrhaftig, wie ein Späher scharf geäugt, stets darauf bedacht, links und rechts zu zählen und zu errechnen, wie viele Bratküchen und auf welcher Seite wir ihrer mehr zu Gesicht bekommen würden. In Amiens könnt ich euch auf einem dreimal, ja viermal kürzeren Weg, als wir jetzt während unseres Rundgangs zurückgelegt haben, mehr denn vierzehn ‚alte und schmackhaft duftende Garküchen zeigen. Ich weiß nicht, was es euch für Spaß gemacht hat, die Löwen und Afrikanen (so nanntet ihr, scheint mir, was man sonst Tiger nennt) beim Bergfried, desgleichen die Stachelschweine und Strauße im Palast des edlen Herrn Filippo Strozzi zu sehen. Meiner Treu, ihr Kinder, viel lieber säh ich eine gute, fette Junggans am Bratspieß! All dieser Porphyr und Marmor mag ja schön sein; ich sag nichts dagegen. Aber die Eierfladen von Amiens sagen meinem Geschmack besser zu. Diese antiken Bildwerke sind ja vortrefflich ausgeführt, ich will's gern glauben. Aber, beim heiligen Sankt Ferreol von Abbéville, die jungen Mägdlein bei uns zu Lande sind doch tausendmal gattiger.‹«

»Was bedeutet«, frug Bruder Jan, »und was besagt es, daß ihr allezeit Mönche in den Küchen vorfindet, nie aber Könige, Päpste und Kaiser?«

»Mag sein«, meinte Rhizotomus, »daß irgendeine verborgene Kraft und besondre Eigenschaft, die in den Kochtöpfen und Bratspießen steckt, die Mönche dorthin zieht, wie ein Magnet das Eisen anzieht, nicht aber Kaiser, Päpste und Könige anlockt. Oder vielleicht ist es ein Hang und Drang, welcher den Kutten und Kapuzen eigen ist und die guten Klosterbrüder in die Küche führt und treibt, wenngleich sie weder gewillt noch gesonnen waren hinzugehen.«

»Er meint«, warf Espistemon ein, »Formen, die der Materie nachgehn. So nennt sie Averroes.«

»Da schau her«, sagte Bruder Jan.

»Ich will euch etwas sagen«, versetzte Pantagruel, »doch soll's keine Antwort auf die aufgeworfne Frage sein, denn sie ist ein bißchen kitzlig, und ihr könnt kaum daran rühren, ohne euch die Finger zu verbrennen. Ich entsinne mich, einmal gelesen zu haben, daß Antigonus, der König von Mazedonien, eines Tages die Küche seines Zeltlagers betrat und dort den Dichter Antagoras fand, der gerade einen Meeraal frikassierte und selber die Bratpfanne hielt. Da fragte er ihn ganz aufgeräumt: ›Briet Homer wohl auch Meeraale, als er Agamemnons Heldentaten schilderte?‹ – ›Ei was‹, erwiderte Antagoras, ›aber glaubst du, o König, Agamemnon sei, während er diese Heldentaten vollbrachte, so vorwitzig gewesen, auszuschnüffeln, ob jemand in seinem Feldlager Meeraale briet?‹ Den König dünkte es unziemlich, daß der Dichter in seiner Küche diese Braterei betrieb; der Dichter aber hielt ihm vor, daß es weit anstößiger sei, wenn der König in der Küche betroffen werde.«

»Ich werd Euch samt Eurer Geschichte mattsetzen«, sagte Panurge, »wenn ich Euch erzähle, was Breton, Herr von und zu Villandry, eines Tages dem edlen Herzog von Guise zur Antwort gab. Es war die Rede von einer Schlacht des Königs Franz gegen Kaiser Karl den Fünften, in welcher Breton zwar aufs prächtigste gewappnet, sogar mit stählernen Eisenschuhen und Beinbergen geharnischt war,  jedoch im Kampf nicht gesehen wurde. ›Meiner Treu‹, wandte Breton ein, ›dort war ich schon, und es fiele mir leicht, es zu beweisen, sogar an einem Ort, wo Ihr Euch nie hingetrauen würdet!‹ Den Herzog verdroß dieser Ausspruch, denn er fand ihn allzu kühn und vermessen, und er redete lauter und lauter. Doch Breton besänftigte ihn leicht mit dröhnendem Lachen. ›Ich war beim Troß‹, sagte er, ›und es hätte sich nicht mit Eurer Ehre vertragen, hättet Ihr Euch dort verkrochen, wie ich's tat.‹«

Unter solcherlei munteren Gesprächen gelangten sie auf ihre Schiffe. Und fortan war ihres Bleibens nicht länger auf dieser Insel Cheli.

12. KAPITEL

Wie Pantagruel durch Prokuratien kam, und von der absonderlichen Lebensweise der Schinnöser

Am darauffolgenden Tage setzten wir unsere Reise fort und kamen nach Prokuratien, als welches ein ganz verkrakeltes und vollgeschmiertes Land ist. Alles darin kam mir spanisch vor. Da sahen wir Affikaten und Schinnöser, lauter geriebene Burschen. Sie luden uns weder zum Essen noch zum Trinken ein, sagten uns statt dessen nur mit unzähligen gelehrten Bücklingen, sie stünden ganz zu unserer Verfügung, gegen Entgelt freilich. Einer unserer Dolmetscher berichtete Pantagruel, wie dieses Volk seinen Lebensunterhalt auf recht seltsame Weise verdiente, und zwar sei sie das gerade Gegenteil von derjenigen der Romikolen. In Rom nämlich fristen zahllose Menschen ihr Leben mit Vergiften, Prügeln und Totschlagen; die Schinnöser jedoch leben davon, daß sie sich prügeln lassen. Das geht so weit, daß sie, würden sie lange Zeit nicht verbleut, elendiglich Hungers sterben müßten, sie, ihre Weiber und Kinder.

»Sind also«, meinte Panurge, »ebenso übel dran wie die armen Teufel, die nach dem Bericht des Cl. Gal. ihren hohlen Ziemer nicht bis zum Kreis des Äquators aufrichten können, wenn sie nicht gehörig verdroschen werden. Bei Sankt Thibalt, würde mich einer solchermaßen auspeitschen, ich ließe mich im Gegenteil aus dem Sattel werfen, bei allen Teufeln der Hölle!«

»Das geht so zu«, sagte der Dolmetscher. »Wenn Mönch, Pfaffe, Wucherer oder Advokat einem Edelmann dieses Landes übelwill, schickt er ihm einen solchen Schinnos auf den Hals. Selbiger Schinnos wird ihn so lange zitieren, vorladen, beschimpfen, schamlos verlästern gemäß ihren Weisungen und Vorschriften, bis der Edelmann, wenn er nicht gänzlich vernagelt und dümmer als ein Kaulbarsch ist, sich gezwungen sieht, ihm mit dem Stock oder dem Säbel ein paar übern Schädel zu hauen oder mit dem Riemen ihm eine Tracht Hiebe auf die Waden überzuziehen, oder noch besser: ihn von den Zinnen oder aus einem Fenster seines Schlosses hinunterzuwerfen. Ist das geschehen, dann schwimmt unser Schinnos für vier Monate im Geld, als wären Prügel seine natürliche Ernte. Denn er kriegt von dem Mönch, dem Wucherer oder dem Advokaten ein erkleckliches Entgelt und obendrein manchmal von dem Edelmann ein so großes und übermäßiges Schmerzensgeld, daß dieser dabei sein ganzes Hab und Gut verliert und Gefahr läuft, elendiglich im Kerker zu verfaulen, als hätt er den König versehrt.«

»Gegen solcherlei Mißgeschick«, sagte Panurge, »weiß ich ein vortreffliches Mittel, das der Herr von Basché anwandte.«

»Was denn für eines?« frug Pantagruel.

»Der Herr von Basché«, fuhr Panurge fort, »war ein beherzter, tugendlicher, hochherziger, ritterlicher Mann. Als er einmal aus einem langen Krieg, in welchem der Herzog von Ferrara sich mit dem Beistand der Franzosen tapfer gegen des Papstes Julius des Zweiten Wut zur Wehr gesetzt hatte, zurückkehrte, wurde er Tag für Tag vorgeladen, zitiert und gepiesackt, wie's dem fettwanstigen Prior von Saint Louant grade zupaß kam oder Spaß machte.

Eines Tags, als er mit seinen Leuten frühstückte (denn

er war ein menschlicher und leutseliger Herr), ließ er seinen
Bäcker namens Loyre und dessen Weib holen, dazu den Pfarr-
herrn seines Kirchspiels, Oudart mit Namen, der ihm als
Kellermeister diente, wie das dazumal in Frankreich der
Brauch war, und sprach zu ihnen im Beisein all seiner Ge-

folgsleute und seines übrigen Hausgesindes: ›Kinder, ihr
seht, welchen Verdruß mir diese Schinnöser, die Hundsfötter, tagtäglich antun. Ich bin deswegen entschlossen,
wenn ihr mir nicht hierbei helft, und habe im Sinn, das
Land zu verlassen, und will als Parteigänger des Sultans
zu allen Teufeln gehen. Von heut an, wenn sie hierherkommen, haltet euch bereit, Ihr, Loyre, und Euer Ehweib,

euch in meinem großen Saal einzufinden, in euren schönen Hochzeitsgewändern, als wollte man euch trauen, wie man euch seinerzeit zusammengegeben hat. Da – hier habt ihr hundert Golddukaten, die geb ich euch, damit ihr euern Putz instand setzen könnt. Ihr, Hochwürden Oudart, versäumt nicht, gleichfalls in Euerem schönen Chorhemd, mit Stola und Weihwasser zur Stelle zu sein, wie wenn Ihr sie trauen solltet. Desgleichen Ihr, Trudon‹ (so hieß sein Trommler), ›stellt Euch ein mit Trommel und Pfeife. Wenn dann die Segensworte gesprochen sind und die Braut zum Klang der Trommel geküßt ist, gebt ihr alle einander kleine Hochzeitsangebinde, ich meine leichte Faustschläge. Tut ihr das, so wird euch das Nachtmahl um so besser munden. Doch wenn die Reihe an den Schinnos kommt, drescht auf ihn ein wie auf grünen Roggen, schont ihn nicht, haut, prügelt, pufft, schlagt drein, ich bitt euch. Da, nehmt: ich geb euch jetzt diese herzigen Panzerhentzen; sie sind mit Ziegenleder überzogen. Bleut ihn durch, haut ihn, wo ihr hintrefft, und zählt mir die Hiebe nicht. Wer

ihn am weidlichsten verdrischt, den will ich in mein Herz schließen. Fürchtet nicht, daß ihr euch deswegen die Justiz auf den Hals ladet. Ich werde für euch alle bürgen. Solcherlei Püffe werden, wie's der Brauch ist, zum Spaß, an allen Hochzeiten ausgeteilt.‹

›Recht so, aber‹, fragte Oudart, ›woran erkennen wir den Schinnos? Denn in diesem Eurem Hause gehn ja täglich Leute von überallher aus und ein.‹

›Ich habe schon dafür gesorgt‹, erwiderte Basché. ›Wenn vor die Tür dieses Hauses ein Mann kommt, sei's zu Fuß oder schlecht beritten, mit einem dicken, breiten Silberring am Daumen, dann ist das der Schinnos. Der Pförtner wird ihn höflich hereinführen und hernach die Glocke läuten. Haltet euch dann bereit, und kommt flugs in den Saal. Da sollt ihr die Tragikomödie aufführen, wie ich's euch dargelegt habe.‹

Am selben Tag langte nach Gottes Ratschluß ein alter, dicker, puterroter Schinnos an, läutete am Tor und ward vom Pförtner an seinen dicken fettigen Gamaschen erkannt, an seiner elenden Mähre, an einem linnenen Sack voller Auskünfte und Beweise, den er am Gürtel mit sich trug, zumal aber an dem dicken silbernen Ring, den er am linken Daumen hatte. Der Pförtner empfing ihn höflich, führte ihn freundlich hinein und bimmelte fröhlich mit der Glocke. Bei deren Klang kleideten sich Loyre und sein Weib in ihre schönsten Gewänder, erschienen im Saal und zeigten heitere Mienen. Oudart legte Chorhemd und Stola an, und als er aus seiner Kammer trat, begegnete er dem Schinnos und führte ihn zu einem langen Trunk in seine Stube, indes man allenthalben die Fäustlinge anzog. Dann sprach er zu ihm: ›Zu keiner gelegeneren Stunde hättet Ihr kommen können: Unser Herr hat seinen guten Tag. Über eine kleine Weile werden wir uns den Bauch vollschlagen; alles wird napfweis aufgetischt und verschlungen, wir sind hier zur Hochzeit geladen. Kommt, trinkt und seid frohen Mutes.‹

Indes der Schinnos seine Gurgel feuchtete, ließ Basché, der sah, daß im Saal alle seine Leute in der gewünschten Ausstattung sich eingefunden hatten, Oudart hereinholen. Oudart kam und brachte das Weihwasser mit. Hinter ihm drein der Schinnos. Als er den Saal betrat, vergaß er nicht, demütiglich einen Bückling nach dem andern anzubringen, und lud Basché vors Gericht. Basché erwies ihm alle erdenkliche Huld und Ehre, schenkte ihm einen Engelstaler und bat ihn, dem Ehekontrakt und der Trauung beizuwohnen. So geschah's.

Als es soweit war, rückten sie mit den Fausthieben heraus. Doch als die Reihe an den Schinnos kam, bedachten sie ihn mit so saftigen Hieben mit ihren Fäustlingen, daß er das Feuer im Elsaß sah und grün und blau geschlagen wurde, daß ihm ein Auge braun und violett zuschwoll, sieben Rippen in die Brüche gingen, das Brustbein eingedrückt ward, die Schulterblätter in vier Stücke zerbarsten, der Unterkiefer in drei Teile zerspellte, und all dies unter Lachen. Gott weiß, wie Oudart sich ins Zeug legte, wobei er mit dem Ärmel seines Chorhemdes den schweren stählernen, mit Hermelin gefütterten Handschuh verdeckte, denn er war ein gewaltiger Raufbold.

Also kehrte der Schinnos zur Insel Bouchard zurück, am ganzen Leib zerbleut und getigert, aber gleichwohl hochbefriedigt und hocherfreut über den Herrn von Basché, und mit Hilfe der guten Wundärzte des Landes lebte er, solange ihr wollt. Seither war nicht weiter davon die Rede. Das Gedächtnis an diesen Vorfall schwand dahin mit dem Klang der Glocken, die bei seinem Begräbnis läuteten.«

13. KAPITEL

Wie nach dem Beispiel Meister François Villons der
Herr von Basché seine Leute belobigt

»Als der Schinnos aus dem Schloß fort und wieder auf
seine *equa orba* oder stockblinde Mähre gestiegen war – so
nannte er seine einäugige Stute –, ließ Basché seine Frau,
ihre Zofen, all sein Gesinde unter die Weinlaube seines ab-
gelegenen Gartens zusammenrufen, ließ auch Tafelwein mitsamt einer Unmenge Pasteten, Schinken, Obst und Käse herbeischaffen, trank mit ihnen frohgemut und heiteren Sinnes
und sprach dann zu ihnen:

›Meister François Villon zog sich auf seine alten Tage
nach Saint-Maixent im Poitou zurück, in die Hut eines
braven Mannes, der daselbst Abt war. Hier machte er sich,
um dem Volk Kurzweil zu verschaffen, daran, die Passion
nach Art und Sprache des Poitou aufzuführen. Wie nun die
Rollen verteilt, die Spieler durchgemustert und der Schauplatz zugerüstet waren, sagte er zum Schultheiß und den

Schöffen, das Mysterienspiel könne bis gegen Ende des Jahrmarkts von Niort fix und fertig sein, nur fehle es ihm noch an den für die Personen schicklichen Gewändern. Der Schultheiß und die Schöffen trugen Sorge dafür. Er nun, um einen alten Bauern, der Gottvater spielen sollte, einzukleiden, erbat von Bruder Estienne Klopfschwanz, Sakristan der Bettelmönche allda, leihweise ein Meßgewand und eine Stola. Klopfschwanz schlug es ihm ab mit dem Hinweis, es sei ihm nach den Provinzialstatuten streng verboten, etwas an die Spieler zu verleihen oder auszuborgen. Villon entgegnete, das Verbot betreffe lediglich Possen, Mummenschanz und liederliche Spiele, und dergestalt sei es, wie er selbst erlebt, in Brüssel und andernorts gehandhabt worden. Desungeachtet sagte ihm Klopfschwanz ein für allemal, er möge sich nach Wunsch anderswo versehen; von seiner Sakristei sei für ihn nichts zu erhoffen, denn aus ihr werde für ihn nichts herausspringen. Villon tat dies voller Abscheu den Spielern kund und zu wissen, sagte auch, daß Gott binnen kurzem ein rächendes Strafgericht an Klopfschwanz vollziehen werde.

Am Samstag darauf kam Villon zu Ohren, daß Klopfschwanz auf dem Klosterfohlen (so nennen sie eine noch nicht besprungene Stute) sich auf einen Bettelgang nach Saint Ligaire begeben habe und gegen zwei Uhr nachmittags zurück sein werde. Sogleich ließ er seine Teufelskumpanei zwischen Stadt und Markt aufziehen. Die Teufel waren allesamt in Felle von Wölfen, Widdern und Kälbern vermummt, mit Hammelköpfen, Ochsenhörnern und großen Zinken als Helmzier; gegürtet waren sie mit derben Riemen, an denen Rasseln, Kuhglocken und Maultierschellen hingen, die einen entsetzlichen Lärm vollführten. In den Händen trugen einige schwarze funkensprühende Stöcke, andere lodernde Fackeln, die sie an jeder Straßenecke mit Händen voll zerstoßenem Teer bewarfen, so daß Feuer und Rauch erschrecklich emporschlugen. Nachdem er sie so zur Freude des Volks und zum großen Schrecken der kleinen Kinder durch die Stadt geführt hatte, brachte er sie endlich zum Schmaus in ein Landhaus vor dem Tor, wo der Weg von Ligaire hineingeht.

Dort angekommen, sah er von weitem Klopfschwanz von seinem Bittgang zurückkommen und sagte zu ihnen in maccaronischen Versen:

> *,Hic est de patria, natus de gente belistra*
> *Qui solet antiquo bribas portare bisacco.*
> Daheim ist der da und aufgewachsen in
> Nichtsnutz,
> der Brocken zu tragen pflegt in seinem
> altmodischen Quersack.‘

,Krieg die Kränke‘, sagten da die Teufel, ,er hat Gottvater nicht einmal eine armselige Capa leihen wollen; jagen wir ihm einen Schreck ein!‘

,Recht so‘, sagte Villon, ,aber verstecken wir uns, bis er vorüberkommt, und ladet eure Fackeln und Feuerbrände.‘

Wie nun Klopfschwanz herankam, stürzten alle heraus auf den Weg ihm entgegen, schmissen von allen Seiten Feuer auf ihn und seine Fohlin, rasselten mit ihren Becken und schrien nach Teufelsbrauch: ,Ho ho ho, brrrurrrurrrurrrs rrrurrrs rrrurrrs. Hu hu hu! Hho Hho hho! Bruder Estienne, spielen wir die Teufel nicht gut?‘

Die Fohlin, ganz schreckverstört, fiel in Trab, furzte und bockte, darauf in Galopp mit Ausfeuern, Scharwerken, Platteln und Knallen ihrer vier Hufe, bis daß sie Klopfschwanz abschmiß, wiewohl er sich aus Leibeskräften am Sattelbug festhielt. Seine Bügelriemen bestanden aus Strikken; auf der beim Aufsitzen dem Reiter zugekehrten Seite war sein Latschen so fest eingeschnürt, daß er ihn gar nicht herauswinden konnte. So wurde er ärschlings von der Fohlin geschleift, die immerzu gegen ihn ausfeuerte und vor Angst durch die Hecken, Sträucher und Gräben fegte, dergestalt, daß sie ihm den ganzen Kopf zerschund, so daß beim Osanière-Kreuz das Hirn herausfiel, die Arme stückweis in die Brüche gingen, der eine hierhin, der andere dahin, die Beine desgleichen, die Eingeweide sodann langhin am Boden nachschleiften, so daß die Fohlin, als sie im

Kloster eintraf, von ihm nur noch den rechten Fuß im eingeschnürten Schuh bei sich hatte.

Villon, als er geschehen sah, was er ausgeheckt hatte, sagte zu seinen Teufeln: ‚Gut werdet ihr spielen, meine Herren Teufel, gut werdet ihr spielen, was gilt die Wette? O wie gut ihr spielen werdet! Laßt sehen, ob die Teufelskumpanei von Saulmur, von Dozé, von Mommorillon, von Langes, von Sainct-Espain, von Augiers, ja bei Gott die von Poitiers mit ihrem Rathaussaal den Vergleich mit euch aushalten können! O wie gut ihr spielen werdet!‘

So auch‹, sagte Basché, ›sehe ich voraus, meine lieben Freunde, daß ihr diese tragische Posse inskünftig gut spielen werdet, da ihr schon beim ersten Anhieb und auf Probe Schinnos so kundig übers Ohr gehauen, gedeckelt und gekitzelt habt. Von heut ab geb ich euch allen doppelten Lohn. Ihr, meine Liebe‹, sagte er zu seiner Frau, ›tut ihnen Gutes an, soviel Ihr nur wollt. Meine ganze Barschaft habt Ihr in treuen Händen. Doch will ich zuerst auf euer Wohl trinken, meine lieben Freunde. Tut mir Bescheid, er ist gut und frisch. Zum zweiten, Haushofmeister, nehmt Ihr dieses silberne Becken: ich schenke es Euch. Ihr, Kämmerer, nehmt diese zwei Pokale aus vergoldetem Silber. Eure Pagen sollen drei Monate lang nicht die Fuchtel spüren. Meine Liebe, schenk ihnen meine schönen weißen Federbüsche mit den goldenen Klunkern. Euch, Ehrwürden Herr Oudart, schenke ich diesen silbernen Flacon, diesen anderen hier den Küchenmeistern. Den Kammerdienern schenk ich diesen silbernen Korb, den Stallmeistern diesen vergoldeten Silbernachen; dem Pförtner diese zwei Teller, den Saumroßhaltern diese zehn Suppenschüsseln. Trudon, nehmt alle diese Silberlöffel und die Zuckerdose. Ihr, Lakaien, dieses dicke Salzfaß. Seid mir gute Diener, Freunde, ich will's euch lohnen. Denn meiner Treu, lieber wollt ich im Krieg, wenn Gott es so fügt, hundert Keulenhiebe auf den Helm im Dienst unseres guten Königs erhalten, als daß mich auch nur einmal diese Schinnos-Köter vorladen, damit so ein feister Prior seinen Spaß daran hat.‹«

14. KAPITEL

Fortsetzung der im Hause Baschés durchgedroschenen
Schinnöser

»Vier Tage danach wurde ein weiterer junger großer und
hagerer Schinnos abgeschickt, um Basché im Auftrag des
fetten Priors vorzuladen. Bei seinem Eintreffen wurde er
vom Pförtner sogleich erkannt; der zog die Türglocke. Ihr
Schall setzte alle Schloßbewohner ins Bild. Loyre knetete
den Teig, seine Frau beutelte das Mehl, Oudart rechnete
ab, die Edelleute spielten Ball, Herr Basché spielte Sechsundsechzig mit seiner Frau, die Zofen Knöcheln, die Hauptleute spielten Imperial, die Pagen mit weidlichem Schnipsen
das Fingerratespiel. Im Nu wurden sie inne, daß ein Schinnos im Land war. Sogleich fährt Oudart wieder in sein
Chorhemd, Loyre und seine Frau werfen sich in ihren
Hochzeitsstaat, Trudon bläst auf seiner Pfeife und rührt
die Trommel; alles lacht, jeder macht sich fertig, und
heraus fahren die Fäustlinge.

Basché geht hinunter in den Hof; der Schinnos, da er
seiner ansichtig wird, beugt das Knie und bittet ihn, daß
er's nicht übel aufnehmen möge, wenn er ihn im Namen
des fetten Priors vorlade, tut auch in einer wohlgesetzten
Ansprache dar, wie er in der Öffentlichkeit dastehe, daß er

Rechtsbeistand der Mönche und Gerichtsrat der äbtlichen Mitra sei und daß er für ihn wie für den Geringsten in seinem Hause ein Gleiches zu tun willens sei, wo immer es ihm beliebe ihn in Anspruch zu nehmen und hinzubefehlen.

›Wahrhaftig‹, sagte der Herr, ›Ihr sollt mich nicht vorladen, ehe Ihr nicht von meinem guten Wein von Quinquenais getrunken und der Hochzeit beigewohnt habt, die ich zur Stunde ausrichte. Mein Herr Oudart, laßt ihn einen tüchtigen Schluck nehmen und sich erquicken, und dann herein mit ihm in meinen Saal. Seid mir willkommen!‹

Der Schinnos, übervoll gesättigt mit Speis und Trank, hält mit Oudart Einzug in den Saal, wo alle Mitspieler der Posse in Reih und Glied seiner harren. Bei seinem Eintritt setzen alle ein Lächeln auf. Der Schinnos lachte zur Gesellschaft mit, als von Oudart geheimnisvolle Worte über die Neuvermählten hingeraunt, die Hände ineinandergelegt, die Braut geküßt und alle mit Weihwasser besprengt wurden. Beim Auffahren von Wein und Würzkuchen setzte es die ersten Püffe. Der Schinnos versetzt deren einige Oudart; Oudart hatte unter seinem Chorrock seinen Fäustling

versteckt: er streift ihn sich über wie einen Pulswärmer. Und drischt und trommelt auf den Schinnos ein, und Hiebe der jungen Fäustlinge prasselten von allen Seiten auf den Schinnos herab.

›Fröhliche Hochzeit‹, sagten sie, ›Hochzeit, Hochzeit! Euch zur Erinnerung.‹

So weidlich wurde er durchgewalkt, daß ihm das Blut aus Mund, Nase, Ohren und Augen schoß; außerdem zerdroschen, zerbleut und zermalmt Kopf, Nacken, Rückgrat, Brust, Arme und alles. Glaubt mir: nie haben in Avignon die Burschen zur Fastnachtszeit melodiöser auf dem Hackbrett gespielt, als dem Schinnos mitgespielt wurde. Schließlich fällt er zu Boden. Man schüttet ihm kannenweis Wein ins Gesicht, heftet ihm an den Wamsärmel den schönen grünen und gelben Bänderstrauß der Hochzeiter und hißt ihn auf sein rotziges Roß. Ob ihn bei seiner Heimkehr auf der Bouchard-Insel die Weiber und Quacksalber des Landes hübsch bandagiert und balsamiert haben, weiß ich nicht zu sagen. Es ward nichts mehr davon vernommen.

Am nächsten Tag ereignete sich dasselbe, weil der magere Schinnos in Sachen der Vorladung mit Sack und Weidtasche nichts eingebracht hatte. Wiederum wurde von dem fetten Prior ein Schinnos losgeschickt, diesmal zu seiner Sicherheit in Begleitung zweier Gerichtsbüttel, um Herrn von Basché die Vorladung zu überbringen. Der Pförtner erfreute mit seinem Glockenzeichen die ganze Gesellschaft, die sofort erriet, daß wieder ein Schinnos da sei. Basché saß gerade bei Tisch und tafelte mit seiner Frau und den Edelleuten. Er ließ den Schinnos hereinbitten, hieß ihn an seiner Seite niedersitzen, die Gerichtsbüttel neben den Zofen, und sie schmausten so ausgiebig und in Freuden. Beim Nachtisch erhebt sich Schinnos von der Tafel und lädt in Anwesenheit und Ohrenzeugenschaft der Gerichtsbüttel Basché vor. Basché bittet ihn höflich um eine Abschrift der Vorladung: die war schon ausgefertigt. Er protokolliert den Vorgang. Daraufhin wurden Schinnos und seinen zwei Leibwächtern vier Sonnentaler überreicht. Alle andern hatten sich für die Posse vom Schauplatz entfernt. Trudon beginnt die Trommel zu rühren, Basché bittet den Schinnos, der Vermählung eines seiner Hauptleute beizuwohnen und den Kontrakt aufzusetzen, gegen Honorar und Erstattung der Kosten. Der Schinnos stimmte höflich zu, enthülste sein Schreibzeug, bekam rasch Papier vorgelegt, die Gerichtsbüttel an seiner Seite. Loyre betritt den Saal durch eine Tür, seine Frau mit den Zofen kommt bei einer anderen herein, beide im Hochzeitsstaat. Oudart im Priesterornat ergreift ihre Hände, verlangt von ihnen das Jawort, gibt ihnen den Segen, ohne mit Weihwasser zu sparen. Der Ehekontrakt wird aufgesetzt und in allen Punkten festgelegt. Von der einen Seite werden Wein und Würzkuchen aufgetragen, von der andern ballenweise Stoff zu Kleidern, weiß und dunkelbraun; auf der dritten werden verstohlen Fäustlinge gezückt.«

15. KAPITEL

*Wie durch Schinnos die alten Hochzeitsbräuche erneuert
werden*

»Der Schinnos sagte, nachdem er einen großen Humpen
bretonischen Weins geschläucht, zu dem Schloßherrn: ›Wie
steht Ihr dazu, Herr? Prügelt man sich hierzulande nicht
mehr bei der Hochzeit? O du heiliger Bimbam, alle guten
Bräuche gehen flöten – deshalb ist auch nichts mehr an
seinem Fleck, gibt's keine guten Freunde mehr. Seht doch
nur, wie man in so manchen Kirchen die altehrwürdigen
Spundlöcher der heiligen O-O-Gebete zu Weihnachten abgeschafft hat! Die Welt lebt nur noch wie im Traum. Es
geht abwärts mit ihr! Da nehmt: Hochzeit! Hochzeit!‹

Indem er so sprach, schlug er auf Basché und seine Frau
ein, sodann auf die Zofen und auf Oudart.

Im Nu taten die Fäustlinge ihr Werk, so daß dem Schinnos der Kopf an neun Stellen klaffte, dem einen Gerichtsbüttel der rechte Arm ausgekugelt, dem andern die obere
Kinnlade ausgehängt wurde, daß sie halb übers Kinn herunterhing, nebst Entblößung des Zäpfchens und beträcht-
lichem Ausfall von Backen-, Kau- und Schneidezähnen.

Bei veränderter Tonart der Pauken wurden die Fäustlinge weggesteckt, als wären sie nie dagewesen, und aufs
neue mannigfache Backwaren aufgetischt, zu neuer Lust-
barkeit. Indessen die guten Gesellen einander und allen
übrigen zuprosteten, auch dem Schinnos und seinen Wäch-
tern, schalt und lästerte Oudart über die Hochzeit, weil,
wie er sagte, der eine Büttel ihm die ganze linke Schulter
desartikuliert habe, trank ihm aber desungeachtet fröh-

lich zu. Der Gerichtsbüttel mit der ausgehängten Kinnlade faltete die Hände und bat ihn stumm um Vergebung, denn sprechen konnt er nicht. Loyre beklagte sich darüber, daß ihm der Gerichtsbüttel mit dem verstauchten Arm einen so heftigen Fausthieb auf den linken Ellenbogen versetzt habe, daß er von dem Rempler ganz schepperdormelig sei. ›Aber‹, sagte Trudon, sein linkes Auge mit dem Schnupf-tuch bedeckend und seine Trommel vor-weisend, die auf der einen Seite eingedrückt war, ›was hab ich euch eigentlich Schlimmes getan? Nicht genug, daß sie mir mein armes linkes Auge verkasematuckelt haben, sie mußten mir auch noch meine Trommel ein-schlagen. Zwar werden Trommeln bei der Hochzeit gemeinhin geklopft, aber hoch-wohllöbliche Trommler nie. Jetzt mag sich der Teufel das Ding aufsetzen.‹

›Bruder‹, sagte zu ihm der armlahme Schinnos, ›ich geb dir ein schönes altes königliches Handschreiben, das ich hier in meinem Sack habe. Mit dem Pergament sollst du deine Trommel flicken, nur vergib uns um Gottes willen. Bei unserer lieben Frau von Rivière, der Holdseligen, ich dacht euch nichts Böses.‹

Einer der Kämmerer äffte lahmend und hinkend den gu-ten edlen Herrn de la Roche Posay nach. Er wandte sich an den Gerichtsbüttel, dem die Kinnlade wie eine Visier-klappe herunterhing, und sprach zu ihm: ›Seid Ihr ein Fechter, ein Filzer oder ein Fuchtelbruder? War's Euch nicht genug, daß Ihr mir alle Glieder oberwärts mit kra-chenden Stiefeltritten gibihmsauresfrikassiert habt? Mußtet Ihr mir auch noch die Haxen mit Schnabelrammstößen remmidemmisieren? Nennt Ihr das Spiel und Spaß? Meiner Treu, Spaß ist's keiner.‹

Der Gerichtsbüttel faltete die Hände, wie wenn er ihn um Verzeihung bitten wollte, und mümmelte dazu mit der Zunge: ›Mum mum mum, lerum fum fum‹, just wie ein Brabbelkind.

Die junge Frau wußte nicht, ob sie lachen oder weinen, weinen oder lachen sollte, weil der Schinnos, nicht genug damit, daß er sie ohne Wahl und Ansehn der Glieder verdroschen, ihr Haar überdies übel zerrauft und hinterhältigerweise ihre Schamteile ratzeputzmampelpusiert hatte.

›Der Teufel soll's holen‹, sagte Basché, ›tat es not, daß unser Herr der König‹ (nach ihm nannte sich der Schinnos) ›mir mein geduldiges Rückgrat so verbleuen mußte? Doch bin ich ihm darob nicht gram; das sind so kleine Hochzeitszärtlichkeiten. Aber das seh ich klar und deutlich: daß er mich englisch aufgeboten und höllisch verwamst hat. Er hat was von einem Fuchtelbruder. Nun, euer Wohl aus ganzem Herzen und eures auch, meine Herrn Leibwächter.‹

›Aber‹, sagte seine Frau, ›was hat er für Grund und was hat er gegen mich, daß er mich so mit Fausthieben traktiert? Der Deixel soll ihn holen, wenn ich ja dazu sage. Ich sag zwar nicht ja, potz Blitz, aber soviel sag ich: härtere Knobel als seine hab ich nie auf meinem Rücken gespürt.‹

Der Haushofmeister trug seinen Arm, der ganz schlackermatschig war, in der Schlinge.

›Der Teufel‹, sagte er, ›hat mich zu dieser Hochzeit gebeten. Meine Arme sind davon, Gott steh mir bei, ganz gallimahollamassiert. Nennt ihr das Freite? Ich nenn's Scheiße. Das ist, bei Gott, das Festmahl der Lapithen, wie's der samosatische Philosoph beschreibt.‹

Der Schinnos sagte nichts weiter. Die Gerichtsbüttel entschuldigten sich, sie hätten beim Drauflosschlagen nichts Böses vorgehabt und man solle es ihnen für diesmal um Gottes willen verzeihen.

So schieden sie von da. Eine halbe Meile weit weg überfiel den Schinnos eine leichte Übelkeit. Die Gerichtsdiener trafen auf der Bouchard-Insel ein und verkündeten dort vor allem Volk, daß sie noch nie einen so trefflichen Mann gefunden hätten wie den Herrn von Basché und kein so ehrenwertes Haus wie seines. Auch daß sie eine solche Hochzeit noch nie erlebt hätten. Sie allein seien aber schuld, weil sie als erste losgedroschen hätten. Und lebten danach noch wer weiß wie viele Tage. Seitdem steht unverbrüchlich fest, daß Baschés Geld den Schinnösern und Gerichtsbütteln mehr stinkt und sie mehr an Leib und Leben gefährdet als ehedem das Gold von Tolosa und das Sejanische Pferd denen, die es besaßen. Seitdem hatte besagter Herr seine Ruhe, und Baschés Hochzeit wurde im Volk zum Sprichwort.«

16. KAPITEL

*Wie Bruder Jan die Wesensart der Schinnöser auf die Probe
stellt*

»Diese Geschichte«, sagte Pantagruel, »wäre lustig, müßten wir nicht ständig die Furcht Gottes vor Augen haben.«

»Besser«, sagte Epistemon, »wär sie, wenn der Regen dieser jungen Fäustlinge auf den fetten Prior heruntergeplatzt wäre. Ließ er es sich doch zu seiner Kurzweil etwas kosten, teils um Basché zu ärgern, teils um seine Gerichtsbüttel verprügelt zu sehen. Fausthiebe hätten seinem Glatzkopf wohl angestanden, bedenkt man, wie es heute von Heckenrichtern wimmelt, die sich mit Müh und Not durchschlagen müssen. Womit hatten es denn diese armen Schinnöser-Teufel verdient?«

»Dabei fällt mir«, sagte Pantagruel, »jener alte römische Edelmann ein, L. Neratius mit Namen. Er entstammte einer vornehmen und zu seiner Zeit wohlhabenden Familie. Hatte jedoch den hartnäckigen Sparren, daß er, sooft er seinen Palast verließ, seinen Dienern mit gemünztem Gold und Silber die Taschen füllte; sodann, wenn er auf der Straße etwelche niedlichen und fein herausgeputzten Gekken sah, ihnen nach Herzenslust und ohne daß diese ihn irgendwie gekränkt hätten, mit Fausthieben ins Gesicht fuhr. Gleich danach, um sie zu besänftigen und zu verhindern, daß sie ihn bei Gericht verklagten, ließ er ihnen von seinem Geld zukommen, bis daß sie froh und zufriedengestellt waren nach Maßgabe eines der Zwölftafelgesetze.

So vergeudete er sein Vermögen, indem er die Leute durchprügelte für sein gutes Geld.«

»Bei Sankt Benedicti heiligem Stiebel«, sagte Bruder Jan, »was es damit auf sich hat, will ich gleich sehen.«

Saß also ab, steckte die Hand in die Geldkatze und förderte zwanzig Taler zutage. Darauf sagte er mit erhobener Stimme in Gegenwart und vor den Ohren einer großen Menge des Schinnöservolkes: »Wer hat Lust, sich zwanzig

Goldtaler zu verdienen damit, daß er sich verdreschen läßt?«

»Io io io«, antworteten alle. »Ihr werdet uns die Seele aus dem Leib dreschen, soviel ist gewiß. Aber es lohnt sich.«

Und liefen alle in Scharen herzu, denn keiner wollte es sich nehmen lassen, als erster so kostspielig geprügelt zu werden. Bruder Jan erwählte aus dem Haufen der Anwärter einen rotfratzigen Schinnos, der am Daumen der rechten Hand einen dicken und breiten Silberring trug, in den ein recht ansehnlicher Krötenstein gefaßt war.

Da er ihn erwählt hatte, erhob sich im ganzen Volk ein

Murren, und ich vernahm, wie ein großer, junger und magerer Schinnos, der als Gerichtsschreiber geschickt und anstellig und, wie allgemein verlautete, bei der Kirchenbehörde gut angeschrieben war, Klage darüber führte, daß dieser Rotfratz ihnen alle Fälle wegschnappe und daß, wenn es im ganzen Bezirk nur dreißig Stockschläge zu verdienen gäbe, er stets achtundzwanzig und einen halben einsacke. All dieses Klagen und Murren war jedoch bloßer Neid.

Bruder Jan verprügelte den Rotfratz so wacker und weid-

lich mit Stockhieben auf Rücken und Bauch, Arme und Beine, Kopf und alles übrige, daß mich dünkte, er habe ihn totgeschlagen; dann überreichte er ihm die zwanzig Taler; und siehe da, schon ist mein Kerl auf den Füßen, strahlend wie ein König oder zwei. Die anderen sagten zu Bruder Jan: »Mein Herr Bruder Teufel, wenn es Euch beliebt, für weniger Geld noch ein paar von uns zu prügeln, so stehn wir Euch alle zu Diensten, Bruder Teufel. Wir stehn Euch alle samt und sonders zu Diensten mit Rock und Stock, mit Federn, Papier und allem.«

Rotfratz jedoch schrie gegen sie an und sagte mit lauter Stimme: »Was ficht euch an, Kalfakter, pfuscht ihr mir in den Kram? Wollt ihr mich ausstechen und mir die Kröten wegpaschen? Binnen acht Tagen zitier ich euch vor den Episkopalrichter, Schockschwerenot! Ich mach euch die Hölle heiß wie ein Teufel von Vanverd!«

Danach, zu Bruder Jan gewendet, sagte er zu ihm mit fröhlicher und lachender Miene: »Ehrwürdiger Teufelsvater, mein Herr. So Ihr an mir gutes Zeug gefunden habt und es Euch beliebt, an mir Eure Schlagfertigkeit zu üben, so bin ich auch mit der Hälfte zufrieden, gut und gern. Schont Euch nicht, wenn ich bitten darf. Ich stehe voll und ganz zu Euern Diensten, mein Herr Teufel, Kopf, Lungen, Eingeweide und alles insgesamt. Ich sag es Euch unter Brüdern.«

Bruder Jan wollte nichts weiter hören und begab sich fort. Die anderen Schinnöser nahmen ihre Zuflucht zu Panurge, Epistemon, Gymnaste und den übrigen und lagen ihnen ergebenst in den Ohren, sie möchten sie doch wohlfeil für Geld verprügeln: andernfalls liefen sie Gefahr, auf lange hin leer auszugehen. Aber keiner wollte auf sie hören.

Daraufhin, als wir auf der Suche nach frischem Wasser für die Schiffsmannschaft waren, trafen wir unterwegs auf zwei alte hierorts ansässige Schinnoserinnen, die selbander erbärmlich heulten und lamentierten. Pantagruel war auf seinem Schiff geblieben und ließ bereits den Bordruf ertönen. Wir, in der Meinung, die beiden seien verwandt mit dem Schinnos, der zerbleut worden war, fragten sie nach der Ursache ihrer Wehklagen. Sie erwiderten, zu weinen hätten sie billig Ursach, da man zu selbiger Stunde den zwei anständigsten Leuten in ganz Schinnosien am Galgen die Kutte am Hals zugeschnürt habe.

»Meine Pagen«, sagte Gymnaste, »ziehen ihren schlafenden Gefährten die Kutte zum Spaß an den Füßen zu. Die Kutte am Hals zuschnüren heißt einen hängen und erwürgen.«

»Freilich, freilich«, sagte Bruder Jan, »Ihr redet davon wie weiland Hans von der Ofenbank.«

Über die Gründe dieses Hängens befragt, antworteten sie, die beiden hätten die Meßgeräte entwendet und sie unter der Glockenhaube versteckt.

»Das ist«, sagte Epistemon, »ein furchtbar plumpes Bild.«

17. KAPITEL

Wie Pantagruel an den Inseln Thohu und Bohu vorbeifuhr und von der merkwürdigen Todesart Blähnüsterichs, des Windmühlenschluckers

Am selben Tag fuhr Pantagruel an den Inseln Thohu und Bohu vorüber, wo jedoch für uns nichts zu acheln war: Blähnüsterich, der große Riese, hatte alle Tiegel, Kellen, Kumpen, Kasserollen und Töpfe des Landes verschluckt, aus Mangel an Windmühlen, an denen er sich sonst gütlich tat. So war es gekommen, daß er kurz vor Tagesanbruch bei einsetzender Verdauung sterbenskrank geworden war, und zwar an einer Magenverstimmung, die (wie die Ärzte sagten) darin ihre Ursache hatte, daß die Zersetzungskraft seines Magens, die auf vollbespannte Windmühlen geeicht war, die Tiegel und Kasserollen zu bewältigen Mühe hatte; dagegen hatte er die Kessel und Töpfe recht gut verdaut, wie – sagten sie – aus den Hypostasen und Eneoremen in den vier Legeln Urin, die er zweimal am Morgen abgegeben, hervorgehe.

Um ihn wieder hochzukriegen, wendeten sie allerlei bewährte Heilmittel an, doch war das Übel stärker als die Heilmittel. So war denn am selbigen Morgen der edle Blähnüsterich auf so merkwürdige Art verschieden, daß wir darüber verdutzt zu sein mehr Ursache haben als über Äschylos' Tod. Hatte dieser doch, dem die Wahrsager prophezeit hatten, er werde an etwas Stürzendem, das auf ihn herabfallen werde, sterben, an dem vorausgesagten Tag die Stadt samt allen Häusern, Bäumen, Steinbrocken und was sonst herabfallen und durch seinen Sturz Schaden verursachen kann, hinter sich gelassen und verharrte da auf freier Flur, indem er sich der Obhut des freien und offenen Himmels anbefahl, unter dem, wie ihn dünkte, seine Sicherheit am verbürgtesten war, sofern nicht der Himmel einstürzte, was er jedoch für ausgeschlossen hielt.

Indessen heißt es, daß die Schwalben vor dem Einfallen des Himmels große Furcht haben, denn fiele er ein, wären sie alle gefangen. Dieselbe Furcht hatten einst die Kelten am Rhein, das heißt die tapferen, ritterlichen, kriegerischen und siegreichen Franzosen, die, einmal von Alexander dem Großen befragt, was in dieser Welt sie am meisten befürchteten, wobei er sich in der Hoffnung wiegte, daß sie in Anbetracht seiner großen Taten, Siege, Eroberungen und Triumphe ihn allein ausnehmen würden, zur Antwort gaben, sie fürchteten nichts, außer daß der Himmel einfalle; gleichwohl ständen sie nicht an, mit einem so tapferen und großherzigen König Bündnis, Beistandsvertrag und Freundschaft zu schließen, sofern ihr Strabo *lib. VII* und Arrian *lib. I* Glauben schenkt. Auch Plutarch in seinem Buch von dem *Antlitz, das im Mondkörper erscheint,* erwähnt einen gewissen Phenacius, der große Angst hatte, der Mond könne auf die Erde herabfallen, und Mitleid und Erbarmen mit denen, die unter ihm wohnen, als da sind die Äthiopier und Taprobaner, wenn ein so großer Klumpen auf sie herabfiele. Auch für Himmel und Erde fürchtete er, sofern sie nicht auf den Säulen des Atlas gehörig verzapft und gelagert seien, gemäß der Anschauung der Alten, wie Aristoteles *lib. V, Metaphys.* bezeugt.

Nichtsdestoweniger wurde Äschylos durch den Fall und Absturz eines Schildkrötenpanzers getötet, der ihm aus den Fängen eines hochfliegenden Adlers herab auf den Kopf fiel und ihm das Gehirn spaltete.

Ferner der Dichter Anakreon, der an einem Traubenkern erstickte. Ferner Fabius, römischer Prätor, dem ein Ziegenhaar die Luft abwürgte, als er eine Schale frische Milch aß. Ferner der Verschämte, der starb, weil er seine Winde verhielt und, anstatt einen richtigen Knäller fahren zu lassen,

in Gegenwart des Kaisers Claudius urplötzlich verschied; ferner der Römer, der auf der Flaminischen Straße bestattet ist und in seiner Grabinschrift darüber klagt, daß er am Biß einer Katze in den kleinen Finger gestorben sei. Ferner Q. Lecanius Bassus, der jählings an einem Stich in den Daumen der linken Hand starb, wiewohl die Stelle so klein war, daß man sie kaum wahrnehmen konnte. Ferner der normannische Arzt Quenelault, der in Montpellier plötzlich abkratzte, als er sich mit dem Federmesser eine Zecke aus der Hand schnitt. Ferner Philomenes, dem sein Diener zur Vorspeise frische Feigen hingesetzt hatte, und während er Wein holen ging, hatte sich ein Maulesel in die Wohnung verlaufen und fraß andächtig die hingestellten Feigen. Philomenes, der hinzukam und das Benehmen des feigennaschenden Esels staunend beobachtete, sagte zu seinem zurückgekehrten Diener: »Es gebührt sich, daß du, nachdem du diesem genäschigen Esel schon die Feigen überlassen hast, ihn auch mit dem von dir gebrachten guten Wein bewirtest.«

Nachdem er so gesprochen, übermannte ihn eine derart übermäßige Lachlust, daß ihm die Überanstrengung der Milz den Atem benahm und er auf der Stelle starb. Ferner Spurius Saufeius, der starb, als er beim Verlassen des Bades von einem weichgekochten Ei kostete. Ferner der Mann, von dem Boccaccio sagt, er sei unversehens verschieden, als er sich mit einem Salbeizweiglein die Zähne stocherte. Ferner Philippot Placut, den, obzwar er kerngesund war, die Rückzahlung einer alten Schuld ums Leben brachte, ohne daß er vorher krank gewesen war. Ferner Zeuxis, der Maler, der an einem Lachanfall starb, als er Geschau und Ebenbild einer von ihm abkonterfeiten Alten betrachtete. Ferner tausend andere, die ich euch anführen könnte aus Verrius, Plinius, Valerius, Baptiste Fulgoso, Bacabery dem Älteren.

Der gute Blähnaserich (Gott sei's geklagt!) starb an einem heißen Butterwecken, den er auf Anordnung der Ärzte an einer heißen Ofenröhre aß.

Dort wurde uns überdies erzählt, daß der König Hintran

auf Bohu die Satrapen des Königs Meschloth geschlagen und die Festungswerke von Bellima geschleift habe.

Danach fuhren wir an den Inseln Flack und Zack vorbei, auch an den Inseln Teleniabin und Geneliabin, die sehr schön und an Klystierstoff ergiebig sind. Ebenso an den Inseln Einig und Ewig, von denen einst der Schnitzer zum Landgrafen von Hessen kam.

18. KAPITEL

Wie Pantagruel einem starken Seesturm entrann

Am nächsten Tag begegneten uns steuerbords neun Last-
barken, die vollbesetzt waren mit Mönchen, Jakobinern,
Jesuiten, Kapuzinern, Eremiten, Augustinern, Bernhar-
dinern, Coelestinern, Theatinern, Egnatianern, Amadea-
nern, Franziskanern, Karmeliten, Minderbrüdern und anderen frommen Heiligen, die unterwegs waren zum Konzil
von Chesil, um dort die Glaubensartikel gegen die neuen
Ketzer auszutüfteln. Als Panurge sie erblickte, hatte er eine
Riesenfreude. Hielt er doch für gewiß, daß er ausgemachtes
Glück am selbigen Tag wie an den folgenden in langer
Kette haben werde. Und nachdem er die frommen Väter
ehrerbietig gegrüßt und das Heil seiner Seele ihren andäch-
tigen Gebeten und Fürbitten anempfohlen hatte, ließ er in
ihr Schiff achtundsiebenzig Schinken, viele Tonnen Kaviar,
Dutzende von Fleischwürsten, Barbenrogen zu Hunderten
und zweitausend schöne Engelsdukaten werfen, für die
Seelen der Verstorbenen.

Pantagruel saß jedoch ganz in sich gekehrt und schwer-
mütig da. Bruder Jan, als er es gewahr ward, fragte
ihn, was ihm denn so ungewohntermaßen Verdruß bereite,
als der Steuermann, das Schlingern der Flagge am Heck

bemerkend und eines grimmen Sturms und neuen Bullkaters gewärtig, allen befahl, auf dem Posten zu sein, Matrosen, Leichtmatrosen und Bootsmännern sowohl wie uns übrigen Mitfahrern insgesamt. Er ließ die Segel herunterholen, Besan-, Kreuz-, Fock-, Mars-, Bram- und Oberbramsegel, ließ Vorstag und sämtliche Rahen streichen, so daß nur die nackten Wewelinge und Wanten übrigblieben.

Plötzlich fing das Meer an hohl zu gehen und von tief herauf zu tosen. Die mächtigen Wogen krachten gegen die Flanken unserer Schiffe, der Mistral, begleitet von einer Sturmbö und todbringenden Schauern, pfiff durch unsere Rahen, der Himmel droben donnerte, blitzte, wetterleuchtete, regnete und hagelte, die Luft verlor ihre Durchsichtigkeit und ward trübe, verfinstert und dunkel, so daß kein sonstiges Licht uns mehr leuchtete als das Blenden der Blitze, der Wetterschein und das Bersten flammender Wolken. Die Kategiden, Thiallen, Lälapen und Presteren entflammten alles ringsum mit psoloenten, argeten, helizischen und sonstigen ätherischen Auswürfen, unser Blickfeld nach allen Seiten hin zerscherbte und zerrann, die furchtbaren Typhone türmten die Flut bergehoch auf. Glaubt mir, uns war, als sähen wir das uralte Chaos, das Feuer, Luft, Meer, Erde in widerträchtiger Verwirrung aller Elemente barg.

Panurge, nachdem er mit seinem Mageninhalt die Schlammbeißer gemästet hatte, blieb niedergeschlagen auf Deck hocken, ganz lendenlahm und halb tot; er rief alle gesegneten Heiligen und Heiligenfrauen um Beistand an, beteuerte, daß er jetzt und hier beichten wolle, und brach vor großem Schrecken in die Worte aus:

»O du himmlischer Hausbesorger, he du, mein Freund, mein Vater, mein Ohm, schaff ein wenig Gepökeltes herbei, denn nicht lange, und wir werden mehr saufen, als uns lieb ist, dünkt mich. Auf kleinen Imbiß ein tüchtiger Schluck: dies wird fortan mein Wahlspruch sein. Möchte es doch Gott und der gebenedeiten, hochverehrten und heiligen Jungfrau gefallen, daß ich jetzo, zu dieser Stunde mein ich, wohlbehalten auf dem Trockenen wär!

O dreimal und viermal selig preise ich, wer seinen Kohl

baut. Oh, warum haben die Parzen mich nicht als Kohl-
bauern eingefädelt? O wie gering an Zahl sind diejenigen,
denen Jupiter die Gunst erzeigte, daß er sie zu Kohlpflan-
zern bestimmte! Denn immerfort haben sie einen Fuß auf
dem festen Boden, und der andere ist nicht weit davon.
Mögen sich die Gelehrten über das Glück des Lebens noch
so hochnäsig streiten: ist doch, wer Kohl baut, für mich zu
dieser Stunde und auf meinen Beschluß hin der Glückselig-

keit teilhaftig. Und zwar hab ich weit mehr Grund dazu als Pyrrhon, der einmal, als er sich in ähnlicher Gefahr befand wie wir und am Ufer ein Schwein ausgestreute Gerste fressen sah, dasselbe in zweifacher Hinsicht glücklich nannte, einmal weil es Gerste als Futter habe und zudem noch an Land sei.

Ach, ist doch keine Bleibe so götterwürdig und herrenmäßig wie ein Kuhstall! Diese Woge wird uns wegspülen! Gott erhalte uns! O meine Freunde, nur ein Tröpfchen Weinessig! Vor Angst bin ich ganz durchgeschwitzt! Au weh! Die Leinen sind gerissen, das Ankertau ist in Fetzen, die Brassen springen, der Mast samt den Marsrahen holt über, der Kiel steht senkrecht, unsere Pardunen sind fast alle geplatzt. Au weh, au weh! Wo sind unsere Schratsegel hin? Alles ist futschicato. Unser Fockmast ist über Bord. Au weh! An wen mag dieses Wrack wohl fallen? Freunde, reicht mir von dahinten einen dieser Ruderböcke! Kinder, euer Jolltau ist gefallen. Laßt um Gottes willen den Helmstock nicht los, auch nicht die Talje. Den Steuerbolzen hör ich ächzen: ist er gebrochen? Retten wir um Himmels willen die Halteleine, um die Zugleine braucht ihr euch nicht zu kümmern. Bebebe bus bus bus! Achtet auf die Nadel von Eurem Kompaß, ich bitt Euch, Meister Astrophilus, aus welcher Richtung uns dieser Bullkater anbläst. Meiner Treu, hab ich eine Angst! Bu bu bu bu! bubus bus! Es ist aus mit mir. Ich hab die Hosen voll vor schlotternder Angst. Bubu bubu! Otto to to to to ti! Otto to to to to ti! bu bu bu, hu hu bu bu bus bus! Ich ersaufe, ich ersaufe! Ich sterbe! Liebe Leute, ich ersaufe!«

19. KAPITEL

*Wie sich Panurge und Bruder Jan während des Sturms
gebärdeten*

Nachdem Pantagruel den Beistand Gottes, des großen
Retters, angefleht und mit andächtiger Inbrunst vor ver-
sammelter Mannschaft gebetet hatte, hielt er auf Anraten
des Steuermanns den Mastbaum steif und fest umschlungen.
Bruder Jan war aus dem Rock geschlüpft, um den Boots-
leuten zu helfen. Epistemon, Ponokrates und die übrigen
taten es ihm gleich. Nur Panurge blieb ärschlings auf Deck
sitzen und weinte und zeterte. Bruder Jan wurde auf ihn
aufmerksam, als er längsseits kam, und sprach zu ihm: »Bei
Gott, Panurge, du Kalb, du Heulfritz, du Schreihals:
besser wär's, du sprängst uns bei, als uns hier die Ohren
vollzuplärren und auf deinen Eiern dazuhocken wie ein
Popanz.«

»Be be be bus, bus bus bus«, erwiderte Panurge, »Bruder Jan, mein Freund, mein Vaterherz, ich ersauf, mein Freund, ich ersauf! Es ist aus mit mir, mein väterlicher Berater, mein Freund, es ist aus mit mir! Eure Plempe kann Euch jetzt nicht mehr retten. Au weh, au weh, über das hohe C sind wir hinaus, die ganze Tonleiter ist flöten. Be be be, bus bus! Ich ersaufe! Au weh, zur Stunde sind wir noch unter dem tiefsten Baß. Ich ersaufe. Ha, mein Vater, mein Ohm, mein alles! Das Wasser ist mir vom Kragen bis in die Schuhe geronnen. Bus bus bus, pschi, hu hu hu, ha ha ha ha. Ich ersaufe! Au weh, au weh, hu hu hu hu hu hu! Bebe bus, bus bobus, bobus, ho ho ho ho! Ein Handstand wär jetzt das Rechte, eine Hexenschere, Füß oben, Kopf unten. Wollte Gott, ich wär jetzt im Kahn der lieben hochseligen Konzilstrebeväter, die wir heut morgen getroffen. Waren die fromm, ausgefuttert, fröhlich, flaumig und freundlich! Holo, holo, holo! Au weh, au weh! Diese Teufelsbrut von einer Welle *(mea culpa, Deus)*, diese Herrgottswelle mein ich, wird unser Schiff einschlagen. Au weh, Bruder Jan, Väterchen, mein Freund! Laß mich beichten! Sieh mich hier auf Knien! Confiteor! Euren heiligen Segen!«

»Komm, du Satansbraten«, sagte Bruder Jan, »und hilf uns hier! Dreißig Legionen Teufel noch mal, komm her! Wirst du wohl kommen?«

»Nicht fluchen«, sagte Panurge, »mein Vater, mein Freund, jetzt nicht! Morgen, soviel Ihr wollt. Holo, holo! Au weh! Unser Schiff zieht Wasser. Ich ersaufe. Au weh, au weh! Be be be be be, bus bus bus bus! Jetzt laufen wir auf Grund. Achtzehnhundert Taler Leibrente gäb ich dem, der mich verdreckt und beschissen, wie ich bin, an Land setzte, so wahr ich ein Scheißländler bin. *Confiteor!* Au weh! Ein Wörtchen ins Testament, ein Nachtragswörtchen bloß!«

»Tausend Teufel«, sagte Bruder Jan, »sollen diesem Jammerlappen an den Hals fahren! Bei Gottes Gerechtigkeit, was faselst du da her von Testament, ausgerechnet jetzt, da wir in Gefahr sind und uns aus der Klemme ziehen müssen, oder es ist um uns geschehen! Wirst du endlich kommen,

he, Teufel noch mal! Obermaat, mein Herzensschatz, he, Rudermeister, hierher! Gymnaste, auf die Brücke! Wir sind, beim leibhaftigen Gott, diesmal in die Pfanne gehaucn! Da ist auch unsere Laterne erloschen. Das geht doch mit allen Millionen Teufeln zu.«

»Au weh, au weh«, sagte Panurge, »au weh! Bu bu bu bu bus! Au weh! Au weh! War uns hier bestimmt umzukommen? Holo, liebe Leute, ich ersaufe, ich sterbe! *Consummatum est*. Mit mir ist's aus!«

»Magna gna gna«, sagte Bruder Jan. »Pfui über den häßlichen Scheißplärrer! Junge, ho, bei allen Teufeln, gib acht auf die Pumpe! Hast du dich verletzt? Leibhaftigen Gotts, mach dich hier und da an der Kreuzbäting fest. Teufel noch mal! So, mein Kleiner.«

»Ah, Bruder Jan«, sagte Panurge, »mein geistlicher Vater, mein Freund, laß uns nicht fluchen. Ihr sündiget. Au weh, au weh! Bebebebus bus bus! Ich ersaufe! Ich sterbe, lieben Freunde! Ich vergebe allen. Lebt wohl, *in manus*! Bus bus, Buhuhuhuus! Heiliger Michael von Aure, heiliger Nikolaus, diesmal und nie wieder! Ich gelobe euch hiermit feierlich, so ihr mir aus dieser Not helft, ich meine, mich aus der Gefahr hier an Land bringt, will ich euch ein hübsch großes Kapellchen bauen, wenn nicht zwei.

Zwischen Quande und Monssorreau
wird nicht Kuh noch Kalb der Weide froh.

Au weh, au weh! Über achtzehn Eimer sind mir schon ins Maul gekommen, wenn's nicht das Doppelte war. Bus bus bus bus. Wie bitter und salzig das schmeckt!«

»Bei allem, was heilig ist«, sagte Bruder Jan, »Blut, Fleisch, Bauch und Kopf, hör ich dich weiter so winseln, Teufelsschlappschwanz, laß ich dir vom Klabautermann zum Tanz aufspielen. Gerechter Gott, warum schmeißen wir ihn nicht auf den Meeresgrund? He, Vorbeter auf der ersten Bank, mein guter Kamerad, mach nur so fort! Haltet euch wacker da droben! Das heiß ich gut geblitzt und gut gedonnert. Ich glaube, alle Teufel sind heute los, oder Proserpina ist in Kindsnöten. Alle Teufel tanzen den Schellentanz.«

20. KAPITEL

*Wie die Bootsmänner die Schiffe auf dem Höhepunkt des
Sturms verloren geben*

»Ha«, sagte Panurge, »Ihr sündiget, Bruder Jan, weiland
mein Freund. Weiland sag ich, denn *in praesente* bin ich
nichts, seid Ihr nichts. Es tut mir leid, daß ich's Euch sagen
muß. Denn so zu fluchen tut, glaube ich, Eurer Milz so gut
wie einem Holzhacker, den es sehr erleichtert, wenn einer
neben ihm bei jedem Hieb, den er tut, lauthals ›Wum!‹ ruft,
aber auch wie einem Kegelbruder, der sich, nachdem er die
Kugel falsch aufgesetzt hat, wundersam erleichtert fühlt,
wenn ein Pfiffikus neben ihm Kopf und Rumpf nach der
Seite hin dreht und verbiegt, auf der die Kugel, richtig geschossen, Kegel getroffen hätte. Dennoch sündiget Ihr,
holder Freund. Aber könnte wohl dieses Unwetter uns
nichts anhaben, wenn wir gegenwärtig so etwas wie Cabirotaden äßen? Hab ich doch gelesen, daß bei Sturmesnot auf

dem Meer nur die keine Angst hatten und stets in Sicherheit waren, die den Kabirengöttern dienten, deren Orpheus Strabo, Apollonius, Pherecydes, Pausanias, Herodot so rühmlich Erwähnung tun?«

»Er faselt«, sagte Bruder Jan, »der arme Tropf. Daß doch der gehörnte Hahnrei in Millionen und aber Millionen Teufelsnamen beim Satan wär! Auf mit dir, gib uns eine Hand, Löwenzähnchen! Hier backbords. Bei Gottes Reliquienhaupt, was für ein frostschnatterndes Paternoster brabbelst du da zwischen den Zähnen? Dieser Teufelsbraten ist am Gewitter schuld und hilft nicht einmal der Mannschaft. Bei Gott, wenn ich dir komme, werd ich dich teufelsunbändig abstrafen. Hierher, Bootsknecht, mein Schatz! Festgehalten, damit ich einen griechischen Knoten hineinknüpfe. O der nette Bub! Wollte Gott, du wärst Abt von Apfeltasch, und der jetzige wär Gardian von Kroatz. Ponokrates, mein Bruder, Ihr werdet Euch da verletzen. Epistemon, geh nicht so nah ans Schanzwerk, ich hab auf der Seite einen Blitz herunterfahren sehen.«

»Hißt hoch!«

»Wohlgesprochen. Hißt hoch, hißt hoch! Her mit dem Boot! Hißt hoch! Gottsdonner, was seh ich da? Das Spill ist entzwei? Donnert nur zu, ihr Teufel, furzt, rülpst, mistet! Beschissene Welle! Sie hat mich, bei Gott, um ein Haar von Bord geschwemmt. Ich glaube, die Teufel halten hier zu Millionen ihre Provinzialhauptversammlung ab oder beraten zeternd die Wahl eines neuen Rektors.«

»Luvwärts!«

»Wohlgesprochen. Nehmt euren Kürbis in acht! Hau ruck, Junge, zum Teufel, he! Luvwärts, luvwärts!«

»Bebebebus bus bus«, sagte Panurge, »bus bus bebe be bus bus, ich ersaufe. Weder Himmel noch Erde seh ich mehr. Au weh, au weh! Von den vier Elementen bleiben uns hier nur Feuer und Wasser. Bububus bus bus! Gefiele es doch Gottes grundgütiger Allmacht, daß ich zur Stunde im Weinberg von Sévillé wär oder bei Innozenz, dem Pastetenbäcker, gegenüber dem ›Bildkeller‹, sollt ich da auch in Hemdsärmeln die kleinen Pasteten backen müssen. Bootsmann, könntet Ihr mich nicht an Land schaffen? Ihr seid doch so tüchtig, hab ich mir sagen lassen. Ich schenk Euch das ganze Lehen von Salmigondis samt meiner großen Schneckenzucht, wenn ich dank Eurer Geschicklichkeit je wieder festen Boden betrete. Au weh, au weh, ich ersaufe. Heda, Freunde, wenn uns schon nirgendwo ein sicherer Hafen winkt, laßt uns den Kiel irgendwo auflegen. Laßt eure sämtlichen Anker fallen, damit wir außer Gefahr sind, ich bitt euch. Maat, werft das Lot und das Senkblei aus, seid so gut! Damit wir über die Höhe der Tiefe Bescheid wissen. Lotet, Maat, guter Freund, in des lieben Herrgotts Namen! Damit wir wissen, ob man hier im Stehen bequem trinken kann, ohne sich bücken zu müssen. Ich hab so ein Gefühl.«

»Halsen, ho«, schrie der Steuermann, »halsen! An die Taljen! Halsen zu! Brassen zu! Schoten dicht! Holt auf! Holt bei! Ho, Kiel voraus! Hängt den Helmstock aus! Legt bei!«

»Ist es so weit mit uns gekommen«, sagte Pantagruel, »Gott, der Erretter, steh uns bei!«

»Legt bei, ho«, schrie Jamet Brahier, der Obersteuermann, »legt bei. Denke jeder an sein Seelenheil und verrichte sein Gebet, denn jetzt kann uns nur noch ein Wunder vom Himmel retten.«

»Legen wir doch«, sagte Panurge, »ein nettes wohlgefälliges Gelübde ab. Au weh, au weh! Bu bu bebebebus, bus bus. Au weh, au weh! Laßt uns eine Wallfahrt machen! Tscha ha, jeder berappt mit blanken Hellern, tscha.«

»Holt über, ho«, sagte Bruder Jan, »bei allen Teufeln, Steuerbord. Legt bei, in Herrgottsnamen, hängt den Helmstock aus! Legt bei, legt bei! Getrunken, ho! Und zwar vom besten und magenstärkendsten. Hört ihr wohl, he? Küchenmaat, gib aus, gib Vollmacht! Zu allen Millionen Teufeln fahren wir jetzt ohnehin. Ho, Junge, bring mir mein Klappfach her« (so nannte er sein Brevier). »Aufgepaßt! Stramm angezogen, mein Freund, so! Bei Gott, das heiß ich so recht gehagelt und geblitzt! Haltet gut fest da oben, seid so gut! Wann haben wir Allerheiligen? Heut haben wir, glaub ich, aller greulichen Teufel Tag.«

»Lieber Gott«, sagte Panurge, »Bruder Jan flucht sich aus Leibeskräften die Verdammnis an den Hals. Oh, welchen guten Freund verlier ich an ihm. Au weh, au weh! Schlimmer ist's noch denn zuvor. Von Scylla kommen wir und gehn zu Charybdis. Hoho, ich ersaufe. *Confiteor*. Ein Wörtchen ins Testament. Bruder Jan, mein Freund, mein Vater, mein Quintessenzabstraktor, mein Trauter, mein Achates; Xenomanes, mein alles. Ach weh, ich ersaufe. Zwei Wörtchen ins Testament. Seht hier, auf diesem Deckpolster!«

21. KAPITEL

*Fortsetzung des Sturms und knapper Diskurs über auf See
gemachte Testamente*

»Sein Testament zu machen«, sagte Epistemon, »just in
dem Augenblick, da wir uns abmühen und unserer Mannschaft beispringen müssen, wollen wir nicht Schiffbruch
leiden, dünkt mich ebenso unschicklich und unzeitig gehandelt wie seinerzeit von den Lanzenschleppern und Hätschel-
hänsen Cäsars, die beim Gallischen Feldzug sich damit be-
spaßten, Testamente und Kodizille aufzusetzen, die ihr Los
bejammerten, die Abwesenheit ihrer Frauen und Freunde in
Rom beweinten, da ihnen doch die Not befahl, zu den
Waffen zu eilen und sich an ihrem Feind Ariovist nach
Kräften zu bewähren. Genauso handelte jener Fuhrmann,
der, als es seinen Karren auf dem Stoppelacker umschmiß,
Herkules auf Knien um Beistand anflehte, anstatt seinen
Ochsen den Stachel einzusetzen und die Räder aufzurichten.
Wozu soll auch hier ein Testament gut sein? Denn entweder
wir entkommen dieser Gefahr, oder wir ersaufen. Entkom-
men wir, so habt ihr nichts davon. Sind doch Testamente
erst gültig und rechtskräftig, wenn die Testierenden mit
Tod abgegangen sind. Ersaufen wir aber, wird dann das
Testament nicht mit uns absaufen? Wer soll es denn zu den
Vollstreckern hinbringen?«

»Eine freundliche Woge«, sagte Panurge, »wird es ans

Gestade werfen, wie sie's mit Odysseus tat, und eine Königstochter, die sich bei Sonnenschein im Freien ergeht, wird's finden und sodann pünktlich vollstrecken und mir am Ufer ein prächtiges Grabmal errichten, wie Dido ihrem Ehemann Sichaeus, wie auch Äneas dem Deiphobus am trojanischen Gestade bei Roethe, wie Andromache dem Hektor in der Feste Butrot, wie Aristoteles dem Hermias und dem Eubolos, die Athener dem Dichter Euripides, die Römer dem Feldherrn Drusus in Germanien und Alexander Severus, ihrem Kaiser, in Gallien, Argentarius dem Callaischer, Xenokrit der Lysicides, Timares seinem Sohn Teleutagores, Eupolis und Aristodike ihrem Sohn Theotimos, Kallimachus dem Sopolis, Sohn des Dioktides, Catull seinem Bruder, Statius seinem Vater, Germain von Brie dem bretonischen Schiffer Hervé.«

»Du träumst wohl«, sagte Bruder Jan. »Hilf hier, bei fünfhunderttausend Millionen Fuhren Teufeln, hilf! Soll doch der Schanker dir den Schnurrbart kratzen und drei Schock Pestbeulen dazu, daß ein Oberwams und ein neuer Hosenlatz dabei herausschaut. Ist unser Schiff aufgelaufen? Herrgott, wie sollen wir's wieder flott kriegen? Fallen doch just alle Seeteufel über uns her. Nie kommen wir davon, oder alle Teufel sollen mich holen.«

Da hörte man einen kläglichen Ausruf Pantagruels, der mit lauter Stimme sprach: »Herr mein Gott, errette uns! wir gehen zugrunde. Doch nicht was unser Herz begehrt, sondern dein heiliger Wille geschehe!«

»Mögen Gott«, sagte Panurge, »und die gebenedeite heilige Jungfrau mit uns sein! Hoho, holla, ich ersaufe. Bebebebus bebe bus bus. *In manus*. Wahrhaftiger Gott, schick mir doch einen Delphin, der mich an Land trägt als ein artiges Arions-Bübchen. Ich will auch fleißig die Harfe schlagen, wenn sie nicht aus den Fugen ist.«

»Alle Teufel sollen mich holen«, sagte Bruder Jan . . .

»Gott steh mir bei«, murmelte Panurge in seinen Bart.

». . . wenn ich dir nicht, so ich zu dir herunterkomme, *ad oculos* demonstrier, daß deine Schellen am Arsch eines verluderten, hörnigen Schindkalbs hängen. Mnjang mnjang

mnjang. Komm her und hilf uns, du greinendes Mondkalb, bei den dreißig Millionen Teufeln, die dir an die Gurgel fahren sollen. Wirst du herkommen, du Meerkalb. Pfui, wie er häßlich aussieht, der Jammerlappen!«

»Weißt du nichts anderes?«

»Auf, her mit dir, fröhliches Klappfach, los, daß ich dich gegen den Strich striegle. *Beatus vir qui non abiit* – das kenn ich alles auswendig. Wie steht's mit der Legende vom heiligen Nikolaus?

> *Horrida tempestas montem turbavit acutum* . . .
> Greulicher Sturm aufwühlte spitzigen Flutberg . . .

Pitter Sturm war ein großer Steißtrommler an der Penne Montagu. Wenn die Lehrer fürs Verdreschen armer kleiner Knaben, harmloser Alumnen, zur Hölle verdammt werden, dann liegt er bei meiner Ehre auf Ixions Rad und drischt den Köter, der's in Trab hält. Wenn sie aber fürs Verdreschen harmloser Kinder die Seligkeit erlangen, so muß sein Aufenthalt noch über . . .«

22. KAPITEL

Ende des Sturms

»Land, Land«, rief Pantagruel aus, »ich sehe Land! Kinder, faßt euch ein Lämmerherz, wir sind nicht weit vom Port. Ich seh den Himmel im Norden aufklaren. Merkt auf den Schirokko.«

»Mut, Kinder«, sagte der Steuermann, »die See ist im Fallen. Alle Mann zum Fockmast! Hißt hoch, hißt hoch! An die Besanwewelingen! Das Tau ums Spill! Dreht, dreht, dreht! Das Großschot angepackt! Hißt hoch, hißt hoch, hißt hoch! Den Helmstock eingehängt! Die Halsen straff! Schoten klar! Bulinen klar! Brassen backbord! Steuer in Lee. Steuerbordschoten angeholt, du Hurensohn!«

»Das freut dich wohl, wackerer Bursch«, sagte Bruder Jan, »daß du Grüße von deiner Mutter bekommst.«

»Luvwärts! Voll und bei. Steuer mittschiffs.«

»Mittschiffs klar«, antworteten die Matrosen.

»Beidrehen! Nehmt Kurs aufs Land! Beisegel gesetzt! Hißt hoch, hißt hoch!«

»Das nenn ich gut gesprochen und befohlen«, sagte Bruder Jan. »Auf, auf, auf, Jungens, nur immer fleißig! Sehr gut! Hißt hoch, hißt hoch!«

»Steuerbord!«

»Recht so. Das Gewitter liegt, wie mich dünkt, in den letzten Zügen und hört im rechten Augenblick auf. Gleichwohl Gott Dank! Unsere Teufel schicken sich an, Hals über Kopf die Platte zu putzen.«

»Lände voraus.«

»Gut und weise gesprochen. Lände voraus, Lände voraus. Hierher, bei Gott, mein feiner Ponokrates, du Prachtskerl. Er wird nur Buben machen, der Stromer. Eusthenes, wackerer Bursch, an die Fockrahe.«

»Hißt hoch, hißt hoch!«

»Gut gesagt: hißt hoch, bei Gott, hißt hoch!
　　　Fürchte nichts, das mich bedroh,
　　　Denn der Tag ist gnadenfroh, froh froh froh.«

»Dieses herzstärkende Liedchen«, sagte Epistemon, »dünkt mich nicht unpassend, denn der Tag ist wirklich gnadenfroh.«

»Hißt hoch, hißt hoch, gut!«

»Oh«, rief Epistemon aus, »ich heiß euch alle hoffen. Ich sehe Castor zur Rechten.«

»Be be bus bus bus«, sagte Panurge, »wenn's nur nicht Helena ist, das Luder.«

»Es ist wahrlich Mixarchagetas«, erwiderte Epistemon, »wenn die Benennung der Argiver dir mehr behagt. Heiho, heiho, ich sehe Land, ich sehe Hafen, ich sehe wimmelndes Volk auf dem Bollwerk. Ich sehe Feuer auf einem Obeliskostaten.«

»Hehe«, sagte der Steuermann, »jetzt um die Mole herum und um die Klippen.«

»Sind herum«, antworteten die Matrosen.

»Es macht gute Fahrt«, sagte der Steuermann, »die Geleitschiffe ebenso. Legt euch in die Riemen.«

»Heiliger Jan«, sagte Panurge, »das heiß ich gesprochen. Ein treffliches Wort!«

»Mnja mnja mnja«, sagte Bruder Jan. »Wenn du auch nur einen Tropfen abkriegst, soll mich der Teufel kriegen. Hast du verstanden, Teufelsgefries? Hier, Maat, eine Kanne vom allerfeinsten. Schaff die Kruken her, Gymnaste, und das große pathetische oder pastetische Schinkentrumm, soll mir alles eins sein. Gebt acht, daß ihr nicht quer kommt.«

»Mut«, rief Pantagruel, »Mut, Kinder! Seien wir frohen Mutes! Seht, da laufen unsere Schiffe schon zwei Boote, drei Schaluppen, fünf Ewer, acht Tjalken, vier Galeassen und sechs Fregatten an, die uns die guten Leute von der Insel da drüben zu Hilfe schicken. Aber wer ist denn der heillose Ukalegon da drunten, der so heult und sich nicht fassen kann? Hab ich denn nicht den Mastbaum steif und fest wie mit zweihundert Kabeln umschlungen gehalten?«

»Es ist«, erwiderte Bruder Jan, »der arme Teufel Panurge, der Katzenjammer hat. Er bebt vor Angst, wenn er voll ist.«

»Wenn er«, sagte Pantagruel, »Angst gehabt hat bei diesem grausigen und gefahrvollen Unwetterorkan, so achte ich ihn, wofern er sich im übrigen wacker getummelt hat, deswegen um keinen Pfifferling geringer. Denn so wie das Bangen beim kleinsten Stupfer Anzeichen eines dicken feigmütigen Herzens ist (wie das bei Agamemnon der Fall war, weshalb auch Achilles, als er ihn schalt, ihm zu seiner Schande vorwarf, er habe Augen wie ein Hund und das Herz eines Hirschs), so ist doch das Nichtbangesein, wenn der Fall offensichtlich Furcht erheischt, das Zeichen geringer oder mangelnder Auffassungsgabe. Nun denn: wenn etwas in diesem Leben zu fürchten ist, was nach der Beleidigung Gottes an zweiter Stelle kommt, so soll das nicht heißen, es sei der Tod. Ich will mich nicht auf den Streit zwischen Sokrates und den Akademikern einlassen: der Tod sei an sich nichts Schlechtes, der Tod sei an sich nicht fürchtenswert. Ich sage nur, daß, wenn dieser Tod bei Schiffbruch nicht fürchtenswert ist, überhaupt nichts Furcht verdient. Denn nach Homers Ausspruch ist es ein kummervolles, entsetzliches und widernatürliches Los, auf dem Meer umzukommen. So bedauerte auch Aeneas bei dem Sturm, von dem sein Schiffszug vor Sizilien heimgesucht wurde, daß er nicht von der Hand des starken Diomedes gefallen sei, und sagte, drei- und vierfach seien diejenigen glücklich zu preisen, die beim Brand Trojas ihr Leben gelassen hätten. Hier bei uns hat keiner das Leben gelassen: Gott der Erretter sei dafür ewig gepriesen. Aber hier auf Deck sieht's wahrlich wüst aus. Gut. Wir werden dieses Wrack neu auftakeln müssen. Gebt acht, daß wir nicht stranden.«

23. KAPITEL

*Wie nach dem Ende des Sturms Panurge den guten
Kameraden spielt*

»Ha ha«, rief Panurge aus, »alles ist in bester Ordnung.
Das Unwetter ist vorüber. Wenn ihr erlaubt, laßt mich bitte
als ersten von Bord gehen. Ich hab so große Lust, ein
wenig für mich zu sein. Soll ich da noch ein bißchen helfen?
Her damit, daß ich dieses Tau festzurre. Mut hab ich für zwei,
wahrhaftig. Angst kaum ein bißchen. Her damit, Freund.
Nein, Angst nicht für einen Heller. Freilich hat diese zehn-
bergehohe Welle, die Bug und Heck unter sich begrub, mir
ein wenig das Blut versetzt.«

»Segel streichen!«

»Recht so. Wie, Bruder Jan, und Ihr tut gar nichts? Ist
jetzt wohl die Zeit, der Flasche zuzusprechen? Wissen wir
denn, ob nicht der Troßknecht Sankt Martins uns ein neues
Gewitter zusammenbraut? Soll ich Euch da noch ein bißchen helfen? Sapperment, mir tut's leid, doch ist es jetzt zu
spät, daß ich nicht die Lehre der braven Philosophen be-
herzigt hab, die sagen, Lustwandeln am Meer und Schiffen
in Landnähe sei ein gar sicher und letzet Ding, wie Zufuß-
gehn, wenn man sein Pferd am Zügel hält. Ha ha ha, bei
Gott, alles geht ja gut. Soll ich euch da noch ein bißchen

helfen? Her damit, ich versteh mich drauf, oder der Teufel hat seinen Schwanz darauf.«

Epistemons eine Hand war innen ganz aufgeschürft und blutig, so stramm hatte er eins der Taue gehalten. Als er Panurge so reden hörte, sagte er zu Pantagruel: »Seid überzeugt, Herr, daß ich nicht weniger Angst und Schrecken ausgestanden habe als Panurge da. Wie aber? Als Zugreifen nottat, hab ich mich nicht geschont. Meine Ansicht ist: wenn wir denn wirklich (und wirklich ist's so) zu der und der Stunde unvermeidlich und schicksalsnotwendig sterben müssen, so ist unser Sterben auf die und die Art in Gottes heiligem Willen beschlossen. Und doch muß der da unaufhörlich bittflehen, anrufen, beten, vorstellig werden, betteln. Aber auch damit darf's nicht sein End und Bewenden haben, vielmehr müssen wir von unserer Seite ein Gleiches daransetzen und, wie der heilige Apostel Paulus sagt, Mitschaffende sein am Werk Gottes. Ihr kennt die Worte, die C. Flaminius, der römische Konsul, sprach, als er durch Hannibals List beim See von Perusa, dem sogenannten Trasymenischen, eingekesselt war. ›Kinder‹, sagte er zu seinen Söldnern, ›macht euch keine Hoffnung, daß ihr durch Bestürmen und Anflehn der Götter hier herauskommt. Mit Kraft und Tapferkeit müssen wir uns durchschlagen und mit dem Schwert den feindlichen Heerhaufen teilen.‹ Ebenso bei Sallust. Der Beistand der Götter (sagte M. Porcius Cato) wird nicht durch müßiges Beten und weibisches Gejammer erlangt. Wer wachsam ist, arbeitet und sich bemüht, dem gerät alles nach Wunsch und zu gutem Ende. Ist in Not und Gefahr der Mensch nachlässig, unmännlich und faul, so fleht er zu den Göttern umsonst: nur Ärger und Empörung facht er bei ihnen an.«

»Ich will des Teufels sein«, sagte Bruder Jan.

»Ich gehör ihm schon halb«, sagte Panurge, ». . . wenn der Weinberg von Sévillé nicht ganz abgeleert und verwüstet wär, hätt ich bloß das *Contra hostium insidias* (wie's im Brevier steht) hergeleiert, denn so taten die anderen Teufelsmönche, ohne den Weinberg mit Kreuzstockhieben gegen die Plünderer von Lerné zu verteidigen.«

»Fahr zu, Galeere«, sagte Panurge, »alles geht gut aus. Bruder Jan rührt keinen Finger. Er nennt sich Jan Daumendreher und guckt zu, wie ich mich hier abschwitze und -mühe, um diesem braven Kerl da zu helfen. Obermaat, der du als erster den Namen Matrose verdienst, auf zwei Worte, aber nur wenn's dir recht ist. Wie dick sind die Planken dieses Schiffs?«

»Sie sind«, entgegnete der Steuermann, »gut zwei Finger dick, habt keine Angst.«

»Heiliger Gott«, sagte Panurge, »also trennen uns ständig nur zwei Fingerbreit vom Tod. Ist das eine von den neun Ehefreuden?«

»Ha, Obermaat, Ihr habt recht, daß Ihr die Gefahr nach der Furchtelle meßt.«

»Furcht habe ich keine, was mich betrifft. Mein Name ist Wilhelm Ohnefurcht, Mut, soviel Ihr wollt, und noch mehr. Nicht Lammsmut mein ich, Wolfsmut, Mörderzuversicht. Nur auf Gefahren bin ich nicht eben erpicht.«

24. KAPITEL

Wie Panurge von Bruder Jan dargetan wird, daß er grundlos
sich geängstigt während des Unwetters

»Guten Tag, meine Herren«, sagte Panurge, »guten Tag
beisammen. Es ergeht euch doch allen wohl? Gott Dank,
und euch? Seid mir recht herzlich und eben recht willkommen! Ruderknechte, ho, laßt den Steg herunter. Her mit
dem Boot! Soll ich euch ein bißchen helfen? Ausgehungert
bin ich wie ein Wolf, so hart und ochsenmäßig hab ich ge-
schuftet. Dies hier ist wahrlich ein hübscher Platz und bei
guten Leuten. Kinder, braucht ihr noch meine Hilfe? Spart
nicht mit dem Schweiß meines Leibes, bei Gottes Liebe!
Adam, das heißt der Mensch, ward zum Werkeln und Schaffen geboren wie der Vogel zum Fliegen. Unser Herrgott
will – merkt auf mich! –, daß wir unser Brot im Schweiße
unseres Angesichts essen, nicht aber also tun wie dieser
Kuttenstrolch, den ihr da seht, Jan geheißen, der vor Angst
säuft und stirbt. Nein, ist das ein schönes Wetter! Jetzt seh
ich ein, wie zutreffend und sinnvoll die Antwort des edlen
Philosophen Anacharsis war, als er auf die Frage, welches
Schiff ihn das sicherste dünke, zur Antwort gab: ›Das Schiff,
das im Hafen liegt.‹«

»Besser noch«, sagte Pantagruel, »als er auf die Frage, wer zahlreicher sei, die Toten oder die Lebenden, zurückfragte: ›Zu welchen zählt ihr die Seefahrenden?‹ womit er auf feine Art andeuten wollte, daß die Seefahrer in beständiger Todesgefahr schweben, daß sie sterbend leben und lebend sterben. So auch Porcius Cato, der sagte, drei Dinge allein gereuten ihn: nämlich hätte er je einer Frau ein Geheimnis anvertraut, hätte er je einen Tag müßig verbracht und hätte er je eine Seereise nach einem Ort gemacht, den er auf dem Landweg hätte erreichen können.«

»Bei dem ehrwürdigen Kuttengewand, das ich trage«, sagte Bruder Jan zu Panurge, »du hast, mein Freund Kujon, bei dem Wetter ohne Grund und Ursach Angst gehabt. Denn dir ist nicht vom Schicksal bestimmt, im Wasser umzukommen. Bestimmt wirst du hoch in der Luft gehängt oder wie ein Kirchenvater und Märtyrer geröstet. Herr, willst du eine gute Kotze gegen den Regen? Die mit Wolfs- und Dachsfell gefütterten Mäntel laß ruhig liegen! Laß Panurge hier die Haut abschinden und nimm sie dir um. Komm aber dem Feuer nicht zu nahe, und geh an keiner Hufschmiede vorbei, sonst könnte sie bei Gott leichtlich im Nu zu Asche zerfallen. Aber dem Regen setzt Euch aus, soviel Ihr nur wollt, auch Schnee und Hagel. Wahrhaftigen Gotts, Ihr könnt mit ihr einen Hechtsprung ins tiefste Wasser tun, so werdet Ihr Euch nicht einmal naß machen. Verarbeitet sie zu Wintergaloschen: nie wird sie Wasser durchlassen. Verarbeitet sie zu Schwimmwesten, wenn Ihr jungen Leuten das Wassertreten beibringen wollt: sie werden es gefahrlos lernen.«

»Demnach wäre seine Haut«, sagte Pantagruel, »gleich der Pflanze, Venushaar genannt, die weder Nässe noch Feuchtigkeit annimmt und jederzeit trocken ist, sei auch das Wasser noch so tief; auch heißt man sie ja Adiantos.«

»Panurge, mein Freund«, sagte Bruder Jan, »fürchte, ich bitt dich, nie das Wasser; das Gegenelement wird deinem Leben ein Ende machen.«

»Freilich«, erwiderte Panurge, »doch schlafen zuweilen die Küchenmeister des Teufels und versehn sich in ihrem

Auftrag, indem sie zum Kochen aufsetzen, was zum Braten bestimmt war, wie ja auch hier in der Kombüse die Oberköche häufig Rebhühner, Turtel- und Ringeltauben spicken, doch wohl in der Absicht, sie zu braten; trotzdem kommt es vor, daß sie die Rebhühner mit Kohl, die Turteltauben mit Lauch und die Ringeltauben mit Rübchen absieden. Hört zu, meine teuren Freunde, ich erkläre feierlich vor dieser edlen Versammlung, daß ich mit der Sankt Nikolaus gelobten Kapelle zwischen Quande und Monssorreau das Kapperl eines Destillierkolbens für Rosenwasser gemeint hab, auf dem nicht Kuh noch Kalb weiden wird, denn ich werd es ins Wasser werfen.

»Da seht«, sagte Eusthenes, »der lockere Vogel! Der macht das lombardische Sprichwort wahr:

> *Passato el pericolo, gabato el santo.*
> Ist die Gefahr aus der Welt,
> ist der Heilige geprellt.«

25. KAPITEL

Wie nach dem Sturm Pantagruel die Makreonen-Insel anlief

Nun gingen wir unverzüglich im Hafen einer Insel an Land, die man die Insel der Makreonen heißt.

Die guten Leute daselbst nahmen uns ehrenvoll auf. Ein alter Makrobe (so nannten sie ihren Oberschulzen) wollte Pantagruel aufs Stadthaus führen, wo er sich in aller Ruhe erfrischen und seine Mahlzeit einnehmen sollte. Der jedoch wollte nicht von der Mole weichen, bis nicht alle seine Leute an Land waren. Nachdem er sie durchgemustert hatte, befahl er, alle sollten die Kleider wechseln und, was an Vorräten im Schiff sei, an Land bringen, auf daß alle Mannschaften sich an ihnen gütlich täten. So geschah es auch unverweilt. Und Gott mag wissen, wie da getrunken und geschlemmt wurde; die Bevölkerung des Ortes brachte Lebensmittel im Überfluß herbei. Die Pantagruelisten schenkten ihnen noch mehr, wenn auch ihre Vorräte von dem vorangegangenen Sturm ein wenig mitgenommen waren. Als das Mahl zu Ende war, forderte Pantagruel sie allesamt auf, sich pflichtschuldigst der Instandsetzung des Wracks anzunehmen. Was sie auch frohen Mutes taten. Die Instandsetzung wurde ihnen nicht schwer, weil alles Volk auf der Insel Zimmerleute und Handwerker waren, wie ihr sie im

Arsenal von Venedig sehen könnt; auch war die ganze Insel nur in drei Häfen und zehn Gemeinden bewohnt; alles übrige war hochstämmiger Wald, und zwar so wild und verlassen, als wär's der Ardennerwald.

Auf unsere Bitte zeigte uns der alte Makrobe, was auf der Insel sehenswert und bedeutend war. Und verwies uns im schattendunklen einsamen Forst auf mehrere alte Tempel, die in Trümmern lagen, mehrere Obelisken, Pyramiden, antike Denkmäler und Grabsteine mit unterschiedlichen In-

schriften und Epitaphen; die einen in Hieroglyphenlettern, die anderen in jonischer Sprache, wieder andere in arabischer, hagarenischer, slawonischer und sonstigen Sprachen. Von ihnen nahm Epistemon wißbegierig Abschrift. Panurge sagte indessen zu Bruder Jan: »Dies hier ist die Insel der Makreonen. Makreon heißt auf griechisch ›Greis‹, vielbejahrter Mann.«

»Was soll mir das?« sagte Bruder Jan. »Soll ich darüber das Maul aufsperren? Ich war nicht im Land, als es so getauft wurde.«

»Übrigens«, erwiderte Panurge, »möcht ich glauben, daß der Name Makrele davon abgeleitet ist. So nennt man die

Kupplerinnen, denn das Kuppeln ist ein Geschäft der alten Weiber, so wie das der jungen das Zappeln. Jedenfalls wär's denkbar, daß dies hier die Kuppel-Insel ist, Original und Urbild der andern in Paris. Gehn wir Miesmuscheln fischen!«

Der alte Makrobe fragte Pantagruel in jonischer Sprache, wie er es am heutigen Tage mit Mühe und Kunst fertiggebracht, in ihrem Hafen zu landen, da doch die Luft in Aufruhr und der Seesturm so grauenerregend gewesen sei. Pantagruel erwiderte darauf, daß Gott, der erhabene Beschützer, die Herzenseinfalt und aufrichtige Liebe seiner Leute in Betracht gezogen habe, die nicht Gewinns und Warenhandels wegen die See beführen. Der einzige Grund, der sie aufs Meer getrieben, sei Wissensdurst und das innige Verlangen, das Orakel von Bakbu um Wissen und Erkenntnis anzugehen und den Spruch der Flasche über gewisse von einem Reisegefährten aufgeworfene schwierige Fragen zu erhalten. Doch sei dies nicht ohne große Drangsal und den Schiffbruch vor Augen abgegangen. Dann fragte er ihn, was er für die Ursache dieses fürchterlichen Unwetters halte und ob die Meere im Umkreis dieser Insel gewöhnlich vom Sturm heimgesucht würden, wie im Ozeanischen Meer die Gewässer von Saint-Mathieu und Maumusson und im Mittelmeer der Golf von Satalie, Montargentan, Piombino, Cap Melin in Lakonien, die Meerenge von Gibraltar, die Straße von Messina und andere.

26. KAPITEL

Wie der gute Makrobe Pantagruel von Aufenthalt und
Abscheiden der Heroer erzählt

Hierauf antwortete der gute Makrobe:

»Weitgereiste Freunde, dies hier ist eine der Sporaden-
Inseln, nicht jedoch eurer Sporaden, die sich im Karpathi-
schen Meer befinden, sondern der Weltmeer-Sporaden. Ehemals war sie reich, vielbesucht, wohlhabend, handeltreibend,
dichtbevölkert und dem Herrn von Britannien untertan;
heute ist sie infolge des Ablaufs der Zeit und des Nieder-
gangs der Welt so arm und verlassen, wie ihr seht.

In diesem dunklen Wald, den ihr vor euch habt und der
nach Länge und Breite über achtundsiebenzigtausend Parasangen mißt, haben die Dämonen und Heroen ihren Sitz,
und so glauben wir – da jetzt der Komet nicht mehr strahlt,
der uns zuvor drei volle Tage hindurch erschien –, daß gestern einer von ihnen gestorben ist, bei dessen Hinscheiden
der furchtbare Sturm, den ihr erdulden mußtet, ausbrach.
Denn solange sie am Leben sind, ist hier und auf den Nach-
barinseln alles Gute in Fülle da, und Windstille und heiterer

Himmel sind immerfort auf dem Meer. Geht aber einer von ihnen von hinnen, so vernehmen wir gemeinhin im Wald lautes und jämmerliches Wehklagen und erleben auf der Erde Seuchen, Verheerungen und Heimsuchungen, in den Lüften Wolkengetümmel und Verfinsterungen, auf dem Meer Sturm und Unwetter.«

»Augenscheinlich«, sagte Pantagruel, »ist, was Ihr da sagt. Denn so wie die Fackel oder die Kerze während der ganzen Zeit, da sie am Leben ist und brennt, den Anwesenden leuchtet, alles ringsherum hell macht, jeden erfreut und jedem zu Diensten ist mit ihrem Schein, keinem Verdruß oder Schaden bereitet, im Augenblick jedoch, da sie erloschen ist, mit Rauch und schlechten Dünsten die Luft verpestet, den Anwesenden schadet und mißfällt, so verhält es sich auch mit diesen edlen und bedeutenden Seelen. Solange sie ihre Leiber bewohnen, ist ihre Behausung friedsam, nützlich, erfreulich, ehrwürdig; zur Stunde aber, da sie abscheiden, ereignen sich auf den Inseln und dem Festland große Erschütterungen in der Luft, Verfinsterungen, Blitze und Hagel; auf Erden Zusammenbrüche, Beben, Entladungen, auf See Unwetter und Sturm; dazu Wehklagen der Völker, Umsturz der Religionen, Herrschaftswechsel und Umwälzung der Staaten.«

»Wir«, sagte Epistemon, »haben die Erfahrung vor nicht langer Zeit beim Hinscheiden des tapferen und gelehrten Ritters Guillaume du Bellay gemacht, zu dessen Lebzeiten Frankreich in so glücklichen Umständen war, daß alle Welt mit Neid darauf hinsah, alle Welt sich mit ihm verbündete, alle Welt es fürchtete. Jedoch kaum war er verschieden, sank es bei allen für lange Zeit in Mißachtung.«

»So machte auch«, sagte Pantagruel, »beim Tod des Anchises in Trapani auf Sizilien der Sturm Äneas furchtbar zu schaffen. Dies ist übrigens auch der Grund, weshalb Herodes, der tyrannische und grausame König Judäas, als er sich an der Schwelle eines greulichen und widerlichen Todes fand (denn er starb an einer Phtiriasis, von Würmern und Läusen aufgefressen, an der vordem L. Sulla, Pherecydes Syriacus, der Lehrer des Pythagoras, der griechische

Dichter Alkman und andere starben), und da er voraussah, daß die Juden bei seinem Tod Freudenfeuer anzünden würden, in sein Serail aus allen Städten, Flecken und festen Plätzen Judäas die Adligen und Obrigkeiten allesamt berief, unter dem Vorwand und trügerischen Anschein wichtiger Mitteilungen, die er ihnen über die Beherrschung und Betreuung der Provinz zu machen habe. Da nun dieselben Mann für Mann gekommen und erschienen waren, ließ er sie im Hippodrom des Serails einsperren. Dann sagte er zu seiner Schwester Salome und ihrem Ehemann Alexander: ›Ich bin gewiß, daß sich die Juden über meinen Tod freuen werden. So ihr aber anhören und ausführen wollt, was ich euch sagen werde, wird es meiner Bestattung an gebührenden Ehren und allgemeiner Wehklage nicht fehlen. Sobald ich verschieden sein werde, gebt Befehl, daß die Bogenschützen meiner Leibwache, die ich dazu ausdrücklich beauftragt habe, alle diese hier drinnen eingesperrten Adeligen und Obrigkeiten töten. Geschieht dies, so wird ganz Judäa wider Willen in Trauer sein, und Wehklage wird herrschen, und bei den Fremdvölkern wird der Eindruck entstehen, als sei mein Hinscheiden daran schuld, gleich als ob die Seele eines Heroen von hinnen gegangen wäre.‹

Dasselbe hatte ein verzweifelter Tyrann im Sinn, als er sagte: ›Sterbe ich, so mag sich Erde mit Feuer vermengen‹, was soviel heißen soll wie: mag die Welt untergehen. Ein Ausspruch, den der verkommene Nero in ›Lebe ich‹ abänderte. Dieses abscheuliche Wort, von dem Cicero, *lib. III De finibus* und Seneca *lib. II De clementia* berichten, wird von Dion Nicaeus und Suidas dem Kaiser Tiberius zugeschrieben.«

27. KAPITEL

*Wie Pantagruel von dem Hinscheiden der Heroen handelt
sowie den erschrecklichen Wunderzeichen, die dem Tod des
seligen Herrn de Langey vorausgingen*

»Es hätte mich gereut«, sagte Pantagruel weiter, »wenn
wir den Seesturm, der uns so weidlich zugesetzt und ge-
plagt, nicht erduldet hätten; wäre mir doch versagt geblieben zu vernehmen, was dieser gute Makrobe erzählt. Auch
dünkt es mich sehr glaubhaft, was er von dem Kometen
sagt, der in den Tagen vor diesem Todesfall am Himmel zu
sehen war. Denn es sind unter diesen Seelen einige so edel,
kostbar und heroisch, daß uns von ihrem Ortswechsel und
Abscheiden einige Tage vorher der Himmel zeichenhafte
Kunde gibt. Und so wie der umsichtige Arzt, wenn er an
den prognostischen Merkmalen sieht, daß sein Patient auf
den Pfad des Todes einschwenkt, ein paar Tage vorher die

Frau, Kinder, Anverwandten und Freunde von dem bevorstehenden Hingang des Gatten, Vaters oder Nächsten in Kenntnis setzt, auf daß in der Zeit, die zu leben ihm noch vergönnt ist, sie ihm nahelegen können, sein Haus zu besorgen, seine Kinder zu ermahnen und zu segnen, über das Witwenteil seiner Frau zu befinden, festzusetzen, was er nach bestem Wissen für den Unterhalt der Mündel notwendig erachtet, und er nicht ohne Vermächtnis und Vorsorge für Seele und Haus vom Tod überrascht werde, so scheinen auch die gütigen Himmel vor Freude über die Neuaufnahme einer dieser verklärten Seelen vor ihrem Hinscheiden in Gestalt solcher Kometen und Meteorerscheinungen Lustfeuer zu entfachen, womit sie den Menschen vorausverkünden und weissagen wollen, daß binnen weniger Tage diese ehrwürdigen Seelen ihre Körper und die Erde verlassen werden.

So bedienten sich auch ehedem in Athen die Areopag-Richter, wenn sie das Urteil der gefangenen Frevler auslosten, zur Bezeichnung des jeweils einschlägigen Urteilsspruchs bestimmter Schriftzeichen, wobei Θ die Todesstrafe, T die Freisprechung bedeutete, A soviel wie Aufschub, wenn nämlich der Fall noch nicht abgeschlossen war. Diese Zeichen wurden öffentlich angeschlagen, so daß die Anverwandten und Freunde und andere, die sich auf den Ausgang des Verfahrens und das Urteil über die gefangenen Frevler spitzten, aus Schrecken und Sorge herauskamen. So auch künden uns in Gestalt solcher Kometen die Himmel gleichsam mit ätherischer Zeichenschrift stillschweigend die Botschaft: ›Sterbliche, so ihr von diesen glücklichen Seelen noch etwas wissen, erfahren, vernehmen, erkennen und voraussehen wollet, was dem öffentlichen und privaten Leben zu Nutz und Frommen gereicht, beeilt euch, vor sie hinzutreten und Antwort von ihnen zu empfangen, denn das Ende und die Katastrophe des Dramas nahen. Ist es vorbei, werdet ihr es bereuen.‹

Doch tun sie noch mehr: Zum Beweis, daß die Erde und irdische Macht unwürdig sind der Gegenwart, Gesellschaft und Nutznießung dieser bedeutenden Seelen, bereiten sie ihnen Verwunderung und Entsetzen durch Wunderzeichen, Schrecknisse, Ungeheuer und andere jeder Naturordnung widerstrebende Vorzeichen. Wie wir sie ein paar Tage vor dem Ausgedinge der so erlauchten, edelmütigen und heldenhaften Seele des gelehrten und tapferen Ritters von Langey, von dem Ihr soeben gesprochen, erlebt haben.«

»Ich erinnere mich«, sagte Epistemon, »und noch immer

schaudert und bebt mir das Herz in seiner Kapsel, gedenke ich der so mannigfaltigen und schreckenerregenden Wunderzeichen, die wir fünf, sechs Tage vor seinem Hinscheiden mit eigenen Augen sahen. Dergestalt daß die Herren Assier, Chemant, Mailly der Einäugige, Saint Aye, Villeneuve la Guillart, Meister Gabriel, Sevillians Arzt, Rabelais, Cohuan, Massuau, Maiorici, Bullou, Cerçu genannt Bürgermeister, François Proust, Ferron, Charles Girard, François Bourré und so manche anderen Freunde, Hausgenossen und Bediente des Abgeschiedenen schweigend einander ansahen, ohne sich ein Wort entschlüpfen zu lassen, alle aber in ihrem Sinn denkend und vorausahnend, daß binnen kurzem Frankreich eines so vollkommenen und zu seinem Ruhm und Schutz unentbehrlichen Ritters beraubt sein werde und daß die Himmel ihn gleichsam als ein ihnen geschuldetes rechtmäßiges Eigentum zurückforderten.«

»Bei meiner Gugel«, sagte Bruder Jan, »ich will auf meine alten Tage noch ein Schriftgelehrter werden. Hab ich doch einen recht klaren Verstand.

> Ich frag euch der Frage wegen,
> Wie der König seinen Haudegen
> und die Königin ihr Mäken,

wie steht's? Können diese Heroen und Halbgötter, von denen Ihr gesprochen habt, mit Tod abgehen? Heilige Madonna! Ich dachte immer so in meinen Gedanken, sie wären unsterblich wie rechte Engel, Gott verzeih mir. Nun sagt aber dieser hochehrwürdige Makrobe, daß sie schließlich und endlich sterben.«

»Nicht alle«, sagte Pantagruel. »Die Stoiker sagen, alle seien sterblich, nur einer nicht, der allein unsterblich, leidlos und unsichtbar sei.

Pindarus sagte eindeutig, den Hamadryaden sei von Spindel und Wocken der grimmen Losgöttinnen und Parzen nicht mehr Faden, das heißt Leben, zugehaspelt, als die Bäume, die sie bewohnen, ihnen an Haltbarkeit verdanken. Und zwar sind es Eichbäume, denen sie entstammen, nach des Kallimachus und des phokäischen Pausanias Ansicht, die auch von Martianus Capella geteilt wird. Was die Halbgötter, die Pane, Satyrn, Waldgeister, Kobolde, Ägipane, Nymphen, Dämonen und Heroen angeht, so haben auf Grund der Totalsumme, die sich aus den von Hesiod angenommenen verschiedenen Zeitaltern ergibt, mehrere Autoren ihre Lebenszeit auf neuntausendsiebenhundertundzwanzig Jahre berechnet; und zwar kommt man zu dieser Zahl, indem man Eins ins Quadrat erhebt, die Quadratsumme

vierfach in sich verdoppelt und sodann das Ganze fünfmal mit soliden Triangeln multipliziert. Seht im Plutarch nach, im Buch vom Ende der Orakel.«

»Das ist«, sagte Bruder Jan, »etwas anderes als Brevierlesen. Ich glaube davon nicht mehr, als Euch beliebt.«

»Ich glaube«, sagte Pantagruel, »daß alle vernunftbegabten Seelen von der Atroposschere unbeschadet bleiben. Alle sind unsterblich: Engel-, Dämonen- und Menschenseelen. Doch will ich euch hierzu eine höchst merkwürdige Geschichte erzählen, die gleichwohl von einer Reihe gelehrter und kundiger Geschichtsschreiber aufgeschrieben und verbürgt ist.«

28. KAPITEL

Wie Pantagruel eine klägliche Geschichte vom Hinscheiden der Heroen erzählt

»Da Epitherses, des Rhetors Aemilianus Vater, einmal von Griechenland nach Italien in einem mit allerlei Handelswaren und Reisenden befrachteten Schiff überfuhr, setzte gegen Abend bei den Eschinaden-Inseln zwischen Morea und Tunis der Wind aus, so daß ihr Schiff nach Paxes abgetrieben wurde. Wie sie da still lagen, etliche der Fahrgäste schlafend, andere wachend, wieder andere trinkend und schmausend, ward von der Insel Paxes eine Stimme vernommen, die laut nach Thamus rief. Bei diesem Ruf wurden alle von Grauen gepackt. Dieser Thamus nämlich war ihr Steuermann, aus Ägypten gebürtig, aber nicht bei Namen bekannt, außer von ein paar der Mitreisenden. Zum zweitenmal ließ sich diese Stimme vernehmen, die in schaudererregenden Tönen ›Thamus‹ schrie. Da niemand antwortete, vielmehr alle in bebendem Schweigen verharrten, ward dieselbe Stimme zum drittenmal vernommen, schrecklicher denn zuvor. Da geschah es, daß Thamus antwortete: ›Ich bin hier. Was willst du von mir? Was soll ich tun?‹ Da ließ dieselbe Stimme sich noch lauter vernehmen, und zwar sprach und befahl sie ihm, sobald er in Palodes an Land gehe, solle er öffentlich bekanntmachen und verkünden, daß der große Gott Pan tot sei.

Bei dieser Rede, sagte Epitherses, hätten alle, die auf dem Schiff waren, Mannschaft und Fahrgäste, sich sehr verwundert und erschreckt und unter sich beraten, was zu tun besser sei, zu verschweigen oder kundzumachen, was geboten worden war. Darauf habe Thamus erklärt, seiner Meinung nach sollten sie, wenn sie Wind in den Segeln hätten, ohne ein Sterbenswort weiterfahren; wenn dagegen auf See Windstille herrsche, sollten sie verlautbaren, was sie vernommen hatten. Nun traf es sich aber, daß sie, bei Palodes angelangt, weder Wind noch Wellendrift hatten.

Da stieg Thamus aufs Vorderdeck und sagte, den Blick aufs Land gerichtet, wie ihm geboten worden war, daß der große Pan tot sei. Noch hatte er das letzte Wort nicht ausgesprochen, als an Land tiefe Seufzer, lautes Wehklagen und Jammergeschrei laut wurden, nicht nur von einem einzelnen, sondern von mehreren zusammen.

Die Nachricht hiervon (weil viele Zeuge gewesen waren) verbreitete sich alsbald in Rom. Und Tiberius Caesar, der zu der Zeit römischer Kaiser war, ließ diesen Thamus kommen. Und nachdem er ihn angehört, schenkte er seinen Worten Glauben. Und ward durch Befragen gelehrter Männer, deren es zu der Zeit an seinem Hof und in Rom eine stattliche Anzahl gab, dahin belehrt, dieser Pan sei ein Sohn des Merkur und der Penelope gewesen.

Dies hatten vordem Herodot und Cicero im dritten Buch seiner Schrift ›vom Wesen der Götter‹ niedergelegt. Was mich angeht, so möchte ich es lieber auf jenen großen Erretter der Gläubigen deuten, der in Judäa durch Neid und Bosheit der Hohenpriester, Doktoren, Presbyter und Mönche des mosaischen Gesetzes auf schimpfliche Art getötet wurde. Auch dünkt diese Deutung mich nicht abwegig, denn mit vollem Recht kann man von ihm in griechischer Sprache ›Pan‹ sagen, sintemalen Er unser Alles ist, alles, was wir sind, alles, worin wir leben, alles, was wir haben, alles, was wir hoffen, Er allein ist, in Ihm, von Ihm und durch Ihn. Er ist der gute Pan, der große Hirte, der, wie der leidenschaftsentbrannte Schäfer Corydon bezeugt, nicht nur seine Lämmer innig ins Herz geschlossen hat, sondern auch diejenigen, die sie weiden. Bei seinem Tod erfüllten Klagen, Seufzer, Schreck- und Jammerlaute den ganzen Bau der Welt: Himmelssphären, Erde, Meer, Unterwelt. Denn dieser große, allergrößte Pan, unser einziges Heil, starb vor Jerusalem, als in Rom Tiberius Caesar herrschte.«

Nachdem Pantagruel so gesprochen, versank er in Schweigen und tiefes Nachdenken. Nicht lange, da sahen wir Tränen aus seinen Augen rollen, so dick wie Straußeneier. Gott soll mich strafen, wenn ich auch nur mit einem Wort die Unwahrheit sage.

29. KAPITEL

Wie Pantagruel an der Insel Kümmerlich vorbeifuhr, auf der Fastenspeis regierte

Als die Schiffe des fröhlichen Geleitzugs wieder instand gesetzt und hergestellt, die Lebensmittelvorräte ergänzt waren, zur großen Genugtuung und Zufriedenheit der Makreonen wegen der Summe, die Pantagruel hatte springen lassen, setzten unsere Leute am darauffolgenden Tag, frohgemuter als sonst, Segel bei sachter und köstlicher Westbrise und waren guter Dinge. Gegen Mittag zeigte ihnen Xenomanes von ferne die Insel Kümmerlich, über die Fastenspeis herrschte. Pantagruel hatte einst von ihm gehört und hätte ihn gern in leiblicher Person gesehen, doch war Xenomanes dagegen, der ihm des weiten Umwegs sowohl als auch der mageren Kurzweil wegen, die er der ganzen Insel und dem Hof des Herrn nachsagte, davon abriet.

»Ihr werdet dort«, sagte er, »alles in einen Topf geschmissen, nichts weiter sehen als einen großen Erbsenknacker, einen großen Grätenlutscher, einen großen Maulwurfsfänger, einen großen Heubinder, einen Halbriesen mit Daunenflaum und doppelter Tonsur, aus Hinter-dem-

Mond stammend, auch so recht ein Mondgucker, Groß-
meister der Ichthyophagen, Diktator von Senftenberg,
Kleinkinderversohler, Aschenbrenner, Vater und Brotgeber
der Ärzte, in Fürbitten, Ablässen und Fastenpredigten
schwelgend, Biedermann, guter Katholik und Betbruder.
Den lieben langen Tag weint er. Nie findet er sich beim
Schmaus ein. Allerdings ist er der geschäftigste Spicknadel-
und Bratspießhersteller in vierzig Königreichen. Als ich vor
etwa sechs Jahren durch Kümmerlich kam, erstand ich
einen dicken Bratspieß und schenkte ihn den Metzgern
von Quande. Sie hielten ihn in hohen Ehren und wußten
warum. Ich werd euch, wenn wir heimkommen, zwei
davon zeigen, die über dem großen Portal eingerammt sind.
Die Speisen, von denen er sich nährt, sind eingepökelte
Halsbergen, Pickelhauben, gesalzene Feldschlangen und
Marinaden. Darum leidet er manchmal an starkem Harn-
brennen. Sein Anzug ist flott im Schnitt wie in der Farbe,
denn er trägt sich grau und blank: nichts vorne und nichts
hinten, die Ärmel desgleichen.«

»Es wird mir eine Freude sein«, sagte Pantagruel, »wenn
Ihr mir nebst seiner Kleidung, seinem Gebaren und seinem
Tun auch seine Gestalt und körperliche Beschaffenheit in
allen ihren Teilen vor Augen führt.«

»Sei drum gebeten, Vögli«, sagte Bruder Jan, »denn in
meinem Brevier hab ich ihn dingfest gemacht, doch ist er
mir nach den beweglichen Festen ausgekommen.«

»Recht gern«, erwiderte Xenomanes. »Möglich, daß wir
Genaueres von ihm hören, wenn wir an der Radau-Insel
vorbeifahren, auf der seine Todfeinde, die Geschwollenen,
herrschen, mit denen er immerzu im Kampf liegt. Und
stände ihnen nicht als Beschützer und guter Nachbar der
Herr Karneval zur Seite, so hätte dieser große Quatschkopf
Fastenspeis sie längst von Haus und Hof vertrieben.«

»Sind das«, fragte Bruder Jan, »Männlein oder Weiblein,
Engel oder Sterbliche, Frauen oder Jungfern?«

»Sie sind«, entgegnete Xenomanes, »weiblichen Geschlechts und sterblicher Natur, einige Jungfern, andere
nicht.«

»Ich will des Teufels sein«, sagte Bruder Jan, »wenn ich nicht für sie bin. Was ist das für eine Widernatur, die Frauen zu bekriegen? Kehren wir um! Versohlen wir diesem Erzbösewicht das Leder!«

»Mit Fastenspeis den Kampf aufnehmen?« sagte Panurge. »Bei allen Teufeln, so toll und kühn zugleich bin ich nicht. Was schaute auch dabei heraus, wenn wir ins Handgemenge zwischen die Geschwollenen und Fastenspeis gerieten wie zwischen den Amboß und die Hämmer? Pest! Macht, daß ihr von hier fortkommt. Laßt uns Leine ziehen! Ade, sag ich, Fastenspeis! Ich empfehl euch die Geschwollenen, und vergeßt mir auch nicht die Schwartenmägen!«

30. KAPITEL

Wie von Xenomanes Fastenspeis anatomisiert und beschrieben wird

»Fastenspeis hat«, sagte Xenomanes, »oder hatte jedenfalls zu meiner Zeit, was die inneren Teile angeht, ein Gehirn, das an Größe, Farbe, Substanz und Lebenskraft dem linken Hoden einer männlichen Made glich.

Die Kammern desselben wie ein Zugbohrer.

Der wurmförmige Auswuchs wie ein Malschlegel.

Die Hirnhäute wie eine Mönchskapuze.

Der Trichter wie ein Maurerbottich.

Die Höhle wie ein Wocken.

Die Zirbeldrüse wie ein Bovist.

Das Wundernetz wie eine Blesse.

Die mammilarischen Auswüchse wie ein Wickler.

Die Trommelhäutchen wie ein Windrad.

Die Steinbeine wie ein Flederwisch.

Der Nacken wie eine Stocklaterne.

Die Nerven wie ein Kranen.

Das Zäpfchen wie ein Pusterohr.

Der Gaumen wie ein Muff.

Der Speichel wie eine Rübwurz.

Die Mandeln wie Eingläser.
Der Isthmus wie eine Tragebütte.
Der Schlund wie eine Winzerkiepe.
Der Magen wie ein Wehrgehenk.
Der Zwölffingerdarm wie eine Forke.
Die Luftröhre wie eine Hippe.
Der Adamsapfel wie ein Wergknäuel.
Die Lunge wie ein Talar.
Das Herz wie ein Meßgewand.
Das Mittelfell wie ein Stamperl.
Das Rippenfell wie ein Krummschnabel.
Die Arterien wie eine Biarter Kappe.
Das Zwerchfell wie ein Käppi.
Die Leber wie eine Spitzhacke.
Die Venen wie ein Guckkasten.
Die Milz wie eine Wachtelpfeife.
Die Därme wie ein Schleppnetz.
Die Galle wie ein Hobelmesser.
Das Geschlinge wie ein Fäustling.
Das Gekröse wie eine Abtsmitra.
Der Leerdarm wie ein Schnepper.
Der Blinddarm wie eine Brünne.
Der Grimmdarm wie eine Rute.
Der Mastdarm wie ein Pfaffengemäß.
Die Nieren wie eine Kelle.
Das Kreuz wie ein Vorhangschloß.
Die Harnwege wie ein Kesselhaken.
Die emulgierenden Venen wie ein Paar Hohlkehlen.
Die Samengefäße wie ein Plundergebäck.
Die Parastaten wie eine Federbüchse.
Die Blase wie ein Flitzbogen.
Der Blasenhals wie ein Klöppel.
Das Mirach wie ein albanischer Hut.
Das Siphach wie eine Armschiene.
Die Muskeln wie ein Blasebalg.
Die Sehnen wie ein Vogelleder.
Die Ligamente wie eine Geldkatze.
Die Knochen wie Pfeffernüsse.

Das Mark wie ein Quersack.

Die Knorpel wie eine Landschildkröte.

Die Drüsen wie eine Hacke.

Die animalischen Geister wie schwere Fausthiebe.

Die Lebensgeister wie lange Wischer.

Das siedende Blut wie vielfache Nasenstüber.

Der Harn wie ein Papstfötter.

Der Samen wie hundert Stück Lattennägel. Auch erzählte mir seine Amme, daß er in seiner Ehe mit der Mittfasten lediglich eine Anzahl ortsbestimmender Adverbien und etliche Doppelfasttage gezeugt habe.

Das Gedächtnis war wie ein Sieb.

Der allgemeine Verstand wie eine Hummel.

Die Einbildung wie ein Glockengebimmel.

Die Gedanken wie ein Starenschwarm.

Das Bewußtsein wie ein Reihergelege.

Die Überlegungen wie ein Orgelschwall.

Die Reue wie die Protze einer Feldhaubitze.

Die Werke wie der Ballast einer Galeere.

Der Verstand wie ein zerfleddertes Gebetbuch.

Die Begriffe wie aus den Erdbeeren kriechende Schnecken.

Der Wille wie drei Nüsse in einer Schale.

Das Begehren wie sechs Bund heiliges Heu.

Das Urteil wie ein Stiefelknecht.

Das Feingefühl wie ein Muff.

Die Vernunft wie ein Untertritt.«

31. KAPITEL

Fastenspeis: Anatomie der äußeren Teile

»Was die äußeren Teile angeht«, sagte Xenomanes weiter, »war Fastenspeis ein wenig besser proportioniert, ausgenommen die sieben Rippen, die das gemeine Menschenmaß weit überstiegen.

Die Zehen waren bei ihm wie ein Orgelspinett.

Die Nägel wie ein Drillbohrer.

Die Füße wie ein Hackbrett.

Die Fersen wie eine Keule.

Die Fußsohle wie ein Kresseblatt.

Die Beine wie ein Lockvogel.

Die Knie wie ein Schemel.

Die Schenkel wie eine Zwerggalerie.

Die Hüften wie ein Zitterrochen.

Der Bauch auf polnisch, nach alter Mode, geknöpft und am Schwartenhals gegürtet.

Der Nabel wie eine Fiedel.

Der Schamberg wie ein Butterplatz.

Das Glied wie ein Schlappen.

Der Sack wie ein Happen.

Die Genitalien wie ein Hobel.

Die Kremasteren wie ein Ballschläger.

Das Perinaeum wie ein Flageolett.

Das Arschloch wie ein Kristallspiegel.

Die Arschbacken wie eine Egge.

Die Lenden wie ein Butterkumpf.

Das Alkalin wie ein Billard.

Der Rücken wie eine Steinschleuder.

Die Rückenwirbel wie eine Maultrommel.

Die Rippen wie ein Spinnrad.

Das Brustbein wie ein Baldachin.

Die Schulterblätter wie ein Mörser.

Die Brust wie ein Kartenfächer.

Die Brustwarzen wie eine Bocksflöte.

Die Achseln wie ein Schachbrett.

Die Schultern wie eine Tragbahre.

Die Arme wie eine Sturmhaube.

Die Finger wie Stiftsfeuerböcke.

Die Handwurzeln wie ein Paar Stelzen.

Die Schienbeine wie Beinschienen.

Die Ellenbogen wie Rattenfallen.

Die Hände wie ein Striegel.

Der Hals wie ein Labetrunkpokal.

Die Kehle wie ein Hippokrasfilter.

Der Gröbsch wie ein Türmchen, an dem zwei eherne
Kröpflinge sehr schön und harmonisch hingen, in
Form einer Sanduhr.

Der Bart wie eine Laterne.

Das Kinn wie ein Reizker.

Die Ohren wie ein Paar Fausthandschuhe.

Die Nase wie ein vorangetragener Bundschuh.

Die Nasenlöcher wie ein Häubchen.

Die Brauen wie eine Bratpfanne.

Über der linken Braue hatte er ein Mal von
der Form und Größe eines Uringlases.

Die Lider wie eine dreisaitige Geige.

Die Augen wie eine Kammscheide.

Die Sehnerven wie eine Flinte.

Die Stirn wie ein Kraggewölbe.

Die Schläfen wie eine Gießkanne.

Die Wangen wie ein Paar Pantinen.

Die Kiefer wie ein Becher.

Die Zähne wie ein Jagdspieß.

Von seinen Milchzähnen könnt ihr einen in Colonges les Royaulx im Poitou sehen, zwei davon in La Brosse in Xantonge über der Tür zum Keller.

Die Zunge wie eine Harfe.

Der Mund wie eine Schabracke.

Das Gesicht gepunzt wie ein Maultiersattel.

Der Kopf gewunden wie ein Destillierkolben.

Der Schädel wie ein Schnappsack.

Die Nähte wie ein Fischerring.

Die Haut wie eine Regenkotze.

Die Epidermis wie ein Mehlbeutel.

Die Haare wie eine Kratzbürste.

Das Körperhaar wie oben.«

32. KAPITEL

Fortsetzung der Besonderheiten des Fastenspeis

»Ein rechtes Naturwunder«, fuhr Xenomanes fort, »ist's,
die Lebensweise von Fastenspeis zu sehn und zu erleben.

Wenn er spuckte, waren es Körbe voll Artischocken.

Wenn er sich schneuzte, waren es Sulzaale.

Wenn er weinte, waren es Enten in leckerer Soße.

Wenn er zitterte, waren es große Hasenpasteten.

Wenn er schwitzte, waren es Muscheln in frischer Butter.

Wenn er rülpste, waren es Austern in der Schale.

Wenn er nieste, waren es Tönnchen voll Senf.

Wenn er hustete, waren es Schachteln Quittenmus.

Wenn er schluchzte, war es ein Bündel Kresse.

Wenn er gähnte, waren es Töpfe voll Erbsbrei.

Wenn er seufzte, waren es geräucherte Ochsenzungen.

Wenn er schnaufte, waren es Hucken grüner Affen.

Wenn er schnarchte, waren es Bütten Schnitzelbohnen.

Wenn er schmollte, waren es Schweinshaxen in Schmalz.

Wenn er sprach, war es grobes Auvergnater Sackleinen,
   weit davon entfernt, daß es Chamois-Seide gewesen
   wäre, aus der Parisatis die Worte derer gewirkt wissen
   wollte, die mit ihrem Sohn Cyrus, dem Perserkönig,
   sprachen.

Wenn er atmete, waren es Kästen für die Ablaßzettel.

Wenn er mit den Augen zwinkerte, waren es Waffeln und Oblaten.

Wenn er brummte, waren es Märzkatzen.

Wenn er mit dem Kopf nickte, waren es eisenbeschlagene Handwagen.

Wenn er eine Schnute zog, waren es Winkelhaken.

Wenn er murrte, waren es Kniffe der Rechtsklerisei.

Wenn er stampfte, waren es Stundungen und Quinquenalien.

Wenn er zurückwich, waren es Lappalien.

Wenn er geiferte, waren es Bannöfen.

Wenn er heiser war, waren es Moreskentänze.

Wenn er furzte, waren es braune Rindsfellgamaschen.

Wenn er fistete, waren es Stiefel aus Korduanleder.

Wenn er sich kratzte, waren es neue Erlässe.

Wenn er sang, waren es Schotenerbsen.

Wenn er schiß, waren es Reizker und Morcheln.

Wenn er saugte, war es Kohl in Öl, *alias caulex amb' olif.*

Wenn er nachdachte, war es Schnee vom vorigen Jahr.

Wenn er sich sorgte, waren es Kirchen und Lämmermäus.

Wenn er etwas hergab, hatten es schon die Ratten gefressen.

Wenn er sann, waren es Rammelspieße, die gegen eine Mauer flogen und sie anrobbten.

Wenn er träumte, waren es Rentenpapiere.

Merkwürdiger Fall: er arbeitete beim Müßiggehen und ging müßig bei der Arbeit; er hielt schlafend Korybantenwache und schlief Korybantenwache haltend wie die Champagner Hasen mit offenen Augen, aus Furcht vor einem Hemdenüberfall seiner alten Erzfeindinnen, der Geschwollenen. Er lachte beißend und biß lachend. Er aß beim Fasten nichts und fastete ohne einen Bissen. Er knusperte meuchlings und trank blindlings. Er badete auf den hohen Belfrieden und trocknete sich in den Teichen und Flüssen. Er fischte im Luftrevier und fing darin Riesenkrebse. Er jagte auf dem Meeresgrund und fand da Camoxen, Steinböcke und Gemsen. Allen hinterrücks gefangenen Krähen hackte er gewöhnlich die Augen aus. Nichts fürchtete er, ausgenommen seinen Schatten und das Geblök fetter Ziegenlämmer. An gewissen Tagen schlug er herumlungernd die Zeit tot. Er schwor mit den Fingern auf dem Kreuz. Aus seiner Faust machte er Schlegel. Schrieb auf haarige Schweinshaut mit seinem dicken Pimmel Prognosen und Kalender.«

»Wohlgetroffen der Kerl«, sagte Bruder Jan. »Das ist mein Mann. Das ist der, den ich suche. Ich werde ihm einen Zettelbrief schicken.«

»Je nun«, sagte Pantagruel, »das ist ein seltsames und ungeheuerliches Menschengestell, wenn es den Namen Mensch überhaupt verdient. Ihr ruft mir Gestalt und Gehaben von Ohnmaß und Unschlacht ins Gedächtnis.«

»Welcher Gestalt waren sie?« fragte Bruder Jan. »Hab ich doch nie von ihnen gehört, Gott verzeih es mir.«

»Ich will euch sagen«, erwiderte Pantagruel, »was ich in den alten Fabeln über sie gelesen habe. Physis (das ist die Natur) gebar als ihre erste Leibesfrucht Schönheit und Harmonie, und zwar ohne Paarung des Fleisches, da sie an sich selbst überaus fruchtbar und trächtig ist. Antiphysis, von jeher der Natur feind, war alsogleich neidisch auf diese so schöne und würdige Schöpfung und schuf ihr zum Trotz Ohnmaß und Unschlacht, indem Tellumon ihr beiwohnte.

Ihre Sprößlinge hatten einen kugelrunden Kopf gleich einem dicken Ball, nicht beiderseits leicht eingebuchtet, wie es die menschliche Form verlangt. Ihre Ohren waren aufgestellt und groß wie Eselsohren; die Augen standen brauenlos vorm Kopf und hafteten an Knochen, die wie das Fersenbein gebildet und dabei hart wie die von Krebsen waren. Die Füße waren wie zwei runde Wollknäuel, die Arme und Hände schulterwärts zurückgedreht; auch gingen sie auf ihren Köpfen und schlugen ständig Rad, Steiß über Kopf, die Füße gen Himmel. Da nun bekanntlich auch die Affenmütter ihre Affenjungen schöner finden als alles auf der Welt, erging Antiphysis sich in schierem Lob und trachtete zu beweisen, daß ihre Kinder schöner und anmutiger von Gestalt seien als die Kinder der Physis, indem sie behauptete, so rundfüßig und kugelköpfig zu sein und sich so rollend und radschlagend fortzubewegen sei die zukömmliche Gestalt und vollkommene Gangart, hergenommen von einer göttlichen Urform, nach der die Himmel und alle ewigen Dinge gedrechselt seien. Die Füße in der Luft und den Kopf am Boden zu haben sei Nachahmung des Weltschöpfers. Bedenke man, daß die Haare beim Menschen gleichsam die Wurzeln, die Beine gleichsam die Zweigsprossen sind, hätten die Bäume auf ihrem Wurzelwerk mehr Halt als auf ihren Zweigen, wobei ihre Beweisführung nur allzu deutlich darauf hinzielte, daß ihre Kinder nach Art aufrecht stehender Bäume tauglicher seien als die Kinder der Physis, diese auf dem Kopf stehenden Bäume. Was die Arme und Hände betrifft, fiel es ihr nicht schwer zu beweisen, daß sie

mit größerem Recht schulterwärts verdreht seien,weil dieser
Teil des Körpers nicht wehrlos sein dürfe, wohingegen die
Vorderseite durch die Zähne ja schon genugsam bewehrt
sei; denn nicht nur kaue mit ihnen der Mensch ohne Unterstützung der Hände, sondern erwehre sich mit ihnen auch
schädlicher Einwirkungen.

So bekehrte sie, indem sie wilde Tiere als Zeugen und
Gutachter gewann, alle Narren und Dummköpfe zu ihrem
Urteilsspruch und genoß die Bewunderung aller Leute ohne
Hirn, Sinn und Verstand. Danach gebar' sie die Mätzchen-
macher, Katzbuckler und Papeloren, die Pistollhäusler, die
Deixelfinger Calvins, das Schwindlerpack aus Genf, die toll-
wütigen Putherben, Schlickefänger, Schlitzohren, Hudler,
Leisetreter und Leutefresser und andere mißgestalte und
zwieschlächtige Ungeheuer, der Natur zum Trotz.«

33. KAPITEL

Wie von Pantagruel bei der Radau-Insel ein ungeheuerlicher Physeter gesichtet ward

Als sie gegen Mittag in die Gewässer der Radau-Insel kamen, sichtete Pantagruel von weitem einen großmächtigen und fürchterlich anzusehenden Physeter, der tosend, röhrend und aufgeblasen geradenwegs auf uns zuschwamm, höher aus dem Wasser ragend als die Topprahen der Schiffe und aus seinem Schlund Wasserströme vor sich her in die Luft schleudernd, als wär er ein großer, vom Gebirge herabstürzender Gießbach.

Pantagruel machte den Steuermann und Xenomanes auf ihn aufmerksam. Auf Anraten des Steuermanns wurden auf dem Thalamegus die Trompeten geblasen, auf die Tonart »Achtung! Klar zum Gefecht!«

Auf dieses Signal hin verfügten sich die Schiffe allesamt, Galionen, Rambergen, Limburgen (je nach ihrem Flottenstand) in eine Position, die der Figur des griechischen Y, des Pythagorasbuchstabens, nachgebildet war, wie man diese auch in Form eines spitzen Winkels beim Kranichflug beobachten kann. Und zwar befand sich an dessen Scheitel und Schwerpunkt besagter Thalamegus, zu tapferem Kampf gerüstet. Bruder Jan erstieg mit den Bombardieren wacker und besonnen das Vorderkastell. Panurge dagegen brach mehr denn je in Geschrei und Gejammer aus.

»Babillebabu«, sagte er, »jetzt kommt es noch schlimmer als jüngst. Laßt uns Reißaus nehmen! Das ist, Kreuzelement, der leibhaftige Leviathan, wie ihn der löbliche Prophet Moses im Leben des heiligen Mannes Hiob beschreibt. Er wird uns alle verschlucken, mit Mann und Maus, wie Pillen. In seinem riesigen Höllenschlund werden wir nicht mehr Platz einnehmen als ein Bröckchen Lutschzucker in einem Eselsrachen. Gleich ist er heran! Fort von hier, an Land! Ich halte für gewiß, es ist dasselbe Meerungeheuer, das einst Andromeda aufzufressen bestimmt war. O wär doch, es zu erlegen, ein wackerer Perseus zur Stelle!«

»Fersengeld wird er mir geben«, erwiderte Pantagruel, »hab keine Angst.«

»Heiliger Gott«, sagte Panurge, »laß uns aus den Schrecknissen herauskommen. Wann soll ich denn sonst Angst haben, wenn nicht im Angesicht drohender Gefahr?«

»Wenn dem so ist«, sagte Pantagruel, »hast du ein schlimmes Los gezogen, wie Bruder Jan unlängst dargetan hat, und mußt Angst haben vor Pyroeis, Eous, Aethon und Phlegon, den erlauchten Rossen der flammenspeienden Sonne, die Feuer aus ihren Nüstern schnauben; dagegen vor den Physetern, die nur Wasser aus Schlund und Ohren spucken, brauchst du keine zu haben, da du ja durch ihr Wasser nicht in Todesnot kommen wirst. Dies Element bietet dir mehr Schutz und Gewähr, als daß es dich gefährdet und kränkt.«

»Mir das!« sagte Panurge. »Da seid Ihr richtig. Heiliger Grünspan! Hab ich Euch nicht hinreichend die Verwandlung der Elemente expliziert an Hand des sinnfälligen Gleichnisunterschieds zwischen Gebratenem und Gesottenem, Gesottenem und Gebratenem? Ach weh, da ist er! Ich gehe mich unter Deck verstecken. Diesmal ist es unser aller Tod. Ich sehe auf der Marsrah die verflixte Atropos mit frisch geschliffener Schere hocken, uns allen den Lebensfaden abzuschneiden. Achtung! Da ist er! O wie gräßlich und abscheulich du bist! Schon so manche hast du gewiß ersäuft, die nicht damit geprahlt haben. Weiß Knöppchen, wenn er guten Wein ausspiee, weißen, roten, spritzigen, süffigen, statt dieses bitteren stinkenden Salzwassers, wär das durchaus erträglich, und es bedürfte dazu keiner Seelenstärke, wie zum Exempel jener englische Mylord, dem wegen seiner Missetaten der Prozeß gemacht, die Todesart jedoch freigestellt wurde und der sich für das Ertränktwerden in einem Faß Malvasier entschied. Jetzt kommt er. Hoho! Satansteufel, Leviathan! Ich kann dich nicht ansehn, du bist häßlich und widerwärtig! Scher dich vor Gericht, scher dich zu den Schinnösern!«

34. KAPITEL

Wie durch Pantagruel der ungeheuerliche Physeter erlegt ward

Wie nun der Physeter an den Bastionen und Knicken der Schiffsbefestigung entlangschwamm, überschüttete er das Schanzwerk tonnenweise mit Wasser, als brächen die Katarakte des Nil über sie herein. Pfeile, Lanzen, Speere, Wurfspieße, korsische Morgensterne, Harpunen und Partisanen flogen von allen Seiten auf ihn herab. Bruder Jan schonte sich nicht. Panurge war halbtot vor Furcht. Die Artillerie ballerte und feuerte auf Teufel komm raus und knöpfte sich das Ungeheuer gehörig vor. Doch richtete sie wenig aus, denn die dicken Eisen- und Bronzekugeln schienen von weitem gesehen, sobald sie in seine Haut eindrangen, zu schmelzen wie Bleiziegel an der Sonne. Da schwingt Pantagruel, der Gelegenheit und Notwendigkeit bewußt, den Arm und zeigt, was er kann.

Ihr sagt, und es steht auch geschrieben, daß der ruchlose Commodus, Kaiser von Rom, so geschickt mit dem Bogen schoß, daß er auch aus weiter Entfernung die Pfeile durch die Finger kleiner Kinder, die ihre Hand in die Luft streckten, jagte, ohne sie irgend zu verwunden.

Ihr erzählt uns auch von einem indischen Bogenschützen aus der Zeit, da Alexander Indien eroberte, der so treff-

sicher schoß, daß er seine Pfeile von weither durch einen Ring trieb, wiewohl sie drei Ellen lang und ihre Eisenspitze so groß und schwer war, daß sie eherne Zweihänder, dicke Schilde, stählerne Brünnen, kurzum alles, was sie traf, durchbohrte, mochte es auch noch so fest, widerständig, hart und gediegen sein.

Ihr berichtet uns auch Wunderdinge von der Handwerkskunst der alten Franzosen, die in der Bognerei allen den Rang abliefen und die bei der Jagd auf Schwarz- und Rotwild die Eisenblätter ihrer Pfeile mit Nieswurz einrieben, damit das so getroffene Wildbret zarteres, schmackhafteres, bekömmlicheres und delikateres Fleisch bekommen sollte, wobei sie jedoch das betreffende Stück ringsherum abtrennten und herausschnitten.

Ihr erzählt auch die Geschichte von den Parthern, die nach hinten besser schossen als andere Völker nach vorne. Auch rühmt ihr den Skythen diese Gewandtheit nach, in deren Auftrag einst ein Gesandter vor dem Perserkönig Darius erschien und ihm einen Vogel, einen Frosch, eine Maus und fünf Pfeile wortlos darbot. Befragt, was diese Geschenke bedeuten sollten und ob er nicht befugt sei, eine Erklärung abzugeben, antwortete er mit Nein. Hierüber war Darius höchst erstaunt und stutzig in seinem Verstand und wär's auch geblieben, hätte ihm nicht einer der sieben Hauptleute, die die Magier umgebracht hatten, den Fall auseinandergesetzt und gedeutet, indem er also sprach: »Mit diesen Gaben und Spenden tun Euch die Skythen stillschweigend kund: so die Perser nicht wie die Vögel zum Himmel auffliegen noch wie die Mäuse sich im tiefsten Erdenschoß verstecken noch sich am Grund der Teiche und Sümpfe wie die Frösche verbergen, wird sie samt und sonders durch die Kraft und Bogenschützenkunst der Skythen das Verderben ereilen.«

Ungleich bewundernswerter noch war als Speerwerfer und Bogenschütze der edle Pantagruel. Denn mit seinen furchtbaren Wurfgeschossen und Pfeilen (die genau den dicken Rammpfählen glichen, auf denen die Brücken von Nantes, Saulmur, Bergerac und in Paris der Pont au Change und der

Pont aux Meunières ruhen, und zwar nach Länge, Mächtigkeit, Gewicht und Eisenbeschlag) klappte er auf tausend Schritt Distanz die Schalenaustern auf, ohne auch nur die Randlippen zu streifen, schneuzte er eine Kerze, ohne sie auszulöschen, traf er die Elstern ins Auge, entsohlte er die Stiefel, ohne sie zu beschädigen, weidete er die gefütterten Sturmhauben aus, ohne was zu versehren, wendete er im Brevier Bruder Jans die Blätter um, ohne was zu zerreißen.

Mit einer solchen Wurflanze, von denen er in seinem Schiff eine Menge vorrätig hatte, rammte er beim ersten Schwung dem Physeter die Stirn, dergestalt daß er ihm die beiden Kiefer und die Zunge durchbohrte, so daß der den Schlund nicht mehr aufmachen konnte, nicht mehr Wasser einschnob und spie. Beim zweiten Wurf zerquetschte er ihm das rechte Auge, beim dritten das linke. Und ward zum großen Jubel aller der Physeter mit drei ein wenig herabhängenden Hörnern an der Stirn gesehen, die ein gleichschenkliges Dreieck bildeten, wie er sich wankend und ratlos verwirrt, blind und dem Tode nahe, von der einen auf die andere Seite wälzte.

Damit nicht zufrieden, schleuderte Pantagruel ihm einen weitern auf den Schwanz, wobei auch dieser hinten ein wenig herabhing, dann drei weitere aufs Rückgrat in scheitelrechter Linie, gleich weit von Kopf und Schnauze entfernt und säuberlich gedrittelt.

Endlich schleuderte er ihm auf die Flanken fünfzig hüben

und fünfzig drüben. So daß der Leib des Physeters wie der Kiel einer Dreimastergalione aussah, mit den genau in die Zapflöcher passenden Stützbalken, als wären's Kossen und Wanten des Kiels, was gar lustig anzusehen war.

Im Sterben wälzte sich sodann der Physeter vom Bauch auf den Rücken wie alle toten Fische; derart umgedreht, glich er mit den meerabwärts gerichteten Balkenstümpfen dem hundertfüßigen Skolopender, wie ihn der weise antike Nikander beschreibt.

35. KAPITEL

Wie Pantagruel auf der Radau-Insel landet, dem alten
Stammsitz der Geschwollenen

Die Vorruderer des Laternenschiffs brachten den Physeter im Schlepptau ans Ufer der nächstgelegenen Insel, Radau-Insel genannt, ihn dort zu zerlegen und aus den Nieren das Fett zu gewinnen, das, wie sie sagten, sehr nützlich und notwendig zur Heilung einer gewissen Krankheit sei, die sie Geldmangel nannten.

Pantagruel gab auf die Sache nicht viel, denn er hatte andere seinesgleichen, ja noch gewaltigere, im Gallischen Meer erblickt. Doch geruhte er, auf der Radau-Insel an Land zu gehen, damit etliche seiner Leute, die von dem üblen Physeter durchnäßt und besudelt waren, sich trocknen und erquicken sollten; und zwar lief er einen kleinen Hafen im Süden an, in der Nähe eines hochstämmigen, schönen und anmutigen Baumhains, aus dem ein köstlicher Bach mit süßem, klarem und silberhellem Wasser hervorsprang. Allda wurden unter prächtigen Zelten die Küchenherde aufgestellt, ohne daß mit Holz gespart wurde. Nachdem alle nach Belieben ihre Kleider gewechselt hatten, wurde von Bruder Jan das Glöckchen geläutet. Auf seinen Klang hin wurden die Tische aufgeschlagen und sogleich gedeckt.

Während Pantagruel mit seinen Leuten fröhlich speiste, gewahrte er, als der zweite Gang aufgetragen wurde, eine Anzahl kleiner geschwollener Fingerlinge, die, angelockt von der Geschirrkammer, lautlos auf einen hohen Baum kletterten und klommen. Darum fragte er Xenomanes: »Was für Tiere sind das?«, in der Meinung, es wären Eichhörnchen, Wiesel, Marder oder Hermeline.

»Es sind Geschwollene«, erwiderte Xenomanes. »Wir befinden uns hier auf der Radau-Insel, von der ich Euch heute morgen sprach. Zwischen ihnen und Fastenspeis, ihrem bösen langjährigen Feind, herrscht von jeher tödlicher Krieg. Auch glaube ich, daß sie durch die gegen den Physeter abgefeuerten Kanonenschüsse in Schrecken und Angst geraten sind, es möchte am Ende dieser ihr Feind hier aufgekreuzt sein, um sie zu überfallen oder ihre Insel hier zu verwüsten, wie er's schon mehrmals umsonst versucht und mit wenig Nutzen angestrebt hat; stand dem doch die Wachsamkeit und Umsicht der Geschwollenen entgegen, die (wie weiland Dido zu den Gefährten des Aeneas sagte, als diese ohne ihr Wissen und ihre Einwilligung in Karthago vor Anker gehen wollten), gezwungen durch Tücke und Grenznachbarschaft ihres Feindes, sich ständig abwehrbereit halten und auf der Hut sein müssen.«

»Ja doch, lieber Freund«, sagte Pantagruel. »Wenn Ihr irgend seht, wie wir auf eine redliche Art diesem Krieg ein Ende machen und sie miteinander aussöhnen können, laßt es mich wissen! Ich werde mich von Herzen gern dafür verwenden und es an nichts fehlen lassen, um die gegensätzlichen Standpunkte der beiden Parteien zu mildern und abzugleichen.«

»Im Augenblick ist das nicht möglich«, antwortete Xenomanes. »Als ich vor vier Jahren hier und auf Kümmerlich vorübergehend weilte, ließ ich mir's angelegen sein, Frieden oder zumindest einen langen Waffenstillstand zwischen ihnen auszuhandeln. Auch wären sie heute bereits gute Freunde und Nachbarn, hätten sie auf beiden Seiten ihrer Leidenschaft in einem einzigen Punkt entsagt. Fastenspeis wollte nicht, daß der Friedensvertrag auch die Rotwürste und die Landjäger, ihre Gevattern und Verbündeten von altersher, mit umfassen sollte. Die Geschwollenen wiederum verlangten, daß die Festung Heringsfaß ihnen zugesprochen und wie bereits Schloß Lakenfels unter ihre Herrschaft und Verwaltung kommen und daß aus ihm irgendein stinkendes, gemeines, mörderisches Raubgesindel, das sie besetzt halte, vertrieben werden sollte. Hierüber konnte man sich nicht einigen, da beiden Parteien die Bedingungen schimpflich dünkten.

So wurde zwischen ihnen kein Schlichtungsvertrag geschlossen. Immerhin waren sie danach weniger grimmige und sanftmütigere Feinde als in der Vergangenheit. Indessen hat der vom Nationalkonzil von Chesil geschleuderte Bannfluch, durch den sie gezaust, gefleddert und gebumfidelt wurden, wie denn auch Fastenspeis für lendenlahm, abgetakelt und stockfisziert erklärt wurde, falls er sich mit ihnen verbünde oder irgendwie übereinkomme, ihre Beziehungen verschärft und vergiftet und sie gegeneinander aufgesteift, so daß dagegen kein Kraut gewachsen ist. Eher vermöchtet Ihr Katzen und Ratzen, Hunde und Hasen miteinander auszusöhnen.«

36. KAPITEL

Wie von den aufgebrachten Geschwollenen Pantagruel ein
Hinterhalt gelegt wird

Indem Xenomanes so sprach, bemerkte Bruder Jan fünfundzwanzig oder dreißig schmächtige Geschwollene auf
dem Bollwerk, wie sie sich beschwingten Schritts in Richtung auf ihre Stadt, Feste, Burg und Kastell Rauchfang zurückzogen, und sprach zu Pantagruel: »Hier wird es was
absetzen, wenn mir recht ist. Diese ehrbaren Geschwollenen
könnten Euch zufälligerweise für Fastenspeis halten, ob Ihr
ihm auch keineswegs gleichseht. Lassen wir die Schmauserei
sein, und machen wir uns kampfbereit!«

»Das wäre«, sagte Xenomanes, »so übel nicht. Geschwollene sind nun einmal Geschwollene: immer nach zwei Seiten
und heimtückisch.«

Hierauf erhebt sich Pantagruel von der Tafel, um außerhalb des Wäldchens zu rekognoszieren; plötzlich kehrt er
um und versichert uns, er habe zur Linken einen Hinterhalt
dick Geschwollener entdeckt, zur Rechten aber, eine halbe
Meile entfernt, ein starkes Bataillon gewaltiger und riesenhafter Geschwollener am Saum eines kleinen Hügels, die
wutergrimmt in Schlachtreihe gegen uns vorrückten, beim

Schall ihrer Farzen und Sackpfeifen, Blasen und Blunzen, Zinken und Trompeten.

Da er in dem Haufen an die achtundsiebenzig Feldzeichen zählte, schätzten wir ihre Stärke auf nicht weniger als zweiundvierzigtausend. Die Ordnung, die sie einhielten, ihr wild entschlossenes Vorrücken und die zuversichtliche Miene, die sie zur Schau trugen, ließen uns vermuten, daß es nicht Buletten, sondern alte Geschwollenen-Kämpen seien. Von

den ersten Reihen an bis fast zu den Feldzeichen waren sie allesamt hochgerüstet und gepanzert, mit kleinen Piken – so erschienen sie uns von weitem –, die jedoch scharf zugespitzt und gehärtet waren. An den Flügeln waren sie flankiert von einer großen Anzahl Landjäger, gediegenen Schwartenmägen und Weißwurstreiterei, alle schön gewachsen, ein eigenbrötlerisches und grimmes Räubervolk.

Pantagruel versetzte der Anblick einen gehörigen Schrekken, und das mit Grund, wiewohl Epistemon ihm entgegenhielt, es möchte wohl im Geschwollenenland Sitte und

Brauch sein, auf solche Art ihre auswärtigen Freunde zu ehren und gewaffnet zu empfangen, wie ja auch die edlen Könige von Frankreich durch die gutgesinnten Städte im Land so bei ihrem ersten Einzug nach ihrer Salbung und jüngsten Thronbesteigung aufgenommen und gegrüßt werden.

»Möglicherweise«, sagte er, »ist's die gewöhnliche Leibtruppe der hiesigen Königin, die, benachrichtigt von den jungen Geschwollenenspäherinnen, die Ihr vorhin auf dem Baum bemerktet, es sei im Hafen hier das schöne und prunkvolle Geleit Eurer Schiffe aufgezogen, vermeint hat, es müsse ein reicher und mächtiger Fürst gekommen sein, und Euch nun persönlich ihre Aufwartung machen will.«

Pantagruel ließ es hiermit jedoch nicht sein Bewenden haben, sondern versammelte seinen Kriegsrat, um sich, nachdem er jeden angehört, schlüssig zu werden, was in dieser Klemme zwischen ungewisser Hoffnung und offenkundiger Gefahr zu tun sei.

Sodann stellte er ihnen in knappen Worten vor, wie derlei Arten bewaffneten Empfangs gar häufig hinter dem Anschein von Huldigung und Freundschaft tödliche Gefährdung verborgen hätten.

»So«, sprach er, »tötete bei einer Gelegenheit der Kaiser Antoninus Caracalla die Alexandriner; bei einer anderen vernichtete er den Anhang Artabans, des Perserkönigs, indem er fälschlich vorgab, er wolle seine Tochter heimführen. Was nicht ungesühnt blieb, denn bald darauf kam er dabei ums Leben. So übertölpelten die Söhne Jakobs aus Rache für den Raub ihrer Schwester Dina die Sichemiten. Auf diese hinterhältige Art wurden von dem römischen Kaiser Galienus die Krieger in Konstantinopel niedergemacht. So zog unterm Deckmantel der Freundschaft Antonius den armenischen König Artavasdas an sich und ließ ihn sodann binden und in schwere Ketten legen; am Ende ließ er ihn umbringen. Tausend andere ähnliche Geschichten finden wir in den antiken Denkmälern. Und sehr mit Recht wird bis auf den heutigen Tag der französische König Karl, der Sechste dieses Namens, hoch gepriesen, weil er bei der Rückkehr von seinem Sieg über die Flamen und Genter in seine gute Stadt Paris und Bourget in Franzien auf die Nachricht hin, die Pariser seien mit ihren Schlegeln (nach denen sie die Schlegler zubenannt wurden) bis zu zwanzigtausend Mann stark vor der Stadt zur Schlacht angetreten, nicht eher Einzug halten wollte (obgleich sie sich verwahrten, sie hätten nur um ihn ehrenvoller zu empfangen und ohne jeden Hintergedanken und böse Absicht Waffen angelegt), als bis sie wieder in ihre Häuser gegangen und die Wehr von sich getan hätten.«

37. KAPITEL

*Wie Pantagruel die Hauptleute Wurstriffler und Wurstschneid
zu sich befahl, nebst einer denkwürdigen Rede über die
Eigennamen von Orten und Personen*

Der Rat kam zu dem Beschluß, daß sie unter allen Umständen auf der Hut sein wollten. Dann wurden auf Befehl Pantagruels von Carpalim und Gymnaste die Hauptleute herbeizitiert, die auf den Schiffen Pokalia und Fressalia stationiert waren, Oberst Wurstriffler auf dem einen und Oberst Wurstschneid der Jüngere auf dem anderen.

»Ich will«, sagte Panurge, »Gymnaste diese Mühe gern abnehmen. Auch ist euch hier seine Anwesenheit vonnöten.«

»Bei der Kutte, die ich anhabe«, sagte Bruder Jan, »du willst dich vorm Kampf drücken, du Lump, und wirst bei meiner Ehre nicht wieder herkommen. Ein großer Verlust ist das freilich nicht. Würde er doch nur wieder flennen, lamentieren, schreien und die guten Soldaten verzagt machen.«

»Ich komme bestimmt wieder her«, sagte Panurge, »Bruder Jan, mein geistlicher Vater, und zwar bald. Gebt nur Befehl, daß diese widerlichen Geschwollenen nicht an Bord klettern. Indessen ihr kämpft, werde ich zu Gott für euern

Sieg beten, nach dem Vorbild des reisigen Hauptmanns Moses, Anführer des israelitischen Volkes.«

»Eure beiden Hauptleute«, sagte Epistemon zu Pantagruel, »verheißen uns mit ihren Namen Wurstriffler und Wurstschneid in diesem Kampf Zuversicht, Glück und Sieg, sollten uns die Geschwollenen etwa anfallen.«

»Ihr nehmt es von der richtigen Seite«, sagte Pantagruel, »und es gefällt mir, daß Ihr auf Grund der Namen unserer Hauptleute unseren Sieg vorausseht und im voraus erkennt. Diese Art von Namensprognose stammt nicht erst von heute. Sie wurde einst von den Pythagoreern verehrt und andächtig geübt. So manche großen Herren und Kaiser haben ehedem Nutzen aus ihr gezogen. Als Octavian Augustus, der zweite römische Kaiser, eines Tags einem Bauern mit Namen Euthyches, das heißt Glückspilz, begegnete, der einen Esel mit sich führte, der Nikon, das heißt auf griechisch Siegreich, hieß, schloß er aus den Namen sowohl des Eseltreibers als auch des Esels mit Sicherheit auf jegliches Gedeihen, Glückseligkeit und Sieg. Als Vespasian, auch er römischer Kaiser, eines Tages ganz allein im Serapistempel betete, faßte er bei dem unvermuteten Anblick und Hereinkommen eines seiner Sklaven mit Namen Basilides, das heißt Königlich, den er seit langem krank zurückgelassen hatte, Hoffnung und Gewißheit, die Herrschaft über Rom zu erlangen. Regilian wurde aus keinem anderen Grund, als weil sein Eigenname diese Bedeutung hatte, von den Soldaten zum Kaiser erwählt. Seht auch im Kratylos des göttlichen Plato nach.«

»Bei meinem Durst«, sagte Rhizotome, »ich will ihn lesen, so oft hör ich Euch ihn anführen.«

». . . Beachtet, wie die Pythagoreer auf Grund von Namen und Zahl darauf schließen, daß Patroklos von Hektor, Hektor von Achill, Achill von Paris, Paris von Philoktet getötet werden mußten. Es macht mich ganz wirr im Kopf, bedenke ich die wunderbare Erfindung des Pythagoras, der je nach der geraden oder ungeraden Silbenzahl jedweden Eigennamens angeben konnte, auf welcher Seite die Namensträger hinkend, bucklig, einäugig, gichtisch, gelähmt, pleu-

ritisch oder mit Gott weiß welchen anderen Gebrechen behaftet waren; und zwar bezog er die gerade Zahl auf die linke, die ungerade Zahl auf die rechte Körperhälfte.«

»In der Tat«, sagte Epistemon, »hab ich den Beweis dafür in Xaintes mit eigenen Augen erlebt, und zwar bei einer Gemeindeprozession in Anwesenheit des so guten, so tugendhaften, so gelehrten und gerecht denkenden Präsidenten Briend Valée, Herrn von Douhet. Sooft ein Hinkefuß oder eine Lahmende, ein Halbblinder oder eine Scheeläugige, ein Buckliger oder ein Buckelweib vorbeikamen, nannte man sie ihm bei Namen. Waren die Namenssilben der Zahl nach ungerade, so vermochte er auf Anhieb, ohne die Leute anzusehen, zu behaupten, sie seien bresthaft, einäugig, lahmend, bucklig auf der rechten Seite. Waren sie an Zahl gerade, auf der linken Seite. Und so war es auch tatsächlich, ohne Ausnahme.«

»Im Sinne dieser Erfindung«, sagte Pantagruel, »haben die Gelehrten behauptet, daß Achilles kniend von Paris' Pfeil an der rechten Ferse verwundet werden mußte: denn sein Name hat ungerade Silbenzahl (wobei anzumerken ist, daß die Alten sich auf das rechte Knie niederließen). Venus ward vor Troja von Diomedes an der linken Hand verwundet, denn ihr Name hat auf griechisch vier Silben; Vulkan lahmt auf dem linken Fuß aus demselben Grund. Philipp, König von Mazedonien, und Hannibal sind blind auf dem rechten Auge. Wir könnten diese pythagoreische Begründung im besonderen auch auf Ischias, Bruchleiden und Migräne ausdehnen.

Jedoch, um auf die Namen zurückzukommen, beachtet, daß Alexander der Große, Sohn des erwähnten Königs Philipp, durch die Deutung eines einzigen Namens zu seiner Lebenstat angespornt wurde. Er belagerte die Feste Tyrus und berannte sie nach Kräften viele Wochen lang; jedoch vergebens: nichts nützten ihm seine Maschinen und Steinschleudern; was sie einrissen, wurde von den Tyrern sogleich wiederhergestellt. Also kam er auf die Gedanken, die Belagerung aufzuheben, wenn auch schweren Herzens, denn er sah in diesem Abzug eine beträchtliche Schmälerung seines Ansehens. Während er so mit sich kämpfte und rang, schlief er ein. Im Schlaf träumte ihm, ein Satyr befinde sich in seinem Zelt, der auf seinen Bocksfüßen tanzte und herumhüpfte. Alexander versuchte ihn zu packen, der Satyr jedoch entwischte ihm immerzu. Schließlich bekam ihn der König, nachdem er ihn in die Enge getrieben, zu fassen. Im selben Augenblick wachte er auf und vernahm, als er den Philosophen und Gelehrten an seinem Hof den Traum erzählte, daß die Götter ihm Sieg verhießen und daß Tyrus alsbald fallen werde, denn das Wort ›Satyros‹ bedeutet, in

zwei Hälften geteilt, ›Sa Tyros‹, das heißt ›Dein ist Tyros‹. Tatsächlich nahm er beim ersten Sturm die Stadt mit Gewalt und unterjochte durch einen Sieg dieses aufsässige Volk.

Beachtet, daß umgekehrt Pompejus durch die Bedeutung eines Namens in Verzweiflung geriet. Nachdem Cäsar ihn in der Schlacht von Pharsalus besiegt hatte, blieb ihm als rettender Ausweg nur die Flucht. Bei seiner Flucht übers Meer erreichte er die Insel Zypern. Nahe der Stadt Paphos erblickte er am Ufer einen schönen und prächtigen Palast. Als er den Steuermann fragte, wie dieser Palast benannt sei, hörte er, sein Name sei Κακοβασιλέα, das heißt Übelkönig. Dieser Name erschreckte und leidete ihm im Gemüt dermaßen, daß er in Verzweiflung stürzte, als sei nun gewiß, daß er nicht entkommen und über kurzem das Leben einbüßen werde. Woraufhin ihn die Mitfahrenden und Schiffsleute in Schreien, Seufzen und Stöhnen ausbrechen hörten. Tatsächlich wurde ihm bald darauf von einem gewissen Achillas, einem unberühmten Bauern, der Kopf abgeschlagen.

Bei dieser Gelegenheit könnten wir auch noch erwähnen, was L. Paulus Aemilius zustieß, als ihn der römische Senat zum Kaiser, das heißt zum Oberbefehlshaber des Heeres, wählte, das gegen Perses, König von Mazedonien, ausgesandt werden sollte. Als er am selben Tag gegen Abend in sein Haus zurückkehrte, um sich für den Aufbruch zu rüsten, und als er eine seiner kleinen Töchter mit Namen Tratia küßte, fiel ihm auf, daß sie sterbenstraurig war. ›Was hast du‹, sagte er, ›meine Tratia? Warum bist du so traurig und verdrossen?‹ – ›Mein Vater‹, antwortete sie, ›Persa ist tot.‹ So nannte sie eine kleine Hündin, die sie hätschelte. Bei diesem Wort überkam Paulus die gewisse Überzeugung, daß er Perses besiegen werde.

Wenn die Zeit es erlaubte, daß wir auch die heiligen Schriften der Hebräer heranzögen, könnten wir hundert bezeichnende Stellen finden, aus denen eindeutig hervorgeht, wie aufmerksam und andächtig sie es mit den Eigennamen und ihren Bedeutungen hielten.«

Am Schluß dieser Rede stellten sich die zwei Hauptleute, begleitet von ihren Soldaten, wohlbewaffnet und kampfentschlossen ein. Pantagruel ermahnte sie noch kurz, sie sollten sich tapfer halten, falls sie etwa gezwungen sein sollten (denn noch immer wollte er nicht glauben, daß die Geschwollenen Böses im Schilde führten), sich bei dem Zusammenstoß als erste zur Wehr zu setzen, und gab ihnen »Karneval« als Losungswort.

38. KAPITEL

Daß Geschwollene unter den Menschen nicht zu verachten sind

Da grinst ihr Hohn, ihr Zecher, und wollt nicht glauben, daß tatsächlich wahr ist, was ich euch erzähle. Ich weiß nicht, was ich dabei tun soll. Glaubt's, wenn ihr mögt; wenn ihr nicht mögt, geht hin und schaut selber nach. Ich jedenfalls weiß, was ich sah. Es war auf der Radau-Insel. Ich nenne sie euch bei Namen. Und besinnt *ihr* euch auf die Kraft der Giganten im Altertum, die sich unterfingen, den hohen Pelion auf den Ossa zu türmen und den dräuenden Olymp mit dem Ossa zu verbacken, um die Götter zu bekämpfen und sie aus ihrem Himmelsnest zu vertreiben? Das war keine geringe noch eine durchschnittliche Kraft. Dabei waren diese nur halben Leibes Geschwollene oder Schlangen, wenn ich recht unterrichtet bin.

Die Schlange, die Eva versuchte, war schwellförmig; gleichwohl steht von ihr geschrieben, daß sie scharfsinniger und listiger war als alle Tiere des Feldes. So auch die Geschwollenen. Überdies wird von etlichen Akademien behauptet, diese Versucherin sei vordem der Geschwollene Ithyphallos gewesen, in den einst der brave Herr Priap verwandelt worden sei, der in den Paradiesen, wie auf griechisch die französischen Gärten heißen, sein Unwesen trieb.

Wissen wir denn, ob nicht die Schweizer, heute ein kühnes und kriegerisches Völkchen, ehedem Speckwürste gewesen sind? Ich möchte dafür nicht die Hand ins Feuer legen. Die Himantopoden, ein sehr berühmter Volksstamm in Äthiopien, sind nach Plinius' Schilderung Geschwollene, nichts anderes.

Sollten diese Darlegungen der Ungläubigkeit Eurer Herrlichkeit nicht Genüge tun, so mögt Ihr flugs (das heißt, nach dem Trinken) Lusignan, Partenay, Vovant und Pouzanges im Poitou besuchen. Dort werdet Ihr hochansehnliche Zeugen vom guten alten Schlag antreffen, die Euch beim Arm des heiligen Rigomé schwören werden, daß Melusine, ihre Urstifterin, nur bis zum Miederbund weiblich gebildet war, bundabwärts dagegen nichts anderes war als eine Quellschlange oder eine Schlangenquelle. Trotzdem schritt sie wacker und stattlich aus, wie's ihr noch heute die reigenden Bretonen bei ihren Hupf- und Juchzertänzen nachmachen.

Aus welchem Grund erfand wohl Erichthonius als erster die Tragstühle, Sänften und Kutschen? Weil Vulkan ihn mit Geschwollenenbeinen in die Welt gesetzt, die zu verbergen er lieber in der Sänfte als hoch zu Roß durchs Land zog. Denn zu seiner Zeit waren die Geschwollenen noch nicht gefragt. Ebenso war die skythische Nymphe Ora ihrer Leibesbildung nach halb eine Frau, halb eine Geschwollene. Gleichwohl dünkte sie Jupiter so schön, daß er mit ihr schlief und von ihr einen prächtigen Sohn mit Namen Colaxes empfing.

Hört mir also jetzt auf, höhnisch zu grinsen, und glaubt, daß es nichts Wahreres gibt als das Evangelium.

39. KAPITEL

*Wie Bruder Jan sich mit den Köchen zusammentat,
um gegen die Geschwollenen zu kämpfen*

Als Bruder Jan die wutentbrannten Geschwollenen so
forsch anmarschieren sah, sprach er zu Pantagruel: »Eine
saubere Hetz wird's hier geben, soviel ich seh. Oh, die große
Ehre und die prächtigen Lobeshymnen, die uns der Sieg
eintragen wird! Am liebsten wär's mir, Ihr wohntet dem
Streit hier von Eurem Schiff aus nur als Zuschauer bei und
ließet mich mit meinen Leuten machen.«

»Welchen Leuten?« fragte Pantagruel.

»Steht's doch im Buch«, erwiderte Bruder Jan. »Warum
war Potiphar, der Joseph kaufte und dem Joseph, hätt er
nur gewollt, Hörner aufgesetzt hätte, Oberbefehlshaber der
Reiterei von ganz Ägyptenland? Warum ward Nabuzardan,
Oberküchenmeister des Königs Nabuchodonosor, unter
allen Heerführern auserkoren, Jerusalem zu belagern und
in Trümmer zu legen?«

»Ich höre«, erwiderte Pantagruel.

»Fotz Madam«, sagte Bruder Jan, »ich möcht einen Eid
darauf leisten, daß sie ehedem mit Geschwollenen gekämpft
oder sich aus ihren Leuten so wenig gemacht haben wie aus
Geschwollenen, die zu metzeln, faschieren, bamsen und
beuteln Köche doch ohne Vergleich mehr Geschick und
Talent haben als alle Gewappneten, Stradioten, Söldner und
Kommißstiefel der Welt.«

»Ihr bringt mir frisch ins Gedächtnis«, sagte Pantagruel,
»was in den possenhaften und lustigen Reden Ciceros geschrieben steht. Zur Zeit des Bürgerkriegs zwischen Cäsar
und Pompejus war sein Herz natürlich mehr bei der pom-

pejanischen Partei, wiewohl er von Cäsar umworben und sehr begünstigt wurde. Als er eines Tages hörte, die Pompejaner hätten bei einem bestimmten Gefecht starke Verluste gehabt, wollte er ihr Lager aufsuchen. Er tat's und bemerkte in ihrem Lager nur geringe Streitkräfte, noch weniger Mut und ein großes Durcheinander. Da ihm schwante, daß die Sache ein schlimmes Ende mit Schrecken nehmen würde, wie's dann auch eintraf, fing er an, zu höhnen und zu spotten, indem er bald den einen, bald den anderen ätzend scharfe Hiebe versetzte, auf deren Zubereitung er sich wohl verstand. Ein paar Hauptleute, die sich den jovialen Anschein zuversichtlicher und entschlossener Leute gaben, sagten zu ihm: ›Seht Ihr, wie viele Adler wir noch haben?‹

Dies war seinerzeit das Feldzeichen der Römer im Krieg.

›Das wäre gut und recht‹, erwiderte Cicero, ›wenn ihr Krieg mit den Elstern hättet.‹

Ihr zieht also aus der Tatsache, daß wir mit Geschwollenen kämpfen müssen, den Schluß, daß uns eine kulinarische Schlacht bevorsteht, und wollt Euch mit den Köchen zusammentun. Macht's, wie Ihr wollt. Ich bleibe hier und warte auf den Ausgang dieser Fanfaronaden.«

Bruder Jan begibt sich flugs zu den Küchenzelten und sagt von Herzen fröhlich und liebenswürdig zu den Köchen: »Kinder, heut sollt ihr allesamt von Ehre und Sieg nur so glänzen. Waffentaten werdet ihr vollbringen wie noch nie seit Menschengedenken. Potz Bauch und Schwartenspeck! Gibt man nichts mehr auf tapfere Köche? Auf zum Kampf gegen diese nichtsnutzigen Geschwollenen! Ich will euer Hauptmann sein. Nehmen wir einen Schluck, Freunde! Heisa, Mut!«

»Hauptmann«, erwiderten die Köche, »Ihr trefft ins Schwarze. Wir stehn Euerm netten Befehl zu Diensten. Unter Eurer Führung wollen wir leben und sterben.«

»Leben«, sagt Bruder Jan, »gut; sterben, nein; das sollt ihr die Geschwollenen lehren. Somit, alle angetreten! *Nabuzardan* soll euer Kriegsruf sein.«

40. KAPITEL

Wie von Bruder Jan die Sau zubereitet ward, und die darinnen eingeschlossenen tapferen Köche

Sodann wurde auf Befehl Bruder Jans von den Werkmeistern die große Sau aufgestellt, die sich in dem Schiff Humpenkoller befand. Es war das eine wunderherrliche Maschine, so gebaut, daß sie aus den dicken Mörsern, mit denen sie ringsum über und über bestückt war, Steinkugeln und stahlgespickte Quader schleuderte, und auf deren quadratischer Grundfläche zweihundert Mann und mehr bequem kämpfen und in Deckung bleiben konnten. Und zwar war sie nach dem Vorbild der Sau von la Riole gemacht, mittels deren unter der Herrschaft des jungen französischen Königs Karls VI. Bergerac den Engländern entrissen ward.

Hier folgen nun Zahl und Name der trutzigen und wackeren Köche, die in die Sau wie ins Trojanische Pferd eingingen:

Kraftbrüh,	Meister Dreckfink,
Hamberlin,	Fettdarm,
Hasenfuß,	Mörserklau,
Weichlapp,	Weinschlapp,
Schweinsnockerl,	Karottenerbs,
Smutje,	Ziegenlamm,
Alraune,	Karbonade,
Buchtel,	Bries,
Schleppfuß,	Schnetzelwang,

Löffelkrampf,	Leberspätzle,
Schlabberdam,	Wammerl,
Kreppel,	Hackepeter.

Alle diese edlen Köche führten in ihren Wappen auf rotem Feld eine Spicknadel in Grün, fessiert mit einem silbernen links geschnittenen Sparren.

Speckli,	Erzspeck,
Speck,	Widerspeck,
Rundspeck,	Brutzelspeck,
Knusperspeck,	Fädelspeck,
Knochenspeck,	Schabspeck,
Schwartenspeck,	Wandelspeck.
Haushaltspeck,	

Haspeck, durch Synkopierung, gebürtig aus der Gegend von Rambouillet; der Name des kulinarischen Doktors lautete Haspenspeck; wie ihr auch Idolatrie für Idololatrie sagt.

Strammspeck,	Schönspeck,
Eigenspeck,	Neuspeck,
Süßspeck,	Sauerspeck,
Mahlspeck,	Rollspeck,
Stumpenspeck,	Zwinkerspeck,
Bastaspeck	Lastspeck,
Schnitzelspeck,	Fistenspeck,
Schneuzspeck,	Wunderspeck.

Unbekannte Namen bei den getauften und ungetauften Juden.

Eierich,	Suppengrün,
Schmusjeh,	Terrinius,
Kressenheim,	Hakenpott,
Schabrübchen,	Erbsrüb,
Schweinspriester,	Zerdeppermann,
Karnickelbalg,	Topfkratzer,
Abschmecker,	Schlotterich,

Pastetenich,	Salzrachen,
Röchlitzer,	Schneckenbürger,
Freikrapf,	Trockenbrüh,
Senferlin,	Tunkenhart,
Weinerich,	Hochkamm,
Schlabbersepp,	Stampferle,
Gaudibruder,	Macaronius,
Simpel,	Schmalhans.

Brosam, dieser war aus der Küche in die Kammer zum Dienst bei dem edlen Kardinal Le Veneur beordert.

Bratenschreck,	Hastival,
Machdifurt,	Schnepper,
Häubel,	Schultermann,
Brockelores,	Milchbrenner,
Spätzle,	Kraxelberg,
Spatz,	Darmtuter,
Eitelspatz,	Zitterrochen,
Hübschling,	Gabaonit,
Neuspatz,	Dappes,
Leidenichspatz,	Krokodilleur,
Flitterspatz,	Geckenfant,
Altspatz,	Schmißke,
Kräuselspatz,	Kohlschwarz.

Mondam, Erfinder der Sauce Madame und dieser Erfindung wegen in schottisch-französischer Sprache benannt.

Knappzähn,	Waffelbeck,
Einfetter,	Saffranierer,
Zungenschmack,	Möhlputz,
Schnepfendreck,	Antitus,
Spülenpott,	Rübwart,
Hurtiger,	Riebelaus,
Driestan,	Griebensack,
Leckermus,	Sudelsau.

Robert: er war der Erfinder der Sauce Robert, die so bekömmlich und unentbehrlich zu Hasen-, Enten- und Jungschweinsbraten, Spiegeleiern, gesalzenem Stockfisch und tausend derlei Gerichten.

Kaltenaal,	Hedamann,
Rochenrot,	Salmigundis,
Garneler,	Spirbel,
Nixig,	Pickelhäring,
Krümelholer,	Topfennudel,
Olymbrius,	Dickschnabel,
Eichert,	Streuslinger,
Rosenspitz,	Scheißimbart,
Eseltrost,	Schlüpfrian,
Prisenitz,	Saustecher,
Paellafritz,	Blattwender,
Drückeberger,	Lemmermaus,
Lakritzer,	Fangermandl,
Rübli,	Hallodri,
Tandelarius,	Kälble,
Großhax,	Pinkel.

In die Sau gingen diese edlen Küchenrecken ein, schlagkräftig und kampfbereit. Bruder Jan mit seinem großen Krummschwert machte den Beschluß und versperrte von innen die Schnapptore.

41. KAPITEL

Wie Pantagruel die Geschwollenen übers Knie brach

So nahe waren die Geschwollenen herangekommen, daß Pantagruel sehen konnte, wie sie ihre Arme winkelten und die Schäfte zu senken anfingen. Da schickt er Gymnaste los, um zu hören, was das bedeuten solle und ob welcher Klage sie gegen ihre alten Freunde streiten wollten, die sie doch weder in Taten noch in Worten gekränkt hatten.

Gymnaste machte vor den vordersten Reihen eine tiefe Verneigung und rief, so laut er konnte, die Worte: »Euer, euer, euer sind wir allesamt und euch zu Diensten. Alle halten wir zu Karneval, eurem alten Bundesgenossen.«

Etliche haben mir später erzählt, er hätte Farnekal gesagt, nicht Karneval. Wie dem auch sei: auf dieses Wort hin wollte ihm ein dicker, grimmiger Zervelatwanst, vor die Front des Bataillons springend, an die Gurgel fahren.

»Bei Gott«, sagte Gymnaste, »nur in Scheiben sollst du mir hereinkommen; ganz, wie du bist, vermöchtest du's nicht.«

Packt sodann sein Schwert Leck-mich (so nannte er's) mit beiden Händen und schnitt den Zervelat entzwei. Weiß Gott, war der fett! Er erinnerte mich an den dicken Berner Stier, der bei Marignan, wo die Schweizer unterlagen, getötet wurde. Glaubt mir, er hatte nicht weniger als vier Zoll Speck am Bauch.

Auf Zervelats Zerfällung hin stürzten die Geschwollenen sich auf Gymnaste und schmissen ihn scheußlich, als

Pantagruel mit seinen Leuten im Sturmschritt zu Hilfe eilte. Da entbrannte die Männerschlacht auf Pelle und Haut. Wurstriffler pfefferte auf Geschwollene, Wurstschneid schnitt Würste. Pantagruel brach die Geschwollenen übers Knie. Bruder Jan verhielt sich still in seiner Sau, alles beobachtend und bedenkend, als plötzlich die Schwartenmägen aus ihrem Hinterhalt hervorbrachen und alle lärmfuchtelnd auf Pantagruel losstürmten.

Sobald er die Not und das Getümmel sieht, öffnet Bruder

Jan die Tore der Sau und kommt mit seinen guten Soldaten heraus, von denen etliche mit Bratspießen bewaffnet sind, andere mit Feuerböcken, Eichenknüppeln, Pfännchen, Pfannen, Kasserolen, Bratrosten, Schürhaken, Feuerzangen, Kroppen, Reiserbesen, Töpfen, Mörsern, Stößeln, in Reih und Glied alle miteinander wie Brandstifter und wie aus einem Mund erschrecklich schreiend und brüllend: »Nabuzardan, Nabuzardan, Nabuzardan!«

Mit solchem Schrei und Prall keilten sie in die Schwartenmägen und quer durch die Würstchen. Die Geschwollenen, als sie dieser plötzlichen Verstärkung innewurden, ergriffen

in gestrecktem Galopp die Flucht, als hätten sie alle Teufel erblickt. Bruder Jan machte sie mit Wackenstößen so zahlreich nieder, als wären es Fliegen; auch seine Soldaten schonten sich nicht. Es war zum Erbarmen. Das ganze Feld war übersät mit toten oder aufgeschlitzten Geschwollenen. Und es geht die Mär, daß ohne Gottes Fürsorge das ganze Geschwollenengeschlecht von diesen kulinarischen Soldaten ausgerottet worden wäre. Ihr mögt davon glauben, so viel ihr wollt.

Von der Tramontanaseite her kam ein großes, fettes, dickes, graues Schwein geflogen, auf langen und weitgespannten Flügeln, wie die Windmühlen sie haben. Und zwar hatte es karmesinfarbenes Gefieder wie der Phoenikopteros, der im Languedoc Flamingo genannt wird. Augen hatte es, so rot und lodernd wie ein Karfunkel, Ohren so grün wie ein Chrysopras, Zähne so gelb wie Topas, dazu einen langen Schwanz, so schwarz wie lukullischer Marmor; die Füße weiß, durchscheinend und wasserklar wie ein Demant; waren überdies spreizzehenbreit wie die der Gänse, und wie sie einst in Tolosa die Königin Gänsefuß trug. Und hatte um den Hals ein goldenes Band, das rundum jonische Schriftzeichen umliefen, von denen ich nur zwei Worte lesen konnte: ῩΣ ᾽ΑΞΗΝΑΝ, Lehrschwein Minervens.

Das Wetter war schön und klar. Jedoch beim Erscheinen dieses Ungeheuers donnerte es von links her so stark, daß wir alle voll Staunens waren. Kaum erblickten es die Geschwollenen, als sie ihre Waffen und Stangen von sich warfen und alle am Boden niederknieten, die gefalteten Hände hocherhoben, wie wenn sie es anbeteten.

Bruder Jan mit seinen Leuten schlug und spießte immer noch Geschwollene. Doch wurde auf Befehl Pantagruels zum Rückzug geblasen, und alle Waffen ruhten. Nachdem das Ungeheuer einige Male zwischen den beiden Heerhaufen hin und her geflogen war, ließ es mehr denn siebenundzwanzig Tonnen Senf fallen und entschwand hierauf, die Luft mit den Schwingen teilend und unaufhörlich schreiend: »Karneval! Karneval! Karneval!«

42. KAPITEL

Wie Pantagruel mit Niphleseth, Königin der
Geschwollenen, unterhandelt

Da das obgemeldete Ungeheuer nicht wieder erschien
und die beiden Heere die Waffenruhe einhielten, bat Pantagruel um Unterhandlung mit der Dame Niphleseth (so
war die Königin der Geschwollenen benannt), welche bei
den Feldzeichen in ihrer Kutsche saß. Was ihm auch anstandslos gewährt wurde.

Die Königin stieg aus und grüßte Pantagruel huldvoll,
auch sah sie ihn gern. Pantagruel beschwerte sich über diesen Krieg. Sie trug ihm freimütig ihre Entschuldigung an
und erklärte, daß sie durch Falschmeldungen irregeführt
worden sei, indem nämlich ihre Späherinnen ihr angegeben
hätten, Fastenspeis, ihr alter Feind, sei gelandet und unterhalte sich damit, die Physetere auf ihren Urin zu untersuchen. Dann bat sie ihn, er möge ihr die Kränkung gnädigst
verzeihen, und bedeutete ihm, daß man bei den Geschwol-

lenen eher Scheiße als Galle finde, vorausgesetzt daß sie und alle ihre Niphleseth-Nachfolgerinnen Insel und Land von ihm auf Treu und Glauben zu Lehen erhielten; sie wollten die Freundinnen seiner Freunde und die Feindinnen seiner Feinde sein; alljährlich wollten sie ihm in Erfüllung ihrer Lehnspflicht achtundsiebenzigtausend königliche Geschwollene zusenden, die ihm bei der Vorspeis sechs Monate im Jahr dienen sollten.

Dies tat sie denn auch und schickte am nächsten Tag in sechs großen Brigantinen dem guten Pantagruel die obgemeldete Anzahl königlicher Geschwollener zu, angeführt von der jungen Niphleseth, der Infantin der Insel. Der edle Pantagruel übersandte sie als Präsent dem großen König in Paris. Jedoch infolge der Luftveränderung oder vielleicht auch aus Mangel an Senf (Naturbalsam und Stärkungsmittel für Geschwollene) starben sie nahezu alle. Auf Geheiß und Wunsch des großen Königs wurden sie in einzelnen Haufen an einer Stelle in Paris beigesetzt, die bis auf den heutigen Tag den Namen Geschwollenenpflasterstraße führt.

Auf Ersuchen der königlichen Hofdamen wurde die junge Niphleseth gerettet und standesgemäß behandelt. Hernach wurde sie anständig und reich verheiratet und gebar eine Reihe schöner Kinder, wofür Gott gelobt sei.

Pantagruel bedankte sich huldvoll bei der Königin, vergab ihr alles, was ihm an Kränkung widerfahren war, schlug das von ihr gemachte Anerbieten aus und schenkte ihr ein schönes Messerchen von Perche. Dann fragte er sie wißbegierig über die Erscheinung des vorerwähnten Ungeheuers aus. Sie gab ihm zur Antwort, es sei dies die Idee Karnevals, ihres Schutzgottes in Kriegszeiten, Urstifters und Urbilds der gesamten Geschwollenenrasse. Ebendarum habe es das Aussehen eines Schweins, denn Geschwollene seien vom Schwein hergenommen. Pantagruel fragte, zu welchem Zweck und Behuf das Urbild soviel Senf auf die Erde gespritzt habe. Die Königin antwortete, Senf sei ihr Gralszauber und himmlischer Balsam, von dem sie nur ein wenig auf die Wunden der niedergemachten Geschwollenen zu legen brauchten, so genäsen die Getroffenen binnen kurzer Zeit, erwachten die Toten wieder zum Leben.

Weiteres sprach Pantagruel nicht zu der Königin, zog sich vielmehr auf sein Schiff zurück. Desgleichen taten alle seine guten Gefährten mit ihren Waffen und ihrer Sau.

43. KAPITEL

Wie Pantagruel auf der Insel Hauch landete

Zwei Tage darauf kamen wir zu der Insel Hauch, und ich schwör euch beim Siebenkükenstall, daß ich Verfassung und Lebensart des Volkes dort wunderlicher fand, als ich's euch sagen kann. Sie leben nur vom Wind. Sie trinken, sie essen nichts, nur Wind. Sie haben als Häuser nur Wetterfahnen. In ihren Gärten säen sie nur drei Sorten Windröschen; die Raute und andere entblähende Pflanzen rupfen sie vorsorglich aus. Das gemeine Volk nimmt als Nahrung Federfächer zu sich, auch Papier und Tuch, je nach Veranlagung und Vermögen. Die Reichen leben von Windmühlen. Veranstalten sie ein Festmahl oder Bankett, so werden die Tische unter ein, zwei Windmühlen aufgestellt. Da schmausen sie nun wie rechte Schlemmer und ergehen sich bei ihrer Mahlzeit in Gesprächen darüber, wie gut, vortrefflich, heilsam und erlesen die Winde seien, genauso wie ihr, liebe Zecher, bei euren philosophischen Gastmählern über Weinsorten sprecht. Der eine lobt den Schirokko, der andere den Vatis, wieder andere den Ponendis, den Maestrale, den Zephir, und so alle übrigen. Auch preist einer den Hemdenwind für die Springauf und Liebespärchen.

Für die Kranken verwenden sie den Markwind, wie man hierzulande die Kranken Markbrühe trinken läßt.

»Oh!« sagte zu mir ein kleiner Blähling, »wär doch hier ein Pokal von dem guten Languedoc-Wind, der sich Kreiselwind nennt. Der edle Scurron erzählte uns, als er einmal durch unser Land kam, er sei so stark, daß er beladene

Karren umschmisse. Oh, wie gut täte er meinem ödipus-klumpigen Bein: je wuchtiger, desto besser.«

»Aber«, sagte Panurge, »wie wär's mit einem Faß von dem guten Languedoc-Wein, der in Mirevaulx, Canteper-dris und Frontignan wächst?

Ich sah dort einmal einen stattlichen windrosenrunden Mann, der auf seinen Großknecht und einen kleinen Stift

bitterböse war und sie mit seinem Schlappschuh teufels-mäßig verprügelte. Da ich den Grund seines Zorns nicht kannte, dachte ich zuerst, er befolge einen ärztlichen Rat und es geschähe aus Gesundheitsgründen, daß der Meister sich erzürne und prügle und der Knecht geprügelt werde. Aber dann hörte ich, daß er seinem Gesinde vorwarf, sie hätten ihm ein halbes Schlauchmaß Guarbin-Wein weg-stibitzt, den er wie seinen Augapfel hütete, als Edelkost fürs Spätjahr.«

Sie kacken nicht, sie pissen nicht, sie spucken auch nicht auf dieser Insel. Dafür winden, furzen und rülpsen sie ausgiebig. Sie leiden an allen Sorten und Arten von Krankheiten, da jede Krankheit aus Blähsucht entsteht und hervorgeht, wie Hippokrates, *lib. de flatibus* dartut. Am epidemischsten jedoch ist die Mastdarmkolik. Um sie zu heilen, verwenden sie umfängliche Saugtrichter und lassen durch sie eine Menge Blähungen abgehn. Sie sterben alle an hydropischer Bauchschwellung, und zwar furzen die Männer, die Weiber fisten. So entfährt ihnen die Seele hintenheraus.

Als wir sodann auf der Insel umhergingen, begegneten wir drei dicken Windhosen; die wollten sich zum Vergnügen die Regenpfeifer ansehn, die dort in Menge vorhanden sind und von der gleichen Kost leben. Ich bemerkte, daß, so wie ihr, Zecher, wenn ihr über Land geht, unfehlbar Buddeln, Wegtröster und Flaschen mit euch führt, jeder von ihnen gleicherweise ein hübsches Bläslein am Gürtel trug. Ging ihnen gerade einmal der Wind aus, so brauten sie mit diesen netten Bläslein flugs Frischangestochenen, durch wechselseitige Anziehung und Abstoßung, da ja bekanntlich der Wind im Grunde nichts anderes ist als fließende und wallende Luft.

Just in dem Augenblick erging an uns von ihrem König Befehl, daß wir in den nächsten drei Stunden von den Einheimischen, Männern wie Frauen, keinen an Bord unserer Schiffe lassen sollten, denn man hatte ihm einen Schlauch von ebendem Wind gestohlen, den ehedem der gute Puster Aeolus dem Odysseus geschenkt hatte, damit er sein Schiff bei Windstille treibe, welchen er andächtig hütete wie einen anderen heiligen Gral und damit etliche Krankheiten heilte, wobei er den Kranken bloß so viel davon abließ und verabreichte, wie ein Jungfernfurz braucht; das ist's, was die Nonnenoberinnen »Bohn-Ton« nennen.

44. KAPITEL

Wie kleine Regen die großen Winde niederschlagen

Pantagruel lobte ihre Maxime und Lebensart und sprach zu ihrem Landvogt Windei: »Wenn ihr euch zur Ansicht Epikurs bekennt, der die Lust das oberste Gut nennt (Lust, meine ich, von der leichten, nicht der mühsamen Art), so erachte ich euch glücklich. Denn euer Lebensunterhalt kostet, da er in Wind besteht, euch nichts oder gar wenig. Man braucht bloß zu schnaufen.«

»Freilich«, erwiderte der Landvogt, »doch ist in diesem hinfälligen Dasein nichts rundherum wohlgetan. Geht doch oft, wenn wir bei Tische sitzen und uns an einem großen und guten Gotteswind wie an einem himmlischen Manna laben, so recht behaglich wie Klosterbrüder, ein feiner Regen nieder, der ihn uns wegpascht und niederschlägt. So sind gar manche Tafelfreuden aus Mangel an Speise dahin.«

»Da ergeht's euch«, sagte Panurge, »wie Hänschen von Quinquenais, der aufs Hintergestell seiner Frau Oschreck pissend den Miselwind niederschlug, der aus ihm wie aus einem stattlichen Aeolopyl hervordrang. Ich hab darauf unlängst einen netten Zehnervers gemacht:

Als Hänschen abendlicherweis am neuen Wein gerochen,
der trübe noch auf seiner Hefe gor,
bat er sein Weib Oschreck, sie solle Rüben kochen,
auf daß sie beide kräftig legten vor.
Gesagt, getan. Drauf ohne Floh im Ohr
gehn sie zur Ruhe, rangeln noch, entschlummern.
So dicke Fürze ließ jedoch Oschreck bei soviel Nummern,
daß Hänschen, da er kaum zum Schlafen kam,
sie niederpißte, darauf sprach er: ›Summa:
Ein Nieseln macht oft große Winde zahm.‹«

»Überdies«, sagte der Landvogt, »sucht uns alljährlich eine recht große und schadenstiftende Plage heim. Und zwar ist dies ein Riese mit Namen Blähnüsterich, der auf der Insel Tohu haust und sich auf Empfehlung seiner Ärzte jedes Frühjahr hierherbegibt, zur Reinigung seiner Säfte, und bei dieser Gelegenheit Massen von Windmühlen wie Pillen schluckt, obendrein ebenso viele Blasbälge, auf die er sehr lüstern ist. Das bringt uns in große Not, und so begehen wir drei oder vier Fastenzeiten im Jahr, ohne besonderen Grund und kirchlichen Befund.«

»Und wißt ihr kein Mittel«, fragte Pantagruel, »dem zu begegnen?« »Auf Anraten«, erwiderte der Landvogt, »unserer Heilmeister haben wir in der Jahreszeit, da er hierherzukommen pflegt, in die Windmühlen Hähne und Hühner in großer Zahl gepfercht. Als er sie das erste Mal verschlang, wäre er um ein Haar daran gestorben. Denn sie krähten und gackerten in seinem Leib und flatterten ihm durch den Magen, so daß ihn eine Lipothymie, das heißt Herzschwäche, befiel und er einen so schauderhaften und gefährlichen Krampf bekam, als ob ihm eine Schlange durch den Mund in den Magen gekrochen wäre.«

»Das ist«, sagte Bruder Jan, »ein unpassendes und unzutreffendes Als-Ob. Denn ich habe mir früher sagen lassen, daß die in den Magen eingedrungene Schlange keinerlei

Mißbehagen verursacht und sogleich herauskriecht, wenn man den Patienten an den Füßen aufhängt und seinem Mund ein Schüsselchen warmer Milch nahe bringt.«

»Das habt Ihr Euch sagen lassen«, versetzte Pantagruel, »aber genauso auch die Leute, die es Euch erzählt haben. Ein solches Heilmittel hat man jedoch nirgendwo weder erlebt noch ausprobiert. Hippokrates, *lib. V, Epid.*, schreibt, daß zu seiner Zeit ein solcher Fall vorgekommen und der Patient an Krampf und Zuckungen eines plötzlichen Todes gestorben sei.«

»Darüber hinaus«, sagte der Landvogt, »rannten ihm alle Füchse des Landes den Rachen ein, auf der Jagd hinter dem Federvieh her, und er wäre von einem Augenblick auf den andern verschieden, hätte er nicht auf Anraten eines zauberkundigen Pfiffikus beim heftigsten Anfall einem Fuchs als Gegengabe und -gift das Fell abgeschunden. Danach war er besser beraten. Jetzt hilft er sich mit einem Klistier, das man ihm verabreicht, bestehend aus einem Absud von Roggen- und Hirsekörnern, auf das sich die Hennen stürzen, zusammen mit Vogellebern, auf die sich die Füchse stürzen. Auch nimmt er Pillen ein, die aus Wind- und Dachshunden zubereitet sind. Da habt Ihr unser Unglück.«

»Habt von Stund an keine Furcht mehr«, sagte Pantagruel. »Dieser große Blähnüsterich, Windmühlenschlucker, ist tot. Ich versichere es Euch. Und zwar starb er den Stick- und Würgetod, als er einen Batzen frischer Butter vor einem heißen Ofen aß, wie die Ärzte ihm verordnet hatten.«

45. KAPITEL

*Wie Pantagruel auf der Insel der Papstfötter
landete*

Am nächsten Morgen liefen wir die Insel der Papstfötter an, die ehemals reich und frei waren und die man Rangler hieß; jetzt aber waren sie arm, unglücklich und den Papimanen unterworfen. Das war so zugegangen.

Eines Tags waren zum jährlichen Stangen- und Standartenfest die Bürgermeister, Stadträte und Oberrabbis der Rangler der Kurzweil und Schaulust wegen auf die Nachbarinsel Papimanien gefahren. Da einer von ihnen das päpstliche Bildnis sah (das löblicherweise an Feiertagen auf Doppelstangen öffentlich ausgestellt wurde), zeigte er ihm die Fotz, was in diesem Land ein Zeichen von Verachtung und offenkundiger Verhöhnung ist. Um diesen Schimpf zu rächen, traten ein paar Tage später die Papimanen mucksstill unter die Waffen, überfielen, brandschatzten und verwüsteten die ganze Insel der Rangler und gaben jedem Mann, der Barthaare hatte, das Schwert zu schmecken. Den Frauen und Jünglingen vergaben sie unter der gleichen

Bedingung wie einst der Kaiser Friedrich Barbarossa den Mailändern.

Die Mailänder hatten sich in seiner Abwesenheit wider ihn empört und hatten die Kaiserin, seine Frau, aus der Stadt vertrieben, und zwar schmählicherweise auf einem alten Maultier mit Namen Thakor, auf dem sie verkehrt herum saß, nämlich den Hintern dem Kopf, das Gesicht aber der Kruppe des Tiers zugedreht.

Nachdem Friedrich bei seiner Rückkehr die Aufsässigen unterjocht und gezügelt hatte, ruhte er nicht eher, als bis er das berüchtigte Maultier Thakor ausfindig gemacht hatte. Sodann mußte inmitten des großen Broglio der Henker in die Schamteile Thakors eine Feige stecken, im Beisein und vor den Augen der gefangenen Bürger. Darauf ließ der Kaiser mit Trompetenschall verkünden: wer von ihnen dem Tod entgehen wolle, der solle *coram publico* die Feige mit den Zähnen herausreißen und sie dann ohne Zuhilfenahme der Hände wieder hineinstecken. Wer sich dessen weigere, der solle augenblicks gehängt und erdrosselt werden. Ihrer einige waren voll Scham und Entsetzen über eine so abscheuliche Buße, nahmen lieber die Todesfurcht in Kauf und wurden gehängt. Bei einigen anderen siegte die Todesfurcht über die Schande. Diese zogen mit blanken Zähnen die Feige heraus, wiesen sie öffentlich dem Henker vor, indem sie sprachen: »*Ecco lo fico.*«

Um den Preis der gleichen Schmach blieb dem Rest dieser armen und verzweifelten Rangler der Tod erspart und sie am Leben. Man machte sie zu Sklaven und Zinsknechten und belegte sie mit dem Namen Papstfötter, weil sie dem päpstlichen Bildnis die Fotz gezeigt hatten. Seitdem waren die armen Leute zu nichts mehr gekommen. Alljährlich suchten sie Hagel, Sturm, Pest, Hungersnot und jegliches Unglück heim, als sollten sie in alle Ewigkeit für die Sünde ihrer Vorfahren und Sippengenossen gestraft werden.

Da wir Elend und Unsal des Volkes sahen, wollten wir nicht tiefer ins Land gehen. Nur um Weihwasser zu holen und uns Gott anzubefehlen, betraten wir in der Nähe des Bollwerks eine kleine zerfallene, verlassene und ungedeckte

Kapelle, so wie gegenwärtig der Tempel Sankt Peters in Rom aussieht. Nachdem wir in die Kapelle gegangen waren und Weihwasser genommen hatten, bemerkten wir im Weihwasserbecken einen mit Stolen bekleideten Mann, der sich wie eine Ente beim Tauchen bis obenhin im Wasser verborgen hielt und nur, um Atem zu schöpfen, die Nase ein wenig herausstreckte. Um ihn herum standen drei ratze-

kahl tonsurierte Priester, die Hexenlatein lasen und die Teufel beschworen.

Pantagruel fand die Sache merkwürdig und wurde auf seine Frage, was für Spiele sie da trieben, dahingehend aufgeklärt, daß auf der Insel vor drei Jahren eine so furchtbare Pest gewütet habe, daß das Land mehr als zur Hälfte verödet gewesen sei und die Äcker keine Besitzer mehr gehabt hätten. Als die Pest vorüber war, pflügte dieser im Weihwasserbecken verborgene Mann ein großes und ertragreiches Stück Land und bestellte es mit Dinkelkorn, just am Tag und zur Stunde, da ein kleiner Teufel (der noch nicht donnern und hageln konnte, außer allein auf Petersilie und Kohl, auch noch nicht lesen und schreiben konnte) von

Luzifer die Erlaubnis erbettelt hatte, auf die Insel der Papstfötter zu gehen und sich dort zu erholen und verlustieren, weil daselbst die Teufel mit den Männern und Frauen auf sehr vertrautem Fuße standen und häufig ihre Zeit hier verbrachten.

Dieser Teufel nun richtete, als er am Ziel war, das Wort an den Ackersmann und fragte ihn, was er da mache. Der arme Mann antwortete ihm, er bestelle dieses Feld mit Dinkelkorn, damit er im nächsten Jahr etwas zum Leben habe.

»Richtig. Indessen«, sagte der Teufel, »dieses Feld gehört nicht dir, es gehört mir als mein Eigen. Denn seit der Frist und Stunde, da ihr dem Papst die Fotz gezeigt habt, wurde das ganze Land uns zugesprochen und als vogelfrei uns überlassen. Korn säen ist jedoch meine Sache nicht. Deswegen lasse ich dir das Feld, unter der Bedingung jedoch, daß wir uns in den Ertrag teilen.«

»Zugegeben«, sagte der Ackersmann.

»Und zwar«, sagte der Teufel, »machen wir aus dem eingegangenen Ertrag zwei Halbpartien: die eine aus dem, was über der Erde wächst, die andere aus dem, was in der Erde versteckt ist. Mir steht zu, die eine oder die andere zu wäh-

len, denn ich bin Sproß eines vornehmen und alten Teufelsgeschlechts; du aber bist nur ein Kerl. Ich wähle das, was in der Erde ist; du sollst haben, was darüber ist. Wann wirst du ernten?«

»Zu Johanni«, sagte der Ackersmann.

»Nun«, sagte der Teufel, »ich werde pünktlich zur Stelle sein. Tu du inzwischen deine Schuldigkeit. Schufte, Bäuerlein, schufte! Ich will unterdessen die adeligen Nonnen von Brachenfürz zur protzigen Geilsucht versuchen und die Kapuzen und Katzbuckler gleichfalls. Daß ihnen der Sinn danach steht, dessen bin ich sicher. Bring ich sie zusammen, stehn sie gleich in Flammen.«

46. KAPITEL

*Wie der kleine Teufel von einem papstföttischen Ackersmann
betrogen ward*

Zu Johanni stellte sich der Teufel ein, begleitet von einer Schwadron herziger Teufelsbübchen. Als er den Ackersmann dort antraf, sprach er zu ihm: »Nun, Bäuerlein, wie ist dir's seit meinem Fortgehn ergangen? Jetzt heißt es teilen.«

»Mir recht«, erwiderte der Ackersmann.

Und damit fing der Ackersmann mit seinen Leuten an das Korn zu schneiden. Die Teufelchen rissen gleichfalls das Stroh aus dem Boden. Der Ackersmann drosch das Korn auf der Tenne, worfelte es, tat's in Säcke und trug's zum Verkauf auf den Markt. Die Teufelchen taten desgleichen und setzten sich auf dem Markt neben den Ackersmann, ihr Stroh zu verkaufen. Der Ackersmann verkaufte sein Korn sehr gut und füllte mit dem eingenommenen Geld einen alten Socken, den er an seinem Gürtel trug. Die Teufel verkauften gar nichts; ja die Bauern machten sich auf offenem Markt über sie lustig.

Als der Markt zu Ende war, sagte der Teufel zum Ackersmann: »Kerl, diesmal hast du mich hereingelegt. Beim nächstenmal legst du mich nicht herein.«

»Herr Teufel«, entgegnete der Ackersmann, »wie hätt ich Euch denn hereinlegen sollen, da Ihr als erster gewählt habt?

Ihr vielmehr wolltet mich bei dieser Wahl hereinlegen, da Ihr hofftet, daß auf meinen Anteil die Erde nichts herausgäbe und Ihr das ganze Korn, das ich gesät, drunten finden würdet, um damit die Notleidenden, Freßbrüder oder Geizhälse in Versuchung zu führen und sie durch Versuchung in

Eure Schlingen tappen zu lassen. Aber Ihr seid noch neu im Geschäft. Das Korn, das Ihr in der Erde seht, ist tot und verwest, und seine Verwesung war die Zeugung des anderen, das Ihr mich verkaufen saht. So habt Ihr das Schlechte gewählt. Deshalb auch seid Ihr im Evangelium verdammt.«

»Lassen wir«, sagte der Teufel, »diesen Gegenstand. Womit gedenkst du im nächsten Jahr unser Feld zu bestellen?«

»Ein guter Hausvater«, erwiderte der Ackersmann, »tät mit Gewinn Rettiche säen.«

»Wohlan«, sagte der Teufel, »bist auch ein guter Kerl. Säe Rettiche und nochmals Rettiche. Ich will sie auch vor Sturm schützen und nicht drauf hageln. Aber versteh mich wohl: ich werde als meinen Anteil einstreichen, was über der Erde ist; du sollst das Untere bekommen. Schufte, Kerl, schufte! Ich geh die Ketzer versuchen: das sind rostbratlüsterne Seelen. Herr Luzifer hat seine Kolik. Das wird ihm heiß eingehen.«

Als die Erntezeit da war, stellte sich der Teufel mit einer Schwadron Kammerteufelchen ein. Als er dort den Ackersmann und seine Leute antraf, fing er an zu schneiden und die Rettichblätter aufzuklauben. Nach ihm hackte der Ackersmann, zog die dicken Rettiche heraus und tat sie in Säcke. Darauf gehn sie alle zusammen zum Markt. Der Ackersmann verkaufte seine Rettiche sehr gut. Der Teufel verkaufte gar nichts. Zu allem Übel machten sich auch noch alle Leute über ihn lustig.

»Ich sehe wohl, Bäuerlein«, sagte da der Teufel, »daß ich von dir betrogen bin. Mit dem Feld zwischen dir und mir soll es ein Ende haben. Der Pakt zwischen uns soll vielmehr lauten, daß wir uns gegenseitig kratzen, und wer von uns beiden sich als erster geschlagen gibt, soll seinen Teil an dem Feld drangeben. Es soll ganz und ungeteilt dem Sieger gehören. Das Treffen findet in acht Tagen statt. Ha, Kerl, ich werde dich teufelsmäßig kratzen. Ich war gerade dabei und hätte gern die blutsaugerischen Schinnöser versucht, diese Prozeßverdreher, Notarfälscher und Schwindeladvokaten. Doch ließen sie mir durch einen Dolmetscher sagen, sie seien mir mit Leib und Seele ergeben. Deshalb widert Luzifer auch vor ihren Seelen derart, daß er sie zu den Sudelteufeln in die Küche zurückgehn läßt, sofern sie nicht scharf angemacht sind. Ihr sagt, nichts gehe über ein Scholarenfrühstück, einen Advokatenschmaus, eine Winzerbrotzeit, ein Kaufmannsnachtmahl, eine Zofengasterei zu Weihnachten, doch am besten speisten die Faselfexe. Es stimmt auch; nimmt doch Herr Luzifer bei jeder Mahlzeit eine Vor-

speise von Faselfexen zu sich. Scholaren pflegte er früher zu
frühstücken. Aber ach, das Unglück wollte, daß sie von
einem bestimmten Jahr an die Heilige Schrift in ihre Studien
einbezogen. Aus diesem Grund können wir nicht einen von
ihnen mehr zur Hölle abschleppen. Glaubt mir: ständen uns
nicht die Kalfakter bei, die ihnen durch Drohungen, Be-
schimpfungen, Zwang, Gewaltanwendung und Tod durch
Verbrennen ihren heiligen Paulus aus den Händen reißen:
wir bekämen von ihnen da unten nichts mehr zu knabbern.

Zur Hauptmahlzeit nimmt er gewöhnlich Rechtsverdreher und Ausplünderer armer Leute zu sich, an denen nie
Mangel ist. Doch verdrießt es einen, immer nur einerlei
Brot zu essen. Erst kürzlich hat er vor versammeltem Kapitel erklärt, daß er herzlich gern die Seele eines Kalfakters
verspeiste, der vergessen hätte, sich in seiner Predigt der
Fürbitte der Gläubigen anzubefehlen, und versprach doppelte Löhnung und ein stattliches Gehalt jedem, der ihm
einen mundgerecht serviere. Alle machten wir uns auf die
Suche, aber keinem hat es etwas genützt. Ermahnen sie doch
alle die vornehmen Damen, für ihr Kloster zu spenden.

Der Brotzeit enthält er sich, seit er seine heftige Kolik
gehabt hat, deren Ursache war, daß man in nördlichen
Landstrichen seinen Speise- und Proviantmeistern, Kohlen-
und Fleischeinnehmern so übel mitgespielt hatte.

Zur Nacht speist er vortrefflich: wucherische Händler,

Apotheker, Falschmünzer,
Falschwechsler und Waren-
täuscher. Manchmal auch,
wenn er gut aufgelegt ist,
läßt er sich Kammerzofen
schmecken, die, nachdem
sie den Edelwein ihrer Herrschaft getrunken, das Faß
mit stinkender Brühe nach-
füllen.

Schufte, Kerl, schufte! Ich will die Scholaren von Trape-
zunt von Vater und Mutter wegködern, sie der herrschen-
den Sitte abtrünnig machen, sie gegen die Erlasse des Kö-

nigs aufhetzen; frei im Untergrund sollen sie leben, jedermann verachten, unser spotten und mit dem hübsch lustigen
Mützchen poetischer Harmlosigkeit sich allesamt zu netten
Faselfexen machen.«

47. KAPITEL

*Wie der Teufel von einem papstföttischen alten Weib
hereingelegt wurde*

Als der Ackersmann nach Hause kam, war er traurig und
nachdenklich. Seine Frau, da sie ihn so in sich gekehrt sah,
vermeinte, er sei auf dem Markt bestohlen worden. Kaum
hatte sie jedoch die Ursache seiner Schwermut vernommen,
auch gesehen, daß seine Börse mit Geld gespickt war, als
sie ihm sänftlich Trost zusprach und ihn versicherte, daß
ihm aus dieser Kratzerei kein Übel erwachsen werde; er
solle sich ruhig auf sie legen und verlassen: sie hätte schon
auf einen guten Ausgang gesonnen.

»Im schlimmsten Fall«, sagte der Ackersmann, »werde
ich bloß einen Schmiß davontragen; auf den ersten Hieb
hin ergebe ich mich und überlaß ihm das Feld.«

»Nichts da, nichts da«, sagte die Alte, »legt und verlaßt
Euch auf mich, laßt mich nur machen! Ihr habt zu mir gesagt, es sei ein kleiner Teufel; ich werde ihn Euch auf der
Stelle kirre machen, und das Feld wird unser bleiben. Bei
einem großen Teufel wär's bedenklicher gewesen.«

Es war der Tag des vereinbarten Treffens, als wir auf der
Insel landeten. Schon früh am Morgen hatte der Ackersmann gründlich gebeichtet, das Abendmahl genommen als
ein guter Katholik und auf den Rat des Pfarrers sich nach
Taucherart im Weihbrunnen versteckt, in dem Zustand,
wie wir ihn gefunden hatten.

Just in dem Augenblick, als uns die Geschichte erzählt wurde, erreichte uns die Kunde, daß die Alte den Teufel hereingelegt und das Feld gewonnen hatte. Das war so zugegangen. Der Teufel erschien vor der Tür des Ackersmanns und schrie mit lautem Anpochen: »He, Kerl, heraus mit dir! Jetzt heißt's die Krallen gewetzt.«

Wie er dann grimmig entschlossen ins Haus trat und den Ackersmann nicht darinnen fand, bemerkte er dessen Frau, die greinend und jammernd am Boden saß.

»Was soll das?« fragte der Teufel. »Wo ist er? Was tut er?«

»Ha«, sagte die Alte, »wo er ist, der Bösewicht, der

Henker, der Räuber? Er hat mich verrückt gemacht, ich bin verloren, ich sterbe an dem Weh, das er mir angetan hat.«

»Wieso?« fragte der Teufel. »Was gibt's denn? Ich werde ihm binnen kurzem Tanzbeine machen.«

»Ha«, sagte die Alte, »er hat zu mir gesagt, dieser Henker, dieser Gewalttäter und Teufelskratzer, er hätte heut eine Verabredung, sich mit Euch zu krallen; um seine Nägel zu erproben, hat er mich nur mit dem kleinen Finger hier zwischen den Beinen gekratzt und hat mich ganz außer mir gebracht. Ich bin verloren. Nie werde ich davon genesen. Seht nur her! Dabei ist er noch zum Hufschmied gegangen, um sich die Klauen schärfen und spitzen zu lassen. Ihr seid verloren, mein Herr Teufel, mein Freund! Rettet Euch! Er wird nicht innehalten! Macht Euch davon, ich bitt Euch.«

Darauf entblößte sie sich bis hinauf zum Kinn, so wie einst die persischen Frauen sich ihren aus der Schlacht fliehenden Söhnen darboten, und zeigte ihm ihr *Wieheißichdoch*. Der Teufel, als er die gewaltige Zusammenhangauflösung nach jeder Richtung hin sah, schrie: »Mahom, Demiurgon, Megera, Alekto, Persephone, mich soll er nicht kriegen! Ich mach mich flugs aus dem Staub. Sela, ich laß ihm das Feld.«

Nachdem wir die glückliche Wendung und Endigung der Geschichte vernommen, zogen wir uns auf unser Schiff zu-

rück. Und machten da keinen längeren Aufenthalt. Pantagruel aber schenkte dem Rumpfbau der Kirche achtzehntausend Königstaler, in Anbetracht der Armut des Volkes und Notdürftigkeit des Ortes.

48. KAPITEL

Wie Pantagruel auf der Insel der Papimanen landete

Wir ließen die trostlose Insel der Papstfötter hinter uns und segelten einen vollen Tag lang in Heiterkeit und voller Freuden, bis sich unseren Blicken die gesegnete Insel der Papimanen darbot. Kaum hatten wir im Hafen Anker geworfen und unsere Riemen noch nicht verstaut, als in einem Boot vier unterschiedlich gekleidete Leute auf uns zukamen: der eine im Mönchshabit mit Dreck und Speck, der andere als Falkner mit einem Köder und Beizhandschuh, der dritte als Prozeßanwalt mit einem Sack voller Aktennotizen, Vorladungen, Schikanen und Vertagungen in der Hand, der vierte als Orleaneser Winzer mit schönen Tuchgamaschen, einem Korb und einer Hippe am Gürtel. Im Umsehn hatten sie unser Schiff erreicht, woraufhin sie uns alle lauthals die Frage zuschrien: »Habt ihr ihn gesehen, Fahrensleute, habt ihr ihn gesehen?«

»Wen denn?« fragte Pantagruel.

»Ihn«, entgegneten sie.

»Wer soll's denn sein?« fragte Bruder Jan, »beim Ochsentod, ich will ihn windelweich prügeln«, denn er meinte, sie zeterten wegen eines Diebs, Mörders oder Kirchenräubers.

»Wie kommt es«, fragten sie, »ihr Fremdlinge, daß ihr den Einzigen nicht kennt?«

»Ihr Herren«, sagte Epistemon, »dergleichen Ausdrücke verstehn wir nicht. Aber legt uns, wenn's euch beliebt, auseinander, vom wem ihr sprecht, so werden wir euch ohne Verstellung die Wahrheit sagen.«

»Er ist es«, sagten sie, »der ist. Habt ihr ihn je gesehen?«

»Er, der ist?« antwortete Pantagruel. »Nach unserer theologischen Lehrmeinung ist das Gott. Mit diesem Wort hat er sich Mose offenbart. Gesehn haben wir ihn gewißlich nie, denn leiblichen Augen ist er nicht sichtbar.«

»Wir sprechen mitnichten«, sagten sie, »von jenem höchsten Gott, der in den Himmeln herrscht. Wir sprechen von dem Gott auf Erden. Habt ihr ihn je gesehen?«

»Sie meinen«, sagte Carpalim, »bei meiner Ehre den Papst!«

»Jawohl«, erwiderte Panurge, »freilich wohl, meine Herren, drei davon hab ich gesehen, von deren Anblick ich jedoch wenig Nutzen gehabt habe.«

»Wie«, fragten sie, »können dann unsere heiligen Dekretalen singen, daß es immer nur einen lebendig seienden gibt?«

»Ich meine natürlich«, sagte Panurge, »einen nach dem andern. Allerdings hab ich bei einemmal immer nur einen gesehen.«

»O ihr drei- und vierfach glücklichen Leute«, sagten sie, »seid uns sehr, ja mehr als hochwillkommen!«

Damit knieten sie vor uns nieder und wollten uns die Füße küssen, was wir ihnen jedoch nicht gestatten wollten, indem wir ihnen vorstellten, daß sie dem Papst, sollte er einmal zufällig in eigener Person hierherkommen, auch nicht mehr Ehre antun könnten.

»O doch, das können wir, gewiß doch«, erwiderten sie. »Das ist bei uns schon beschlossene Sache. Wir würden ihm den Hintern ohne Feigenblatt küssen und die Schellen obendrein, denn Schellen hat er, der Heilige Vater, das geht aus unsern schönen Dekretalen hervor: sonst wär er ja nicht der Papst. So daß nach subtiler Dekretalphilosophie der Schluß zwingend ist: er ist der Papst, also hat er Schellen. Und wenn in der Welt keine Schellen mehr wären, hätte die Welt auch keinen Papst mehr.«

Unterdessen fragte Pantagruel einen Matrosen in ihrem Boot, wer diese Leute seien. Er gab ihm Bescheid, es seien die vier Stände der Insel, setzte auch noch hinzu, daß wir gut empfangen und bewirtet werden würden, da wir ja den Papst gesehen hätten. Dies tat Pantagruel Panurge zu wissen, der heimlich zu ihm sagte: »Ich schwör drauf, jetzt ist's soweit. Was lange währt, wird endlich gut. Der Anblick des Papstes hat uns nie was genützt; jetzt aber, bei allen Teufeln, soll er uns, wie ich sehe, was nützen.«

Darauf gingen wir an Land, und uns entgegen kam in feierlicher Prozession das ganze einheimische Volk, Männer, Frauen, kleine Kinder. Unsere vier Stände sagten zu ihnen mit erhobener Stimme: »Sie haben ihn gesehen! Sie haben ihn gesehen! Sie haben ihn gesehen!«

Nachdem sie dies verkündet, kniete das ganze Volk vor uns nieder, erhob die gefalteten Hände und rief: »O ihr glücklichen Leute! O ihr Seligen!«

Und währte dies Geschrei länger als eine Viertelstunde. Darauf kam der Schulmeister mit allen seinen Pädagogen, Abc-Schützen und Scholaren herbeigeeilt und fuchtelte sie mächtig, so wie bei uns zu Lande man die kleinen Kinder fuchtelte, wenn ein Missetäter gehenkt wurde, damit es sich ihrem Gedächtnis einpräge. Pantagruel wurde böse darüber und sprach zu ihnen: »Meine Herren, so ihr nicht aufhört, diese Kinder zu fuchteln, kehre ich um.«

Das Volk erstaunte, als es seine Stentorstimme vernahm, und ich hörte einen kleinen Buckligen mit Spinnenfingern den Schulmeister fragen: »Potz Extravaganten-Element! Werden alle, die den Papst sehen, so groß wie der da, der uns droht? Oh, wie wird die Zeit mir so wundersam lang, bis ich ihn sehe, um zu wachsen und groß zu werden wie er!«

So mächtig war das Geschrei, das sie erhoben, daß Lulatsch (so heißt ihr Bischof) herangesprengt kam, auf einem zaumlosen Maultier mit grüner Schabracke, begleitet von seinen Appos (wie sie sich nennen), auch seinen Suppos, die Kreuze, Banner, Standarten, Baldachine, Fackeln und Weihwasserkessel hißten. Auch er wollte uns mit aller Gewalt die Füße küssen (wie einst dem Papst Clemens der gute Christian Valfinier), indem er sich darauf berief, daß einer ihrer Hypopheten, Abstreifer und Glossatoren der heiligen Dekretalen schriftlich hinterlassen habe: so wie der von den Juden so lang ersehnte Messias endlich zu ihnen gekommen sei, so werde auch auf diese Insel eines Tages der Papst kommen; in Erwartung dieses Festtags sollten sie jedem Ankömmling, der ihn in Rom oder anderwärts gesehen, einen Jubelempfang bereiten und ihn ehrfurchtsvoll berühren. Doch entzogen wir uns dem auf schickliche Art.

49. KAPITEL

Wie Lulatsch, Bischof der Papimanen, uns die uranopeten Dekretalen zeigte

Darauf sprach zu uns Lulatsch: »Durch unsere heiligen Dekretalen wird uns nahegelegt und empfohlen, die Kirchen eher als die Wirtshäuser zu besuchen. Darum laßt uns, um nicht gegen diese schöne Einrichtung zu fehlen, zuerst zur Kirche gehen; hernach werden wir tafeln.«

»Braver Mann«, sagte Bruder Jan, »geht Ihr voran: wir folgen Euch. Ihr habt dafür treffliche und wahrhaft christliche Worte gefunden. Schon seit geraumer Zeit haben wir dergleichen nicht mehr gesehen. Mein Gemüt ist davon ganz aufgekratzt, und so glaub ich, daß es mir desto besser munden wird. Es ist etwas Schönes, braven Leuten zu begegnen.«

Als wir uns dem Portal des Tempels nahten, bemerkten wir ein dickes goldenes Buch, das mit edlen und kostbaren Steinen ganz bedeckt war: Rubinen, Smaragden, Diamanten und Perlen, erleseneren oder doch ebenso erlesenen, wie jene waren, die Augustus dem kapitolinischen Jupiter weihte. Und zwar hing es an zwei dicken goldenen Ketten am Zoophor des Portals frei in der Luft. Wir schauten es bewundernd an. Pantagruel schwenkte und drehte es nach Herzenslust hin und her, denn er konnte mühelos hinauflangen. Und versicherte uns, er verspüre beim Anfassen desselben ein sanftes Prickeln in den Nägeln und ein Lockerwerden der Arme nebst einer heftigen Gemütsanwandlung, einen oder zwei Gerichtsbüttel zu prügeln, wofern sie keine Tonsur hätten.

Darauf sagte zu uns Lulatsch: »Einst wurde den Juden das Gesetz durch Mose gebracht, geschrieben mit Gottes selbsteigenen Fingern. In Delphi wurde im Apollotempel von Götterhand geschrieben der Satz gefunden: ΓΝΩΘΙ ΣΕΑΥΤΌΝ. Und nach einer gewissen Zeit ward das Wort ΕΙ gesehen, gleichfalls von Götterhand geschrieben und vom Himmel herabgesandt. Das Bildnis Kybeles wurde in Phrygien vom Himmel herab auf ein Feld mit Namen Pesinunt gesandt, ebenso in Tauris das Bildnis der Diana, wenn ihr Euripides Glauben schenkt. Die Oriflamme wurde den edlen und allerchristlichsten Königen von Frankreich zum Kampf gegen die Ungläubigen vom Himmel herabgeschickt. Während Numa Pompilius, zweiter König der Römer, in Rom herrschte, ward gesehen, wie vom Himmel der schneidende Schild Ancyle herabfiel. Auf der Akropolis zu Athen fiel einst aus dem Feuerhimmel das Standbild Minervens herab. Hier sehet ihr auf gleiche Weise die heiligen Dekretalen, geschrieben von der Hand eines Cherubengels. Ihr guten Überseeleute mögt es nicht glauben . . .«

»Nicht so ganz«, erwiderte Panurge.

». . . an den hiesigen Ort auf wunderbare Weise vom Himmel der Himmel herabgesandt, gleichwie von Homer, dem Vater aller Philosophie (die göttlichen Dekretalen freilich ausgenommen), der Nilstrom Diipetes genannt wird. Und da ihr den Papst, den Evangelisten und ewigen Schirmherrn derselben, gesehen habt, wird euch erlaubt sein, sie in Augenschein zu nehmen und inwendig zu küssen, so es euch recht ist. Doch werdet ihr zuvor drei Tage lang fasten und regelmäßig beichten müssen, indem ihr forschend eure Sünden belest und inventarisiert, und zwar so haargenau, daß euch kein einziger Umstand entfällt, wie diese hehren Dekretalen, die ihr da vor euch seht, auf göttliche Weise singen. Dazu braucht's Zeit.«

»Bräver Mann«, erwiderte Panurge, »Dreckfäkalien – was sag ich –, Dekretalen haben wir die Menge auf Papier, auf Kirchenpergament, auf Jungfernhaut handschriftlich und gedruckt gesehen. Es tut nicht not, daß Ihr Euch die Mühe macht, uns diese hier zu zeigen. Wir lassen uns am guten Willen genügen und danken Euch vielmals.«

»Heiliger Strohsack«, sagte Lulatsch, »habt ihr doch diese von Engelhand geschriebenen nie gesehen! Diejenigen, die ihr zu Hause habt, sind von unseren doch nur übernommen, wie bei einem unserer alten Dekretalscholiasten geschrieben steht. Auch bitte ich euch, meiner Mühe nicht zu schonen. Sagt mir nur, ob ihr die drei schönen Herrgottstäglein fasten und zur Beichte gehen wollt.«

»Mit dem Steißaufdrehen«, erwiderte Panurge, »sind wir gern einverstanden. Das Fasten kommt uns nicht zupaß. Denn wir haben auf See so mordsmäßig gefastet, daß die Spinnen auf unseren Zähnen ihre Netze gesponnen haben. Seht Euch den guten Bruder Jan Hackemack hier an!«

Bei diesem Wort gab ihm Lulatsch den kleinen Bruderkuß.

». . . Moos ist ihm in der Kehle gewachsen, weil's ihm an Bewegung und Übung der Backenzähne und Kiefer gefehlt hat.«

»Er hat recht«, sagte Bruder Jan, »ich hab so hundsmäßig gefastet, daß ich davon ganz bucklig geworden bin.«

»Gehn wir also«, sagte Lulatsch, »in die Kirche hinein, und vergebt uns, wenn wir nicht sogleich die Schöne Hochmesse singen. Die Halbtagszeit ist vorüber, und nach unseren heiligen Dekretalen ist uns verboten, danach Messe zu halten, wobei unter Messe ein ordentliches Hochamt zu verstehen ist. Aber ich werd euch dafür eine einfache Trockenmesse lesen.«

»Lieber wär mir«, sagte Panurge, »eine mit einem guten Anjouwein beträufelte. Aber laßt sie schon aus dem Sack und macht voran, tief und steif!«

»Heiliger Grünspan«, sagte Bruder Jan, »es mißfällt mir arg, daß mein Magen nüchtern bleiben soll. Denn sicherlich hat er nach Mönchsart derb gefrühstückt und sich den Bauch vollgeschlagen, so daß ich, wenn er etwa ein Requiem für uns singen sollte, Brot und Wein für die armen Schlucker mitgebracht hätte. Geduld! Plackt, bockt und stoßt zu, aber haltet ihr den Schurz knapp, damit sie sich nicht bekleckert, und auch aus anderem Grund, ich bitt euch.«

50. KAPITEL

Wie uns von Lulatsch der Archetyp eines Papstes gezeigt ward

Nachdem die Messe zu Ende gelesen war, zog Lulatsch aus einem Kasten am Hochaltar einen dicken Bund Schlüssel hervor, mit denen er zweiunddreißig Schlösser und vierzehn Vorhangschlösser an einem dick mit Eisen vergitterten Fenster über besagtem Altar aufsperrte. Dann hüllte er sich geheimnisvoll in einen nassen Sack und zeigte uns, nachdem er einen rotseidenen Vorhang aufgezogen hatte, ein nach meiner Ansicht sehr schlecht gemaltes Bild, berührte es mit einem langen Stab und ließ uns das Ende, mit dem er es betupft, küssen. Dann fragte er uns: »Was meint ihr zu diesem Bild?«

»Es sieht«, erwiderte Pantagruel, »einem Papst gleich: ich erkenne es an der Tiara, dem Pallium, dem Chorhemd, dem Pantoffel.«

»Da habt Ihr recht«, sagte Lulatsch. »Es ist die Idee jenes guten Gottes auf Erden, dessen Kommen wir andächtig herbeisehnen und den wir einmal hierzulande zu erblicken hoffen. O glücklicher, erwünschter und sehnlichst erharrter Tag! Und ihr, Selige und Aberselige, die ihr – so waren euch die Sterne gewogen – diesen guten Gott auf Erden lebendig und leibhaftig von Angesicht erblickt habt, dem wir, wenn wir bloß sein Bildnis anschauen, Ablaß von allen unseren Gedächtnissünden verdanken nebst einem Dritteil und achtzehn Vierzigsteln der Sünden, die wir vergessen haben. Auch sehen wir es nur an den großen Jahresfesten.«

Da sagte Pantagruel, es sei das ein Werk, wie Dädalus sie geschaffen. Wenngleich es verhunzt und schlecht ausgeführt sei, so stecke darin immer noch eine schlummernd verborgene göttliche Kraft in Sachen der Sündenvergebung.

»So wie«, sagte Bruder Jan, »die Fechtbrüder in Sevillé, als sie am Abend eines hohen Feiertags im Spittel schmausten, sich gegenseitig vorprahlten: der eine hatte an dem Tag sechs Weißpfennige eingenommen, der andere zwei Sous, ein dritter sieben Karolin, während ein großer Strolch damit aufschnitt, er habe drei gute Kopfstücke verdient, woraufhin die Gefährten ihm erwiderten: ›Das kommt davon, weil du ein so bildschön angemaltes Gottesbein hast.‹ Als ob in einem wurmstichigen und verfaulten Bein etwas Göttliches steckte.«

»Wenn Ihr uns«, sagte Pantagruel, »solche Mären erzählt, seid darum besorgt, uns ein Becken herzuschaffen,

denn es fehlt nicht viel, daß ich mich übergebe. So den heiligen Namen Gottes für derart schmutzige und abscheuliche Sachen zu mißbrauchen. Pfui, kann ich nur sagen, pfui! Wenn in eurer Mönchsgesellschaft ein solcher Wortgebrauch üblich ist, laßt ihn dort und tragt ihn nicht aus den Klöstern hinaus!«

»So behaupten auch die Ärzte«, erwiderte Epistemon, »daß an gewissen Krankheiten Göttliches gewissermaßen beteiligt ist. Desgleichen pries Nero die Champignons und nannte sie auf griechisch mit einer bildlichen Wendung ›Götterspeise‹, weil er mit ihnen seinen Vorgänger, den römischen Kaiser Claudius, vergiftet hatte.«

»Mich dünkt«, sagte Panurge, »daß dieses Bildnis im Hinblick auf unsere letzten Päpste schlecht getroffen ist. Denn als ich sie sah, trugen sie auf dem Kopf keine Chormütze, sondern eine Sturmhaube, darüber gestülpt eine persische Tiara, und während das ganze christliche Reich friedlich und still war, führten sie allein heimtückisch und sehr grausam Krieg.«

»Dies geschah aber«, sagte Lulatsch, »gegen die Widersacher, die Ketzer und gottlosen Protestanten, die der Heiligkeit dieses guten Gottes auf Erden den Gehorsam verweigerten. Hierzu ist er nicht nur befugt und ermächtigt, sondern von den heiligen Dekretalen angehalten, weshalb er auch ohne Unterlaß Kaiser, Könige, Herzöge, Fürsten und Staaten mit Feuer zur Ader lassen muß, wofern sie ein Jota gegen seine Gebote fehlen; auch muß er sie ihrer Güter berauben, ihrer Reichsgewalt entkleiden, sie ächten, verdammen und nicht nur an ihrem und ihrer Kinder und Angehörigen Leib strafen, sondern auch ihre Seelen in die tiefste Tiefe des loderndsten Kessels, der in der Hölle zu finden ist, hinein verfluchen.«

»Hier«, sagte Panurge, »sind sie bei allen Teufeln nicht Ketzer, wie Raunzemurner einer war und wie sie unter Deutschen und in England vorkommen. Ihr seid ausgesiebte Christen.«

»Ja, da beißt keine Maus einen Faden ab«, sagte Lulatsch. »Laßt uns Weihwasser nehmen, und dann zum Essen!«

51. KAPITEL

*Kleine Aussprüche während des Essens zum Lob der
Dekretalen*

Merkt nun, ihr Zecher, daß während Lulatschs Trockenmesse drei Glöckner der Kirche, jeder mit einem großen
Becken in der Hand, unterm Volk umhergingen und mit
lauter Stimme sprachen: »Vergeßt die glücklichen Leute
nicht, die ihn mit Augen gesehen!«

Wie wir den Tempel verließen, überreichten sie Lulatsch
ihre Becken, die voll papimanischen Geldes waren. Lulatsch sagte zu uns, dies sei für ein leckeres Mahl bestimmt,
und zwar solle ein Teil dieser Abgabe und Kopfsteuer für
gutes Trinken, der andere für gutes Essen verwendet werden, entsprechend einer Glosse, die sich in einem gewissen
Winkelchen ihrer heiligen Dekretalen verschlupft habe.

So geschah's denn auch, und zwar in einem schönen
Wirtshaus, recht ähnlich dem von Guillot in Amiens.
Glaubt mir: die Achelweide war ausgiebig, und der Zapf-
brünnlein waren viele. Bei diesem Essen fielen mir zwei
Dinge als merkwürdig auf: das eine war, daß kein Fleisch-
gericht welcher Art auch immer gereicht wurde, mochten
das nun Zicklein, Kapaune, Schweine (deren es in Papimanien eine Menge gibt) oder Tauben, Kaninchen, Hasen,
Truthähne sein, das nicht mit einer auserlesenen Farce üppig
gefüllt war. Das andere, daß alle Speisen und Nachspeisen

von mannbaren heiratsfähigen Töchtern des Landes aufgetragen wurden, hübschen Mädchen, kann ich euch versichern, knusprigen, blondlockigen, molligen lieben Dingern,
die lange weiße und locker fallende Chorhemden mit zwie-
fachem Gürtel trugen, barhaupt waren mit in Bänderchen
und Maschen aus violetter Seide eingedrehten Haaren, ganz
übersät mit Rosen, Nelken, Majoran, Anis, Orangeat und

anderen Würzblumen; dieselben luden uns auf Schritt und
Tritt mit einstudierten und liebreizenden Verneigungen
zum Trinken ein und wurden gern gesehen von der ganzen
Tischgesellschaft. Bruder Jan beäugte sie von der Seite wie
ein Hund, der einen Flederwisch entführt.

Als der erste Gang abgetragen war, stimmten sie wohl-
lautend ein Epodon zum Lob der hochheiligen Dekretalen
an.

Wie der zweite Gang aufmarschierte, wandte Lulatsch

sich ganz lustig und aufgeräumt an einen der Schankaufseher, indem er sprach: »*Clerice* – leer is hie.«

Auf diese Worte hin reichte ihm eins der Mädchen flugs einen großen Humpen voll Extravaganten-Wein. Er hielt ihn in der Hand und sprach tief aufseufzend zu Pantagruel: »Werter Herr und ihr, geliebte Freunde, ich trinke auf euch alle von Herzen gern. Seid mir ganz besonders willkommen!«

Trank und tat, nachdem er den Humpen der niedlichen Akolytin zurückgereicht, einen dicken Stoßseufzer, indem er sprach: »O göttliche Dekretalen! Wird doch euretwegen der gute Wein gut befunden.«

»Das ist«, sagte Panurge, »nicht das Dümmste daran.«

»Noch besser wär's«, meinte Pantagruel, »wenn durch sie schlechter Wein gut würde.«

»O seraphischer *Sixtus*«, fuhr Lulatsch fort, »wie so notwendig bist du für das Heil der armen Menschheit! O ihr cherubinischen *Clementinen*, wie ist doch in euch die vollkommene Heilslehre des echten Christen recht eigentlich enthalten und beschrieben! O engelhafte *Extravaganten*, wie müßten ohne euch die armen Seelen verderben, die hienieden durch sterbliche Leiber wallen in diesem Jammertal! O weh, wann wird diese außerordentliche Gnadengabe den Menschen beschert sein, daß sie von allen sonstigen Studien und Geschäften abstehen, um euch zu lesen, euch zu verstehen, euch zu erkennen, euch zu üben, praktizieren, einzuverleiben, ins Geblüt und die innersten Zellen eurer Gehirne, ins tiefste Mark eurer Knochen, in die verzwicktesten Labyrinthe eurer Arterien einzumitteln. O dann erst, nicht eher und anders, ist die Welt glücklich zu preisen.«

Auf diese Worte hin erhob sich Epistemon und sagte freiheraus zu Panurge: »Ohne Kackstuhl seh ich mich genötigt, von hier zu verschwinden. Diese Farce hat mir den Schließmuskel ganz verdötscht. Ich kann's nicht mehr halten.«

»O dann«, fuhr Lulatsch fort, »mitnichten mehr Hagel, Frost, Rauhreif und Wetterschlag. O dann Überfluß an allen Gütern dieser Erde! O dann sturer, nicht zu brechender Frieden in der ganzen Welt, Endigung von Kriegen, Plündereien, Piesackereien, Räubereien, Meuchelmorden, außer gegen die Ketzer und verfluchten Aufrührer. O dann Frohsinn, Heiterkeit, Wonne, Lustbarkeiten, Ergötzungen, Freuden, Labsale für jedes Menschenkind. Aber auch, o du große Lehre, unschätzbare Geistesbildung, gottwirksame Vorschriften, verankert in den göttlichen Kapiteln dieser allzeitigen Dekretalen! O wie euch, wenn ihr nur einen halben Kanon, einen kleinen Paragraphen, einen einzigen Satz dieser sakrosankten Dekretalen lest, im Herzen der Glutmeiler göttlicher Liebe entbrennt, der Liebe zu eurem Nächsten, so er kein Ketzer ist, der unfehlbaren Verwerfung aller nichtigen und irdischen Dinge, hohe Entzückung eurer Geister, ja bis hinauf in den dritten Himmel, gewisse Befriedigung aller eurer Neigungen.«

52. KAPITEL

Fortsetzung der durch die Dekretalen gewirkten Wunder

»Das nenn ich georgelt«, sagte Panurge, »aber ich glaub davon so wenig wie möglich. Denn zufällig bin ich einmal in Poitiers bei dem Schotten Doktor Dekretalipotens auf ein Kapitel aus ihnen gestoßen und hab's gelesen. Der Teufel soll mich holen, wenn ich auf diese Lektüre hin nicht im Bauch so hartleibig wurde, daß ich vier, ja fünf Tage lang nur ein kleines Knödelchen schiß. Und wißt ihr, was für eins? Ich schwör euch, es war von der Art, wie's Catull denen seines Nachbarn Furius nachsagte:

> Zehn Knöllchen scheißt du kaum im ganzen Jahr,
> doch nimmst du sie zur Hand und reibst sie gar,
> bedreckst du dir die Finger nit,
> denn härter sind sie noch als Dickwurz und Granit.«

»Haha«, sagte Lulatsch, »Inian, mein Freund, Ihr wart wohl grad im Stand der Todsünde?«

»Das«, sagte Panurge, »ist ein anderes Paar Stiefel.«

»Einmal«, sagte Bruder Jan, »hab ich mir in Seuillé mit einem Blatt von ein paar üblen Clementinen den Arsch abgeputzt; unser Aufseher Jean Guimard hatte sie in den Klosterhof geschmissen; bei allen Teufeln will ich sein, wenn meine Afterrunzeln und Hämorruthen von ihnen nicht so übel zugerichtet wurden, daß das arme Loch meines Hinterviertels davon ganz ausgefranst war.«

»Inian«, sagte Lulatsch, »das war klärlich eine Strafe Gottes, womit er die Sünde vergalt, daß Ihr diese heiligen Schriften bekackt hattet, anstatt sie, wie Ihr gesollt hättet, zu küssen und anzubeten, mit gottgebührlicher oder zumindest heiligmäßiger Verehrung. Der Panormitanus ist da die unfehlbare Richtschnur.«

»Hans Dampf«, sagte Ponokrates, »hatte in Montpellier den Mönchen von Saint Olary ein paar prächtige Dekretalen abgekauft, die schön und groß auf Lamballer Pergament geschrieben waren, um sie als Velinunterlage beim Münzschlagen zu verwenden. Das Unglück wollte, daß seltsamerweise kein Stück richtig herauskam: alle waren zerschunden und zerzaust.«

»Strafe«, sagte Lulatsch, »und göttliche Vergeltung.«

»In Le Mans«, sagte Eudemon, »hatte der Apotheker François Cornu ein paar zerknitterte Dekretalen zu Tüten gedreht: der Teufel soll mir Widerpart halten, wenn nicht alles, was er hineintat, vom Fleck weg vergiftet, verdorben und versaut war: Weihrauch, Pfeffer, Nägelein, Cinnamon, Saffran, Wachs, Würzkörner, Cassia, Rhabarber, Tamarinde, kurzum alles: Tinkturen, Mixturen, Rezepturen.«

»Vergeltung«, sagte Lulatsch, »und göttliche Strafe. Für profane Zwecke diese so heiligen Schriften zu mißbrauchen.«

»In Paris«, sagte Carpalim, »hatte Groignet, der Schneider, ein paar alte Clementinen für Maße und Schnittmuster hergenommen. O merkwürdiger Fall! Alle Kleidungsstücke, die nach diesen Mustern, Maßen und Vorlagen geschnitten waren, gingen schief und in die Bohnen: Roben, Kappen, Mäntel, Kittel, Röcke, Kotzen, Pelerinen, Westen, Wämser, Überzieher, Spreizröcke. Groignet, als er eine Kappe zuschneiden wollte, schnitt sie in Form eines Hosenlatzes. Statt eines Kittels schnitt er einen Klunkerhut. Nach dem Muster einer Kotze schnitt er einen Schlappendeckel. Eine Leibweste schnitt er in Form eines Kanzeldachs zu. Als seine Gesellen sie genäht hatten, schlitzten sie sie unten auf, so daß sie aussah wie eine Pfanne zum Maronibraten. Anstatt einer Pelerine machte er ein Stiefelchen. Nach dem Muster eines Spreizrocks fertigte er ein Krätzchen. Während er einen Mantel zuzuschneiden meinte, machte er ein Schweizer Trömmelchen. So daß der arme Mann von Rechts wegen dazu verurteilt wurde, die Stoffe seiner sämtlichen Kunden zu bezahlen, und heute ist er auf der Gant.«

»Strafe«, sagte Lulatsch, »und göttliche Vergeltung.«

»In Cahusac«, sagte Gymnaste, »hatten die Herren von Estissac und der Vicomte von Lauzun ein Scheibenschießen ausgemacht. Pérotou hatte ein paar halbe Dekretalbogen des guten Kanonikus La Carte in Stücke gerissen und aus den Blättern das Weiße für die Scheibe geschnitten. Ich will ob krumm oder grade des Teufels sein, wenn je ein Armbrustschütze des Landes (und in der Gascogne sind sie allesamt Meisterschützen) einen Bolzen ins Ziel brachte. Alle waren Buschgänger. Kein Fleckchen des hochheilig bekleicksten Weißen wurde entjungfert oder angekratzt. Auch schwor Sansornin der Ältere, der für den Wettkampf bürgte, Stein und Bein (seinen großen Eidschwur), er habe klar und deutlich mit eigenen Augen gesehen, wie Carquelins Bolzen stracks ins Schwarze mitten im Weißen hineingefahren sei und, wie er grade habe treffen und eindringen wollen, einen Klafter weit seitwärts ins Dickicht abgesprungen sei.«

»Wunder«, schrie Lulatsch, »Wunder, Wunder! *Clerice* – leer is hie! Ich trinke auf euch alle! Ihr dünkt mich echte Christen.«

Auf diese Worte hin fingen die Mädchen an untereinander zu kichern. Bruder Jan kräuselte seine Nasenspitze, wie wenn er rossen oder zum wenigsten rammeln und ihnen aufsitzen wollte wie Putherbe den armen Leuten.

»Mir scheint«, sagte Pantagruel, »daß man in diesen weißen Kreisen weiter ab vom Schuß gewesen wäre als weiland Diogenes.«

»Was?« fragte Lulatsch, »wie? War das etwa ein Dekretalist?«

»Das heiß ich«, sagte Epistemon, der gerade von seiner Verrichtung zurückkam, »gepatzt.«

»Diogenes«, erwiderte Pantagruel, »wollte sich eines

Tags Bewegung machen und besuchte die Bogenschützen, die nach der Scheibe schossen. Einer von ihnen war ein solcher Stümper, Nichtskönner und Tolpatsch, daß jedesmal, wenn er mit Schießen dran war, die ganze Zuschauermenge, aus Furcht, von ihm getroffen zu werden, zurücksprang. Als Diogenes ihn derart hatte danebenschießen sehen, daß sein Pfeil zwei Klafter vom Ziel entfernt niederging, während das Volk zu beiden Seiten weit zurückwich, lief er herzu und stellte sich dicht vor das Weiße hin, mit der Versicherung, dieser Ort sei der zuverlässigste, denn eher würde der Schütze jede andere Stelle treffen als das Weiße; das Weiße allein sei vor dem Schuß gefeit.«

»Ein Page«, sagte Gymnaste, »des Herrn von Estissac, Chamouillac mit Namen, kam auf den Zauber. Auf seinen Rat vertauschte Pérotou das Weiße mit den Akten des Prozesses von Pouillac. Daraufhin schossen alle gut, der eine wie der andere.«

»In Landerousse«, sagte Rhizotome, »bei der Hochzeit von Jan Delif war das Brautmahl bemerkenswert und üppig, wie es damals im Lande der Brauch war. Nach dem Essen wurden allerlei Possen, Lustspiele und fröhliche Schwänke gespielt, wurden allerlei Moreskentänze mit Schellen und Tamburin getanzt, wurden allerlei Arten von Maskeraden und Mummenschanz vorgeführt. Meine Schulkameraden und ich wollten dem Fest nach Kräften Ehre antun (denn am Morgen hatten wir alle schöne Livreen in Weiß und Blau gehabt), und so veranstalteten wir zum Schluß eine lustige Maskerade mit recht viel Sankt-Michaelsmuscheln und schönen Schneckenhäusern. Da es uns an Blättern von Seerosen, Huflattich, Klette und an Papier gebrach, rissen wir Blätter aus einem alten Sixtus, der da herumlag, und machten uns falsche Gesichter daraus, indem wir sie an den Stellen von Augen, Nase und Mund ein bißchen ausschnitten. Wunderbares Ereignis! Als wir mit unseren Katzbalgereien und kindlichen Hopsern fertig waren und uns die falschen Gesichter vornahmen, schauten wir gräßlicher und gemeiner drein als die Teufel beim Passionsspiel von Douai, so waren unsere Gesichter überall da, wo sie mit besagten Blättern Fühlung hatten, verheert: der eine hatte die Pocken, der andere Blatternarben, wieder andere die Krätze, den Rotlauf und dicke Furunkel. Kurzum, am wenigsten gelitten von uns hatte einer, dem die Zähne ausgefallen waren.«

»Wunder!« schrie Lulatsch. »Wunder!«

»Spart euch euer Lachen auf«, sagte Rhizotome. »Meine beiden Schwestern, Cathérine und Renée, hatten in diesen schönen Sixtus wie in eine Mangel (denn er war in wuchtig schwere Deckel mit Stollennägeln eingebunden) ihre frischgewaschenen, gebleichten und gestärkten Spitzenborten, Krägelchen, Ärmelstöße und Fürtücher getan. Herrgott...«

»Haltet ein«, sagte Lulatsch, »von welchem Gott sprecht Ihr grade?«

»Es gibt nur den einen«, erwiderte Rhizotome.

»Sehr wohl«, sagte Lulatsch, »den im Himmel. Aber haben wir auf Erden nicht einen andern?«

»Sapperlot«, sagte Rhizotome, »daran hab ich meiner Seel gar nicht gedacht. Herrgott Papst auf Erden also: ihre Börtchen, Krägelchen, Lätzchen, Häubchen und die ganze übrige Wäsche waren schwärzer als ein Köhlersack.«

»Wunder«, schrie Lulatsch, »*Clerice* – leer is hie! Merk dir diese schönen Geschichten!«

»Wie«, fragte Bruder Jan, »heißt es doch noch?

Seit Dekret' Ales bekamen
und Kriegsleut den Ranzen nahmen,
Mönchen der Kamm schwoll,
ward hienieden die Welt jeden Übels voll.«

»Ja, ich weiß«, sagte Lulatsch, »das sind so kleine Spottlieder der neuen Ketzer.«

53. KAPITEL

Wie durch die den Dekretalen innewohnende Kraft das Gold geheimerweise von Frankreich nach Rom geschleust wird

»Ein Schoppenmaß Kaldaunen wollt ich es meinen Schlund kosten lassen«, sagte Epistemon, »hätten wir Anlaß genommen, im Originaltext die furchteinflößenden Kapitel *Execrabilis, De multa, Si plures, De annatis per totum, Nisi essent, Cum ad monasterium, Quod dilectio, Mandatum* und gewisse andere vergleichsweise einzusehen, die alljährlich vierhunderttausend Dukaten und mehr von Frankreich nach Rom schleusen.«

»Ist denn das was?« sagte Lulatsch. »Mich dünkt es immer noch wenig, mit Rücksicht darauf, daß das Allerchristlichste Frankreich die einzige Nähramme der römischen Kurie ist. Aber findet mir Bücher in der Welt, ob aus der Philosophie, Medizin, Rechtsprechung, Mathematik, den freien Künsten, ja selbst (bei Gott dem Meinigen) in der Heiligen Schrift, die so viel zu schleusen imstande sind. Nicht ein einziges. Nichts da, nichts da! Ihr werdet keins finden, dem diese goldverflüssigende Kraft innewohnt, seid überzeugt! Drum wollen diese Teufelsketzer nichts von ihnen wissen und lernen. Nun denn, so verbrennt, zwackt, verrenkt, henkt, ertränkt, pfählt, schindet, zerstückelt, nehmt aus, zerhackt, frikassiert, röstet, rädert, kreuzigt, siedet, häutet, vierteilt, zerbröselt, zerfleddert, zerschnitzelt diese bösen dekretalflüchtigen, dekretalmörderischen Ketzer, die schlimmer sind denn Menschenmörder, schlimmer denn Vatermörder, diese Dekretalmeuchler des Teufels.

Ihr guten Leute jedennoch, wenn ihr in Ruf und Ansehen

echter Christen stehen wollt, glaubt – ich bitt euch drum mit gefalteten Händen –, denkt nichts anderes, sagt, unternehmt und tut nichts anderes als allein das, was unsere hehren Dekretalen und ihre Korollarien enthalten: so der schöne *Sixtus*, die schönen *Clementinen*, die schönen *Extravaganten*. O sind das gottgeschaffene Bücher! So werdet ihr auch mit Ruhm, Ehre, Rangerhöhung, Reichtümern, Würden und Präferenzen in dieser Welt von allen andächtig verehrt sein, von jedermann gefürchtet, allen vorgezogen, über alle hinaus erlesen und erkoren. Denn es ist unterm Himmelszelt kein Stand, in dem sich Leute fänden, besser dazu geschaffen, alles zu tun und in die Hand zu nehmen, als diejenigen, die infolge göttlicher Vorsehung und Vorausbestimmung sich dem Studium der heiligen Dekretalen gewidmet haben.

Wollt ihr einen hochgemuten Kaiser wählen, einen guten Vorgesetzten, einen würdigen Chef und Anführer eines Heeres in Kriegszeiten, der allen Unannehmlichkeiten vorzubeugen, allen Gefahren zu entrinnen, seine Leute zu fröhlichem Sturm und Kampf anzuleiten versteht, der nichts aufs Spiel setzt, stets ohne Verluste an Soldaten siegt und den Sieg zu nützen weiß? Nun, so nehmt einen Dekretisten – nein, nicht doch, einen Dekretalisten, mein ich.«

»Oh, ist das ein dicker Lapsus«, sagte Epistemon.

»Wollt ihr in Friedenszeiten einen Mann finden, der tauglich und hinreichend begabt ist, den Staat einer Republik, eines König-, eines Kaiserreichs, einer Monarchie zu regieren, die Kirche, den Adel, den Senat und das Volk bei Wohlstand, Freundschaft, Eintracht, Gehorsam, Tugend und Redlichkeit zu erhalten? Nun, so nehmt einen Dekretalisten.

Wollt ihr einen Mann finden, der durch ein vorbildliches Leben, schöne Reden, heilige Ermahnungen in kurzer Zeit, und ohne Menschenblut zu vergießen, das Heilige Land erobert und zum heiligen Glauben die irrgläubigen Türken, Juden, Tataren, Moskowiter, Mamelucken und Sarrabowiten bekehrt? Nun, so nehmt einen Dekretalisten.

Wer macht denn in so manchen Ländern das Volk aufsässig und zügellos, die Pagen lüstern und schlecht, die

Schüler aufgeblasen und faul? Ihre Herrscher, ihre Hofmeister, ihre Lehrer waren eben keine Dekretalisten.

Aber wer ist's (auf Ehre und Gewissen), der diese schönen Ordensgemeinschaften gestiftet, bestätigt, ermächtigt hat, die, wie ihr seht, die Christenheit allenthalben zieren, schmücken und erleuchten wie den Himmel seine Sterne? Göttliche Dekretalen waren's.

Wer hat gegründet, gestützt, untermauert, wer erhält, erkraftet, ernährt die frommen Gottesleute in den Klöstern, Monasterien und Abteien, ohne deren tägliche nächtliche andauernde Fürbitte die Welt sichtbarlich Gefahr liefe, in ihr altes Chaos zurückzufallen? Hehre Dekretalen sind's.

Wer schafft und mehrt Tag für Tag in Fülle mit zeitlichen, materiellen und geistigen Gütern das berühmte und gefeierte Erbteil Sankt Peters? Heilige Dekretalen.

Was macht den heiligen apostolischen Stuhl zu Rom von jeher und heute erst recht so gefürchtet in der ganzen Welt, so daß auf Gedeih und Verderb alle Könige, Kaiser, Machthaber und Herren von ihm abhangen, von ihm und durch ihn gekrönt, bestätigt und ermächtigt werden müssen, dorthin zur Tränke gehen und sich vor dem Wunderpantoffel, den ihr im Bilde gesehen, niederwerfen? Schöne Gottesdekretalen.

Ich will euch ein großes Geheimnis entdecken. Die Universitäten eurer Welt führen gemeinhin in ihren Wappenschildern und Siegeln ein Buch, einige offen, die andern geschlossen. Was für ein Buch ist das nach eurer Meinung?«

»Ich weiß es nicht bestimmt«, sagte Pantagruel. »Ich las nie darin.«

»Es sind«, sagte Lulatsch, »die Dekretalen, ohne welche die Privilegien aller Universitäten zugrunde gingen. Diese Entdeckung habt ihr mir zu danken. Ha, ha, ha, ha, ha!«

Hier nun fing Lulatsch an zu rülpsen, furzen, lachen, sabbern und schwitzen und reichte sein dickes speckiges Vierkantbarett einem der Mädchen, welche es sich mit ausgelassener Fröhlichkeit auf das schöne Haupt stülpte, nachdem sie es liebevoll geküßt hatte zum Zeichen und Unterpfand, daß sie ehestens einen Mann bekommen werde.

»Vivat!« schrie Epistemon, »vivat! Fifat! Pipat! bibat! O apokalyptisches Geheimnis!«

»*Clerice*«, sagte Lulatsch, »*clerice* – klär dies hie so hell wie möglich! Das Obst her, Dirnen! Wie gesagt, wenn ihr euch dem einzigen Studium der heiligen Dekretalen hingebt, wird es euch an Reichtum und Ehre in dieser Welt nicht fehlen. Ich schließe daraus folgerichtig, daß ihr in der andern Welt unfehlbar in das gesegnete Himmelreich eingehen werdet, zu dem die Schlüssel unserem lieben guten Dekretaliarchengott anvertraut sind. O du mein lieber Gott, den ich anbete und nie sah, tu du uns aus besonderer Gnade beim Sterbensartikel zumindest den hochheiligen Schatz unserer hehren Mutter Kirche auf, über den du als Beschirmer, Erhalter, Treuhänder, Verwalter und Beschließer gesetzt bist. Und gib Weisung, daß diese überschüssigen Gnadenwerke, diese schönen Ablässe uns nicht entgehen, auf daß die Teufel an unseren armen Seelen nichts zu beißen finden, daß der entsetzliche Höllenrachen uns nicht verschlinge. Wenn wir durchs Fegfeuer hindurchmüssen, sei's drum! In deiner Macht und in deinem Willen steht es, uns daraus zu befreien, wenn es dir gefällt.«

Hier fing Lulatsch an dicke und heiße Tränen zu vergießen, sich an die Brust zu schlagen und seine gekreuzten Daumen zu küssen.

54. KAPITEL

Wie Lulatsch Pantagruel gute Christiansbirnen schenkte

Als Epistemon, Bruder Jan und Panurge dieses leidige Spektakel sahen, fingen sie an, hinter ihren vorgehaltenen Mundtüchern »Miau miau miau« zu schreien, wiewohl sie so taten, als wischten sie sich die Augen, nachdem sie Tränen vergossen. Die Mädchen waren gut angelernt und kredenzten allen Anwesenden Humpen voll Clementinenwein nebst einer Überfülle von leckerem Zeug. So wurde die Tischgesellschaft wieder fröhlicher Stimmung.

Nach aufgehobener Tafel schenkte uns Lulatsch eine Menge schöner, saftiger Birnen, indem er sprach: »Nehmt, meine Freunde; sonderliche Birnen sind's, wie ihr sie anderwärts nicht findet. Nicht jedes wächst an jedem Ort. Indien birgt das schwarze Ebenholz. Aus Sabäa kommt der gute Weihrauch. Von der Insel Lemnos die *Terra sigillata*. Nur auf der Insel hier gedeihen diese schönen Birnen. Legt von ihnen, wenn es euch behagt, bei euch zu Hause Baumschulen an.«

»Wie«, fragte Pantagruel, »nennt ihr sie? Sie scheinen mir sehr gut und saftig. Wenn man sie geviertelt in einer Kasserole mit ein wenig Wein und Zucker kochte, wären sie, mein ich, eine sehr zuträgliche Kost für Kranke wie für Gesunde.«

»Das ist gewiß wahr«, sagte Lulatsch. »Wir sind nach Gottes Willen schlichte Leute und nennen die Feigen Feigen, die Pflaumen Pflaumen, die Birnen Birnen.«

»Wahrlich«, sagte Pantagruel, »wenn ich erst wieder in meiner Häuslichkeit sein werde, was, so es Gott gefällt, bald sein wird, will ich sie in meinem Garten in der Touraine am Ufer der Loire einpflanzen und pfropfen, und Gutchristiansbirnen sollen sie heißen. Denn nie sah ich bessere Christen als diese guten Papimanen.«

»Ebensogut fände ich's«, sagte Bruder Jan, »wenn er uns zwei oder drei Wagenladungen voll dieser Mädchen mitgäbe.«

»Wozu das?« fragte Lulatsch.

»Nun, um sie zu schröpfen«, erwiderte Bruder Jan, »gerade zwischen den beiden großen Zehen, und zwar mit treffsicheren Feiteln. Auf die Art würden wir gute Christkinder herausokulieren, und die Rasse würde sich bei uns daheim veredeln, wo sie ohnehin nicht allzu gut ist.«

»Wahrhaftig«, erwiderte Lulatsch, »das werden wir bleiben lassen. Denn ihr würdet sie fickfacken. Ich seh's Euch an der Nasenspitze an, obgleich ich Euch vor diesem Tag nie gesehen. O weh, o weh, da Ihr doch so ein guter Junge seid, wollt Ihr Euch in die ewige Verdammnis stürzen? Unsere Dekretalen verbieten es. Das solltet Ihr Euch hinter die Ohren schreiben.«

»Wart ab«, sagte Bruder Jan. »Indessen, *si tu non vis dare, praesta, quaesumus.* Das ist

Brevierlatein. Ich fürcht mich vor keinem Bartträger, wär er auch Sekretalin-, ich meine Dekretalindoktor mit dreifachem Nackenwulst.«

Nachdem das Mahl vorüber war, nahmen wir Abschied von Lulatsch und dem ganzen lieben Völkchen, indem wir ihnen demütig danksagten und ihnen zum Entgelt für so viele Guttaten versprachen, daß wir, sobald wir nach Rom kämen, dem Papst so zusetzen wollten, daß er schleunigst in Person herbeieilen würde, sie zu besuchen. Dann gingen wir zurück auf unser Schiff. Pantagruel schenkte aus Freigebigkeit und Dankbarkeit für das päpstliche Gnadenbild Lulatsch zwölf Stück broschierten Goldbrokat zum Aufhängen vor dem vergitterten Fenster, ließ ihren Opferstock für Bau und Wiederherstellung mit doppelten Huftalern bis obenhin füllen und jedem der Mädchen, die während des Mahls bei Tisch aufgewartet hatten, neunhundertvierzehn Englische Grußtaler aushändigen, als Aussteuer für ihre künftige Hochzeit.

55. KAPITEL

Wie Pantagruel auf hoher See verschiedene aufgetaute
Worte hörte

Indessen wir auf hoher See tafelten, schnabulierten, plauderten und hübsche kurze Reden führten, erhob sich Pantagruel und blieb aufrecht stehen, um in die Runde zu spähen. Dann sprach er zu uns: »Gefährten, hört ihr nichts? Mir war doch, als hörte ich eine Anzahl Leute in der Luft sprechen, doch kann ich niemanden sehen. Horcht!«

Auf sein Geheiß schärften wir unsere Aufmerksamkeit und schlürften mit weit offenen Ohren die Luft ein wie rechte Schalenaustern, um zu hören, ob Stimmen oder sonst ein Laut darin umgingen, und um nichts davon zu verlieren, stellten etliche nach dem Vorbild des Kaisers Antoninus die Handflächen gespreizt hinter den Ohren auf. Trotzdem mußten wir versichern, wir hörten keinerlei Stimmen.

Pantagruel indessen blieb dabei und beteuerte, er höre in der Luft verschiedenerlei Stimmen, von Männern sowohl wie von Frauen, bis auch wir vermeinten, entweder gleichfalls welche zu hören oder Ohrensausen zu haben.

Je ausdauernder wir zu horchen fortfuhren, desto besser unterschieden wir die Stimmen, ja verstanden schließlich ganze Wörter. Was uns tüchtig erschreckte, und zwar nicht grundlos, war, daß wir, obgleich wir niemanden sahen, derart verschiedene Stimmen und Laute von Männern, Frauen, Kindern und Pferden hörten, so daß Panurge schließlich losschrie: »Zum Kuckuck! Will man uns foppen? Wir sind verloren. Ergreifen wir die Flucht. Man will uns hierherum eine Falle legen. Bruder Jan, bist du da, mein Freund? Halt dich eng bei mir, ich flehe dich an. Hast du deine Plempe parat? Laß sie nicht in der Scheide stecken. Du kriegst sie nur halb rostfrei. Wir sind verloren! Horcht! Das sind bei Gott Kanonenschüsse. Fliehen wir? Nicht mit Füßen und Händen mein ich, wie Brutus in der pharsalischen Schlacht sagte; mit Segeln und Riemen mein ich. Fliehen wir! Auf See hab ich kein bißchen Mut, im Keller und anderwärts hab ich mehr als genug. Flucht ist unsere einzige Rettung! Ich sag das nicht etwa, weil ich furchtsam bin, denn außer vor Gefahren fürcht ich mich vor nichts. Das ist meine ständige Rede. Auch der Freischütz von Baignolet hat das immer gesagt. Seien wir gleichwohl nicht naseweis, sonst geht uns der Arsch mit Grundeis. Auf und davon! Das Ganze kehrt! Schmeiß den Steuerknüppel herum, Hurensohn. Wollte Gott, ich wär jetzt in Quinquenais, sollt ich auch nie eine Frau heimführen. Fliehen wir! Für die sind wir nicht gemacht. Auf einen von uns gehen bestimmt zehn. Außerdem sind sie hier auf ihrem Mist daheim, für uns ist es ein unbekanntes Land. Sie werden uns töten. Fliehen wir! Das wird für uns keine Unehre sein. Demosthenes sagte, der fliehende Mann wird *wieder* kämpfen. Ziehen wir uns wenigstens zurück. Luvwärts! Leewärts! An die Fock, an die Bulinen! Wir sind tote Leute. Fliehen wir, bei allen Teufeln, fliehen wir!«

Als Pantagruel das Gezeter hörte, das Panurge erhob, sagte er:

»Wer ist der Jammerlappen da unten? Sehen wir erst einmal zu, was für Leute es sind. Vielleicht sind sie wie wir! Immer noch seh ich keinen Menschen, obwohl mein Blick hundert Meilen weit in die Runde reicht. Aber geben wir acht! Ich habe gelesen, daß ein Philosoph mit Namen Petronius die Anschauung vertrat, es gebe mehrere Welten, die einander in der Figur eines gleichseitigen Dreiecks berührten, und zwar sei an deren Fuß und Mittelpunkt der Wohnsitz der Wahrheit, behaust von den Wörtern, den Ideen, den Mustern und Urbildern aller vergangenen und künftigen Dinge. Um sie herum liege die Zeitwelt, und es falle in bestimmten Jahren, mit langen Pausen dazwischen, ihrer ein Teil wie Sturzbäche auf die Menschen herab, wie der Tau auf Gideons Vlies fiel, während ein anderer Teil für die Zukunft bis ans Ende der Zeiten aufgespart bleibe.

Auch erinnere ich mich, daß Aristoteles von den Worten Homers behauptet, sie seien springend, fliegend, beweglich und insofern belebt.

Des weiteren sagte Antiphanes, die Lehre Platons gleiche in Rücksicht auf ihre Wörter jenen, die in einem bestimmten Land, im tiefsten Winter gesprochen, gefrören und an der kalten Luft vereisten und nicht zu hören seien. So auch werde das, was Platon die kleinen Kinder lehre, von ihnen erst verstanden, wenn sie alt geworden seien.

Jetzt wär es ein Gegenstand philosophischer Untersuchung, ob zufälligerweise hier der Ort ist, wo diese Worte auftauen. Wir wären gewiß recht verblüfft, wenn es das Haupt und die Leier des Orpheus wären. Denn nachdem die thrazischen Weiber Orpheus in Stücke gerissen hatten, warfen sie sein Haupt und seine Leier in den Fluß Hebrus; diese trieben den Fluß hinab ins Pontische Meer, bis hin zur Insel Lesbos, indem sie auch auf See schwimmend beisammen blieben. Und aus dem Haupte drang fortwährend ein Trauergesang, als bejammerte es den Tod des Orpheus; die Leier aber stimmte unter dem Anhauch der wehenden Winde ihre Saiten harmonisch zu dem Gesang. Schauen wir, ob wir sie nicht hierherum irgendwo sehen.«

56. KAPITEL

Wie Pantagruel unter den gefrorenen Wörtern auch
Kraftwörter fand

Der Steuermann gab zur Antwort: »Herr, fürchtet nichts! Wir sind hier am Grenzsaum des Eismeers, über dem zu Anfang des letztvergangenen Winters eine schwere und grimmige Schlacht zwischen den Arimaspen und den Nephelibaten tobte. Damals gefroren in der Luft die Worte und Schreie der Männer und Frauen, das Geklirr der Waffen, das Aufeinanderkrachen der Harnische und Brustschilder, das Gewieher der Pferde und der ganze übrige Aufruhr des Kampfes. Nun aber, da der Winterfrost gebrochen ist und Lauigkeit und Milde der guten Jahreszeit einkehren, tauen sie auf und sind zu hören.«

»Bei Gott«, sagte Panurge, »ich glaub's ihm. Aber könnten wir nicht eine dieser Stimmen sehen? Erinnere ich mich doch gelesen zu haben, daß am Grenzsaum des Berges, wo Mose das Gesetz der Juden empfing, das versammelte Volk die Stimmen mit Augen sah.«

»Da – fangt«, sagte Pantagruel, »hier habt ihr welche, die noch nicht aufgetaut sind.«

Damit warf er uns mit vollen Händen gefrorene Wörter aufs Schiffsdeck; die sahen wie kandiert aus und spielten in vielerlei Farben. Wir sahen darunter rote Blutsakrawörter, Grünwörter, Blauwörter, Schwarz- und Goldwörter. Jedoch bald nachdem wir sie in den Händen erwärmt hatten, zergingen sie wie Schnee, woraufhin wir sie zwar ganz prächtig hörten, aber nicht verstanden, denn es war eine barbarische Sprache. Ausgenommen ein ziemlich derbes, das Bruder Jan in seinen Händen gewärmt hatte: es tat einen Knall, wie wenn Kastanien ungeschält in der Glut zerplatzen und ließ uns alle vor Schreck erbeben.

»Das war«, sagte Bruder Jan, »ein Bumper zur rechten Zeit.«

Panurge bat Pantagruel, er möge so gut sein und ihm noch mehr davon geben. Pantagruel erwiderte, Wortegeben sei bei Verliebten üblich.

»So verkauf mir welche«, sagte Panurge.

»Das ist Sache der Rechtsanwälte«, erwiderte Pantagruel. »Worte verkaufen. Lieber würde ich dir Schweigen verkaufen, aber teuer, wie es ehedem Demosthenes mittels seines Geldhalswehs verkaufte.«

Trotzdem warf er uns noch drei vier Handvoll aufs Deck. Da sah ich recht spitzige Wörter, blutige Wörter (die, wie der Steuermann uns erklärte, zuweilen an den Ort zurückkehren, wo sie ausgesprochen wurden, aber die Kehle ist weg), schaurige Wörter und andere von recht häßlichem Aussehen. Als diese mitsammen aufgetaut waren, hörten wir: Hing, hing, hing, hing, his, zack, tsch, lure schnettereteng, reteruck, frr, frrr, frrrr, bu bu bu bu bu bu bu bu trakkk, trak, trr, trr trr trrr trrrr, ung ung ung u uouououououong, gog magog, und was weiß ich welche barbarischen Worte. Uns wurde gesagt, das wären die Hussa- und Wieherlaute der Pferde im Augenblick des Aufeinanderprallens. Dann hörten wir noch andere kräftige, von denen die einen beim Auftauen einen Klang wie Trommeln und Pfeifen, die anderen wie Hörner und Trompeten von sich gaben. Glaubt mir, wir hatten da Kurzweil genug! Ich wollte ein paar Kraftwörter zum Aufheben in Öl einlegen, wie man's mit Schnee und Eis macht, fein säuberlich in Heu verpackt, aber Pantagruel wollte davon nichts wissen. Er meinte, es sei Torheit, etwas aufzuheben, was einem doch nie abgehe und was man stets zur Hand habe wie eben Kraftwörter, die bei guten Pantagruelisten nie fehlen.

Bei der Gelegenheit verärgerte Panurge Bruder Jan ein wenig und stimmte ihn nachdenklich, denn er nahm ihn beim Wort just in dem Augenblick, da er sich dessen nicht versah, und Bruder Jan drohte ihm an, er werde ihn genauso dafür büßen lassen wie G. Jousseaulme, der auf sein Wort dem edlen Pathelin das Tuch verkaufte, und sollte er einmal verehelicht sein, ihn bei den Hörnern packen wie ein Kalb, da er ihn beim Wort genommen habe wie einen Mann. Panurge zog ihm zum Spott eine Schnute und rief die Worte: »Wollte Gott, daß ich hier ohne weiteren Fortgang den Spruch der göttlichen Flasche hätte!«

57. KAPITEL

Wie Pantagruel zur Wohnstatt von Messer Bauch, erstem Kunstmeister der Welt, kam

An diesem Tag landete Pantagruel auf einer Insel, die an Herrlichkeit alle anderen übertraf, sowohl ihrer Lage als auch ihres Gebieters wegen. Aufs erste war sie nach allen Seiten hin schroff, steinig, bergig, unfruchtbar, dem Auge mißfällig, sehr schwer zu begehen und mindestens so unzugänglich wie in der Dauphiné jener Berg, der nach seiner Pilzgestalt benannt ist und seit Menschengedenken nicht hat bestiegen werden können, außer von Doyac, dem Artilleriebefehlshaber Karls des Achten, der ihn mit ans Wunderbare grenzenden Maschinen bezwang und oben einen alten Widder fand. Es wurde gerätselt, wer ihn dort hinaufgebracht haben mochte. Einige sagten zu ihm, er sei als Lämmchen von einem Adler oder Uhu dorthin entführt worden und habe sich ins Unterholz geflüchtet.

Nachdem wir mit großer Mühe und saurem Schweiß die Schwierigkeit des Zugangs überwunden hatten, fanden wir

die Hochfläche des Bergs so erfreulich, so fruchtbar, so heilsam und köstlich, daß ich vermeinte, es sei dies wahrhaftig der Garten des irdischen Paradieses, über dessen vermutliche Lage die guten Theologen soviel streiten und grübeln. Pantagruel indessen versicherte uns, hier sei die Wohnung Aretes (das heißt der Tugend), nach der Schilderung Hesiods, ohne indes einer triftigeren Ansicht vorgreifen zu wollen.

Herrscher über sie war Messer Bauch, erster Kunstmeister dieser Welt. Wenn ihr meint, das Feuer sei der große Meister der Künste, wie Cicero schreibt, so irrt ihr und haut daneben, denn auch Cicero glaubte nicht daran. Wenn ihr meint, der erste Erfinder der Künste sei Merkur, wie ehedem die alten Druiden glaubten, so seid ihr vollends auf dem Holzweg. Vielmehr trifft jener Satz des *Satirikers* zu, der besagt, daß Messer Bauch aller Künste Meister ist.

In Gemeinschaft mit ihm residierte friedfertig die Dame Kargheit, auch Kümmernis genannt, Mutter der neun Musen, die einst im Bett mit Porus, dem Herrn von Überfluß, Amor das Leben schenkte, dem edlen Mittlersproß zwischen Himmel und Erde, wie Platon im *Symposion* bezeugt.

Diesem ritterlichen König unsere Huldigung darzubringen, ihm Gehorsam zu schwören und Achtung zu erweisen war unumgänglich. Denn er ist herrisch, streng, rund, hart, heikel und unbeugsam. Ihm kann man nichts vormachen, nichts entgegenhalten, nichts einreden: er hört gar nicht hin. Und so wie die Ägypter von Harpokrates, dem Gott des Schweigens, der auf griechisch Sigalion genannt wird, sagten, er sei *astome*, das heißt mundlos, so wurde Bauch ohne Ohren geschaffen, wie in Candia das Bildnis des Jupiter keine Ohren hat. Er spricht nur in Zeichen. Doch kommt alle Welt seinen Zeichen behender nach als Prätorenerlassen und königlichen Weisungen. Was seine Vorladungen betrifft, so läßt er keinerlei Verzögerung und Aufschub gelten. Euch ist bekannt, daß beim Gebrüll des Löwen alle Tiere weit in der Runde erschauern, so weit nämlich seine Stimme zu vernehmen ist. So steht geschrieben. Ich hab es selbst erlebt. Ich versichere euch jedoch, daß beim Geröhr Messer Bauchs der ganze Himmel erbebt und die ganze Erde erzittert. Sein Befehl wird genannt: Spring hurtig, oder stirb!

Der Steuermann erzählte uns, wie einmal nach dem Muster der Gliederverschwörung gegen den Bauch, geschildert bei Äsop, das ganze Königreich der Somaten gegen ihn gezettelt und konspiriert habe, um seiner Dienstpflicht zu entrinnen. Doch alsbald ward es anderen Sinnes und kehrte ganz reu- und demütig in seinen Dienst zurück. Sonst wären alle an schwarzem Hunger zugrunde gegangen.

In welcher Gesellschaft er auch verkehrt: übergeordnete Stellung und Vorrang sind niemals strittig. Immer geht er voran, mögen auch Könige und Kaiser, ja selbst der Papst zugegen sein. Und beim Konzil von Basel ging er an der Spitze, obgleich berichtet wird, besagtes Konzil sei aufsässig gewesen, weil es um die ersten Plätze Streberei und Hader gab.

Ihm zu dienen ist alle Welt beflissen, plagt sich alle Welt. Dafür beschenkt er auch die Welt mit der Wohltat, daß er für sie alle Künste, alle Maschinen, alle Handwerke, alle ausgetüftelten Fertigkeiten erfindet. Sogar die wilden Tiere lehrt er Künste, die ihnen von Natur versagt sind. Die Raben, die Häher, die Papageien, die Stare macht er zu Dichtern; die Elstern macht er zu Dichterinnen und lehrt sie in menschlicher Sprache plappern, reden, singen. Und all das nur wegen der Atzung!

Die Adler, Gierfalken, Falken, Würger, Blaufußfalken, Geier, Sperber, Lerchenfalken, Wild-, Strich- und Wanderraubvögel zähmt und ködert er dermaßen, daß er sie ganz nach Belieben frei in den Himmel hinaufsenden kann, so hoch und so lange er will, wo er sie dann schweben, schweifen, fliegen und kreisen läßt und sie ihm schöntun als Hofmacher über den Wolken. Dann läßt er sie jäh vom Himmel auf die Erde schießen. Und all das nur wegen der Atzung!

Die Elefanten, die Löwen, die Rhinozerosse, die Bären, die Pferde, die Hunde läßt er tanzen, Ringelreihen drehen, Volten schlagen, kämpfen, schwimmen, sich verstecken, apportieren, packen, was ihm beliebt. Und all das wegen der Atzung!

Die Fische, See- sowohl wie Süßwasserfische, Wale und Meerungeheuer zieht er aus dem tiefsten Meeresgrund hervor. Die Wölfe scheucht er aus den Wäldern, die Bären aus

dem Geklüft, die Füchse aus ihrem Bau, die Schlangen aus der Erde. Und all das wegen der Atzung!

Kurz, er ist so unmäßig, daß er in seiner Wut alles frißt, Tiere und Menschen, wie es einst bei den Vasconen gesehen ward, als Q. Metellius sie im Laufe der Sartorianischen Kriege belagerte, bei den Einwohnern von Sagunt, als Hannibal, bei den Juden, als die Römer sie belagerten, und sechshundert Fälle mehr. Und all das wegen der Atzung!

Wenn dagegen Kargheit, seine Regentin, sich auf Reisen begibt, sind, wohin sie auch kommt, alle Parlamente geschlossen, alle Erlasse stumm, alle Befehle umsonst. Keinem Gesetz ist sie unterworfen, von allen ausgeschlossen. Jeder flieht vor ihr allenthalben, setzt sich lieber Seenöten aus, nimmt lieber den Weg durch Feuer, Bergwildnis und Abgründe, als sich von ihr erwischen zu lassen.

58. KAPITEL

*Wie Pantagruel am Hof des erfinderischen Meisters die
Bauchredner und die Bauchanbeter verabscheute*

Am Hof dieses großen erfinderischen Meisters fielen Pantagruel zwei Arten von Leuten auf: lästige und allzu beflissene Aufwärter, die ihm ein großes Greuel waren. Die einen nannten sich Bauchredner, die anderen Bauchanbeter.

Die Bauchredner leiteten ihre Abkunft von dem alten Euryklesgeschlecht her und beriefen sich diesbezüglich auf das Zeugnis des Aristophanes in der Komödie »Die Stechfliegen oder Wespen«. Darum hießen sie ursprünglich Eurykleier, wie Platon schreibt, sowie Plutarch in seinem Buch »Vom Ende der Orakel«. In den heiligen Dekreten, 26, *quaest. III*, werden sie Bauchredner genannt, und so bezeichnet sie auch in jonischer Sprache Hippokrates, *lib. V, Epid.*, da sie bauchreden. Sophokles nennt sie Sternomanten. Es waren dies Wahrsager, Zauberkünstler und Betrüger einfacher Leute, die den Anschein erweckten, als sprächen sie nicht mit dem Mund, sondern aus dem Bauch herauf, und die auf diese Weise Fragenden Antwort gaben.

So verhielt es sich auch um das Jahr unseres Heilands

1513 mit Jacoba Rodogine, einer Italienerin niedriger Herkunft. Aus ihrem Bauch haben wir sowie ungezählte Leute aus Ferrara und anderswoher des öfteren die Stimme des unreinen Geistes sprechen hören, gedämpft zwar, schwach und kleinlaut, aber richtig artikuliert, deutlich und verständlich, wenn sie neugiershalber von den reichen Herrn und Fürsten des cisalpinen Gallien gerufen und herbeschieden wurde. Um jeden Zweifel eines etwaigen Betrugs und geheimen Schwindels zu verscheuchen, mußte sie sich splitternackt ausziehen und ließen sie ihr Mund und Nase verstopfen. Dieser böse Geist hörte auf den Namen Krausköpfle oder Cincinnatule und liebte es anscheinend, sich so nennen zu hören. Rief man ihn so, gab er auf Fragen flugs Antwort. Ob es gegenwärtige oder vergangene Ereignisse waren, über die man ihn befragte: stets antwortete er treffend und setzte seine Zuhörer immer mehr in Erstaunen. Was künftige Dinge betraf, so log er stets und sagte drüber nie die Wahrheit. Häufig auch schien er seine Unwissenheit einzugestehen, indem er statt einer Antwort einen kräftigen Furz fahren ließ oder etliche unverständliche Worte mit barbarischer Endung brabbelte.

Die Bauchanbeter andererseits bildeten enggeschlossene Grüppchen und Banden, waren teils lustig, niedlich und weichlich, teils traurig, ernst, grimmig, bärbeißig, aber allesamt faul; sie taten nichts, arbeiteten nichts, waren also auf Erden eine unnütze Last (wie Hesiod sagt) und, soweit man schließen konnte, in der steten Furcht befangen, den Bauch zu kränken und abzumagern.

Euch ist bekannt, und so steht es auch bei mehreren Weisheitslehrern und antiken Philosophen geschrieben, daß die Kunstfertigkeit der Natur wunderbar aus der Bastlerfreude erhelle, die ihr, wie es scheint, die Bildung der Seemuschel bereitet hat: solche Mannigfaltigkeit, so viele Formen, so viele Farben, so viele Zeichnungen und künstlich nicht nachahmbare Figuren erblickt man da. Nun, ich kann euch versichern, daß wir in der Kleidung dieser bauchanbeterischen Gugelschnecken nicht weniger Verschiedenheit und Maskerade fanden. Sie hielten alle den Bauch für ihren großen Gott, beteten ihn an wie Gott, opferten ihm als ihrem allmächtigen Gott, erkannten keinen anderen Gott neben ihm, dienten ihm, liebten ihn über alles, ehrten ihn als ihren Gott. Ihr hättet gemeint, daß ausgesprochen im Hinblick auf sie der heilige Apostel in Philipper 3 geschrieben habe: »Denn viele wandeln, von welchen ich euch oft gesagt habe, nun aber sage ich euch mit Weinen, daß sie sind die Feinde des Kreuzes Christi, welcher Ende ist die Verdammnis, welchen der Bauch ihr Gott ist.«

Pantagruel verglich sie mit dem Zyklopen Polyphem, den Euripides folgendermaßen sprechen läßt: »Ich opfere keinem als mir selber (den Göttern nicht), und zwar diesem meinem Bauch, dem größten von allen Göttern.«

59. KAPITEL

*Von dem lächerlichen Standbild Manducus, und wie und was
die Bauchanbeter ihrem göttlichen Wanstpotentaten opfern*

Während wir noch Gefries und Gebärden dieser freßmäuligen Bauchanbeter beschauten und des Staunens voll
waren, vernahmen wir ein beachtliches Glockenzeichen, auf
das hin sich alle wie in Schlachtordnung aufstellten, ein jeglicher nach seinem Amt, Rang und Dienstalter.

So traten sie vor Messer Bauch hin; voran schritt ein junger, fetter, mächtiger Speckwanst, der auf einem langen
reichvergoldeten Stabe ein derb geschnitztes und roh bemaltes Standbild trug, so wie es bei Plautus, Juvenal und
Pomp. Festus beschrieben steht. Beim Karneval in Lyon
nennt man es Krustenkracher; hier hießen sie es Manducus.
Es war das ein scheusäliges, häßliches Bildnis, ein wahrer
Kinderschreck, hatte Augen größer als der Bauch und einen
Kopf dicker als der übrige Körper; dazu ausladende, ungeheure, entsetzliche Kinnbacken, mit Zähnen wohlversehen sowohl oben wie unten, die man mittels einer kleinen,
im Innern des vergoldeten Stabes angebrachten Zugvorrichtung aufeinanderklappen ließ, wie man's in Metz mit
Sankt Clemens' Drachen macht.

Wie nun die Bauchanbeter herankamen, sah ich, daß sie von einer großen Anzahl Diener gefolgt waren, die sich mit Körben, Ballen, Töpfen, Kiepen und Schüsseln schleppten. Darauf reichten sie, indem sie unter Manducus' Stabführung irgendwelche Dithyramben, Grölhalsoden und Kellerarien sangen und dabei ihre Körbe und Schüsseln aufmachten, ihrem Gott:

Weißen Würzwein mit zarten Röstbröckchen,

Weißbrot,

Mürbeteig,

Rosenweck,

Schwarzbrot,

sechserlei Rostgebratenes,

Zicklein vom Rost,

gebratene Kalbslende, kalt mit Ingwerpuder gesenfpflastert,

Fleischklößchen mit Maismehl,

neunerlei Frikassees,

Königinpastetchen,

dicke Prim-Suppen,

Hasensuppen,

Lyonneser Suppen,

Rosenkohl mit Ochsenmark,

allerlei Geschnetzeltes,

Salmigondinen,

immerzu Getränk dazwischen, zu Anfang guten vollmundigen Weißwein, danach Clairet und kühlen Rotwein, kalt, sag ich euch, wie Eis, in großen Silbertassen serviert.

Sodann reichten sie ihm:

Geschwollene in feiner Senfkruste,

Würste,

geräucherte Ochsenzungen,

Schweinshaxen,

Frikadellen,

Blunzen,

Hirnwurst,

Kochwurst,

Schinken,
Wildschweinsköpfe,
gepökeltes Wildbret mit Rübchen,
gebackene Leberschnitten,
Oliven in Salzlake,
das Ganze verbunden mit immerwährendem Getränk.

Dann schossen sie ihm schlundeinwärts
Hammelschlegel mit Knoblauchsoße,
Pasteten mit warmer Tunke,
Schweinskoteletten, mit Zwiebeln angerichtet,
gebratene Kapaune im eigenen Saft,
Brathähnchen,
Säger,
Rehkitz,
Jungreh, Damhirsch,
Hasen, Lappinge,
Rebhühner, Rebhühnchen,
Fasanen, Fasänchen,
Pfauen, Pfäule,
Störche, Störchle,
Schnepfen, Schnepfle,
Ortolane,
Puter, Pute und Putenküken,
Regenpfeifer, Regenpfeiferle,
Schweine in Most,
Enten in leckerer Soße,
Amseln, Rallen,
Wasserhühner,
Trappen,
Silberreiher,
Knäkenten,
Tauchvögel,
Rohrdommeln, Löffelenten,
Brachvögel,
Waldhaselhühner,
Rohrhähne mit Lauch,
Rotkehlchen, Kiebitze,

Hammelschultern mit Kapern,
Ochsenstücke Royal,
Kalbsbrüste,
Suppenhuhn und fette Kapaune in Weißweinsoße,
Haselhühner,
Hähnchen,
Kanin, Karnickel,
Wachteln, Wachtelchen,
Tauben, Täubchen,
Reiher, Reiherchen,
Trappen, Träppchen,
Feigenschnepfen,
Perlhühner,
Doppelschnepfen,
Enten, Entchen,
Wildtauben,
Wildentenküken,
Fettlerchen,
Flamingos, Schwäne,
Löffelgänse,
Kormorane, Kraniche,
Waldschnepfen,
Räbchen,
Francolinen,
Turteltauben,
Hasenklein,
Stachelschweine,
Wasserrallen,
Weinauffüllung dazwischen.
Dann große
Pasteten von Wildbret,
von Lerchen,
von Murmeltieren,
von Steinböcken,
von Rehen,
von Tauben,
von Gemsen,
von Kapaunen,

Speckpasteten,
Schweinsfüße in Schmalz,
frikassierte Pastetenkrusten,
Kapaun in Brotteig,
Käse,
Corbeiller Pfirsiche,
Artischocken,
Blätterteiggebäck,
Kardenrippen,
Nonnenfürze,
arme Ritter,
sechzehnerlei Torten,
Strudel, Krapfen,
Quittenpaste,
Topfenstrudel,
errötende Jungfrau,
eingemachte Mirobalänen,
Gefrorenes,
Würzwein, rot und weiß,
Eierkipferl, Makronen,
Törtchen, zwanzig Sorten,
Creme,
trockene und flüssige Konfitüren, achtundsiebenzig Arten,
Dragees, hundert Farben,
Rahmkäse,
Eierkuchen mit feinem Zucker.
Dem schloß sich noch mehr Wein an, zur Verhütung von
Halsschmerzen, sowie Röstbröckchen.

60. KAPITEL

*Wie an den eingespickten Fasttagen die Bauchanbeter ihrem
Gott opferten*

Als Pantagruel dieses Geschmeiß von Opferjüngern sah
und die Vielzahl ihrer Opfergaben, wurde er ärgerlich und
wäre von hinnen gegangen, hätte Epistemon ihn nicht gebeten, sich das Ende der Posse nicht entgehen zu lassen.

»Und was opfern«, sagte er, »diese Lumpen ihrem Wanstpotentaten an den eingespickten Fasttagen?«

»Ich will es Euch sagen«, erwiderte der Steuermann. »Als
Vorgericht reichen sie ihm:

Kaviar,	Bohnenhaschee in Öl,
Stör,	hunderterlei verschiedene
	Salate: von
frische Butter,	Kresse, Hopfenkeimen, Bi-
	schofshoden,
Erbspüree,	Rapunzeln, Judasohren
	(einer Art von
Spinat,	Schwämmen, die aus alten
	Fliederbäumen wächst),
ungesalzene Weißheringe,	Spargeln, Geißblatt
Salzheringe,	und vielem anderen.
Sardellen,	Gesalzenen Salm,
Anschoven,	Salzletten,
Thunfisch,	Austern in der Schale.
Pickel in Öl,	

Dazu heißt es trinken, oder der Teufel führe mit ihnen ab;

sie achten auch darauf, und es gibt keinen Verstoß; dann
reichen sie ihm:

Lampreten in Würzwein-soße,	Stinte,
Barben,	Garnelen,
Bärbchen,	Forellen,
Brassen,	Renken,
Bräßchen,	Dorsche,
Rochen,	Krebschen,
Tintenfisch,	Klieschen,
Stör,	Goldbutte,
Walfisch,	Adlerfische,
Makrelen,	Gründlinge,
Schollen,	Bartfische,
Flundern,	Schellfische,
gebratene Austern,	Karpfen,
Miesmuscheln,	Palamiden,
Langusten,	Sepien,
Rötlinge,	Stichlinge,
Seeigel,	Äschen,
Schleien,	Schlammbeißer,
Meernesseln,	Meeresfrüchte,
Dornbütten,	Krebse,
Fettheringe,	Gienmuscheln,
Schwertfische,	Gamberi,
Meerengel,	Lampreten,
Neunäuglein,	Seeaale,
Junghechte,	Aalraupen,
Kleinhechte,	Wolfsbarsche,
Jungkarpfen,	Elsen,
Salzkarpfen,	Muränen,
Jungsalme,	Felchen,
Sälmchen,	Waller,
Delphine,	Flußaale,
Bleichen,	Alchen,
Steinbutte,	Schildkröten,
Weißrochen,	Schlangen, *id est* Waldschlangen,

Solfische,   Goldbarsche,
Plattlinge,   Karauschen,
Muscheln,   Barsche,
Hummer,   Schmerlen,
Krabben,   Bartgrundel,
Sprotten,   Garnelen,
Weißbarsche,   Schnecken,
Schleien,   Frösche.
Blaufelchen,
frischen Merluzzo,

Wenn er nach der Vertilgung dieser Speisen nicht trank, war er vom Tode keine zwei Schritt weit ab. Es wurde dafür auch aufs beste gesorgt.

Dann opferte man ihm:
Gesalzenen Kabeljau,
Stockfische,
Eier, gebacken, verloren, gesetzt,   Muschelsalat,
   gesotten, durch die Asche ge-   Rollmops,
   zogen, durch den Rauchfang ge-   Schellfisch,
   jagt, Rührei, Spiegelei usw.,   marinierte Hechte,
zu deren besserer Aufweichung und Verdauung die Weinzufuhr gesteigert ward. Zum Schluß servierten sie:
Reisbrei,   Pastinaken,
Hirsebrei,   Buchweizengrütze,
Grütze,   Graupenmus,
Mandelbutter,   Pflaumen,
Butterschnee,   Datteln,
Pistazien,   Nüsse,
Pimpernüsse,   Haselnüsse,
Feigen,   Zuckerwurzeln,
Rosinen,   Artischocken,
immerzu mit Wein begossen.

Glaubt mir: es lag nicht an ihnen, wenn dieser Bauch, ihr Gott, nicht schicklich, köstlich und im Überfluß bei diesen Opfergastereien bedient ward, mehr noch gewiß als das Heliogabalsgötzenbild, ja mehr noch als das Baalsbild in Babylon unter König Belsazar. Desungeachtet gestand Bauch, er sei kein Gott, sondern eine arme, niedrige, jämmerliche Kreatur. Und wie König Antigonus, der erste dieses Namens, zu einem gewissen Hermodotus (der ihn in seinen Gedichten einen Gott und Sohn der Sonne genannt hatte) die Worte sprach: »Mein Lasanophor spricht dawider« (*lasanon* war eine Terrine und ein Gefäß zur Aufnahme des Stuhlgangs), so verwies auch Messer Bauch diese Schlickenfänger auf seinen Nachtstuhl, um allda zu ratschlagen, zu spekulieren und Betrachtungen darüber anzustellen, was in seiner Fäkalmaterie Göttliches zu finden sei.«

61. KAPITEL

Wie Bauch die Mittel und Wege fand, Korn zu erzielen und aufzubewahren

Nachdem die teuflischen Bauchanbeter sich entfernt hatten, lieh Pantagruel sein Augenmerk der Gelehrsamkeit Messer Bauchs, des edlen Kunstmeisters. Ihr wißt, daß ihm gemäß der Satzung der Natur Brot nebst allem, was dazugehört, als Unterhalt und Nahrung zugesprochen ward, zuzüglich der besonderen Segnung des Himmels, daß er Brot zu finden und aufzubewahren nie in Verlegenheit sein sollte.

Im Uranfang erfand er denn auch die Schmiedekunst und den Ackerbau, damit die bestellte Erde ihm Korn schaffe. Er erfand die Kriegskunst und Waffen zum Schutz des Korns, Medizin und Astrologie nebst der erforderlichen Rechenkunst, um Korn etliche Jahrhunderte lang in Sicherheit aufzubewahren und den Unbilden der Luft, Verwüstung durch wilde Tiere, Plünderung durch Räuber zu entrücken. Er erfand die Wind-, Wasser-, Hand- und tausenderlei kunstreiche Mühlen, um Korn zu mahlen und Mehl daraus zu machen. Die Hefe, den Teig zu durchsäuern, das Salz, ihm Geschmack zu geben (denn ihm war die Erkenntnis beschieden, daß nichts in der Welt die Menschen für Krankheiten anfälliger macht als der Genuß von ungesäuertem, ungesalzenem Brot); das Feuer, um es zu backen, die Zeitweiser und Quadranten, um die Backzeit des kornentsprossenen Brots genau zu merken.

Es kam vor, daß ein Land an Korn Mangel litt; er erfand künstliche Mittel, es von einer Gegend in die andere zu schaffen. Er kreuzte als ein wahrhaft großer Erfinder zwei Gattungen von Tieren, Eselhengst und Stute, und zeugte so eine dritte, die wir Maultier nennen, eine Tierart, die kräftiger, weniger empfindlich, ausdauernder bei der Arbeit als die anderen ist. Er erfand Wagen und Karren, um das Korn bequemer zu befördern. Sperrten das Meer oder Flüsse den Durchgang, so erfand er Schiffe, Galeeren und andere Fahrzeuge (zur großen Verblüffung der Elemente), um über See, über Flüsse und Ströme hinweg zu schiffen und von barbarischen, unbekannten und weit getrennten Völkerschaften Korn zu holen und abzufahren.

Es kam vor, daß in manchen Jahren, seit er die Erde bebaute, der Regen zur rechten Zeit ausblieb, in dessen Ermangelung das Korn tot und verdorben im Boden blieb. Dagegen war in anderen Jahren der Regen übermäßig, und das Korn ersoff. In anderen Jahren wiederum  zerstampfte es der Hagel, zerrauften es die Winde, walzte der Sturm es nieder. Er jedoch hatte schon vor unserer Ankunft ein sinniges Mittel erfunden, den Regen aus dem Himmel hervorzulocken, und zwar brauchte er nur ein Kraut abzuschneiden, das gemeinhin auf Wiesen wächst, aber nur wenigen bekannt ist, und dieses zeigte er uns. Und meiner Ansicht nach war es dasselbe, von dem einstmals der Jovispriester nur ein einziges Zweiglein in die Agnoquelle auf dem lykäischen Berg in Arkadien zu tunken brauchte, um in Dürrezeiten Dämpfe zu erregen, die sich zu dicken Wolken ballten und, wenn sie als Regen niedergingen, das ganze Land ausgiebig bewässerten. Er erfand Mittel und Wege, den Regen in der Luft aufzuhalten und ihn auf das Meer fallen zu machen. Er erfand ein künstliches Mittel, den Hagel zu vernichten, die Winde aufzulösen, den Sturm auf die Art abzuwenden, wie sie bei den Methanensiern von Trözene gebräuchlich ist.

Ein anderes Mißgeschick suchte ihn heim. Diebsgesindel und Räuber entwendeten ihm Korn und Brot von den Feldern. Da erfand er die Kunst, Städte, Festungen und Burgen zu bauen, um es darin einzusperren und in Gewahrsam zu halten. Auch kam es vor, daß er auf den Feldern kein Brot fand und erfuhr, es lagere in den Städten, Festungen und Burgen in Sicherheit, und die Einwohner schützten und hüteten es argwöhnischer als die Drachen die Äpfel der Hesperiden. Da erfand er ein künstliches Mittel, Festungen und Burgen zu berennen und zu schleifen, und zwar mit schweren Belagerungsmaschinen, Sturmböcken, Stein-

schleudern und Katapulten, von denen er uns Abbildungen zeigte, die seinerzeit bei den kundigen Architekten und Vitruvschülern auf wenig Verständnis stießen, wie uns Messer Philebert de l'Orme, großer Architekt des Größtkönigs Franz, gestanden hat. Als diese ihn nichts mehr nützten, so durchtrieben waren die Festungsbaumeister in ihrem Scharfsinn und so scharfsinnig in ihrer Durchtriebenheit, war er in jüngster Zeit zur Erfindung von Kanonen, Feldschlangen, Kartaunen, Bombarden, Mörsern übergegangen, die Kugeln aus Eisen, Blei und Bronze, gewichtiger als dicke Amboßklötze, schossen, mit Hilfe eines schaurigen Pulvergemischs, vor dem sogar die Natur sich entsetzt und bekennt, die Kunst habe sie geschlagen, dieweil er mit ihm den Brauch der Oxydraken verschmähen kann, die im Verein mit Blitz, Donner, Hagelschlag, Wetterschein und Stürmen siegten und ihren Feinden auf offener Walstatt ein jähes Ende bereiteten. Denn grauenhafter, schrecklicher und teuflischer noch wütet es, noch mehr Leute zermalmt, zerschmettert, fällt und tötet es, noch mehr verstört es die menschlichen Sinnesorgane, und mit einem einzigen Mörserschuß zertrümmert es mehr Mauerwerk, als hundert Blitzschläge es vermöchten.

62. KAPITEL

*Wie Bauch Kunst und Mittel erfand, von Kanonenschüssen
weder verletzt noch getroffen zu werden*

Es kam vor, daß Bauch, wenn er Korn in Festungen ein-
gelagert hatte, sich von Feinden belagert sah und erlebte,
wie seine Festungen von diesen Dreiteufelsmaschinen in
Trümmer gelegt, sein Korn und Brot durch Riesenkraft
davongerissen und zerschrotet ward; da sann er auf ein
künstliches Mittel, seine Wälle, Bastionen, Mauern und
Wehren vor solchen Kanonaden zu bewahren, dergestalt
daß die Kugeln sie entweder nicht treffen oder, wenn sie
trafen, keinen Schaden anrichten sollten, weder an den
Wehren noch unter den wehrhaften Bürgern.

Diesem Übelstand hatte er bereits trefflich gesteuert, und
er zeigte uns eine Probe davon, die sich seitdem Fronton
angeeignet hat und die heute als Zeitvertreib und Leibesübung bei den Thelemiten allgemein gebräuchlich ist. Die
Probe sah so aus (und künftig mögt ihr bereitwilliger an das
Experiment glauben, das Plutarch angestellt zu haben behauptet: wenn eine Ziegenherde in voller Flucht davon-
rennt, steckt einer der Nachzüglerinnen ein Distelhälmchen
in den Rachen: gleich werden die anderen innehalten): In
ein bronzenes Geschütz brachte er auf eine Schicht von
eigens präpariertem Schießpulver, dem der Schwefel ent-

zogen und das im richtigen Verhältnis mit reinem Kampfer versetzt worden war, ein Kügelchen ordentlichen Kalibers sowie vierundzwanzig Schrotkörner, von denen einige rund und sphärenförmig waren, andere Tropfenform hatten. Daraufhin, nachdem er auf einen jungen Pagen seines Gefolges gerichtet hatte, wie wenn er ihn durch den Magen schießen wollte, hängte er auf sechzig Schritt Entfernung mittwegs zwischen dem Pagen und dem Geschütz an einem hölzernen Querbalken einen mit Stricken befestigten ziemlich dicken Sideritstein senkrecht auf, das heißt einen eisenhaltigen oder, wie man auch sagt, Herkulesstein, wie er vordem auf dem Ida im phrygischen Land von einem gewissen Magnes gefunden wurde, wie Nikander bezeugt; wir nennen ihn gewöhnlich Magnet. Dann fuhr er mit der brennenden Lunte in die Zündkammeröffnung. Nachdem das Pulver verzehrt war, kam es so, daß, um die Leere zu vermeiden (die im Naturreich nicht geduldet wird: eher fiele das Weltgebäude samt Himmel, Luftraum, Erde, Meer in das alte Chaos zurück, als daß irgendwo auf Erden eine Leere einträte), die Kugel und die Schrotkörner mit Wucht aus der Rohrmündung herausgeschleudert wurden, damit die Luft in die Zündkammer eindringe, die sonst leer geblieben wäre, weil das Pulver vom Feuer so rasch verzehrt worden war. Kugel und Schrotkörner, da sie so heftig abgefeuert wurden, mußten anscheinend den Pagen unfehlbar treffen; jedoch in der Nähe des besagten Steins ließ ihre Wucht immer mehr nach, und sie blieben schwebend und den Stein umkreisend in der Luft, ohne daß ein einziges Geschoß, wie heftig es auch flog, bis zu dem Pagen vordrang.

Auch erfand er eine künstliche Art, die Kanonenkugeln in umgekehrter Richtung zum Feind zurückzusenden, und zwar mit derselben Wut und Gefährlichkeit, mit der sie abgeschossen worden waren, und auf derselben Flugbahn. Die Sache fiel ihm nicht schwer, insofern das Aethiopis genannte Kraut alle Schlösser, vor die man es bringt, öffnet, wie ja auch ein so winziger Fisch wie der Echineis allen Winden Widerpart hält und mitten im heftigsten Unwettersturm die stärksten Seeschiffe bremst, und das Fleisch dieses Fisches, in Salz eingepökelt, das Gold aus den Brunnen zieht, so tief man irgend loten kann;

zumal Demokrit schreibt, Theophrast es geglaubt und erprobt hat, daß es ein Kraut gibt, mit dem man einen tief und mit großer Wucht in ein dickes Hartholz getriebenen Eisenkeil nur anzurühren braucht, daß er im Nu herausfährt. Die Tannenroller (ihr nennt sie Spechte) verwenden dies Kraut, wenn man mit einem klobigen Eisenstift das Loch ihrer Nester verstopft, die sie mit großem Geschick aus dem Stamm kräftiger Bäume zu hacken und zu höhlen pflegen;

zumal die Hirsche und Hirschkühe, wenn sie, von Lanzen-, Pfeil- oder Bolzenschuß tief getroffen, das sogenannte Dictam-Kraut, das auf Kreta vorkommt, finden, davon nur ein wenig zu fressen brauchen, und sogleich gehen die Pfeile heraus, und es tut ihnen nichts mehr weh; mit welchem auch Venus ihren geliebten Sohn Aeneas heilte, als ihn ein von der Schwester des Turnus, Juturna, abgeschossener Pfeil am Schenkel verwundet hatte;

zumal allein der von den Lorbeerbäumen, Feigenbäumen und Robben ausgehende Geruch den Blitz ablenkt, daß sie von ihm nie getroffen werden;

zumal der bloße Anblick eines Widders genügt, um die wütenden Elefanten wieder zur Vernunft zu bringen; die rasenden und unbändigen Stiere, sobald sie in die Nähe wilder Feigenbäume (*caprifices* genannt) kommen, wieder zahm werden und wie erstarrt und reglos dastehen; die Wut der Vipern durch das Antippen mit einem Buchenzweig verzischt;

zumal Euphorion schreibt, er habe auf der Insel Samos, bevor dort der Junotempel gebaut wurde, Tiere mit Namen Neaden gesehen, bei deren bloßer Stimme die Erde in Klüfte und Abgründe aufgebrochen sei;

zumal auch wohlklingender und zum Flötenspiel geschaffener Flieder in einem Land gedeiht, wo kein Hahnenkrähn zu vernehmen ist, wie die alten Weisen nach Theophrasts Zeugnis schreiben, so wie wenn der Hahnensang

Beschaffenheit und Holz des Flieders lähme, schlaff mache und bestürze, wie ja auch der Löwe, dieses starke und standhafte Tier, bei diesem Sang ganz verdutzt und verdattert wird.

Ich weiß wohl, daß andere diesen Ausspruch auf den wilden Flieder bezogen haben, der an Stellen wächst, die von Städten und Dörfern so weit ab sind, daß der Gesang der Hähne da nicht gehört werden kann. Freilich sollte dieser wilde Flieder für Flöten und andere Musikinstrumente erwählt und dem Hausflieder, der an Schobern und Hütten wächst, vorgezogen werden.

Andere haben den Ausspruch in höherem Sinne verstanden, nicht buchstäblich, sondern allegorisch nach Pythagoräerbrauch. Wie sie ja auch, da gesagt worden ist, das Standbild Merkurs dürfe nicht aus einerlei welchem Holz geschaffen sein, dies dahin auslegten, daß Gott nicht auf gewöhnliche, sondern auf erlesene und religiöse Art verehrt werden solle.

So ziehen sie auch aus diesem Satz die Lehre, daß die weisen und gebildeten Leute sich nicht mit trivialer und gewöhnlicher Musik abgeben dürfen, sondern der himmlischen, göttlichen, englischen, der tiefstverborgenen und aus weitester Ferne herklingenden Musik ihr Ohr leihen sollen. Denn um einen Ort zu bezeichnen, der abseits gelegen und wenig besucht ist, sagen wir ja, man habe dort nie einen Hahn krähen gehört.

63. KAPITEL

Wie Pantagruel nahe der Insel Chaneph entschlummerte, und
die Probleme, die bei seinem Erwachen aufgeworfen
wurden

Auf unserer Weiterfahrt kamen wir am darauffolgenden Tag unter allerlei Schnickschnackreden in die Nähe der Insel Chaneph, die Pantagruels Schiff nicht anlaufen konnte, weil uns der Wind im Stich ließ und eine Flaute einsetzte. Wir schifften nur mit den Marsrahen, kreuzten von Luv nach Lee und von Lee nach Luv, wiewohl wir zusätzlich zu den Segeln die Schleppbonnetten aufgehißt hatten. Und hockten da ganz in uns gekehrt, rammdösig, verbiestert und verdrossen, ohne ein Wort miteinander zu sprechen.

Pantagruel saß, einen griechischen Heliodor in der Hand, auf einem Deckpolster hinten bei den Luken und war eingenickt. Es war bei ihm gewöhnlich so, daß er über einem Buch eher einschlief als beim Zuhören.

Epistemon sah durch sein Astrolabium nach unserer Höhe über dem Pol.

Bruder Jan hatte sich in die Küche verfügt und berechnete nach dem Aszendenten der Bratspieße und dem Horoskop der Frikassees, wie spät es wohl sein mochte.

Panurge trillerte mit der Zunge durch ein Hanfrohr Wasserblasen und Kuller.

Gymnaste spitzte Zahnstocher aus Mastix.

Ponokrates träumte einen Traum, kitzelte sich, um sich zum Lachen zu bringen, und kratzte sich mit einem Finger am Kopf.

Carpalim machte aus einer Krähnußschale ein schönes,

winziges, lustiges und wohlgeratenes Windmühlchen mit vier kleinen Flügeln aus einem Erlenspan.

Eusthenes spielte auf einer langen Feldschlange mit den Fingern, als wär's eine Fiedel.

Rhizotome verfertigte aus einer Heidschildkrötenschale ein samtenes Täschchen.

Xenomanes flickte mit einem Beizfesselriemen eine alte Laterne.

Unser Steuermann zog gerade seinen Matrosen die Würmer aus der Nase, als Bruder Jan, aus der Kombüse zu-

rückkommend, bemerkte, daß Pantagruel aufgewacht war. Woraufhin er, das hartnäckige Schweigen brechend, mit lauter Stimme frohgemut fragte: »Was kürzt die Zeit bei Flaute?«

Panurge sekundierte sogleich und fragte ebenfalls: »Was hilft gegen Verdrossenheit?«

Epistemon fiel aufgekratzt ein: »Wie pißt einer, wenn er's nicht nötig hat?«

Gymnaste stand auf und fragte: »Was hilft gegen Augenflimmern?«

Ponokrates fragte, nachdem er sich etwas die Stirn gerieben und mit den Ohren gewackelt hatte: »Was gibt's dagegen, daß man einen Hundeschlaf hält?«

»Haltet ein!« sagte Pantagruel. »Die scharfsinnigen peripatetischen Philosophen haben in ihrer Lehre verfügt, daß alle Probleme, alle Fragen, alle Zweifel, die einer vorbringt, triftig, klar und verständlich sein müssen. Was versteht Ihr unter Hundeschlaf?«

»Ich meine damit«, erwiderte Ponokrates, »auf nüchternen Magen zur Mittagsstunde schlafen, wie's die Hunde machen.«

Rhizotome hockte auf der Reling. Jetzt hob er den Kopf und reizte mit einem abgrundtiefen Gähnen alle seine Gefährten gleichfalls zum Gähnen, und fragte: »Was hilft gegen Hujanen und Gähnen?«

Xenomanes, der vom Flicken seiner Laterne ganz befunzelt war, fragte: »Wie bringt man den Magendudelsack so auf die Wippe und ins Gleichgewicht, daß er weder hinüber- noch herübersackt?«

Carpalim, mit seinem Windmühlchen spielend, fragte: »Welche Bewegungen gehn im Körper vor, bis man sagen kann, der Betreffende habe Hunger?«

Da Eusthenes das Stimmengewirr hörte, kam er auf Deck und rief vom Gangspill her die Frage: »Warum ist der Mensch, der auf nüchternen Magen von einer Schlange mit leerem Magen angegriffen wird, in größerer Todesgefahr, als wenn er satt ist, Mensch und Schlange desgleichen? Warum ist der Speichel des nüchternen Menschen ein Gift für alle Giftschlangen und giftigen Biester?«

»Freunde«, erwiderte Pantagruel, »auf alle Fragen und Zweifel, die ihr vorgebracht habt, trifft eine einzige Lösung zu, und alle dergleichen Symptome und Zufälle heilt eine einzige Medizin. Die Antwort soll euch sogleich erläutert werden, jedoch nicht mit langen Umschweifen und in wörtlicher Rede. Der hungrige Magen hat keine Ohren, er hört keinen Ton. Durch Zeichen, Gebärden und Taten sollt ihr zufriedengestellt werden, und die Lösung wird euch behagen. Wie einst in Rom Tarquinius der Stolze, der letzte König von Rom« (und hierbei rührte Pantagruel an den Zug des Glöckchens, worauf Bruder Jan flugs in die Küche lief), »seinem Sohn Tarquinius Sextus mit einem

Zeichen antwortete, als dieser in der Stadt der Gabiner weilte und einen Boten zu seinem Vater geschickt hatte, um zu erkunden, wie er die Gabiner gänzlich unterjochen und sich gefügig machen könnte; besagter König, da er der Treue des Boten mißtraute, gab ihm keine Antwort, führte ihn nur in seinen versteckten Garten und schlug vor seinen Augen in seiner Gegenwart die hohen Mohnköpfe, die da standen, mit seinem Schwerte ab. Als der Bote ohne Antwort wiederkehrte und dem Sohn erzählte, was er seinen Vater hatte tun sehen, war aus diesem Zeichen unschwer zu erraten, daß er ihm riet, den Oberhäuptern der Stadt die Köpfe abzuschlagen, um das überbleibende niedrige Volk desto besser im Zaum und völliger Gefügigkeit zu halten.«

64. KAPITEL

Wie Pantagruel die aufgeworfenen Probleme mit keiner Antwort beschied

Dann fragte Pantagruel: »Was für Leute wohnen auf dieser schönen Hundeinsel?«

»Alle sind«, erwiderte Xenomanes, »Heuchler, Hungerleider, Rosenkränzler, Leisetreter, Sankt Leierjane, Kapuzenbrüder, Einsiedler. Alles arme Leute, die (wie der Einsiedler von Lormont, zwischen Blaye und Bordeaux) von den Almosen leben, die ihnen die Reisenden spenden.«

»Ich geh nicht dorthin«, sagte Panurge, »laß dir das gesagt sein. Soll mir der Teufel ins Loch pusten, wenn ich hingehe. Einsiedler, Sankt Leierjane, Leisetreter, Kapuzenbrüder, Heuchler: bei allen Teufeln, macht, daß ihr von hier fortkommt! Ich muß immer noch an unsere Konzilstreber von Chesil denken: hätten doch Beelzebub und Astaroth sie mit Proserpina konziliert: was haben wir, als sie uns vor die Augen kamen, für Stürme und Teufelskram erlebt! Hör zu, mein kleiner Butz, mein Korporal Xenomanes: ein Wort, bitte. Sind diese Heuchler, Einsiedler, Augenwischer dahier Junggesellen, oder sind sie verheiratet? Ist was Weibliches da? Könnte man ihnen etwa heimlicherweise auf heimliche Schliche kommen?«

»Wahrlich«, sagte Pantagruel, »eine hübsche und lustige Frage.«

»Und ob!« erwiderte Xenomanes. »Schöne und lustige Heuchlerinnen, Leisetreterinnen, Einsiedlerinnen, kreuzfromme Weiber allesamt, gibt es da, auch ihr Konterfei in Gestalt von Heuchelfritzlein, Leisetreterlein, Einsiedlerlein...«

»Fort von hier«, sagte Bruder Jan dazwischen. »In der Jugend Einsiedler, im Alter ein Teufel. Merkt euch dieses goldechte Sprichwort!«

». . . andernfalls, das heißt ohne Fortpflanzung der Sippe, wäre die Insel Chaneph schon längst wüst und verlassen.«

Pantagruel ließ ihnen durch Gymnaste sein Almosen im Boot zuschicken: achtundsiebenzigtausend blanke Laternen-Halbtaler. Dann fragte er: »Wie spät ist es jetzt?«

»Über neun«, erwiderte Epistemon.

»Just die Zeit zum Essen«, sagte Pantagruel. »Denn nicht mehr fern ist die von Aristophanes in seiner Komödie *Die Predigerinnen* so gefeierte Markscheide, da der Schatten punkt zehn fällig wird. Ehemals bei den Persern war die Brotzeit allein den Königen vorgeschrieben; allen anderen sagten Appetit und Bauch die Uhrzeit.

So beklagt sich denn auch bei Plautus ein gewisser Parasit bitter über die Uhren- und Sonnenuhrenerfinder und verwünscht sie, weil bekanntlich keine Uhr so richtig geht wie der Bauch. Auf die Frage, zu welcher Stunde der Mensch futtern soll, gab Diogenes die Antwort: ›Der Reiche, wenn er Hunger hat; der Arme, wenn er was hat.‹ Genauer fassen die Ärzte die kanonische Stunde in die Regel:

> Aufstehn um fünf; Imbiß um neun;
> Abendessen um fünf; Schlafengehn um neun.

Die Magie des berühmten Königs Petosiris sah anders aus.«

Dieser Satz war noch nicht ausgesprochen, als die Mundoffiziere Tische und Schanktruhen aufstellten; sie deckten sie mit wohlriechenden Tüchern, Tellern, Mundtüchern und Salzfässern; trugen Kannen, Henkelkrüge, Karaffen, Trinkschalen, Humpen, Kumpen herbei; Bruder Jan im Verein mit Küchenmeistern, Vorkostern, Brotverteilern, Mundschenken, Vorschneidern, Aufschneidern, Schankburschen trug vier entsetzliche Schinkenpasteten auf, so groß, daß mir bei ihrem Anblick die vier Bastionen von Turin in den Sinn kamen. Gott weiß, wie da getrunken und geschmaust wurde! Sie waren noch nicht beim Nachtisch, als der West-Nordwestwind die Segel – Fock, Moresken und Bram – zu blähen anfing. Darob sie verschiedene Lieder anstimmten zum Preis des erhabenen Schöpfers im Himmel.

Beim Obst fragte Pantagruel: »Gebt mir Bescheid, Freunde, ob eure Zweifel voll und ganz behoben sind.«

»Ich gähne nicht mehr, Gott sei Dank«, sagte Rhizotome.

»Ich schlafe nicht mehr wie ein Hund«, sagte Ponokrates.

»Ich hab kein Augenflimmern mehr«, erwiderte Gymnaste.

»Ich bin nicht mehr nüchtern«, sagte Eusthenes. »Vor meinem Speichel werden heut tagsüber sicher sein:

Amphisbänen,	Dipsaden,
Aneruduten,	Domesen,
Abedessimonen,	Dryinaden,
Alhartafs,	Drachen,
Ammobate,	Elopen,
Apimaos,	Enhydren,
Alhatrabans,	Fanusen,
Aracten,	Galeoten,
Asterionen,	Hämorrhoiden,
Alcharaten,	Heuschrecken,
Argen,	Harmenen,
Asklalaben,	Hunde, tollwütige,
Attelaben,	Iklen,
Askalaboten,	Iarrarien,
Asseln,	Ilicinen,
Basilisken,	Ichneumonen,
Blindschleichen,	Kauris,
Boen,	Kesuduren,
Blutegel,	Kröten,
Bupresten,	Lorken,
Canthariden,	Myopen,
Crocodile,	Maikäfer,
Cerasten,	Manticoren,
Coloten,	Moluren,
Cychrioden,	Myagren,
chalzidische Eidechsen,	Miliaren,

Cafezaten,
Cuharscen,
Chelydren,
Croniocolapten,
Chersydren,
Cenchrynen,
Phalangen,
Pemphredonen,
Pityocampen,
Raupen,
Rautenkäfer,
Reißwiesel,
Ringelnattern,
Riesenschlangen,
Rhagionen,
Rhaganen,
Salamander,
Scytalen,
Stellionen,
Scorpene,
Skorpione,
Spinnen,
Spitzmäuse,

Megalaunen,
Nattern,
Ohrwürmer,
Ptyaden,
Porphyren,
Parladen,
Selsire,
Scalavotine,
Solofuidare,
Salfugen,
Solifugen,
Sepen,
Stinze,
Stuphen,
Sabtinen,
Sepedonen,
Scolopender,
Taranteln,
Typholopen,
Tetragnatien,
Teristalen,
Vipern,
Zecken.«

65. KAPITEL

*Wie Pantagruel mit seinen Gefolgsleuten die Zeit
vertreibt*

»Auf welche Rangstufe«, fragte Bruder Jan, »unter diesen giftigen Tieren würdet ihr Panurges künftige Frau versetzen?«

»Sprichst ausgerechnet du schlecht von den Frauen«, erwiderte Panurge, »he, du Lirumlarum, du Lottermönch?«

»Potz Blasewitz«, sagte Epistemon, »Euripides schreibt und läßt es Andromeda sagen, daß gegen alle giftigen Tiere durch menschliche Wissenschaft und göttliche Unterweisung ein taugliches Mittel gefunden ward. Gegen die böse Frau indessen hat sich bis heute kein Mittel gefunden.«

»Pah, dieser Weiberheld Euripides«, sagte Panurge, »hat immer auf die Frauen geschimpft. Deshalb wurde er auch aus göttlicher Rache von den Hunden gefressen, wie Aristophanes ihm vorwirft. Weiter im Text! Wer's hat, soll's geben.«

»Ich will im Augenblick Wasser lassen«, sagte Epistemon, »so lange, wie's einem beliebt.«

»Ich hab gerade«, sagte Xenomanes, »die Ladung in meinem Magen so richtig verstaut. Jetzt wird er nicht mehr hin und her schwappen.«

»Ich brauche weder Wein noch Brot mehr«, sagte Carpalim. »Durstpause, Hungerpause.«

»Ich bin nicht mehr verdrossen«, sagte Panurge, »Gott und euch sei Dank! Ich bin lustig wie ein Papagei, fröhlich wie eine Lerche, ausgelassen wie ein Schmetterling. Schreibt doch euer wackerer Euripides, und Silenus sagt's, ein denkwürdiger Zecher:

> Von Sinnen ist und wohl nicht recht gescheit,
> wer trinkt und sich daran nicht freut.

Da beißt keine Maus einen Faden ab: wir müssen den lieben Herrgott, unseren Schöpfer, Erretter und Erhalter, preisen, der uns mit diesem guten Brot, diesem guten kühlen Wein, mit diesen guten Fleischspeisen von derlei Verstörungen Leibes wie der Seele heilt, ganz abgesehen davon, daß wir mit Lust und Freude essen und trinken. Aber ihr antwortet ja gar nicht auf die Frage dieses gebenedeiten ehrwürdigen Bruder Jan, der wissen wollte, wie man die Zeit vertreibt?«

»Da ihr euch«, sagte Pantagruel, »an dieser leichten Lösung der vorgebrachten Bedenken genug sein laßt, tue ich desgleichen. An anderem Ort und zu anderer Zeit werden wir mehr darüber sagen, wenn's euch recht ist. Bleibt also nur noch zu bereinigen, was Bruder Jan vorgebracht hat: wie vertreibt man die Zeit? Seht zur Toppflagge hinauf, wie sie flattert! Seht, wie die Segel knattern! Seht, wie steif die Stage, Webeleinen und Schoten stehen! Während wir mit Bechern die Zeit aufgehoben haben, hat auch das Wetter durch geheime Natursympathie die Flaute aufgehoben. So auch haben sie Atlas und Herkules gehoben, wenn ihr den antiken Märchenerzählern glaubt. Sie haben sie dabei jedoch um einen halben Strich zu hoch getrieben: Atlas, um Herkules, seinen Gast, so recht nach Gebühr zu feiern, Herkules wegen der vorausgegangenen Ausdörrung in der libyschen Wüste.«

»Deibel auch«, sagte Bruder Jan, ihm in die Rede fallend, »ich habe mir von einigen ehrwürdigen Doktoren sagen lassen, daß Turlupin, Schankmeister Eures Schwiegervaters, alljährlich über achtzehnhundert Pipen Wein einsparte, indem er Einkehrern und Dienern zu trinken gibt, bevor sie durstig sind.«

». . . denn«, fuhr Pantagruel in seiner Rede fort, »gleichwie die Kamele und Dromedare einer Karawane den vergangenen Durst, den gegenwärtigen Durst und den künftigen Durst löschen, so tat auch Herkules. So daß infolge dieses ausschweifenden Zeithochbetriebs der neue Himmel ins Schwanken und Beben geriet, was dann bei den närrischen Astrologen soviel Widerstreit und Zank gesetzt hat.«

»Es ist damit«, sagte Panurge, »wie's in dem bekannten Sprichwort heißt:

> Schlechtwetter geht, Gutwetter kommt zurück,
> indes man bechert um ein fettes Schinkenstück.«

»Und nicht nur haben wir«, sagte Pantagruel, »mit Schmausen und Trinken die Zeit angehoben, sondern auch das Schiff merklich entlastet, und zwar nicht bloß auf die Art, wie Äsops Korb entlastet ward: nämlich durch Nahrungsmittelverschleiß, sondern auch durch Entnüchterung. Denn so wie der Körper tot schwerer wiegt als lebendig, so ist auch der nüchterne Mensch irdischer und schwerer, als wenn er getrunken und geschmaust hat. Deshalb haben auch die Leute nicht unrecht, die vor einer langen Reise frühmorgens trinken und futtern und dazu sagen: ›Unsere Pferde werden desto schneller laufen.‹ Wißt ihr nicht, daß vorzeiten die Amykläer über alle Götter den edlen Vater Bacchus verehrten und anbeteten und ihn mit einer treffenden und angemessenen Bezeichnung *Psila* nannten? Psila heißen auf dorisch die Flügel. Denn wie die Vögel mit Hilfe ihrer Flügel hoch in der Luft schwerelos umherschwirren, so werden auch mit Bacchus' Hilfe (*id est* dem guten und köstlichen Labewein) die Geister der Menschen hoch erhoben, ihre Körper sichtbarlich erheitert, und was an ihnen irdisch war, gelockert.«

66. KAPITEL

Wie bei der Insel Ganabin auf Geheiß Pantagruels den Musen ein Gruß entboten ward

Bei anhaltend gutem Wind und derlei Scherzgespräch entdeckte und unterschied Pantagruel in der Ferne eine bergige Insel, auf die er Xenomanes mit der Frage hinwies: »Seht Ihr dort vorne steuerbords diesen hohen zweikuppigen Felsklotz, der dem Berg Parnaß in Phokis so ähnlich sieht?«

»Ganz deutlich«, erwiderte Xenomanes. »Es ist die Insel Ganabin. Wollt Ihr dort an Land gehen?«

»Nein«, sagte Pantagruel.

»Ihr tut wohl daran«, sagte Xenomanes. »Nichts Sehenswertes gibt es da. Das Volk besteht durch die Bank aus Dieben und Räubern. Doch sprudelt in Richtung dieser rechten Kuppe die schönste Quelle der Welt, und drumherum ist ein sehr großer Wald. Eure Mannschaften können da Süßwasser und Holz einnehmen.«

»Das nenn ich«, sagte Panurge, »gut und weislich gesprochen. Ha, nichts da! Setzen wir keinen Fuß dorthin, wo Diebe und Räuber zu Hause sind. Ich versichere euch, die Insel hier gleicht aufs Haar den Inseln Cerq und Herm, die ich früher einmal zwischen der Bretagne und England sah, auch Philipps Poneropolis in Thrazien, Inseln, auf

denen Missetäter, Räuber, Briganten, Mörder und Meuch-
ler hausen, ein getreuer Abklatsch der untersten Verliese
der Conciergerie. Laßt uns dort bitte nicht landen! Traut,
wenn nicht mir, so dem Rat dieses guten und weisen
Xenomanes. Sie sind, beim hölzernen Ochsentod, schlimmer als die Menschenfresser. Sie würden uns allesamt lebendig verspeisen. Landet dort nicht, mit Verlaub! Besser
wär's, ihr stieget in den Avernus hinab. Horcht: hör ich
doch bei Gott das haarsträubende Sturmläuten von da
herüberschallen, das einst die Gasconen und Bordelaisen
gegen die Steuereinnehmer und Büttel losließen, oder mir

klingeln die Ohren. Auf, laßt uns Leine ziehen! Ho! Fahrt
weiter!«

»An Land!« sagte Bruder Jan. »An Land! Nur zu, immer
fort, immer weiter! So brauchen wir kein Herbergsgeld
zahlen. Nur zu! Wir werden sie alle verknüppeln. Los, an
Land!«

»Da soll der Teufel mitspielen«, sagte Panurge. »Der
Teufelsmönch hier, dieser rasende Satansmönch hat vor
nichts Angst. Er ist waghalsig wie alle Teufel und küm-

mert sich um die anderen keinen Deut. Ihn deucht, alle Welt sei Mönch wie er.«

»Fort mit dir, grindiger Laps«, erwiderte Bruder Jan, »scher dich zu allen Millionen Teufeln, daß sie dir das Hirn sezieren und Hackemack daraus machen. Dieser Teufelsnarr ist so feige und abgefeimt, daß er sich bei jeder Gelegenheit vor Angstkränke bescheißt. Wenn du vor eitler Furcht so rappelig bist, dann geh da nicht an Land, bleib hier beim Troß oder – noch besser – versteck dich unterm Kittelrock Proserpinas, bei allen Millionen Teufeln!«

Auf diese Worte hin verdrückte sich Panurge aus der Gesellschaft und verkroch sich im Schiffsbauch im Vorratsbunker unter Krusten, Brocken und Krümeln von Brot.

»Ich spüre«, sagte Pantagruel, »in meiner Seele eine inständige Gegenströmung, wie wenn ich von weitem eine Stimme vernähme, die zu mir sagte, wir sollten dort nicht landen. Sooft und so viele Male ich in meinem Geist diese Regung verspürt habe, tat ich wohl daran, zu entsagen und die Stelle, von der sie mich wegzog, zu lassen, doch tat ich ebenso wohl daran, den Ort aufzusuchen, wo sie mich hintrieb, und hatt es nie zu bereuen.«

»Das ist genauso«, sagte Epistemon, »wie mit Sokrates' Dämon, von dem bei den Akademikern so viel die Rede war.«

»Hört zu«, sagte Bruder Jan. »Während die Mannschaften drüben Wasser einnehmen, sitzt Panurge drunten wie die Made im Speck. Wollt ihr euch einen Spaß machen? Laßt die Kartaune, die ihr da drüben am Vorderkastell seht, abfeuern. Damit wollen wir den Musen dieses Antiparnaßbergs einen Gruß entbieten. Das Pulver drin verdirbt sonst wohl gar.«

»Wohlgesprochen«, erwiderte Pantagruel. »Ruft den Geschützmeister her.«

Der Mann war gleich zur Stelle. Pantagruel befahl ihm, an die Kartaune Lunte zu legen und auf alle Fälle frisches Pulver aufzuschütten. Was im Umsehn geschah. Die Ar-

tilleristen auf den anderen Schiffen, Rambergen, Galionen und Galeassen des Geleitzugs legten beim ersten Schuß der Kartaune auf Pantagruels Schiff ebenfalls Lunte an eins ihrer geladenen schweren Geschütze. Das gab, könnt ihr mir glauben, einen schönen Höllenkrach.

67. KAPITEL

Wie Panurge sich vor mordsmäßiger Angst beschiß und den
großen Kater Speckmauser für ein Teufelchen hielt

Panurge kommt wie ein verschreckter Bock aus dem
Bunker geschossen, im Hemd, nur ein Bein in der Hose,
den Bart über und über mit Brotkrumen besprenkelt, auf
dem Arm eine große Zibetkatze, daran das herabbaumelnde
halbe Hosenbein. Mit gerümpfter Nase wie ein Affe, der
Kopfläuse knickt, schlotternd und zähneklappernd drückt
er sich zu Bruder Jan hinüber, der auf dem Eselskopf
steuerbords saß, und bat ihn demütiglich, er möge sich
seiner erbarmen und ihn mit seinem Schwert beschirmen,
indem er behauptete und bei seiner papimanischen Anwart-
schaft darauf schwor, er habe soeben alle Teufel ledig gesehen.

»Hör ens, ming Fründ«, sagte er, »ming Broder, ming
geistliche Vadder, alle Teufel machen heut Klamauk. Solch
einen Aufwand zu einem höllischen Festmahl hast du nie
erlebt. Siehst du den Schwaden aus den Teufelsküchen?«
(Indem er das sagte, deutete er auf den Pulverdampf über
allen Schiffen). »So viele verdammte Seelen sind dir noch
nie vor Augen gekommen. Und weißt du was? Hör ens,
ming Fründ! Sie sind allesamt so flaumig, so zartblond, so
fein, daß du meinen könntest, es wär stygisch Ambrosia.
War ich doch der Meinung (Gott verzeih es mir!), es wären
britische Seelen, indem ich dachte, es sei heute früh vielleicht die Pferde-Insel vor Schottland von den Herren De

Terme und Dessay in den Sack gesteckt und sackermentiert worden, samt all den Engländern, die über sie hergefallen waren.«

Als Bruder Jan in seine Nähe kam, stach dem ein Geruch in die Nase, der nicht vom Pulverdampf herrührte. Deshalb knöpfte er sich Panurge vor und wurde gewahr, daß sein Hemd ganz schmierig und frisch bekackt war. Die aufhaltende Kraft des Nervs, welcher den Muskel mit Namen Sphincter (sprich Arschloch) zurrt, war infolge der

übermäßigen Furcht, die er bei seinen phantastischen Wahnvorstellungen ausgestanden hatte, erschlafft; hinzu hatte sich noch der Kanonendonner gesellt, der drunten in den Luken fürchterlicher dröhnt als oben auf Deck. Denn es ist ein Symptom und eine Begleiterscheinung der Furcht, daß sich durch sie gemeinhin das Schließpförtchen auftut, hinter dem sich gerade die fäkalische Materie staut.

Als Beispiel diene Messer Pandolfo de la Cassine aus Siena, der, als er mit der Post durch Chambéry kam und bei dem klugen Wirt Vinet abstieg, eine Forke im Stall ergriff und zu ihm also sprach: »*Da Roma in qua io non son andato del corpo. Di grazia, piglia in mano questa forcha et fa mi paura.*« Vinet tat mit der Forke etliche Ausfälle, indem er sich so stellte, als wolle er ihn allen Ernstes aufspießen. Der Sieneser sprach zu ihm: »*Se tu non fai altramente, tu non fai nulla. Pero sforzati di adoprarli piu gagliardamente.*« Da versetzte Vinet ihm mit der Forke einen so kräftigen Hieb zwischen Kragen und Hals, daß er ihn umschmiß und mit gespreizten Beinen aufs Kreuz nagelte. Sprach dann speuzend und aus vollem Halse lachend zu ihm: »Gottsdonner Bayart. Das nenn ich ›Gegeben zu Chambéry‹.« Noch im rechten Augenblick hatte der Sieneser seine Hosen losgemacht, denn plötzlich mistete er ausgiebiger als neun Büffel und vierzehn Archipresbyter von Ostia. Der Sieneser dankte Vinet zum Schluß noch sehr liebenswürdig, indem er zu ihm sagte: »*Io ti ringrazio, bel messere. Cosí facendo tu m'hai esparmiata la spesa d'un serviziale.*«

Ein anderes Beispiel ist der englische König Eduard der Fünfte. Meister François Villon hatte, aus Frankreich verbannt, bei ihm Zuflucht gefunden. Der hatte ihn so seines vertrauten Umgangs gewürdigt, daß er ihm von dem Kleinkram seines Hauses nichts vorenthielt. Eines Tages zeigte besagter König Villon, während er sein Geschäft verrichtete, das Wappen Frankreichs, in Farben gemalt, und sagte zu ihm: »Siehst du, wie sehr ich deine französischen Könige verehre? Nirgendwo sonst besitze ich ihr Wappen als in der Abbildung hier bei meinem Nachtstuhl.« – »Gerechter Gott«, erwiderte Villon, »wie seid Ihr weise, klug, verständig und besorgt in Rücksicht auf Eure Gesundheit und wie gut bedient mit Eurem gelehrten Arzt Thomas Linaker! Da er sah, daß Ihr auf Eure alten Tage wie billig an Verstopfung leidet und der Apotheker Euch täglich das Loch ausschmieren, will sagen ein Klistier verabreichen muß, damit ihr losprotzen könnt, hat er Euch hier am richtigen Ort, aber nirgendwo sonst, das Wappen

Frankreichs in ausgesuchter und weiser Voraussicht hingemalt. Denn seht Ihr es bloß an, habt Ihr dermaßen Schiß und eine so entsetzliche Furcht, daß Ihr vom Fleck weg mistet wie achtzehn päonische Auerochsen. Wär es sonstwo in Eurem Hause abgemalt, in Eurem Kabinett, in Eurer Halle, in Eurer Kapelle, in Euren Galerien oder irgendwo – weiß Gott! so würdet Ihr, sobald Ihr es erblicktet, überall hinscheißen. Auch bin ich überzeugt; hättet Ihr überdies in Malerei die große Oriflamme Frankreichs, so würdet Ihr bei ihrem Anblick die Bauchdärme von Grund aus von Euch geben. Indes, hem hem, *atque iterum* hem!

> Bin ich kein Gimpel aus Paris,
> Paris bei Pontoise, meine ich:
> es fühlt an klafterlangem Strick,
> wie schwer mein Arsch wiegt mein Genick.

Ein Gimpel, ein hirnverbrannter, vernagelter, blöder Gimpel bin ich, daß ich, als ich mit Euch hierher ging, das Maul vor Staunen aufriß, daß Ihr Euch schon in der Stube die Hosen abmachen ließet. Dacht ich doch wahrlich, daß in der Kammer hier hinter dem Wandteppich oder im Bettgang Euer Nachtstuhl stände. Müßt ich es doch sonst für recht ungereimt halten, daß man Euch in der Stube derart ledig macht, wenn Ihr zum Hinterlassenschaftsamt noch so weit zu gehen habt. Ist das nicht so recht die Mutmaßung eines Gimpels? Hinter der Sache steckt ein ganz anderes Geheimnis, Gott helfe mir! So zu tun ist wohlgetan, besser könntet Ihr's gar nicht machen. Laßt Euch rechtzeitig, weit ab vom Ziel und angelegentlich die Hosen abstreifen. Denn kämet Ihr hier herein und hättet sie noch an und sähet hier diese Wappenschilder – merkt wohl auf, was ich sage! –, so würden Euch die Hosen als Nachtschüssel, Abtritt, Scheißtiegel und Latrine herhalten müssen.«

Bruder Jan, der sich mit der linken Hand die Nase verstopft hatte, wies mit dem Zeigefinger auf Panurges Hemd und ließ es Pantagruel sehen. Als der ihn so verdonnert, zerknirscht, schlotternd, fassungslos, beschissen und von den Klauen des berühmten Katers Speckmauser zerkratzt sah, konnte er sich das Lachen nicht verbeißen und sagte zu ihm: »Was wollt Ihr mit dieser Katze?«

»Mit dieser Katze?« entgegnete Panurge. »Alle Teufel sollen mich holen, wenn ich nicht dachte, es sei ein knisterndes Haarteufelchen, das ich soeben mit einem als Fäustling übergestreiften Hosenbein in der großen Höllenbackmulde klammheimlich erschnappt hätte. Zum Teufel mit dem Teufel! Er hat mir das Fell hier krebsmäulig zerschlissen.«

Damit schmiß er die Katze fort.

»Geht«, sagte Pantagruel, »geht in Gottes Namen Euch abdämpfen, Euch säubern, Euch fassen, ein reines Hemd anziehen und Euch umkleiden.«

»Wollt Ihr damit sagen«, erwiderte Panurge, »ich hätte Furcht? Nicht die Spur. Ich bin, Gott steh mir bei, mutiger, als wenn ich so viele Mücken geschluckt hätte, wie in Paris zwischen Sankt Johanni und Allerheiligen verbacken werden. Ha ha ha! Hu ha! Was zum Teufel ist das hier? Nennt Ihr es ruhig Driete, Kot, Kacke, Scheiße, Dreckmist, Ausscheidung, fäkalischen Stoff, Exkrement, Senf, Losung, Jauche, Gewöll, Köttel, Hartwurst und Rosinen. Ich glaub, es ist hibernischer Saffran. Ho ho hi! Hibernischer Saffran ist's. Sela. Auf, getrunken!«

Ende des Vierten Buches der heldenhaften Taten und Reden
des edlen Pantagruel

FÜNFTES BUCH

*Das fünfte und letzte Buch
der heldenhaften Taten und Reden
des guten Pantagruel*

FRAGMENT DES PROLOGS

Unermüdliche Zecher, desgleichen ihr, gichtische Lustseuchlinge: so ihr Muße und sonst nichts Dringendes zu beschicken habt, will ich euch mit einer Frage kommen. Wieso behauptet eine sprichwörtliche Redensart, die Welt sei nicht mehr fad?

Fad ist ein languegotisches Wort und bedeutet: ungesalzen, salzlos, labberig, ohne Geschmack; es bedeutet aber auch närrisch, albern, geist-, sinn- und hirnlos. Könntet ihr mir wohl sagen, wie *e contrario* der logische Schluß gezogen werden kann, daß vordem die Welt fade war, jetzt aber klug geworden ist? In welcherlei und wie beschaffener Hinsicht war sie denn fad? Woran erkennt ihr denn ihre frühere Narrheit? Woran erkennt ihr die heutige Klugheit? Wer hat sie fad gemacht? Wer hat sie klug gemacht? Ist die Zahl derjenigen größer, denen sie fad lieber war, oder derjenigen, denen sie klug lieber war? Wie lange war sie fade? Woraus entsprang ihre vormalige Narrheit? Wo mag die nachmalige Klugheit hergekommen sein? Warum nahm gerade jetzt, nicht erst später, die vormalige Narrheit ein Ende? Warum fing gerade jetzt, nicht schon früher, die heutige Klugheit an? Inwiefern war die vormalige Narrheit ein Übel? Inwiefern ist die nachmalige Klugheit ein Gut? Wie mag die vormalige Narrheit abgeschafft worden sein? Wie mag die heutige Klugheit eingesetzt worden sein?

Gebt Antwort, wenn euch danach zumute ist; sonst hab

ich Euer Ehrwürden keine Bitte vorzutragen, da ich Eure hochweisen Häupter zu erzürnen fürchte. Seid ohne Scheu, beichtet auf Teufel komm raus, sei's auch der Junker Pferdefuß, der Paradies- und Wahrheitsfeind. Mut, Kinder! So ihr Gotteskinder seid, trinkt auf den ersten Teil dieses Sermons drei- oder fünfmal! Dann antwortet auf meine Frage. Wenn ihr Kinder des Anderen seid, *apage Satanas*! Denn ich schwör euch meinen großen Holterdipolter: so ihr mir nicht zur Lösung des obgemeldeten Problems verhelft, bereu ich schon jetzt und von Stund an, daß ich's euch vorgelegt habe, ob es auch nicht anders ist, als hätt ich den Bock bei den Hörnern und sähe keinen, der mir helfen will.

Beliebt's, Carneades? Abgeschieden, potztausend! Er wird auf mein Geheiß nicht kommen, denn nicht einmal Neptun, als er zur Lösung eines ähnlichen Zweifelsfalls beschieden ward, konnte ihn von den elysäischen Gefilden herbeizitieren.

Ich versteh schon: ihr seid zum Antworten nicht aufgelegt. Ich will's, bei meinem Bart, auch nicht tun. Nur anführen will ich euch, was darüber prophetischen Geistes ein ehrwürdiger Doktor geweissagt hat, Verfasser des Buchs »Der Dudelsack der Prälaten«. Wie sagt er doch, der Prachtskerl? Hört zu, Bocksteife, hört zu!

Das Jubeljahr, als jeder modisch kahl
sich schor, ist in der Überzahl
von Dreißig schon. O dreistes Profanieren!
Was Modetorheit schien, geht schließlich an die Nieren
und wirkt bei vorgeschrittnem Dienst nicht modisch
mehr noch lecker.
Denn aus dem Gras schält sich die süße Ecker,
vor deren Stempel ihm so bangte dazumal.

Habt ihr's gehört? Habt ihr's verstanden? Der Doktor ist klassisch, die Worte sind lakonisch, die Sätze skotinisch und dunkel. Desungeachtet, mag er auch einen an sich tiefen und heiklen Gegenstand behandeln, deuten die besten Interpreten dieses guten Vaters seine Verse so: Wenn das Jubeljahr über die Dreißig hinausgeht, so sind die einbeschlossenen Jahre zwischen ...

1. KAPITEL

Wie Pantagruel zu der klingenden Insel kam, und von dem Geräusch, das wir hörten

An diesem Tag und den zwei folgenden kam ihnen weder Land noch etwas Neues zu Gesicht, denn sie waren schon früher diese Küste entlanggesegelt. Am vierten Tag sahen wir, indem wir uns um den Pol zu drehen anfingen und den Äquinoktialstrich hinter uns ließen, Land vor uns; und zwar wurde uns von unserem Steuermann gesagt, es sei dies das Eiland der Wonnen. Wir vernahmen einen von weit her kommenden, vieltönigen und verworrenen Klang, und uns war, als hörten wir kleine, große und mittelgroße Glocken durcheinanderläuten, wie man's in Paris, Jergueau, Meudon und anderwärts an hohen Feiertagen macht.

Im Näherkommen verstärkte sich der Klang dieses Geläutes. Wir erwogen, ob es Dodona mit seinen Schallbecken sei oder das siebenstimmige Tor in Olympia oder gar das immerwährende Dröhnen des Kolosses auf Memnons Grab in Ägypten, oder das Getöse, das man ehedem um die Gruft auf dem Eiland Lipari im Kranz der äolischen Inseln hörte; aber die Kosmographie ließ das nicht zu.

»Mir ist«, sagte Pantagruel, »als hätte dort ein Bienenvolk zu schwärmen angefangen, und um es wieder einzukriegen, veranstalte die Nachbarschaft diesen Lärm mit Töpfen,

Kesseln, Becken und korybantischen Zimbeln Kybeles, der großen Gottesmutter.«

Als wir noch näher herankamen, hörten wir durch das fortwährende Glockenläuten unermüdlichen Gesang von Menschen, die da, wie uns schien, wohnen mochten. Deshalb auch war Pantagruel der Ansicht, wir sollten, bevor wir die klingende Insel anliefen, mit unserem Boot ein kleines Felseneiland ansteuern, bei dem wir eine Einsiedelei in einem Gärtchen ausmachten.

Dort stießen wir auf ein liebes Männchen von einem Klausner, Latzlibus geheißen, gebürtig aus Glatigny, das uns über die ganze Läuterei völlig ins Bild setzte und uns auf wunderliche Art Ehre antat: es ließ uns vier Tage hintereinander fasten, indem es behauptete, anders würden wir auf der klingenden Insel nicht aufgenommen werden, weil gerade die Zeit der Quatember-Fasten wär.

»Ich verstehe«, sagte Panurge, »dieses Rätsel nicht: eher könnt es die Zeit der vier Winde sein, denn fastend sind wir von Wind aufgebläht. Ach was! Wenn ihr hier keine andere Kurzweil habt als Fasten, muß es damit, wie mich dünkt, recht mager bestellt sein. Wir würden auf noch so viele Hoffeste gern verzichten.«

»In meinem Donat«, sagte Bruder Jan, »kann ich nur drei Zeiten finden: Praesens, Praeteritum und Futur. Hier muß die vierte das Trinkgeld für den Schankburschen sein.«

»Es ist«, sagte Epistemon, »die aoristische mehr-als-vollendete Vergangenheit der Griechen und Lateiner, die sich unter scheckig karierten Himmelsumständen eingeschlichen hat. Geduld, sagen die Grindköpfe.«

»Es ist«, sagte der Klausner, »schicksalhaft, genau wie ich euch gesagt habe. Wer widerspricht, ist ein Ketzer und gehört ins Feuer.«

»Unweigerlich, Pater«, sagte Panurge, »hab ich auf See weit mehr Angst, naß als erhitzt und ertränkt als verbrannt zu werden. Trinken wir immerhin, bei Gott; hab ich doch vorher schon so gefastet, daß mir das Fasten das ganze Fleisch untergraben hat und ich sehr befürchten muß, daß die Bastionen meines Körpers in Verfall geraten. Noch größere Angst hab ich freilich, daß ich Euch mit Fasten erzürne, denn ich versteh mich nicht drauf und stell mich linkisch dabei an, wie etliche mir versichert haben, und was mich betrifft, ich glaub's ihnen. Blutwenig hab ich mich ums Fasten gekümmert: es ist etwas so Einfaches und Naheliegendes; weit mehr bin ich drum besorgt, künftig nicht zu fasten, denn dazu muß man Grütze haben. Fasten wir also in Gottes Namen, da wir in die *feriae esuriales* gekommen sind: schon längst hab ich sie gerochen.«

»Wenn denn gefastet werden muß«, sagte Pantagruel, »hilft kein anderes Mittel, als daß wir es schleunigst hinter uns bringen wie ein schlechtes Stück Wegs. Auch will ich die Gelegenheit benutzen, meine Papiere ein wenig durchzusehen und herauszufinden, ob es sich auf See ebenso gut studieren läßt wie an Land, weil Platon, um einen albernen, ungescheuten und unwissenden Mann zu schildern, von ihm sagt, er sei wie Leute, die auf See in Schiffen groß geworden sind, was soviel heißt, wie wenn wir von Leuten sagen, sie seien in einer Tonne groß geworden und hätten immer nur durch ein Loch geguckt.«

Unser Fasten war schrecklich und entsetzlich, denn am ersten Tag fasteten wir, was das Zeug hielt, am zweiten durch dick und dünn, am dritten mit eisernem Stumpfsinn und am vierten auf Blut und Brand. So war es nun einmal von den Loswerfern befohlen.

2. KAPITEL

Wie die klingende Insel ehedem von den Sitizinen bewohnt gewesen, aus denen Vögel geworden

Nach beendetem Fasten überreicht uns der Klausner etliche Schreiben an einen gewissen Meister Editus, wie er ihn nannte, der Sakristan der klingenden Insel war; Panurge freilich nannte ihn bei der Begrüßung Meister Sakrischdumm. Es war das ein gutes weißhaariges Männlein mit einer gar feurigen Nase und krebsrotem Gesicht, das uns auf die Empfehlung des Klausners hin sehr freundlich aufnahm, zumal als es erfuhr, daß wir, wie oben ausgeführt, gefastet hatten. Nach ausgiebigem Schmaus zeigte uns Editus die Merkwürdigkeiten der Insel, wobei er behauptete, sie sei zuerst von den Sitizinen bewohnt gewesen; da jedoch nach dem Willen der Natur alle Dinge veränderlich sind, seien Vögel aus ihnen geworden.

Da sah ich all dem auf den Grund, was Atteus Capitus, Paulus, Marcellus, A. Gellius, Athenaeus, Suidas, Ammonius und andere über die Sitizinen und Sitizinisten geschrieben haben; auch dünkte uns nicht mehr schwer zu fassen, wie Prokne, Ithys, Alkyone, Alkithoe, Antigone, Tereus und andere in Vögel verwandelt worden waren. Nicht schwerer verständlich erschienen uns auch die Kinder Matabonnes oder Matabrunes, die in Schwäne verwandelt wurden, sowie die phaluzischen Männer in Thrazien, die nach neunmaligem Bad im Tritomenischen Sumpf urplötzlich in Vögel umgeschaffen worden.

Von da an unterhielt er uns nur noch von Käfigen und Vögeln. Die Käfige waren geräumig, reich ausgestattet und

SOTAIN

aufs herrlichste gebaut. Die Vögel waren schön, einige groß, andere klein, hatten jedoch keinerlei Ähnlichkeit mit meinen Landsleuten. Sie tranken und aßen wie Menschen, fisteten auch wie Menschen, schliefen und vögelten wie Menschen, kurzum, man hätte bei ihrem Anblick meinen können, es seien Menschen. Dies war jedoch nach Meister Editus' Behauptung keineswegs der Fall. Und zwar beteuerte er, sie seien weder profan noch weltlich. Auch stimmte uns ihr

Gefieder nachdenklich, das bei einigen schneeweiß, bei anderen rabenschwarz, bei wieder anderen grau, schwarzweiß, feuerrot, oder blauweiß war; es bereitete Lust, sie anzuschauen.

Die Männchen nannten sich Klerigeien, Monachgeien, Prestrigeien, Abbegeien, Dompfaffen, Kardinalsvögel und Papageien, doch ist der letztgenannte der einzige seiner

Gattung. Die Weibchen nannten sich Klerigeiinnen, Monachgeiinnen, Prestrigeiinnen, Abbegeiinnen, Dompfäffinnen, Kardinalsvögelinnen, Papageiinnen. Genauso jedoch, sagte er zu uns, wie unter den Bienen die Drohnen hausen, die nichts tun, nur alles auffressen und verschmutzen, so war hier vor dreihundert Jahren, niemand weiß wieso, in jedem fünften Mond ein großer Schwarm Duckmäuser eingefallen, der die ganze Insel so abscheulich und ungeheuerlich versaut und beschissen hatte, daß sie jetzt von allen gemieden wurde. Denn diese Vögel hatten samt und sonders einen verrenkten Hals, behaarte Ständer, Klauen und Bauch wie Harpyien und ein stymphalidisches Arschloch, und sie auszurotten war nicht möglich; auf einen, der einging, kamen vierundzwanzig Zuzügler. Ich wollte, es wär hier ein Herkules, weil Bruder Jan vor inbrünstigem Hinschauen ganz stumpfsinnig ward.

3. KAPITEL

Wieso auf der klingenden Insel nur ein Papagei ist

Sodann fragten wir Meister Editus, wieso es in Anbetracht der Vielfalt seiner ehrenwerten Vögel nach Arten und Gattungen nur einen Papagei gebe.

Er antwortete uns darauf, diese Einrichtung sei von Anfang an und schicksalsmäßig der Ratschluß der Gestirne gewesen: daß nämlich aus den Klerigeien ohne fleischliche Vermählung die Prestrigeien entstehen sollten, wie es auch bei den Bienen geschieht; aus den Prestrigeien entsprängen die Dompfaffen und aus diesen die Kardinalsvögel; die Kardinalsvögel wiederum würden, sofern nicht der Tod sie ereile, schließlich Papagei; und gemeinhin gibt es jeweils nur einen, wie ja auch in den Bienenwaben nur eine Königin sitzt und über der Welt nur eine Sonne steht.

Ist dieser abgeschieden, so wird aus dem ganzen Geschlecht der Kardinalsvögel ohne fleischliche Paarung ein neuer zur Welt geboren, merkt es euch wohl! So daß in dieser Gattung ungeschiedene Einheit nebst fortwährender Nachfolge herrscht, nicht mehr und nicht weniger als beim arabischen Phönix. Wohl trifft es zu, daß vor rund zweitausendsiebenhundertundsechzig Monden die Welt zwei Papageien ausschlüpfen sah; aber das war das größte Mißgeschick, das man auf dieser Insel je erlebt hat.

Denn (sagte Editus) alle diese Vögel plünderten und zerzausten einander in dieser Zeit so weidlich, daß die Insel

Gefahr lief, ihre sämtlichen Bewohner einzubüßen; ein Teil von ihnen war Anhänger des einen und stand ihm bei, ein Teil war für den andern und nahm ihn in Schutz, wieder andere hielten sich mucksstill wie Fische und taten den Mund nicht einmal mehr zum Singen auf, ja die Bestürzung war so groß, daß einige die Glocken hier keinen Schlag mehr tun ließen. Während dieser Zeit des Aufruhrs entboten

sie zu ihrer Unterstützung Kaiser, Könige, Herzöge, Markgrafen, Grafen, Barone und Stadtgemeinden, so viele davon auf dem Festland wohnen oder beisammenliegen; und nahm dieses Schisma und aufrührerische Treiben erst ein Ende, als einem von ihnen das Leben genommen und die Pluralität wieder in Einheit zurückverwandelt ward.

Dann fragten wir, was diese Vögel zu so unaufhörlichem Singen veranlasse. Editus antwortete uns, das seien die über den Käfigen aufgehängten Glocken. Dann sprach er zu uns: »Wollt ihr, daß ich sogleich diese mit einem Weinseihzipf beschopften Vögel vor euch singen lasse wie eine Heidelerche?«

»Wenn's Euch beliebt«, antworteten wir.

Da rührte er eine Glocke nur siebenmal, und Monachgeien flogen herzu, und Monachgeien hoben zu singen an. Sagte Panurge: »Wenn ich die Glocke da läute: kann ich dann ebenso diese Vögel mit rollmopsfarbenem Gefieder singen lassen?«

»Genau ebenso«, erwiderte Editus.

Panurge läutete; im Nu stellten sich diese rauchfarbenen Vögel ein und vereinigten singend ihre Stimmen. Doch hatten sie heisere und mißtönige Stimmen; auch erklärte uns Editus, sie lebten nur von Fisch wie die Heringe und Kormorane im Naturreich, und es sei dies eine jüngst gedruckte fünfte Duckmäuserspezies.

Des weiteren sagte er, sie hätten Bescheid von Robert Valbrun, der kürzlich auf dem Rückweg von Afrika hier durchgekommen sei, daß bald eine sechste Spezies zufliegen werde, die sich Kapuzingeien nenne und eine der trübseligsten, magersten und verdrießlichsten Spezies sei, die es je gegeben.

»Afrika«, sagte Pantagruel, »bringt in der Regel neue und ungeheuerliche Dinge hervor.«

4. KAPITEL

*Wie die Vögel der klingenden Insel allesamt Zugvögel
waren*

»Jedoch«, sagte Pantagruel, »nachdem wir Eurer Erklärung entnommen haben, wie aus den Kardinalsvögeln Papagei entsteht, die Kardinalsvögel aus den Dompfaffen, die Dompfaffen aus den Prestrigeien und die Prestrigeien aus den Klerigeien hervorgehn, wüßt ich gern, wo diese Klerigeien eigentlich herkommen.«

»Es sind«, sagte Editus, »allesamt Zugvögel und kommen zu uns aus der anderen Welt: ihrer ein Teil stammt aus einem wunder wie großen Gau, der sich Schmalhansa nennt, ein Teil aus einem andern gegen Sonnuntergang, der Kinderreich geheißen ist. Aus diesen beiden Gegenden haben wir sie scharenweise. Die Ursache davon ist: wenn in der letztgenannten Gegend so viele Kinder, ob Knaben oder Mädchen, zur Welt kommen, daß, wenn jemand einem jeden sein Erbteil herausgäbe, wie's die Vernunft erheischt, die Natur vorschreibt und Gott befiehlt, Haus und Habe verzettelt wäre. Das nehmen die Eltern zum Anlaß, sich ihrer auf der Insel hier zu entledigen, selbst wenn sie Lehnspflichtige der Insel Buckelwart sind.«

»Ihr meint«, sagte Pantagruel, »die Insel Bouchard bei Chinon.«

»Ich meine Buckelwart«, erwiderte Editus, »denn in der Regel sind sie bucklig, scheeläugig, hinkend, krüppelig,

gliederlahm, mißgeschaffen und verhunzt, eine unnütze Last auf Erden.«

»Dieser Brauch«, sagte Pantagruel, »läuft stracks den Vorschriften zuwider, die einst bei der Aufnahme der Vestalenjungfern befolgt wurden, wonach, wie Antistius Laber bezeugt, ein Verbot bestand, zu dieser Würde ein Mädchen zu küren, das in seiner Seele irgendeinen Makel barg, dessen Sinne irgendwie zu kurz gekommen waren oder dessen Leib irgendeinen Fehl an sich hatte, mochte er auch noch so versteckt und geringfügig sein.«

»Ich kann gar nicht fassen«, fuhr Editus in seiner Rede fort, »wie die Mütter in dem Land da hinten sie neun Monate lang zwischen ihren Lenden tragen können, da sie doch bei sich zu Hause sie keine neun Jahre halten und großfüttern können, oftmals gar nicht einmal sieben Jahre. Damit, daß sie ihnen bloß ein Hemd übers Gewand streifen und auf dem Kopfwirbel soundsoviel Haare mit Gott weiß welchen apotropäischen Sühnesprüchen abschneiden, so wie bei den Äthiopiern mittels gewisser Linneninvestituren und Rasuren sichtbarlich, vor aller Augen und offenkundig die Isispriester geschaffen wurden, machen auch sie sichtbarlich, kraft pythagoräischer Seelenwanderung, ohne sie irgend zu versehren und verletzen, Vögel aus ihnen, wie ihr sie da vor euch seht. Doch weiß ich, werte Freunde, nicht zu sagen, wie es kommt, daß die Weibchen – ob Klerigeiinnen, Monachgeiinnen oder Abbegeiinnen – keine herzerfreuenden Gnadenlieder singen, wie man sie Oromasis auf Geheiß Zoroasters darzubringen pflegte, sondern verwünschte Trauergesänge, wie man sie dem arimanischen Teufel zusang, und ständig auf ihren Eltern und Bekannten herumhacken, die sie, Alte wie Junge, in Vögel verwandelt.

Noch größer war die Zahl jener, die aus Schmalhansa zu uns kamen, das überaus langgestreckt ist; denn die Kafrusen, Einwohner dieser Gegend, wenn sie in Gefahr kommen, schnöden Hunger zu leiden und, außer daß sie nichts zu essen weder Verstand noch Lust haben, sich durchzuschlagen, nicht mit einem anständigen Gewerbe oder Handwerk noch auch mit Dienstleistungen bei guten Leuten, ferner jene, die von ihrem Liebesfrühling nichts gehabt haben, die mit ihren Unternehmungen gescheitert und verzweifelt sind, ferner auch solche, die heimtückisch irgend etwas Verbrecherisches begangen haben und nach denen gefahndet wird, um ihnen auf schmähliche Art den Garaus zu machen – alle diese fliegen hier zu. Hier haben sie ein gutes Leben, hier werden sie fett wie Drosseln, die vordem mager waren wie Krähen, hier genießen sie vollkommene Sicherheit, Straflosigkeit und Freiheit.«

»Aber«, sagte Pantagruel, »kehrt denn von diesen schönen Vögeln, wenn sie einmal hier zugeflogen sind, nie einer in die Welt zurück, wo sie ausgebrütet wurden?«

»Etliche«, erwiderte Editus, »früher zuweilen, aber gar wenige, gar spät und ungern. Seit gewissen Finsternissen ist ein ziemlicher Haufe kraft gewisser himmlischer Sternfügungen davongeflogen. Das schlägt uns durchaus nicht auf die Galle, da für den Rest desto mehr Atzung abfällt. Und außerdem haben sie vor dem Rückflug ihr Gefieder hier unter den Nesseln und Dornen gelassen.«

Wir fanden da tatsächlich einige Federkleider, und beim Herumstöbern stießen wir zufällig im Gras auf einen deckellosen Rosenpott.

5. KAPITEL

Wie die Gaumritter auf der klingenden Insel stumm sind

Er hatte diese Worte noch nicht ausgesprochen, als fünfundzwanzig oder dreißig Vögel auf uns zuflogen, gefiedert und gefärbt, wie wir es auf der Insel noch nie gesehen hatten. Ihr Gefieder wechselte von Stunde zu Stunde die Farbe, wie die Haut des Chamäleons oder wie die Tripolion- oder Teukrionblüte. Auch hatten alle unter dem linken Flügel ein Abzeichen in Form eines Durchmessers, der durch die Hälfte eines Kreises geht, oder einer Linie, die senkrecht auf eine waagrechte fällt. Bei allen war es so ziemlich einheitlich in der Figur, aber nicht bei allen in der Farbe: einige trugen es in Weiß, andere in Grün, andere in Rot, andere in Violett, wieder andere in Blau.

»Wer sind diese«, fragte Pantagruel »und wie nennt Ihr sie?«

»Es sind«, erwiderte Editus, »Mischlinge, und wir nennen sie Gaumritter; auch haben sie in eurer Welt eine stattliche Zahl Gaumritterburgen.«

»Ich bitt Euch«, sagte ich, »laßt sie ein bißchen singen, auf daß wir ihre Stimmen hören.«

»Sie singen niemals, aber dafür schlingen sie das Doppelte.«

»Wo sind«, fragte ich, »ihre Weibchen?«

»Sie haben keine«, entgegnete er.

»Wie denn«, mischte sich Pantagruel ein, »sind sie so

schorfblatterig und ganz aufgefressen von schlimmer Lustseuche?«

»Es ist die Eigenart dieser Vogelgattung, weil sie gelegentlich die Seeküsten aufsuchen.«

Dann sprach er zu uns: »Der Grund, weshalb sie auf euch
zugeflogen sind, ist: sie wollten sehen, ob sie unter euch
Gauche und Goten erkennen, jene prachtvolle Gattung
furchtbarer Raubvögel, die mitnichten den Köder auf-
nimmt und den Beizhandschuh anerkennt; sie sollen bei
euch heimisch sein; von diesen hier tragen etliche gar
schöne und kostbare Fesselriemen mit einer Inschrift im
Haltering, die jeden, der sich was Übles dabei denkt, im Nu
vollgeschissen zu werden verurteilt; andere tragen vorne auf
ihrer gefiederten Brust als Trophäe einen bezwungenen
Verleumder, wieder andere tragen da ein schönes Widdervlies.«

»Meister Sakrischdumm«, sagte Panurge, »all das mag
wohl sein: aber wir kennen sie nicht.«

»Nunmehr«, sagte Editus, »langt's mit dem Gerede. Gehen wir trinken.«

»Und futtern auch«, sagte Panurge.

»Futtern«, sagte Editus, »nicht minder als wacker zechen.
Halb aufgeknallt, halb gedrückt. Los! Nichts ist so teuer
und kostbar wie die Zeit. Nützen wir sie zu guten Werken!«

Ursprünglich wollte er uns zuerst in die Thermen der
Kardinalsvögel, schöne und überaus kostbare Anlagen, führen, und uns, wenn wir aus dem Bad kämen, von den Ab-
reibern mit seltenen Spezereien salben lassen, doch meinte
Pantagruel, auch ohne das werde er mehr als genug trinken.
Also führte er uns in ein großes und wonniges Restaurato-
rium und sprach zu uns: »Ich weiß wohl, daß der Klausner
Latzlibus euch vier Tage lang hat fasten lassen; vier Tage
sollt ihr nun zum Ausgleich hierbleiben und unaufhörlich
trinken und schmausen.«

»Werden wir nicht zwischendurch schlafen?« fragte
Pantagruel.

»Das steht euch frei«, erwiderte Editus, »denn wer schläft, trinkt auch.«

Gott weiß, wie wir uns dranhielten! O der große Wohltäter!

6. KAPITEL

Wie die Vögel der klingenden Insel verproviantiert werden

Pantagruel machte ein betrübtes Gesicht und schien unzufrieden mit dem viertägigen Aufenthalt, den uns Editus zugemessen hatte. Dies bemerkte Editus und sprach zu uns: »Herr, wie Euch bekannt ist, erhebt sich sieben Tage vor und sieben Tage nach der längsten Nacht kein Sturm auf dem Meer. So gewogen sind die Elemente den Eisvögeln, die der Thetis heilig sind und die um diese Zeit brüten und ihre Jungen am Strand ausschlüpfen lassen. Hier dagegen rächt sich das Meer für diese lange Windstille, und es hört vier Tage lang nicht auf, unbändig zu stürmen, wenn etwa Reisende hierherkommen. Der Grund dafür ist, so vermuten wir, daß sie während dieser Zeit die Not zwingen soll, an Ort und Stelle zu bleiben, um sich aus den Einkünften der Läuterei nach Herzenslust bewirten zu lassen. Wähnt darum nicht, daß ihr die Zeit hier müßig vergeudet, denn höhere Gewalt hält euch zurück, sofern ihr nicht gegen Juno, Neptun, Doris, Aeolus und alle Wehgötter in die Schranken treten wollt. Denkt an nichts anderes, als es euch hier so recht wohl sein zu lassen.«

Nach dem ersten Happen fragte Bruder Jan den Editus: »Ihr habt auf der Insel hier nur Käfige und Vögel; sie ackern nicht und bestellen nicht das Feld; ihre einzige Beschäftigung ist Gaudimachen, Galern und Singen. Aus welchem Land bezieht ihr denn das Füllhorn und Schlaraffia so trefflicher und leckerer Bissen?«

»Aus der ganzen übrigen Welt«, erwiderte Editus, »von ein paar nördlichen Landstrichen abgesehen, die seit einer gewissen Anzahl von Jahren die Camarina aufgerührt haben.«

»Husch!« sagte Bruder Jan:

> »Sie sollen's noch bereuen, diridum,
> Husch! Sollen's noch bereuen, dirida!«

»Laßt uns trinken, Freunde! Aber aus welchem Land seid denn ihr, Freunde?« fragte Editus.

»Aus der Touraine«, erwiderte Panurge.

»Ei wahrhaftig, da seid ihr von keiner schlechten Elster ausgebrütet, wenn ihr aus der gesegneten Touraine stammt. Aus der Touraine, die uns alljährlich mit so vielen guten Sachen beliefert, daß wir unsre reine Freude dran haben. Uns wurde von einem, der hier durchkam, erzählt, der Herzog von Touraine habe nicht mehr Einkünfte genug, um sich an Speck satt zu essen, weil seine Vorgänger den hochheiligen Vögeln dort so un-geheuer viel vermacht hätten, damit wir uns hier an Fasanen, Rebhühnern, Haselhühnern, Puten, fetten Lauduner Kapaunen und an Wild und Wildbret jeglicher Art überfressen könnten. Laßt uns trinken, Freunde! Seht euch dieses Vogelgelege an, wie mollig und gut im Fleisch sie sind von den Leibrenten, die wir von dorther beziehen. Ihretwegen singen sie auch so fein! Nie schmettern sie besser, als wenn sie diese beiden goldenen Stäbe vor Augen haben.«

»Das ist«, sagte Bruder Jan, »dann ihr Stangenfest.«

»Und wenn ich für sie diese dicken Glocken läute, die ihr

in den Türmen ihrer Käfige hängen seht. Getrunken, meine Freunde! Heut ist wahrlich gut trinken, so schön ist's nicht alle Tage. Zum Wohl! Ich trinke aus ganzem Herzen, seid mir aufrichtig willkommen! Habt keine Angst, daß Wein und Zehrung hier je ausgehen könnten, denn wäre der Himmel ehern und die Erde eisern, so würde es uns an Lebensmitteln doch nicht fehlen, auch nicht in sieben, ja acht Jahren, länger noch, als in Ägypten die Hungersnot währte. Trinken wir gemeinsam auf gutes Einvernehmen, in brüderlicher Liebe!«

»Teufel«, rief Panurge aus, »so wohl ergeht's euch hienieden!«

»Noch viel mehr«, sagte Editus, »werden wir in der anderen Welt haben: die elysäischen Gefilde werden uns jedenfalls nicht entgehen. Trinken wir, Freunde! Ich trinke auf euer Wohl.«

»Dies alles«, sagte ich, »zeugt bei euren sitizinischen Urvätern von einem wahrhaft göttlichen und voll ausgebildeten Geist, nämlich daß sie ein Mittel erfunden haben, das euch verschafft, wonach alle Menschen von Natur aus trachten, aber ihrer nur wenige, ja recht besehen, keinem wird es zuteil: daß sie auf Erden das Paradies und es im Jenseits gleichfalls haben. O glückliches Volk! O ihr Halbgötter! Wollte der Himmel, mir widerführe dasselbe!«

7. KAPITEL

Wie Panurge Meister Editus die Fabel vom Roß und vom Esel erzählte

Nachdem wir tüchtig eingefudert hatten, führte uns Editus in ein wohlausgestattetes, wohltapeziertes und ganz vergoldetes Zimmer. Dort ließ er uns Eingemachtes auftragen, Mirobalänen und grünen Ingwer, auch viel Würzwein und andere köstliche Tropfen und lud uns ein, mittels dieser Gegengiftspenden wie mit dem Trank aus dem Lethefluß die auf unserer Seefahrt ausgestandenen Mühen in Vergessen und Unbeschwerlichkeit zu versenken. Auch ließ er Nahrungsmittelvorräte in Fülle in unsere Schiffe, die im Hafen vor Anker lagen, schaffen. Doch konnten wir bei dem immerwährenden Geschepper der Glocken keinen Schlaf finden.

Um Mitternacht weckte uns Editus zum Trunk und war auch der erste, der trank, indem er sagte: »Ihr Leute aus der anderen Welt behauptet, die Unwissenheit sei Mutter aller Übel, und habt auch recht damit; dennoch verstoßt ihr sie nicht aus eurem Verstand, sondern lebt mit ihr und durch sie. Deshalb geben so viele Übel euch das Geleite von Tag zu Tag. Immerzu klagt, immerzu jammert ihr, nie seid ihr zufrieden. Ich seh es ja gerade eben: denn Unwissenheit hält euch hier ans Bett gefesselt wie den Kriegsgott die Kunstfertigkeit Vulkans, da ihr nicht einsehen wollt, daß es eure Pflicht gewesen wär, am Schlaf zu sparen, nicht aber an den Gütern dieser berühmten Insel. Ihr hättet inzwischen schon drei Mahlzeiten halten sollen; und zwar laßt euch von mir gesagt sein, daß man frühzeitig aufstehn muß, will man die Güter der klingenden Insel aufessen. Je mehr man davon ißt, um so mehr ist davon da; verschont man sie aber, so nehmen sie ab. Mähet die Wiese zu ihrer Zeit; um so dichter und ergiebiger wird das Gras nachwachsen; mäht ihr sie aber nicht, so wird sie in wenig Jahren ganz vermoost sein. Trinken wir, Freunde, trinken wir allzusammen; die magersten unserer Vögel singen uns jetzt alle was vor. Wir wollen auf sie trinken, wenn's euch recht ist. Getrunken, bitte! So werdet ihr alsbald desto besser spucken. Trinken wir noch einmal, zweimal, dreimal, neunmal! *Non cibus, sed charitas.*«

Und bei Tagesanbruch weckte er uns ebenso zur Prim-Suppe. Danach hielten wir den Tag über eine einzige Mahlzeit, so daß wir nicht wußten, ob Mittag- oder Abendessen, Brotzeit oder Vesper war. Nur der Bewegung halber ergingen wir uns ein wenig auf der Insel, um uns am fröhlichen Gesang dieser schönen Vögel zu erlaben.

Am Abend sprach Panurge zu Editus:

»Herr, möge es Euch nicht mißfallen, wenn ich Euch eine lustige Geschichte erzähle, die sich in der Gegend von Chastelleraudois vor dreiundzwanzig Monden zugetragen hat. Der Reitknecht des Herrn von Häringen bewegte eines schönen Morgens im Monat April dessen große Pferde auf den brachliegenden Äckern. Dort traf er auf ein fröhliches Hirtenmädel, das

> am Waldsaum in Ruh
> seinen Lämmlein sah zu,

mitsamt einem Esel und ein paar Ziegen. Er kam mit ihr ins Gespräch und beredete sie, hinter ihm aufzusitzen, seinen Stall zu besichtigen und dort einen ländlich derben Imbiß einzunehmen. Während sie so miteinander sprachen, wandte sich das Pferd an den Esel und raunte ihm ins Ohr (denn jenes ganze Jahr über sprachen die Tiere an vielerlei Orten): ›Armer, kümmerlicher Graukopf, es erbarmt und jammert mich deiner. Du hast jeden Tag viel Arbeit; das kann ich an der Abgeschabtheit deiner unteren Hinterbacken sehn. Das ist an sich recht so, denn Gott hat dich erschaffen, um den Menschen dienstbar zu sein. Du bist ein

anständiger Tropf. Aber so ungeputzt, ungestriegelt, un-
gesattelt und ungefüttert, wie ich dich vor mir sehe, dünkt
es mich ein bißchen hart und vernunftwidrig. Du bist ja
ganz struppig, ganz verdreckt und verludert und frißt hier
nichts wie harte Dornen und stachlige Disteln. Drum for-
dere ich dich auf, armer Graukopf: zuckle so neben mir
her und laß dir zeigen, wie wir, die Mutter Natur für den

Krieg erschaffen hat, gehalten und ernährt werden. Es soll
auch von meiner gewöhnlichen Tageskost was für dich ab-
fallen.‹

›O ja‹, erwiderte der Esel, ›ich komme sehr gern mit,
Herr Pferd.‹

›Es stände dir wohl an, Graukopf‹, sagte das Roß, ›zu mir
Herr Roß zu sagen.‹

›Um Vergebung‹, erwiderte der Esel, ›Herr Roß; so un-
gehobelt und ungebildet sind wir armen Bauern und Land-

bewohner nun einmal. Indessen will ich Euch gern gehorchen und Euch von weitem folgen, aus Furcht vor Schlägen (mein Fell ist davon ganz kontrapunktiert), da es Euch beliebt, mir so viel Liebes und Ehrenvolles anzutun.‹

Nachdem die Hirtin aufgesessen war, folgte der Esel dem Pferd und gedachte tüchtig zu futtern. Vor der Stallung angekommen, bemerkte ihn der Reitknecht und hieß die Stallburschen, ihm eins mit der Forke zu versetzen und ihn mit Stockhieben zu verbleuen. Als der Esel diese Aufforderung vernimmt, befiehlt er sein Heil Neptun und fing an zu laufen, was er nur laufen konnte, während er bei sich dachte und schlußfolgerte: er hat ganz recht; es ist auch nicht meinem Stande gemäß, jemandem an den Hof großer Herren zu folgen. Die Natur hat mich bloß dazu geschaffen, armen Leuten zu helfen; Äsop hat es mir in einer seiner Fabeln deutlich gemacht. Schuld an allem war meine Überheblichkeit; jetzt heißt es spornstreichs davonrennen, schneller, sag ich, als Spargeln gar werden. Und fort rannte der Esel im Trab, mit Furzen, mit Bock- und Galoppsprüngen, daß die Funken stoben.

Als das Hirtenmädel sah, wie der Esel das Weite suchte, sagte es zu dem Reitknecht: es sei ihr Esel, und sie bat ihn, pfleglich mit ihm zu verfahren, sonst ginge sie auf der Stelle fort und käme erst gar nicht mit ihm herein. Da befahl der Reitknecht, daß eher die Pferde acht Tage lang keinen Hafer bekommen sollten, als der Esel sich nicht plumpsatt gefressen hätte. Am schwersten hielt es, ihn zurückzurufen, denn die Stallburschen mochten ihn noch so locken: ›Heer, heer, Grauer.‹ – Ich geh nicht hin, dachte der Esel, ich bin zu geschämig. Je freundlicher sie ihn riefen, desto bockiger gebärdete er sich mit Sprüngen und Hufscharren. Sie hätten es bis heute nicht geschafft, hätte das Hirtenmädchen ihnen nicht geraten, sie sollten Hafer hoch in die Luft wirbeln, wenn sie ihn riefen; was dann auch geschah. Plötzlich wurde der Esel anderen Sinnes, indem er sich sagte: ›Haber, gegen Haber hab ich nichts. Nur nicht die Forke! Ich will keiner von denen sein, zu denen man sagt: wer sich nicht meldet, der hat schon.‹ So begab er sich zu ihnen hin und sang dabei recht melodiös; ihr wißt ja, wie wohl es tut, Stimme und Musik dieser arkadischen Tiere zu hören.

Dort angekommen, führte man ihn in den Stall zu den großen Pferden; man rieb ihn ab, putzte ihn, striegelte ihn, schüttelte ihm frische Streu auf bis unter den Bauch, füllte die Raufe bis oben an mit Heu, schüttete die Krippe voll Hafer, den die Stallburschen siebten, weswegen er vor ihnen mit den Ohren wackelte, um anzudeuten, ungesiebt äße er ihn auch und dies sei für ihn zuviel der Ehre.

Als sie tüchtig gefuttert hatten, erkundigte sich das Pferd bei dem Esel mit den Worten: ›Nun, armer Graukopf, wie geht's dir jetzt? Was meinst du zu dieser Behandlung? Dabei wolltest du nicht einmal herkommen. Was sagst du dazu?‹

›Bei der Feige‹, erwiderte der Esel, ›die Philemon, als er sie einen unserer Vorfahren fressen sah, vor Lachen das Leben kostete: es ist das reinste Honigschlecken, Herr Roß. Aber wie nun weiter? Das ist doch nur halbe Kost? Habt ihr hier drinnen nichts zum Beeseln, ihr Herrn Pferde?‹

›Von welcher Eselei sprichst du, Graukopf?‹ fragte das Pferd. ›Siehst du mich etwa, nachdem dir die Mandeln aufgegangen sind, als einen Esel an?‹

›Ha ha!‹ antwortete der Esel, ›die Hofsprache der Pferde geht meinem Kopf hart ein. Ich frage dich: Roßt ihr hier drinnen, meine Herren Rosse?‹

›Sprich leise, Grauer‹, sagte das Pferd. ›Wenn die Stallburschen dich hören, verwamsen sie dir mit Forkenhieben das Fell so hageldicht, daß dir am Eseln die Lust vergeht. Wir wagen hier drinnen kaum den Stummel zu steifen, sei's auch nur zum Pissen, so haben wir Angst vor Schlägen; im übrigen aber geht es uns königlich.‹

›Bei dem Packsattel, den ich schleppe‹, sagte der Esel, ›ich sag dir ab und sage: Pfui über deine Streu, pfui über dein Heu, pfui über deinen Hafer! Die Disteln im freien Land sollen leben, weil man da nach Herzenslust pimpern kann. Nicht soviel essen, aber nie seinen Stich versäumen: das ist mein Wahlspruch; das gilt uns soviel wie Heu und

Hafer. O Herr Roß, mein Freund, hättest du doch auf den Jahrmärkten, wenn wir unser Provinzialkapitel abhalten, gesehen, wie wir da die Kreuz und Quer schwengeln, während unsere Geliebten ihre jungen Gänse und Hühner feilbieten.‹

So schieden sie voneinander. Ich habe gesprochen.«

Damit verstummte Panurge und sagte kein Wort weiter.

Pantagruel ermahnte ihn, seine Rede zu beschließen, doch Editus meinte: »Ein guter Zuhörer versteht aufs Wort. Ich weiß recht wohl, was Ihr mit dieser Fabel vom Esel und Pferd habt sagen und andeuten wollen, nur seid Ihr zu schamhaft. So wißt denn, daß für Euch dahier nichts zu haben ist. Sprecht nicht mehr davon.«

»Doch habe ich«, sagte Panurge, »unlängst hier bei euch eine Abbegeiin mit weißem Gefieder gesehen, die besser zum Bespringen als zum Händchengeben taugte. Und wenn die andern schmucke Vögel sind, so halt ich dafür, daß sie eine schmucke Vögelin ist, so recht lieb und hübsch, mein ich, und wohl eine oder zwei Sünden wert. Gott verzeih mir jedoch: ich dachte mir dabei nichts Arges; möge das Arge, das ich denke, mir alsbald zustoßen.«

8. KAPITEL

Wie Papagei uns mit großer Mühe gezeigt ward

Der dritte Tag ging weiter hin mit Festessen und unge-zählten Tafelfreuden wie die zwei vorangegangenen. An diesem Tag verlangte Pantagruel inständig, Papagei zu se-hen. Editus erwiderte jedoch, daß er sich nicht so leicht sehen lasse.

»Wie das?« sagte Pantagruel. »Hat er etwa Plutos Helm auf dem Haupt, Gyges' Ring angeklaut oder ein Chamäleon auf der Brust, um sich der Welt unsichtbar zu machen?«

»Nein«, entgegnete Editus, »aber ihn zu sehen ist von Natur aus nicht leicht. Ich werde auf alle Fälle anordnen, daß ihr ihn sehen könnt, wenn es sich irgend machen läßt.«

Nachdem er ausgesprochen, ließ er uns da knabbernd eine Viertelstunde. Als er wiederkam, sagte er zu uns, Pa-pagei sei im Augenblick sichtbar, und führte uns verstoh-len und in aller Stille geradewegs zu seinem Käfig, wo er im Beisein zweier Kardinalsvöglein und sechs dicker und fet-ter Dompfaffen gluckte.

Panurge betrachtete neugierig seine Gestalt, sein Beneh-men und seine Haltung. Dann rief er aus: »Zum Henker mit dem Tier! Es sieht aus wie ein Wiedehopf!«

»Sprecht leise«, sagte Editus, »um Gottes willen! Denn er hat Ohren, wie Michel de Matisconne weislich vermerkte.«

»Die hat auch der Wiedehopf«, sagte Panurge.

»Hört er von euren Lästerungen auch nur ein Sterbenswort, seid ihr verloren, gute Leute! Seht ihr da in seinem Käfig das Becken? Aus dem werden Blitz und Wetter-

schlag, Teufel und Ungewitter herausfahren, die euch im Nu hundert Fuß tief in den Boden verdonnern werden.«

»Da lob ich mir«, sagte Bruder Jan, »Trinken und Tafeln.«

Panurge war ganz versunken in die Betrachtung dieses

Papageis und seiner Gesellschaft, als er unterwärts ein Käuzchen gewahrte. Da rief er mit lauter Stimme die Worte: »Gerechter Gott! Wir sind hier huckenweis einem Lockvogel aufgesessen und übel dran. Das Gelaß hier ist voll und übervoll von Lockerei, Fopperei, Klopperei. Seht euch nur das Kauzgesicht da an! Wir sind, bei Gott, in eine Mördergrube gefallen.«

»Sprecht leise«, sagte Editus. »Das ist doch, bei Gott, kein Kauz. Ein edler Cancellarius ist's.«

»So laßt doch«, sagte Pantagruel, »Papagei auf der Stelle ein wenig singen, damit wir seinen Wohllaut hören.«

»Er singt«, sagte Editus, »nur an seinen Tagen und ißt nur zu seinen Stunden.«

»Grad so wie ich«, sagte Panurge, »nur sind alle Stunden meine. Los, trinken wir einen drauf!«

»Jetzt«, sagte Editus, »habt Ihr die rechte Tonart getroffen. Wenn Ihr so sprecht, werdet Ihr nie ein Ketzer. Los, ich bin einverstanden.«

Als wir uns wieder zu unserem Zechgelage begaben, gewahrten wir einen alten Dompfaff mit grünem Kopf, der da in Gesellschaft eines Sufflackels und eines Prostnotars, losen

Vögeln, hockte und unter einem Laubdach vor sich hin schnarchte. Bei ihm saß eine hübsche Abbegeiin, die gar fröhlich sang, und wir hatten daran solche Freude, daß wir gewünscht hätten, alle unsere Glieder möchten sich in Ohren verwandeln, damit uns kein Ton ihres Gesangs entginge und wir ohne jegliche Ablenkung ihm mit allen Sinnen lauschen könnten. Panurge sagte: »Diese schöne Abbegeiin singt sich das Herz aus dem Leibe, und der dicke eklige Dompfaff schnarcht dabei. Ich will ihn gleich singen lehren, zum Teufel!«

Damit zog er an einer Glocke, die über dem Käfig hing, aber er mochte noch so heftig läuten, der Dompfaff schnarchte nur desto lauter und wollte nicht singen.

»Bei Gott«, sagte Panurge, »alter Uhu, auf andere Art will ich dich singen lehren.«

Da packte er einen dicken Stein und wollte ihm den auf die Mitra schmettern. Aber Editus schrie auf und sagte: »Mein guter Kerl, schlag, triff, töte und verunziere alle Könige und Fürsten dieser Welt, auch meuchlings mit Gift oder anderswie, wenn dir der Sinn danach steht; nimm die Nester der Engel im Himmel aus: für all das wird dir Papagei Verzeihung gewähren. Aber diese heiligen Vögel rühre nicht an, so dir dein Leben lieb ist und du Vorteil und Wohl deiner selbst wie deiner Verwandten und Freunde, lebendiger wie abgeschiedener, im Auge hast. Sogar die noch, die nach ihnen auf die Welt kommen, würden darunter zu leiden haben. Sieh dir aufmerksam das Becken da an.«

»Da ist's wahrlich besser«, sagte Panurge, »noch einen zu trinken und zu tafeln.«

»Er hat wohl recht, Herr Sakrischdumm«, sagte Bruder Jan, »denn beim Anblick dieser Teufelsvögel lästern wir in einem fort; leeren wir dagegen Eure Flaschen und Humpen, so tun wir nichts anderes als Gott loben. Also trinken wir lustig weiter! O das schöne Wort!«

Am vierten Tag, nachdem wir (selbstverständlich) getrunken, gab Editus uns Urlaub. Wir machten ihm ein schönes Messerchen aus Perche zum Geschenk, das er wohlgefälliger entgegennahm als Artaxerxes das Glas kalten Wassers, das ihm ein Bauer in Skythien reichte. Und er dankte uns höflich; er ließ unsere Schiffe mit allen erforderlichen Vorräten frisch versorgen; auch wünschte er uns gute Reise, daß wir mit heiler Haut und mit Glück unser Vorhaben zu Ende brächten, und ließ uns bei Jupiter geloben und schwören, daß wir auf der Rückreise wiederum auf seinem Grund und Boden einkehren wollten. Endlich sprach er zu uns: »Freunde, ihr werdet merken, daß es auf Erden weit mehr Schelme als Männer gibt, und hieran mögt ihr denken!«

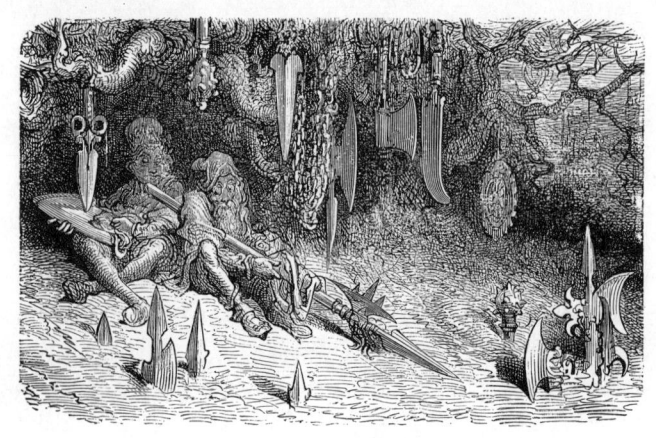

9. KAPITEL

Wie wir auf der Eisenwaren-Insel landeten

Nachdem wir den Laderaum unserer Mägen so gründlich vollgestaut hatten, ging es mit Rückenwind flott voran. Unser großes Besansegel wurde gehißt, so daß wir in knapp zwei Tagen bei der Eisenwaren-Insel ankamen, die wüst und unbewohnt war. Und sahen da eine große Anzahl Bäume, die voll behangen waren mit Spaten, Rohrkratzern, Sensen, Sicheln, Rechen, Harken, Kellen, Schaufeln, Baumzwickern, Sägen, Dünnbeilen, vielerlei Scheren, Zangen, Schippen, Bohrern, Drillbohrern. Andere trugen Stoßdegen, Dolche, Hirschfänger, Kehlmesser, Stilette, Schwerter, Florettdegen, Schlachtsäbel, Krummsäbel, Rapiere und Heftklingen.

Wer davon welche haben wollte, der brauchte nur den Baum zu schütteln: gleich fielen sie ab wie reife Pflaumen. Ja mehr noch: sobald sie zu Boden schossen, fanden sie da eine Art Kraut, Scheide genannt, in das sie fallend hineinfuhren. Man mußte jedoch sehr achtgeben, daß sie einem nicht auf den Kopf prasselten, denn sie kamen mit der Spitze voraus herunter (nämlich um stracks in die Scheide zu fahren) und hätten den Betreffenden schwer verwundet.

Unter ich weiß nicht welchen Bäumen entdeckte ich gewisse Kräuterarten, die wie Piken, Lanzen, Wurfspeere, Hellebarden, Saufedern, Partisanen, Morgensterne, Forken, Spieße steil emporwuchsen. Sobald ihre Spitzen den Baum anrührten, fanden sie da ihre Eisenteile und Köpfe, wie sie zu einem jeden paßten. Die Bäume darüber hatten sie für ihr Kommen und Aufwachsen schon zugerichtet, so wie man für kleine Kinder Jäckchen und Höschen richtet, bevor sie aus den Windeln heraus sind.

Überdies, damit ihr fortan nicht die Anschauung von Platon, Anaxagoras, Demokrit (waren das etwa kleine Philosophen?) verschmäht, erschienen diese Bäume uns wie erdbewohnende Lebewesen, nicht dadurch von den Tieren verschieden, daß sie nicht Herz, Fett, Fleisch, Venen, Arterien, Sehnen, Nerven, Knorpel und Knochen, Säfte, Gebärmutter, Hirn und entsprechende Gelenke hatten, denn sie haben welche, wie Theophrast richtig folgert, sondern dadurch, daß sie den Kopf, nämlich ihren Stamm, nach unten tragen; die Haare sind bei ihnen die Wurzeln in der Erde, und die Füße sind bei ihnen die hochgereckten Zweige, wie wenn ein Mensch kopfunter den Kletterbaum macht.

Und so wie ihr, Lustblatterige, in euren gichtigen Beinen und euren Schulterblättern den kommenden Regen, den Sonnenschein und jeglichen Wetterwechsel schon von weit her spürt, so fühlen sie in ihren Wurzeln, Fibern, Harzen und Knorren voraus, welche Art Stöcke unter ihnen wächst, und bereiten für sie die passenden Eisenteile und Köpfe zu.

Allerdings kommt wie in allen Dingen (Gott ausgenommen) hie und· da ein Irrtum vor. Die Natur selbst bildet davon keine Ausnahme, wenn sie Ungeheuerliches und mißgestaltete Tiere hervorbringt. Gleicherweise bemerkte ich auch an diesen Bäumen etliche Versehen; denn da wuchs ein Halbspieß hoch in die Luft unter diesen eisenzeugtragenden Bäumen, und da er an ihre Zweige rührte, traf er nicht auf Eisen, sondern auf einen Besen; nun, der wird zum Kaminfegen taugen. Eine Partisane stieß anstatt auf ihr Eisenblatt auf eine Schere; alles ist zu gebrauchen, man wird sie im Garten zum Raupenlesen verwenden. Ein Hellebardenschaft stieß auf ein Sensenblatt und sah aus wie ein Hermaphrodit; einerlei, auch für die wird sich ein Mäher finden. Es ist doch was Schönes, an Gott zu glauben!

Als wir nach unseren Schiffen zurückgingen, sah ich hinter ich weiß nicht welchem Busch wer weiß welche Leute, die ich weiß nicht was taten, so als wetzten sie ich weiß nicht was für Eisenzeug, das sie bei sich hatten, und weiß nicht wo und weiß nicht in welchem Schlitz.

10. KAPITEL

Wie Pantagruel auf der Reinfall-Insel ankam

Am drittfolgenden Tag setzten wir unseren Fuß auf die Reinfall-Insel, so recht Urbild von Fontainebleau, denn die Erde ist da so mager, daß die Knochen, nämlich die Felsen, ihr die Haut durchlöchern; sandig ist sie, unfruchtbar, ungesund und unerfreulich.

Dort machte unser Steuermann uns auf zwei kleine Klippen aufmerksam, die beide die Form eines Würfels mit acht gleich langen Kanten hatten und so weiß leuchteten, als wären sie aus Alabaster oder mit Schnee bedeckt, doch versicherte er uns, es seien Knöchel. Darin hausen in sechs Stockwerken die zwanzig bei uns zu Lande so gefürchteten Spielteufel, von denen das alle überragende Zwillingspaar und Gespann »Die Sechse« benannt ist, während die kleinsten die »Zweias« heißen; die anderen mittlerer Größe Sechs und fünf, Sechs und vier, Sechs und drei, Sechs und zwei, Sechs und As, Fünf und vier, Fünf und drei, und so fort.

Da stellte ich fest, daß es in der Welt wenige Spieler gibt, die nicht Teufelsanbeter sind, denn knallen sie zwei Würfel auf den Tisch, so rufen sie wie bei der Andacht: »Sechse, mein Freund!« – das ist der große Teufel –, »Zweias, Liebling« – das ist der kleine –, »Zwei und vier, Kinder« und so alle anderen, indem sie die Teufel bei ihren Namen und Kosenamen rufen. Und nicht nur daß sie sie anrufen: sie nennen sich obendrein ihre Freunde und Gesellen. Freilich

kommen diese Teufel nicht immer flugs nach Wunsch; aber das muß man ihnen zugute halten; sie waren gerade anderswo je nach Zitat und Priorität des Anrufenden. Trotzdem soll man nicht meinen, sie hätten keine Sinneswerkzeuge und Ohren. Sie haben ganz schöne, kann ich euch sagen.

Dann wurde uns berichtet, im Umkreis und am Saum

dieser Klippen habe es mehr Wracks, Schiffbrüche, Verluste an Leben und Gut gegeben als im Bereich aller Syrten, Charybden, Sirenen, Szyllen, Strophaden und sonstiger Schlünde allüberall auf dem Meer. Ich glaubte es ohne weiteres, indem ich des Umstands gedachte, daß einst bei den ägyptischen Weisen Neptun mit dem ersten Würfel der Hieroglyphenschrift bezeichnet war, so wie Apollon mit As, Diana mit Zwei, Minerva mit Sieben.

Auf der Insel hier, sagte uns der Steuermann, befinde sich auch ein Fläschchen voll Gralsblut, ein göttlich Ding und nur wenigen bekannt. Panurge bat die Tempelhüter des heiligen Orts so flehentlich, sie möchten es uns zeigen, daß sie der Bitte stattgaben, doch erfolgte das mit dreimal größerem Zeremoniell und feierlicherem Gehaben, als man in Florenz beim Vorzeigen der Pandekten Justinians und des Schweißtuchs der Veronika in Rom beobachtet. Noch nie sah ich so viele Ziborienhüllen, so viele Kerzenleuchter, Fackeln, Ölfunzeln und Mätzchen. Am Ende war das, was man uns zeigte, ein gebratenes Karnickelantlitz.

Sonst sahen wir da nichts Bemerkenswertes außer Gute Miene, das Weib von Bösem Spiel, sowie die Schalen der zwei Eier, die einst Leda ausgebrütet hatte, aus denen Castor und Pollux, die Brüder der schönen Helena, schlüpften. Die Tempelhüter gaben uns ein Stückchen davon gegen Brot.

Bei der Abfahrt kauften wir einen Posten Reinfallhüte und Reinfallmützen, die wir, fürcht ich, mit nur wenig Profit losschlagen werden. Ich glaube allerdings, daß die Leute, die sie uns abkaufen, bei dem Handel noch schlechter abschneiden werden.

11. KAPITEL

Wie wir an der Pforte, wo Klaufretter, Erzherzog der Katzbalger, wohnte, vorbeikamen

Da wir vordem Prokuratien befahren hatten, ließen wir sie liegen und passierten Verurteilung, eine ganz verlassene Insel. Wir passierten auch die Pforte, woselbst Pantagruel nicht an Land gehen wollte, und sehr wohl tat er daran, denn wir wurden dort gefangengenommen und regelrecht in Haft gesetzt von Klaufretter, Erzherzog der Katzbalger, weil einer von unserem Haufen einen Schinnos auf Prokuratien verprügelt hatte.

Die Katzbalger sind ganz greuliche und entsetzliche Tiere; sie fressen kleine Kinder und äsen auf Marmortafeln. Bedenkt, ihr Zecher, wie plattnasig sie sein müssen! Das Fell sticht ihnen nicht aus dem Balg heraus, sondern versteckt sich einwärts, und alle – einer wie der andere – tragen als Symbol und Wahrzeichen eine offene Tasche, jedoch nicht alle auf einerlei Art, denn etliche tragen sie um den Hals als Baldin, andere auf dem Hintern, andere auf dem Bauch, wieder andere an der Seite, und all das hat seinen Grund und seine geheimnisvolle Bewandtnis. Auch haben sie Klauen, so lang, stark und scharf gewetzt, daß ihnen nichts

entwischt, wenn sie es einmal in den Fängen haben. Ihr Haupt bedecken einige mit Baretts, die an den Ecken vier Traufen oder Schlitze haben, andere mit Arschfaltenmützen, andere mit Mörsern, andere mit zerdrückten Schabracken.

Als wir in ihre Räuberhöhle kamen, sagte zu uns ein Armenhäusler, dem wir einen halben Batzen geschenkt hatten: »Gute Leute, mag Gott euch bescheren, daß ihr hier recht bald mit heiler Haut wieder herauskommt. Schaut euch das Gefries dieser gegenlagerisch gemeinen Katzbalgerjustiz an. Und merkt euch: wenn eure Lebenszeit noch sechs Olympiaden und zwei Hundealter währt, so werdet ihr diese Katzbalger über ganz Europa herrschen und alles, was an fester und beweglicher Habe darin ist, in aller Ruhe besitzen sehen, wenn's nicht so wäre, daß den Erben das unrecht erworbene Gut und Einkommen durch die Finger läuft: laßt es euch von einem ehrlichen Lumpen gesagt sein. Unter ihnen herrscht die sechste Essenz, mit der sie alles erraffen, alles verschlingen und alles bescheißen. Sie hängen, verbrennen, vierteilen, enthaupten, schinden, verhaften, untergraben und ruinieren alles, ohne nach Gut und Böse zu fragen. Denn bei ihnen führt Laster den Namen Tugend, Bosheit wird Güte benannt, Verrat nennt sich Treue, Raub heißt Freigebigkeit. Räuberei ist ihre Devise und, von ihnen begangen, wird sie von allen Leuten in Ordnung befunden (außer von mir und den Ketzern), und all das tun sie mit herrischer und unbeugsamer Autorität.

Als Merkzeichen meiner Weissagung beachtet, daß da drinnen die Aktenkrippen über den Richterraufen sind. Daran mögt ihr eines Tags denken. Und wenn es auf Erden je Seuchen, Hungersnöte, Kriege, Ungewitter, Erdbeben, Feuersbrünste oder sonst ein Unheil gegeben hat, sucht die Ursache nicht bei den Konjunktionen heimsuchender Gestirne, nicht bei den Mißbräuchen der römischen Kurie, den Herrschergelüsten der Könige und Fürsten dieser Welt, der Betrügerei der Scharlatane, Ketzer und falschen Propheten, der Heimtücke der Wucherer, Falschmünzer und Münzbeschneider, der Unwissenheit und Unvorsichtigkeit der Ärzte, Chirurgen, Apotheker, der Abgefeimtheit ehebrecherischer, giftmischender, kindermörderischer Frauen: sucht vielmehr die Ursache von alldem in der ungeheuerlichen, unsagbaren, unglaublichen und unabschätzbaren Bosheit, die ständig im Amtsbereich der Katzbalger ausgeheckt und geübt wird. Und die Welt weiß von ihr so wenig wie von der Kabbala der Juden. Darum auch wird sie nicht bestraft, verabscheut und abgestellt, wie's recht und billig wär. Wird sie aber eines Tages aufgedeckt und dem Volk öffentlich bekanntgemacht, dann ist kein Redner noch war je einer so beredt, daß er es durch seine Kunst davon abhalten könnte, dann ist kein Gesetz so streng und drakonisch, daß es ihm aus Furcht vor Strafe verwehren könnte, keine Obrigkeit so mächtig, daß sie es mit Gewalt zu hindern vermöchte, die ganze Brut in ihren Rabulistenfallen schmählich zu verbrennen. Ihre eigenen Kinder, Katzbalgerchen und andere Anverwandte werden sich mit Grauen und Abscheu von ihnen wenden.

Deshalb auch habe ich, so wie Hannibal von seinem Vater Hamilkar den feierlich bei den Göttern beschworenen Befehl hatte, die Römer, solang er am Leben wäre, zu verfolgen, von meinem seligen Vater den Auftrag, hier drau-

ßen auszuharren, in Erwartung, daß da drinnen der Blitz vom Himmel niederfährt und sie zu Asche verbrennt, so wie andere weltliche Tyrannen und Gottesfeinde, da die Menschen von den Schlägen, mit denen das von diesen gestiftete Übel sie heimsucht, entweder so abgebrüht sind, daß sie's künftig nicht mehr spüren oder, wenn sie's spüren, es nicht auszurotten wagen noch vermögen.«

»So?« sprach Pantagruel. »Ha, nein! Bei Gott! Da geh ich nicht hin!

Der edle Lump da hat mich ganz verstört,
wie wenn ich es im Herbst am Himmel donnern hört.«

Als wir zurückkamen, fanden wir das Tor verschlossen, und uns wurde gesagt, man trete da leicht wie in Avernus ein; herauszukommen sei die Schwierigkeit, und wir fänden da auf keine Art heraus, es sei denn, wir hätten einen vom Gericht ausgestellten Passier- und Entlastungsschein, aus dem einfachen Grund, weil man von der Messe anders heimkommt als vom Jahrmarkt und weil wir staubige Füße hätten.

Das Schlimmste widerfuhr uns, als wir in die Pforte hineingingen. Denn man führte uns da, um uns den Passier- und Entlastungsschein auszuhändigen, dem scheußlichsten Ungeheuer, das je geschildert ward, vor.

Es nannte sich Klaufretter. Ich weiß dafür keinen besseren Vergleich als Chimäre, Sphinx, Cerberus oder auch jenes Bildnis des Osiris, wie's die Ägypter darstellen, mit drei gebündelten Köpfen: und zwar dem eines brüllenden Löwen, eines schwänzelnden Hundes und eines gähnenden Wolfs, umwunden von einem Drachen, der sich in den Schwanz beißt, das Ganze umgeben von einem funkelnden Strahlenkranz. Seine Hände trieften von Blut, Klauen hatte er wie eine Harpyie, die Schnauze war ein Krähenschnabel, die Zähne die eines vierjährigen Keilers, die Augen eines brünstigen Höllenschlunds, bedeckt war er mit stampferdurchwirktem Mörser; nur die Klauen standen heraus.

Er tagte samt all seinen Wildkatzenbeisitzern an einer langen funkelnagelneuen Raufe, über der an eingeschlagenen Haken sehr geräumige und schöne Aktenkrippen hingen, wie uns der Lump vermeldet. Über dem Stuhl des Vorsitzenden befand sich das Bildnis einer alten Frau, die in

der Rechten eine Sichelscheide, in der Linken eine Waage hielt und einen Kneifer auf der Nase hatte. Die Waagschalen waren zwei alte samtene Jagdtaschen; die eine, voll Münzgeld, hing herunter; die andere, leere, schwebte hoch über dem Zünglein. Und meiner Meinung nach war dies das Ebenbild der katzbalgerischen Justiz, in krassem Widerspruch zum Brauch der alten Thebaner, die die Standbilder ihrer Rechtsprecher und Richter nach deren Tod in Gold, Silber oder Marmor, je nach Verdienst, ausführten, aber sie stets ohne Hände ließen.

Als wir vor ihn gebracht wurden, ließen uns ich weiß nicht was für Leute, die alle mit Taschen und beschrifteten Sackfetzen bekleidet waren, auf einem Schemel hinsitzen. Panurge sagte: »Meine lieben Hundsfötter, ich sitze hier zwar über die Maßen gut; doch ist das Ding zu niedrig für einen Mann, der neue Hosen und eine kurze Weste anhat.«

»Setzt euch«, sagten sie, »laßt es euch nicht zweimal sagen. Die Erde wird sich unter euch auftun und euch lebendigen Leibes verschlingen, wofern ihr nicht pünktlich antwortet.«

12. KAPITEL

Wie uns von Klaufretter ein Rätsel aufgegeben ward

Als wir uns gesetzt hatten, schrie uns Klaufretter inmitten seiner Katzbalger die wütenden Worte entgegen: »Her gelt, her gelt, her gelt!«

»Wein her, Wein her, Wein her«, brummte Panurge in seinen Bart.

> »Ein gar junges blondrosiges Mägdelein
> empfing einen ägyptischen Sohn ohne Vater,
> gebar ihn auch schmerzlos, das Jüngferlein,
> wiewohl er herausfuhr wie eine Natter,
> denn ganz zernagt ihre eine Seite hatt er
> gar schimpflich vor lauter Unbändigkeit.
> Drauf zog er über Berge und Täler weit,
> bald fliegend in Lüften, bald kriechend im Dust,
> so daß erstaunt der Freund der Weisheit
> ihn für ein lebend Menschenkind halten mußt.«

»Her gelt«, sagte zu mir Klaufretter, »beantworte mir dieses Rätsel, und sag uns auf der Stelle die Lösung. Was ist das, her gelt?«

»Ja beim Himmel, gelt«, erwiderte ich, »hätt ich daheim eine Sphinx, Himmel gelt, wie Verres, einer Eurer Vorgänger, eine hatte, her gelt, könnt ich das Rätsel wohl lösen, Himmel gelt. Aber ich war bestimmt nicht dabei und bin, Himmel gelt, an der Sache unschuldig.«

»Her gelt«, sagte Klaufretter, »beim Styx, da du weiter  nichts aussagen willst, her gelt, werd ich dir zeigen, her gelt, daß dir besser wär, Luzifer hätte dich geschnappt, her gelt, als daß du uns in die Klauen geraten bist, her gelt. Hast du sie dir auch genau angesehen? Her gelt, Halunke, berufst dich auf deine Unschuld, her gelt, als könntest du dich damit vor unserer Folter drücken? Her gelt, unsere Gesetze sind wie Spinnweben, her gelt! Die Mückchen und Motten fangen sich drin, her gelt. Die dicken Brummer zerreißen sie, her gelt, und sausen mittendurch. Gleicherweis fahnden wir auch nicht nach den großen Räubern und Gewalttätern, her gelt, die sind zu schwer verdaulich, her gelt, sie stiegen uns zu Kopf, her gelt! Euch lieben unschuldigen Tröpfen, her gelt, soll der Oberteufel her gelt, die Litanei singen, her gelt!«

Bruder Jan von Hackemack entrüstete sich über Klaufretters Rede und sprach zu ihm: »Mein ausgepichter Herr Teufel, wie soll er sich in einem Fall verantworten, von dem er nichts weiß? Geht es dir nicht allein um die Wahrheit?«

»Her gelt«, sagte Klaufretter. »Es ist das erste Mal in meiner Amtszeit, her gelt, daß einer spricht, ohne vorher gefragt zu sein, her gelt! Wer hat diesen tollwütigen Narren dahier losgelassen?«

»Du hast gelogen«, sagte Bruder Jan, ohne die Lippen zu bewegen.

»Her gelt, wenn du an der Reihe bist mit Antworten, wirst du's noch schwer genug haben, her gelt, Schlingel!«

»Du hast gelogen«, sagte Bruder Jan vor sich hin.

»Glaubst du etwa, hier wär der Wald der Akademie, her gelt, mit seinen müßigen Jägern und Forschern nach Wahrheit? Her gelt, wir hier haben was anderes zu tun, her gelt! Hier wird geantwortet, sag ich, her gelt, und zwar schlüssig auf das, wovon man nichts weiß, her gelt! Man gesteht, begangen zu haben, her gelt, was man nie begangen hat. Her gelt, man behauptet zu wissen, was man nie erfahren hat. Her gelt, man läßt den, der vor Wut kocht, sich in Geduld fassen. Her gelt, man rupft die Gans, ohne daß sie den Schnabel zum Schreien aufsperrt. Her gelt, du sprichst ohne rechtliche Befugnis. Her gelt, laß dich anschauen! Her gelt, mit deinem hitzigen Quartanfieber sollst du die Jungfrau beschlafen, her gelt.«

»Teufel«, schrie Bruder Jan, »Erzteufel, Überteufel! Du willst also die Mönche verkuppeln? Ho ho, auf, haltet ihn – ein Ketzer!«

13. KAPITEL

Wie Panurge Klaufretters Rätsel auslegt

Klaufretter, indem er so tat, als hätte er den Ausruf nicht gehört, wandte sich an Panurge mit den Worten: »Her gelt, her gelt, her gelt! Und wie ist's mit dir, Galgenstrick, willst du nichts darauf sagen?«

Erwiderte Panurge: »Ei gelt, zum Teufel! Ich sehe klar, daß hier zum wenigsten die Pest umgeht, ei gelt, Teufel noch eins! Insofern hier die Unschuld nicht in Sicherheit ist und der Teufel die Messe singt. Ei gelt, zum Teufel, ich will sie mit Eurem Verlaub für alle bezahlen, dann laßt uns fortgehn! Es regnet nicht mehr, ei gelt, zum Teufel noch eins!«

»Fortgehn?« sagte Klaufretter, »her gelt! Seit dreihundert Jahren ist es nicht vorgekommen, daß einer von hier entwischt ist, ohne daß er Haare gelassen hätte oder meistenfalls die Haut, her gelt! Denn warum? Her gelt, hieße das doch soviel, als sei er von uns hier ungerecht behandelt worden, her gelt. Unselig bist du jetzt schon, her gelt, aber noch unseliger wirst du sein, her gelt, wenn du nicht auf das vorgebrachte Rätsel antwortest. Her gelt, was soll's bedeuten, her gelt?«

»Midas ist's, ei gelt Teufel noch mal«, erwiderte Panurge, »ein schwarzer Rüsselkäfer, aus einer weißen Rübe entsprungen, gelt Teufel noch eins, durch das Loch, das er ihr mit Nagen gemacht hatte, gelt zum Teufel, und der jetzt ein bißchen fliegt, jetzt ein bißchen am Boden krabbelt, gelt Teufel noch mal. Weshalb er von Pythagoras, dem ersten Weisheitsfreund, denn das bedeutet auf griechisch *Philosophie*, zum Teufel, gelt, als ein Geschöpf angesehen ward, das durch Metempsychose eine menschliche Seele empfangen hatte, gelt, weiß der Teufel! Wäret ihr da Menschen, gelt, zum Teufel, so würden eure Seelen nach seiner Anschauung, wenn ihr gestorben seid, in die Leiber von Rüsselkäfern eingehen, gelt, Teufel noch eins! Denn in diesem euren Leben zernagt und freßt ihr alles; im anderen Leben werdet ihr wie Nattern euren eigenen Müttern die Leibseiten zernagen, gelt Teufel noch mal.«

»Blutsakrament«, sagte Bruder Jan, »wünschte ich doch aus Herzensgrund, daß mein Arschloch zur Rübe würde und diese Rüsselkäfer rundherum daran nagten.«

Als Panurge mit seiner Ansprache fertig war, schmiß er mitten auf den Richtertisch eine dicke Börse, prall gefüllt mit Sonnentalern. Beim Klang der Börse fing es den Katzbalgern an in den Klauen zu zucken, als wären es Zupfgeigen. Und schrien alle mit lauter Stimme: »Das sind die

Würzkörner. Der Prozeß war sehr gut, sehr lecker und ordentlich gepfeffert.«

»Es ist Gold«, sagte Panurge, »versteht ihr, Sonnentaler?«

»Der Gerichtshof«, sagte Klaufretter, »nimmt es zur Kenntnis. Gelt ja, gelt ja, gelt ja. Geht nun, Kinder, gelt ja, geht hinaus, gelt ja, wir sind nicht so teuflisch, wie wir schwarz aussehen, gelt ja, gelt ja, gelt ja.«

Nachdem wir die Pforte verlassen hatten, wurden wir von gewissen Geierkraxen zum Hafen geleitet. Bevor wir unsere Schiffe bestiegen, wurde uns noch von diesen anbefohlen, daß wir nicht losfahren dürften, ehe wir nicht Madame Klaufretter sowie sämtlichen Katzbalgern herrschaftliche Geschenke gemacht hätten; andernfalls hätten sie Auftrag, uns zur Pforte zurückzubringen.

»Gut«, erwiderte Bruder Jan, »laß uns hier beiseite treten und den Grund unseres Geldbeutels besichtigen, damit alle zufrieden sind.«

»Aber«, sagten die Geierkraxen, »vergeßt auch nicht das Trinkgeld!«

»Das Geld zum Trinken«, sagte Bruder Jan, »gerät nie in Vergessenheit; es liegt uns allezeit und stündlich im Sinn.«

14. KAPITEL

Wie die Katzbalger von Korruption leben

Bruder Jan hatte die Worte noch nicht ausgesprochen, als er achtundsechzig Kutter, Galeeren und Fregatten in den Hafen einlaufen sah. Sogleich begab er sich dorthin, um Neues zu erfahren, aber auch, mit welcher Art Handelsware die Schiffe beladen seien. Und sah, daß sie sämtlich als Fracht Wildbret, Hasen, Kapaune, Täubchen, Schweine, Rehböcke, Kälber, Hühner, Enten, großes und kleines Geflügel und sonstige Wildvögel mit sich führten. Darunter fielen ihm auch mehrere Stücke Sammet, Seide und Damast in die Augen. So fragte er denn die Schiffsleute, wohin sie die leckeren Bissen brächten. Sie sagten zu ihm, Klaufretter nebst den Katzbalgern und Katzbalgerinnen seien die Empfänger.

»Wie«, sagte Bruder Jan, »nennt ihr diese Medikamente?«

»Korruption«, entgegneten die Schiffsleute.

»Also leben sie im Verweslichen«, sagte Bruder Jan, »und werden Verwesliches zeugend umkommen. Bei Gottes Gerechtigkeit, so ist das! Ihre Väter haben die guten Edelleute aufgefressen, die sich von Standes wegen der Falkenbeize und der Jagd befleißigten, um in Kriegszeiten schon geübter zu sein und abgehärtet gegen die Mühsal. Denn die Jagd ist ein Spiegelbild der Schlacht, und Xenophon war kein Faxenmacher, als er schrieb, aus dem Weidwerk gingen wie aus dem Trojanischen Pferd alle guten Heerführer hervor. Ich bin kein Gelehrter: doch hat man mir's erzählt, und ich glaub's. Nun sind nach Klaufretters Anschauung deren Seelen nach ihrem Tod in Eber, Hirsche, Rehe, Reiher, Rebhühner und andere dergleichen Tiere eingegangen, die sie im Lauf ihres früheren Lebens stets geliebt und gepirscht hatten. Nachdem nun diese Katzbalger ihnen ihre Schlösser, Ländereien, Domänen, Besitzungen, Renten und Einkünfte vernichtet und verschlungen haben, trachten sie außerdem noch nach ihrem Blut und ihrer Seele im andern Leben. O der edle Lump, der uns schon auf das Zeichen hingewiesen hat, daß die Krippe über der Raufe angebracht ist!«

»Gewiß, aber«, sagte Panurge, »hat nicht der große König ausrufen lassen, daß kein Mensch bei Strafe des Strangs auf Hirsche noch Hindinnen noch Eber noch Rehe pirschen dürfe?«

»Das stimmt«, erwiderte einer für alle, »doch ist der gute König ganz Freundlichkeit und Huld. Die Katzbalger dagegen sind so tollwütig und ausgehungert nach Christenblut, daß wir den König zu kränken weniger fürchten als durch Bestechungen diese Katzbalger bei Laune zu halten hoffen; zumal Klaufretter morgen eine seiner Katzbalgermiezen mit einem dicken Murrkater, dessen Pelz sich gewaschen hat, vermählt. Vormals nannte man sie Heufresser. Aber ach, das fressen sie nicht mehr. Heutigentags nennen wir sie Hasenfresser, Rebhuhnfresser, Bekassinenfresser, Fasanenfresser, Hendlfresser, Rehziemerfresser, Karnickelfresser, Schweinefresser; anderes Fleisch kommt nicht über ihre Lippen.«

»Beschissener Kram«, sagte Bruder Jan, »übers Jahr wollen wir sie Kotfresser, Drietfresser, Scheißefresser nennen. Soll das gelten?«

»Jawohl«, erwiderte die Bande.

»Laßt uns«, sagte er, »zwei Dinge tun. Zum ersten: beschlagnahmen wir das ganze Wildbret, das ihr da seht. Ich bin das Gepökelte ohnehin leid: es erhitzt mir die Hypochonder. Gegen Bezahlung, versteht sich. Zum zweiten: laßt uns zur Pforte zurückkehren und alle diese Katzbalger kurz und klein schlagen.«

»Eins ist sicher«, sagte Panurge: »ich geh da nicht hin. Ich bin von Natur ein bißchen bange.«

15. KAPITEL

Wie Bruder Jan die Katzbalger kurz und klein zu schlagen gedenkt

»Meiner Kuttenseel!« sagte Bruder Jan. »Was für eine Reise machen wir allhie? Eine Reise von Scheißkerlen ist das. Tun wir doch nichts als brunzen, furzen, misten, schwadronieren und richten nicht das mindeste aus. Allmächtiger, das ist nicht nach meiner Gemütsart! Vollbringe ich nicht ab und an ein Heldenstück, kann ich des Nachts nicht schlafen. Habt ihr mich etwa zum Messelesen und Beichtabnehmen auf diese Fahrt als Gesellen mitgenommen? Bei allen Ostereiern, dem ersten, der vorstellig wird, will ich als Buße aufbrummen, daß er als Memme und Mistkerl bis auf den Meeresgrund geschleudert wird – soll's ihm von den Qualen des Fegfeuers abgehalten werden –, und zwar mit dem Kopf voran.

Was hat Herkules zu immerwährendem Ruhm und Ansehn verholfen? Ist's nicht darum, weil er auf seiner Wanderung durch die Welt die Völker von Tyrannei, Irrwahn, Gefahren und Heimsuchungen losgekauft hat? Alle Wegelagerer, alle Ungeheuer, alle giftigen Würmer und reißenden Tiere hat er zu Tode gebracht. Warum folgen denn wir nicht seinem Beispiel und tun, was er getan, in allen Gauen, durch die wir kommen? Er erlegte die Stymphaliden, die Hydra, die lernäische Schlange, Cacus, Antäus, die Zentauren. Ich bin kein Gelehrter, aber die Gelehrten vermelden's. Nehmen wir uns ihn zum Vorbild und erlegen und

zerschlagen wir diese Katzbalger – Halsabschneider sind's –
und befreien wir das Land von ihrer Tyrannei. Das Kreuz
über Mahomet! wär ich so stark und mächtig, wie er gewesen, ich würde euch nicht um Rat und Beistand angehn.
Nun also, schlagen wir los? Ich versichere euch, daß wir sie
bequem ins Jenseits befördern werden, und geduldig werden sie's leiden; haben sie doch geduldig mehr Unrecht
gelitten, als zehn Säue Schlempe saufen. Los also! Unrecht,
sag ich, und Unehre – da machen sie sich nichts draus, wenn
sie nur die Geldkatze voll Taler haben, mag noch soviel
Schiet dran kleben; und etwan werden wir sie wie Herkules
niedermachen, aber noch steht der Befehl des Eurystheus
aus, im Augenblick weiter nichts, außer daß ich wünschte,
Jupiter möchte sich zwei Stündchen in der Gestalt unter
ihnen ergehen, in der er Semele, die Mutter des lieben
Bacchus, heimsuchte.«

»Gott«, sagte Panurge, »hat uns große Gnade erwiesen,
daß wir ihren Klauen entronnen sind; ich geh nicht wieder
dorthin, was mich betrifft; ich bin noch ganz hin und durcheinander von dem Zores, den ich durchgemacht hab. Und
zwar habe ich mich aus drei Gründen entsetzlich geärgert:
erstens, weil ich mich drüber ärgerte, zweitens, weil ich
drüber verärgert war, und drittens, weil ich verärgert blieb.
Höre mit deinem rechten Ohr, Bruder Jan, auf meinen
linken Klicker! Du magst, sooft und soviel du willst, zu
allen Teufeln gehen, wenn's dich vor Gericht zu Minos,
Äakus, Rhadamantus und Dis treibt: überallhin bin ich
gern bereit dir unverbrüchlich Gefolgschaft zu leisten, mit
dir gemeinsam Acheron, Styx, Cocytus zu überqueren,
vom Lethefluß einen vollen Humpen zu schlürfen, in
Charons Fährboot für uns zwei die Maut zu erlegen; was
aber die Rückkehr zur Pforte betrifft, so mußt du dir
schon, wenn du nicht allein hingehn willst, andere Begleiter
aussuchen: ich geh nicht wieder hin; dies Wort sei eine
eherne Mauer! Werde ich nicht unter Zwang und mit Gewalt hingeschafft, komm ich ihr, solange dieses mein Leben
währt, so wenig mehr zu nahe wie Calpe dem Abila. Kehrte
denn Odysseus um, sein Schwert in der Höhle des Zyklopen

zu holen? Weiß Gott, nein! In der Pforte hab ich nichts liegen lassen: ich geh auch nicht wieder hin.«

»Oh«, sagte Bruder Jan, »du ehrliches Bruderherz, schlappschwänziges! Aber laß uns miteinander ein paar Schoten spleißen, spitzfindiger Doktor! Wie kommt's denn und was hat Euch veranlaßt, ihnen einen Beutel voll Taler hinzuschmeißen? Hatten wir zuviel davon? Hätt's nicht genügt, ihnen ein paar angeknabberte Kopfstücke an den Kopf zu werfen?«

»Weil«, sagte Panurge, »Klaufretter in einem fort seine Sammettasche aufgemacht und gerufen hat: ›Gelt her, gelt her, gelt her!‹ Ich zog daraus den Schluß, daß wir frei und ledig davonkommen möchten, wenn wir ihm gelt so, gelt so, gelt dies, bei Gott gelt das bei allen Teufeln hinschmissen. Denn eine samtene Weidtasche ist kein Reliquiar für Kopfstücke und Kleingeld; sie ist ein für Sonnentaler empfänglicher Zwerchsack, verstehst du das, Bruder Jan, mein kleiner Stänker? Wenn du erst einmal soviel gebacken und im Backofen gesteckt hast wie ich, wirst du auch aus einem andern Loch pfeifen. Aber da sie's uns anbefohlen haben, machen wir uns am besten davon.«

Das Pack am Hafen lungerte wie immer in Erwartung einiger Heller herum, und da es sah, daß wir die Segel hissen wollten, machte es sich an Bruder Jan heran und bedeutete ihm, wir dürften nicht eher fort, als bis wir den Schauerleuten das nach der Höhe der Sporteln bemessene Trinkgeld bezahlt hätten.

»Himmel, Arsch und Zwirn, seid ihr immer noch da«, sagte Bruder Jan, »ihr Satansgeier? Soll mir vor Ärger die Galle überlaufen? Leib Gottes, ihr sollt euren Wein im Nu bekommen, so wahr ich es euch gelobe.«

Damit sprang er mit gezücktem Degen aus dem Schiff, gewillt, sie kurzerhand umzubringen, aber sie rannten spornstreichs davon und wurden nicht mehr gesehen.

Mit dem Verdruß hatte es aber immer noch kein Ende, denn ein paar unserer Matrosen hatten sich, von Pantagruel beurlaubt, in der Zeit, als wir vor Klaufretter erscheinen mußten, in eine Gastherberge verzogen, um da zu zechen und sich ein wenig zu erquicken. Ob sie ihre Zeche bezahlt hatten oder nicht, kann ich nicht sagen; jedenfalls wandte sich eine alte Wirtsfrau, da sie Bruder Jan an Land sah, mit Zetern und Klagen an ihn; auch hatte sie einen Scharwächter dabei, der mit einem Katzbalger verschwägert war, und außerdem zwei Gerichtsspitzel. Bruder Jan, dem bei ihrem Klatsch und Tratsch die Geduld riß, fragte: »Meine lieben Galgenbrüder, wollt ihr damit rundheraus sagen, daß unsere Matrosen keine ehrlichen Kerls sind? Ich behaupte mit Recht das Gegenteil und werd es beweisen. Meister Degen hier steht dafür ein.«

Indem er so sprach, zückte er seinen Degen. Die Kerle setzten sich schleunigst in Trab und liefen davon. Nur die Alte blieb und sagte beteuernd zu Bruder Jan, die Matrosen seien gewiß anständige Burschen. Sie führte nur Klage darüber, daß sie für das Bett, auf dem sie sich nach dem Essen ausgeruht, nichts bezahlt hatten, und verlangte pro Bett fünf Tornoser Sol extra.

»Wahrlich«, sagte Bruder Jan, »das ist wohlfeil; sie sind undankbar, und werden's nicht immer so billig kriegen. Ich will's auch gern bezahlen, aber erst möcht ich es mir einmal ansehen.«

Die Alte führte ihn in die Herberge, zeigte ihm das Bett und sagte, nachdem sie es nach Strich und Faden gerühmt hatte, fünf Sols seien dafür kein Wucherpreis. Bruder Jan gab ihr fünf Sols. Dann schnitt er mit seinem Degen Kolter und Kissen mittendurch und streute durch die Fenster die Federn in die Luft. Da lief die Alte hinaus, während sie schrie »Zu Hilfe, Mordio!« und sich daran begab, die Federn aufzuklauben. Bruder Jan nahm desungeachtet die Bettspreite, die Matratze und zwei Laken mit auf unser Schiff, ohne daß jemand ihn sah, denn die Luft war von Federgewölk verfinstert, und schenkte sie den Matrosen. Drauf sprach er zu Pantagruel, die Betten seien viel wohlfeiler als in der Gegend von Chinon, obgleich wir doch da die berühmten Pauthilé-Gänse hätten. Denn für das Bett habe die Alte ihm nicht mehr als fünf Zwölfer abverlangt, die in Chinon keine zwölf Francs wert seien.

Sobald Bruder Jan mit der übrigen Gesellschaft an Bord war, ließ Pantagruel Segel setzen. Doch es erhob sich ein so heftiger Schirokko, daß wir vom Kurs abkamen und, fast wieder in die Gewässer der Katzbalger verschlagen, in einen gewaltigen Strudel gerieten, indes, da die See erschrecklich hochging, der Junge im Korb des Fockmastes schrie, er

sehe immer noch die greulichen Wohnstätten der Katzbalger. Da brüllte Panurge außer sich vor Furcht: »Patron, den Stürmen und Wogen zum Trotz, mach kehrt! O mein Freund, laß uns nicht in dieses verwünschte Land zurückkehren, wo ich meine Börse gelassen!«

So trieb uns der Wind in die Nähe einer Insel, die wir jedoch nicht schlankweg anzulaufen wagten; vielmehr ließen wir gut eine Meile von da bei hohen Klippen den Anker fallen.

16. KAPITEL

Wie Pantagruel auf der Insel der Unbedarften mit langen Fingern und verkrallten Händen eintraf, und von den entsetzlichen Abenteuern und Ungeheuern, die ihm da aufstießen

Sobald die Anker niedergelassen waren und das Schiff sicher davor lag, wurde das Boot ausgesetzt. Nachdem der gute Pantagruel sein Gebet verrichtet und dem Herrn für die Errettung aus so großer Gefahr gedankt hatte, bestieg er mit der ganzen Gesellschaft das Boot, um an Land zu gehen, was ihnen leicht wurde, denn bei stiller See und eingeschlafenen Winden erreichten sie binnen kurzem die Klippen.

Als sie gelandet waren, bemerkte Epistemon, der die Lage des Orts und die seltsam geformten Klippen anstaunte, einige Einheimische. Der erste, an den er sich wandte, war mit einem königsbraunen Mantelschurz bekleidet, trug ein halb-ostadenes Wams mit seidenen Stulpen und gamsledernem Oberteil, dazu eine Kokardenmütze: im ganzen ein recht stattlicher Mann, der, wie wir später erfuhren, Großverdiener hieß.

Epistemon fragte ihn, wie diese höchst merkwürdigen Klippen und Schluchten benannt seien. Großverdiener sagte zu ihm, die Felsenlandschaft, eine Zweigsiedlung des Landes Prokuratien, heiße »Die Listen«. Jenseits der Felsen fänden wir nach Überquerung einer kleinen Furt die Insel der Unbedarften.

»Potz Extravaganten!« sagte Bruder Jan, »und wie steht's mit euch, Leutchen, wovon lebt ihr hier? Habt ihr denn was zu beißen? Denn ich seh hier keinerlei Gerät außer Pergamenten, Tintenhörnern und Federn.«

»Auch leben wir«, erwiderte Großverdiener, »von nichts anderem, denn alle, die auf der Insel geschäftlich zu tun haben, gehen uns durch die Finger.«

»Wieso?« fragte Panurge. »Seid ihr denn Barbiere, daß sie sich schröpfen lassen müssen?«

»Ja«, sagte Großverdiener, »die Kopfstücke in ihrem Geldbeutel auf jeden Fall.«

»Bei Gott«, sagte Panurge, »von mir sollt Ihr keinen roten Heller kriegen, aber ich bitt Euch, werter Herr, bringt mich zu diesen Unbedarften, denn wir sind auf dem Heimweg aus dem Gelehrtenland, wo ich nicht grade auf meine Kosten gekommen bin.«

Indem sie so plauderten, gelangten sie auf die Insel der

Unbedarften, denn der Wasserlauf war bald durchquert. Pantagruel war des Staunens voll über die Bauart der einheimischen Wohnstätten und Niederlassungen. Denn sie hausen dort in einer großen Kelter, zu der hinauf man an die fünfzig Stufen hinansteigt, und bevor man in die Hauptkelter eintritt (denn drinnen gibt es kleine, große, geheime, mittlere und was nicht alles sonst), geht man durch eine große Säulenvorhalle, wo man in Landschaftsmanier gemalt die Ruinen fast der ganzen Welt erblickt: Richtstätten für große Räuber, Galgen und Foltern aller Art in solcher Menge, daß man darob erschrickt. Da Großverdiener sah, daß Pantagruel bei ihrer Betrachtung verweilte, sprach er: »Herr, gehn wir weiter. Das ist noch gar nichts.«

»Wie denn?« sagte Bruder Jan. »Ist das gar nichts? Bei der Seele meines brünstigen Hosenlatzes: Panurge und ich schlottern vor Heißhunger. Trinken wär mir lieber als diese Ruinen betrachten.«

»Kommt«, sagte Großverdiener.

Damit führte er uns in eine kleine Kelter, die versteckt auf der Hinterseite lag und die in der Sprache der Insel Pintien benannt war. Fragt nicht, ob Bruder Jan und Panurge sich da gütlich taten, denn Mailänder Würste, Welschhähne, Kapaune, Trappen, Malvasier und alle Arten leckerer Gerichte standen da trefflich angerichtet bereit.

Ein kleiner Schankbursche, dem aufgefallen war, wie Bruder Jan eine Flasche, die abgesondert von dem Buddel-Kerntrupp auf einer Anrichte stand, mit den Augen liebkoste, sagte zu Pantagruel: »Herr, ich sehe, daß einer Eurer Leute mit dieser Flasche da ein Techtelmechtel hat. Ich bitt Euch flehentlich, daß er sie nicht anrührt, denn sie ist für die Wein-Herren.«

»Wie?« sagte Panurge, »also gibt's Weingärtner hier. Man hält da Lese, soviel ich seh.«

Da ließ uns Großverdiener über ein verstecktes Treppchen in eine Kammer steigen, von der aus er uns die Herren zeigen wollte, die in der großen Kelter versammelt waren, die aber keiner betreten dürfe, wie er uns sagte, es sei denn mit ihrer Erlaubnis, doch könnten wir sie bequem durch

ein kleines Guckloch betrachten, ohne daß sie uns sähen.

Dort angekommen, gewahrten wir in einer großen Kelter an die zwanzig oder fünfundzwanzig dicke Kerle, die, um einen mit grünem Rupfen bespannten Tisch versammelt, einander Blicke zuwarfen und Hände hatten, so lang wie Kranichstelzen, mit Fingernägeln dran, die gut zwei Fuß maßen; denn es ist ihnen verboten, sie zu beschneiden, so daß sie bei ihnen gekrümmt wachsen wie Kräuselspieße oder Bootshaken. Eben gerade wurde eine große Weintraube aufgetragen, wie sie dort im Land gedeiht, ein Rebgewächs vom Außerordentlichen Haushalt, das häufig am Richtspalier Hangel bildet. Sobald die Traube auf dem Tisch war, fingen sie an sie auszupressen, und war kein Beerlein, aus dem sie nicht goldenes Öl kelterten, so daß die arme Traube so trocken und abgezupft hinausgetragen wurde, daß weder Saft noch Kraft mehr drin war.

Großverdiener sagte dazu, nicht oft kämen sie an so üppige Trauben wie diese da, doch hätten sie stets welche in der Kelter.

»Aber sag mir, Gevatter«, fragte Panurge, »haben sie denn viele Rebstöcke?«

»Und ob«, sagte Großverdiener. »Seht ihr die kleine da, die eben wieder in die Kelter gesteckt wird? Sie ist eine von der Zehnten-Klasse; sie haben sie schon neulich bis auf den letzten Tropfen ausgepreßt; aber das Öl schmeckte nach Pfaffensäckel, und die Herren fanden nicht viel Geschmack daran.«

»Warum«, fragte Panurge, »wird sie dann noch einmal in die Kelter getan?«

»Um festzustellen«, sagte Großverdiener, »ob nicht ein bißchen Saft oder Ertrag im Mark überblieben ist.«

»Bei Gottes Thron«, sagte Bruder Jan, »wie könnt ihr die Leute da unbedarft nennen? Sie würden aus Mauern Öl zapfen.«

»Das tun sie auch«, sagte Großverdiener, »denn häufig stecken sie Schlösser, Parks und ganze Forsten in die Kelter und zapfen aus allem trinkbares Gold.«

»Zinsbares Gold, wollt Ihr sagen«, versetzte Epistemon.

»Ich sage trinkbares«, sagte Großverdiener, »denn man vertrinkt dafür hier drin so manche Flasche, die sonst nicht auf den Tisch käme. Rebstöcke gibt es so viele, daß man gar nicht genau weiß, wieviel. Kommt hierher und schaut in diesen Hofraum. Da sind Tausende, die nur darauf warten, gekeltert zu werden. Hier sind welche von der Gemeinklasse, da drüben die sind von der Sonderklasse, von den Festungen, Anleihen, Schenkungen, Nebenverdiensten, Domänen, Vergnügungen, Ämtern, Spenden und der Hofhaltung.«

»Und was ist das für eine dicke, um die sich all die kleinen scharen?«

»Das ist«, sagte Großverdiener, »die Spar-Rebe. Sie ist der beste Weinstock im ganzen Land. Wird sie gekeltert, gibt's sechs Monate später keinen unter den Herrn, der nicht nach ihr riecht.«

Als die Herren vom Tisch aufgestanden waren, bat Pantagruel Großverdiener, er möge uns in die große Kelter führen, was er auch bereitwillig tat. Kaum waren wir drinnen, als Epistemon, der aller Sprachen kundig war, Pantagruel die Devisen in der Kelter zu deuten begann, die groß und schön gebaut war, und zwar, wie Großverdiener uns sagte, aus Prangerholz. Denn über jedem Gerät standen die Namen ihrer sämtlichen Teile in ihrer Landessprache verzeichnet. Die Kelterschraube hieß Einnahmen, der Trog: Ausgaben, die Schraubenmutter: Etat, der Kelterbaum: kontierter nicht eingegangener Überschuß, die Docken: Stundungen, die Heber: Gestrichen, die Dauben: Nacherhebung, die Bütten: Überschuß, die Henkel: Sätze, die Tresterbütt: In Summa, die Kiepen: Saldo, die Butten: Zahlanweisung, die Eimer: der Grundbestand, der Trichter: die Quittung.

»Bei der Königin der Geschwollenen!« sagte Panurge, »alle Hieroglyphen Ägyptens verstiegen sich nicht zu diesem Kauderwelsch. Weiß der Teufel: die Wörter prasseln einem aufs Trommelfell wie Ziegenköttel. Aber wieso, mein Gevatter, mein Freund, nennt man die Leute hier Unbedarfte?«

»Darum«, sagte Großverdiener, »weil sie nie und nimmer Studierte sind noch sein dürfen, und weil hier drinnen auf ihr Geheiß alles mit Unbedarftheit gehandhabt wird und sonst kein vernünftiger Grund dafür erfindlich ist als der: die Herren wollen's, die Herren haben's gesagt, die Herren haben's angeordnet.«

»Wahrhaftiger Gott«, sagte Pantagruel, »da sie an den Trauben so viel verdienen, muß ihnen das Wachstum viel einbringen.«

»Und ob«, sagte Großverdiener. »Kein Monat vergeht, in

dem sie nicht daraus schöpfen. Das ist nicht wie bei euch daheim, wo euch das Wachstum nur einmal im Jahr was einbringt.«

Indem er uns von da an tausend kleinen Keltern vorbei weiterführte, sahen wir hinaustretend einen anderen kleinen Rupfentisch, um den vier oder fünf dieser Unbedarften herumsaßen; die waren schmierig und fuchsteufelswild wie ein Esel, dem man einen brennenden Strohwisch ans Hinterteil gebunden hat, indem sie die Trester der Trauben in einer kleinen Kelter, die neben ihnen stand, noch einmal geflissentlich durchseihten. In der Landessprache hieß man sie Korrektoren.

»Das sind ihrem Aussehen nach die widerwärtigsten Halunken«, sagte Bruder Jan, »die mir je vorgekommen sind.«

Aus dieser großen Kelter ging es durch zahllose kleine Keltern, in denen überall Winzer damit beschäftigt waren, die Beeren mit Gerätschaften abzuzwicken, die sie Erhebungsartikel nannten. Endlich gelangten wir in einen niedrigen Saal, wo wir einer großen Dogge mit zwei Hundsköpfen, einem Wolfsbauch und Klauen wie ein Lamballer Teufel ansichtig wurden, die da mit Bußenmilch gefüttert ward und auf Anordnung der Herrn so gehätschelt wurde, weil es keinen Unbedarften gab, dem sie nicht die Einkünfte eines stattlichen Meierhofs einbrachte. Sie nannten sie in der Unbedarftensprache Doppelbuß. Ihre Mutter, ihr gleich an Fell und Gestalt, nur daß sie vier Köpfe, zwei männliche und zwei weibliche, hatte, lag neben ihr und wurde Quadrupelbuß genannt und war das ingrimmigste Tier herinnen, auch nach seiner Großmutter das gefährlichste, die wir in einem Loch eingesperrt sahen und die bei ihnen Unterschleif hieß.

Bruder Jan, der immer zwanzig Ellen leerer Därme, die für ein Advokatenfrikassee gereicht hätten, nachschleppte, fing an sich zu erbosen und bat Pantagruel, ans Essen zu denken und Großverdiener mitzunehmen. So kam es, daß wir, durch die Hintertür hinaustretend, auf einen alten Mann in Ketten stießen, einen halb Unbedarften, halb Studierten, eine Art Teufelsmannweib, der mit Brillen wie eine Schildkröte mit Schuppen bepanzert war und nur von einer einzigen Kost lebte, die sie in ihrem Idiom Appellationen nennen.

Wie Pantagruel den sah, fragte er Großverdiener, welcher Herkunft dieser Protonotarius wohl sei und wie er heiße; Großverdiener erzählte uns, daß er schon seit Urzeiten zum großen Bedauern der Herren drinnen angekettet sei, die ihn fast Hungers sterben ließen, und daß er Revision benannt sei.

»Bei den heiligen Schellen des Papstes«, sagte Bruder

Jan, »das ist mir ein netter Hüpfer, und es erstaunt mich nicht, daß die Herren Unbedarft auf den Federfuchser so scharf sind. Bei Gott, mir ist, Freund Panurge, wenn du ihn dir genauer ansiehst, als hätte er das Gefries Klaufretters. Die Herren hier, so unbedarft sie sein mögen, verstehn sich so gut darauf wie alle anderen. Ich an ihrer Stelle würde den Kerl mit geschwänzten Aalen dorthin scheuchen, von wo er gekommen ist.«

»Bei meinen orientalischen Brillen!« sagte Panurge, »Bruder Jan, mein Freund, du hast recht; denn beseh ich mir den Rüssel dieses abgefeimten Rackers Revision, dünkt er mich noch unbedarfter und bösartiger als die armen Unbedarften dahier, die wenigstens schlecht und recht grapschen, ohne lange Umschweife, und den Wingert im Handumdrehn ohne viel Geriß und Beschiß ablesen, was die Katzbalger gar sehr verdrießt.«

17. KAPITEL

*Wie wir Auswärts passierten, und wie Panurge um ein Haar
das Leben ließ*

Im Nu machten wir uns auf den Weg nach Auswärts und erzählten unsere Abenteuer Pantagruel, der sie sich sehr zu Herzen nahm und ein paar Elegien auf sie machte.

Als wir angekommen waren, erfrischten wir uns ein wenig und nahmen Süßwasser ein, auch Holz für unsere Vorräte. Und schienen uns die Einheimischen, nach ihrer Physiognomie zu schließen, gutartige und eßlustige Leute zu sein.

Sie waren allesamt nach auswärts gewölbt und platzten alle vor Fett, und es fiel uns auf (was ich sonst in keinem Land gesehen habe), daß sie sich die Haut zerschlitzten, um das Fett so recht herausquellen zu lassen, ganz ebenso wie in meiner Heimat die Stutzer das Oberteil ihrer Beinkleider auftrennen, um das Seidenfutter recht bauschig hervorstehn zu lassen. Sagten jedoch, dies geschehe weder aus Prahlsucht noch aus Angabe, sondern anders gingen sie in ihre Haut nicht hinein, würden dadurch auch rascher groß, wie die Gärtner die Rinde junger Bäume kerben, um ihr Wachstum zu beschleunigen.

Am Hafen war eine schöne und von außen gesehen prächtige Wirtschaft, der wir eine große Schar auswärtigen Volks zustreben sahen, darunter alle Geschlechter, Altersstufen und Stände vertreten waren, so daß wir dachten, es müsse da ein denkwürdiges Festmahl oder Bankett stattfinden; doch wurde uns gesagt, daß sie zum Platzltag des

Wirts eingeladen seien, und dorthin begaben sich eilfertig nahe Verwandte und Spezis. Da wir die Mundart nicht verstanden und wähnten, das Festmahl werde hierzulande Platzl genannt (wie man bei uns ja auch Kindelwicgen, Kranzlfest, Weihnachtsscherzel, Palmkatzel sagt), wurde uns kundgetan, der Wirt sei zu seiner Zeit ein Pfundskerl, ein kräftiger Einhauer und großer Liebhaber von Lyonneser Suppen gewesen, dazu ein beachtlicher Brotzeitzähler, ein Immerfraß wie der Wirt von Rouillac, und nachdem er seit nunmehr zehn Jahren Fett im Überfluß gepfitzt habe, sei jetzt seine Platzl-Stunde gekommen, und nach Landesbrauch beschließe er mit Platzen seine Lebenstage, weil sein schon seit so vielen Jahren zerschlitztes Bauchfell und Fell die Eingeweide nicht mehr zu fassen und einzuhalten vermöge, daß sie nicht heraussplenkerten wie aus einem zertrümmerten Faß.

»Und sollt es nicht möglich sein«, sagte Panurge, »ihr lieben Leute, daß ihr ihm mit festen Gurten oder mit gediegenen Spierlingsreifen, ja mit eisernen, wenn's nicht anders ist, den Bauch verschnürt? So dingfest gemacht, würde er sein Gekrös nicht so leicht mehr herausschlenkern und nicht bald abkratzen.«

Kaum hatte er das gesagt, als wir in der Luft einen hohen pfeifenden Ton vernahmen, wie wenn eine dicke Kette entzweispränge. Da sagten zu uns die Umstehenden, sein Platzl sei nun vollendet, und was wir gehört, sei der Todesfurz.

Da fällt mir der ehrwürdige Abt *des Chastelliers* ein, der, bedrängt von seinen Verwandten und Freunden, er möge doch auf seine alten Tage der Abtei entsagen, kräftiglich erklärte, er wolle sich erst ausziehen, wenn er sich niederlege, und der letzte Furz seiner Paternität werde ein Abtsfurz sein.

18. KAPITEL

Wie unser Schiff auf Grund lief und uns von etlichen Reisenden vom Hofhalt der Quint geholfen wurde

Nachdem wir unsere Ankertaue gekappt hatten und bei sachtem West an die zweiundzwanzig Meilen gesegelt waren, erhob sich ein tosender Wirbel von Winden aus verschiedenen Richtungen, den wir mit der Marsrah und den Bulinen abwartend eine Zeitlang umschifften, damit es ja nicht heißen sollte, wir gehorchten nicht unserem Steuermann, der uns im Hinblick auf die mäßige Stärke und das lustige Getümmel dieser Winde nebst Helligkeit der Luft und ruhigem Wellengang versicherte, er sei weder auf das Beste gefaßt, noch fürchte er das Schlimmste, doch sollten wir der philosophischen Weisheit eingedenk sein, die auszuhalten und sich zu enthalten, das heißt Zeit zu gewinnen, rät. So lange hielt indes dieser Wirbelwind an, daß der Steuermann unserem unmaßgeblichen Drängen nachgab und durchzubrechen und unseren vormaligen Kurs fortzusetzen versuchte. Tatsächlich durchbrach er auch, indem er das Besansegel setzen ließ und das Steuer nach der Spitze der Kompaßnadel richtete, unterstützt von einer aufkommenden steifen Brise, besagten Wirbel; doch erging es ihm damit nicht besser, als wenn er uns Charybdis entrissen und Scylla in den Rachen geworfen hätte; denn zwei Meilen von da blieben unsere Schiffe in Sandbänken stecken gleich den Untiefen vor Kap Saint-Mathieu.

Unsere Schiffsmannschaft stimmte samt und sonders ein Klagelied an, und der Sturm pfiff nur so durch die Marsrahen. Bruder Jan indessen, der sich vom Trübsinn keinen Augenblick übermannen ließ, tröstete bald diesen, bald jenen mit zutunlichen Worten, indem er ihnen vorhielt, daß uns der Himmel in Bälde Hilfe senden werde und daß er auf den Mastspitzen Castor gesehen habe.

»Daß ich doch«, sagte Panurge, »nach Gottes Rat zur Stunde nichts weiter als am Leben wär und ihr, die ihr die Seefahrt so liebt, tausend Taler hättet! Ich wollte auch ein Kalb für euch rupfen, auf glückliche Heimkehr, und hundert Reisigbündel in Wasser setzen. Was gilt's? Ich bin bereit, mich nie zu verheiraten. Sorgt nur, daß ich an Land komme und ein Pferd erhalte, um heimzureiten. Ein Knecht tut nicht not; auf den will ich gern verzichten. Geht mir's doch nie so gut, wie wenn ich ohne Knecht bin. Plautus hatte so unrecht nicht, als er sagte, die Zahl unserer Kreuze, will sagen Betrübnisse, Verdrießlichkeiten und Ärgernisse richte sich nach der Zahl unserer Bedienten, hätten sie auch keine Zunge, welche bei einem Diener der schlimmste und gefährlichste Körperteil ist, dessentwegen allein die Foltern, die hochnotpeinlichen Verhöre und Daumschrauben erfunden worden, nämlich im Hinblick auf die Diener, auf niemanden sonst, mögen die Juriskonsulzen außerhalb dieses Reichs daraus auch noch so sehr einen alogischen, das heißt unvernünftigen Schluß gezogen haben.«

Just zur selben Zeit hielt ein mit Schellentrommeln befrachtetes Schiff gerade auf uns zu, auf dem ich etliche Reisende aus gutem Haus erkannte, unter anderen Hans Cotiral, einen alten Gefährten, der jetzt an seinem Leibgurt einen langen Eselsschwengel trug, so wie Frauen den Rosenkranz, und in der Linken eine dicke, fette, alte, schmierige Grindkopfshaube, in der Rechten einen Kohlstrunk schwang. Kaum erkannte er mich, da schrie er vor Freude und sprach zu mir: »Hast mich? Schau hier« (und deutete auf den Eselsfochtel): »das echte Atgalmana. Die Doktorhaube hier ist unser einzig Elixier, und dies da« (er wies auf den Kohlstrunk) »ist *Lunaria major*. Wir machen ihn, sobald ihr daheim seid.«

»Aber«, sagte ich, »wo kommt Ihr her, wo geht Ihr hin?

Was bringt Ihr mit? Wolltet Ihr auch einmal Seeluft riechen?«

Er antwortete mir: »Von der Quint, nach Touraine. Alchimie bis in den Arsch.«

»Und was für Leute«, sagte ich, »habt Ihr da bei Euch auf Deck?«

»Fahrende Sänger«, antwortete er, »Musikanten, Dichter, Sterndeuter, Reimeschmiede, Erdbeschwörer, Alchimisten, Pfiffikusse, Uhrmacher: alle sind vom Hofhalt der Quint. Haben von ihr schöne und weit gefaßte Freibriefe.«

Er hatte noch nicht ausgesprochen, als Panurge aufgebracht und ärgerlich sagte: »Ihr, die ihr alles fertigbringt, sogar schönes Wetter und Kinderkriegen: warum vertäut ihr nicht den Vordersteven und schleppt uns unverzüglich in die offene See hinaus?«

»Ich war grade dabei«, sagte Hans Cotiral, »zur Stunde, in diesem Augenblick, *stante pede* werdet ihr aus dem Schlick heraus sein.«

Da ließ er 332.810 Schellentrommeln auf der einen Seite einschlagen, kehrte sie mit dieser Seite dem Schanzwerk unserer Back zu, machte allerwärts unseren Kiel mit Tauen am Heck fest und drehte sie um die Poller. Drauf lüpfte er uns beim ersten Ruck ganz ohne Beschwerlichkeit von der Sandbank los und bot uns gar einen Ohrenschmaus, denn der Klang der Trommeln samt dem sanften Raunen der Kiesel und dem Sang der Matrosen bescherten uns eine Harmonie, die kaum jener der rollenden Sphären nachstand, wie Platon sie ein paarmal des Nachts im Schlaf gehört.

Da es uns widerstrebte, die Wohltat, die sie uns erwiesen, mit Undank zu vergelten, teilten wir unter sie von unseren Geschwollenen aus, füllten ihre Schellentrommeln mit Würsten und schafften auf Deck zweiundsiebenzig Kruken Wein, als zwei große Physetere ihr Schiff ungestüm attackierten und ihnen mehr Wasser hineinschütteten, als die Vienne zwischen Chinon und Saint-Louant Wasser führt, ihnen ihre sämtlichen Trommeln vollschwappten, ihre sämtlichen Rahen durchnäßten und ihnen die Hosen durchs Koller einweichten. Als Panurge das sah, hatte er eine so übermäßige

Freude und überanstrengte er sein Zwerchfell dermaßen, daß er zwei Stunden einen Magenkrampf hatte.

»Ich wollte ihnen«, sagte er, »ihren Wein geben. Doch haben sie just zur rechten Zeit ihr Wasser abbekommen. An Süßwasser liegt ihnen nichts; damit waschen sie sich bloß die Hände. Aber als Borax wird ihnen dieses schöne Nitrium-Salmiakwasser in ihrer Geber-Küche gute Dienste tun.«

Weitere Reden mit ihnen zu tauschen war uns nicht vergönnt, da sich der Wirbelwind von vorher wieder über das Steuer hermachte. Auch bat uns der Steuermann, wir sollten von nun an die Führung des Schiffs ihm allein überlassen und uns um nichts anderes kümmern als um Speis und Trank; im Augenblick müßten wir uns vor dem Wind halten und der Strömung willfahren, wenn wir ohne Gefahr ins Königreich der Quint kommen wollten.

19. KAPITEL

*Wie wir ins Königreich der Quintessenz, genannt
Entelechie, kamen*

Nachdem wir den Wirbel einen halben Tag lang klüglich
umschifft hatten, schien uns am drittfolgenden die Luft heller
als sonst, und wohlbehalten landeten wir im Hafen Matäotechnia, in knapper Entfernung vom Palast der Quintessenz.

Als wir im Hafen von Bord gingen, stand uns vor der
Nase eine stattliche Schar Hartschiere und Reisige, die das
Arsenal bewachten. Aufs erste jagten sie uns fast einen
Schrecken ein, zumal sie uns sämtliche Waffen abgeben
ließen und uns rauhkehlig einem Verhör unterzogen, indem
sie sagten: »Gevattern, aus welchem Land ist euer Kommen?«

»Liebe Vettern«, erwiderte Panurge, »wir sind aus der
Touraine. Jetzt eben kommen wir aus Frankreich, begierig,
der Dame Quintessenz unsere ehrerbietige Aufwartung zu
machen und dieses hochberühmte Königreich Entelechie zu
besichtigen.«

»Wie sagtet Ihr?« fragten sie ihn. »Sagtet Ihr Entelechie
oder Endelechie?«

»Liebe Vettern«, erwiderte Panurge, »wir sind schlichte
und einfältige Leute; entschuldigt die ländliche Unge-
schliffenheit unserer Sprache, denn was die Herzen angeht:
die sind freimütig und ohne Arg.«

»Ohne Ursach«, sagten sie, »haben wir Euch nicht wegen
dieser Lautdifferenz befragt. Denn schon viele andere aus

Eurem Land Touraine sind hier vorbeigekommen, die uns zwar den Eindruck guter Trampel gemacht haben, aber korrekt sprachen; dagegen sind aus anderen Ländern Gott weiß welche Übergescheiten dahergekommen, die uns hochfahrend wie Schotten gleich hier am Eingang halsstarrig widerlegen wollten; sie haben aber ordentlich Haare lassen müssen, wenn sie auch noch so grimmig dreinschauten. Habt ihr in eurer Welt so viel Zeit im Überfluß, daß ihr damit nichts anderes anzufangen wißt als unsere Frau Königin mit Gerede, Wortgezänk und schamlosem Geschreibsel so durchzuhecheln? Cicero hatte es wahrlich nötig, seine *Republica* im Stich zu lassen, um dies Thema auf die Hörner zu nehmen, so auch Diogenes Laertius und Gaza und Argyrophilos und Bessarion und Polizian und Budé und Lascaris und was weiß ich welche Teufelsbrut närrischer Philosophen, die, als ob es an ihr nicht genug gewesen wär, in jüngster Zeit noch durch Scaliger, Brigot, Chambrier, François Fleury und was weiß ich welche erbärmlichen Trauerschwänze Zuzug erhalten hat. Daß ihnen doch das hitzige Rachenfieber die Gurgel samt dem Zäpfchen abdrücken möcht! Die wir ...«

»Aber was hör ich, zum Henker, er tut den Teufeln schön?« brummelte Panurge in seinen Bart.

»... Ihr hier seid nicht gekommen, um ihnen in ihrer Torheit beizuspringen und seid dazu auch nicht befugt; so werden wir fürder von ihnen nicht mehr sprechen. Aristoteles, Vormann und Musterbild aller Philosophen, der selige Pate unserer Frau Königin, hat sie richtig und zutreffend Entelechie genannt. Entelechie ist ihr wahrer Name. Soll der scheißen gehn, der sie anders nennt! Soll er, so weit der Himmel reicht, fehlgehn! Seid ihr uns willkommen!«

Darauf boten sie uns den Bruderkuß. Wir waren darüber alle froh. Panurge raunte mir ins Ohr: »Freund, hast du bei diesem letzten Anpfiff keinen Schreck bekommen?«

»Ein bißchen schon«, erwiderte ich.

»Mir«, sagte er, »ist er heftiger in die Glieder gefahren als seinerzeit den Soldaten Ephraims, da sie von den Gileaditen getötet und ersäuft wurden, weil sie *Sibboleth* statt *Schibboleth* gesagt hatten. Und es lebt in der Beauce kein Strohmann, der mir mit einem Fuder Heu das Arschloch hätte stopfen mögen.«

Dann führte uns der Hauptmann unter Stillschweigen und mit großem Zeremoniell zum Palast der Königin. Pantagruel hätte gern einiges mit ihm beredet, aber so hoch hinauf vermochte er sich nicht zu recken, weshalb er sich eine Leiter wünschte oder recht hohe Stelzen. Dann sprach er: »Genug! Wär es unserer Frau Königin Wille, so wären wir ebenso groß wie Ihr, und wann es ihr beliebt, geschieht's auch.«

In den äußeren Umgängen fanden wir einen großen Haufen bresthafter Leute, die je nach der Art ihrer Krankheit verschieden untergebracht waren: die Aussätzigen abseits, die Vergifteten hier, die Pestkranken da, die Lustsiechen ganz vorne, und so alle anderen.

20. KAPITEL

Wie die Quintessenz die Bresthaften mit Liedern heilte

Im zweiten Umgang wurde uns vom Hauptmann die hohe Dame gezeigt, die jung (mochte sie auch mindestens achtzehnhundert Jahre zählen), schön, schmächtig, gorgiastisch gekleidet inmitten ihrer Zofen und Kämmerer Hof hielt. Der Hauptmann sprach zu uns: »Es ist jetzt nicht die Zeit, sie anzureden; seid nur aufmerksame Zuschauer dessen, was sie tut. Ihr in eurem Reich habt ein paar Könige, die ohne greifbaren Anhalt Krankheiten wie die Skrofeln, die Fallsucht, Quartanfieber und Ausschlag allein durch Handauflegung heilen. Unsere Königin dagegen heilt alle Krankheiten, ohne daran zu rühren, indem sie ihnen bloß ein Lied je nach der Zuständigkeit des Gebrestens vorspielt.«

Darauf zeigte er uns die Orgel, mit der sie häufig ihre Wunderheilungen vollbringt. Die war sehr seltsam gebaut, denn die Pfeifen bestanden aus Manna-Rohr, die Windlade aus Pockholz, die Tastatur aus Rhabarber, die Pedale aus Sennisblättern und die Klaviatur aus Skammoniumharz.

Indessen wir diese neue staunenswerte Orgelkonstruktion betrachteten, wurden von ihren Abstraktoren, Aschenbrennern, Durchwirkern, Vorschmeckern, Küchenmeistern, Weisen, Notabeln, Erleuchteten, Fürsten, Edlen, Hochgelahrten, Kopffriesen und anderen alten Hofbeamten die Aussätzigen

hereingeführt. Sie spielte ihnen ich weiß nicht mehr was für ein Lied vor: mit einem Schlag waren sie vollkommen geheilt. Dann kam die Reihe an die Vergifteten. Sie spielte ihnen ein anderes Lied vor: schon standen die Leute bolzengerade. Sodann die Blinden, die Tauben, die Stummen, sogar die Schlagflüssigen. Worüber wir nicht ohne Grund vor Staunen außer uns gerieten, zu Boden fielen und uns, gleichsam verzückt und hingerissen vor maßloser Betrachtung und Bewunderung der von der Dame ausgehenden Kräfte, vor

ihr niederwarfen, und auch nur ein Wort zu sagen nicht in unserer Macht stand.

So verharrten wir am Boden, als sie mit einem Strauß offener Rosen, den sie in der Hand hielt, Pantagruel berührend uns wieder zu uns selber brachte und aufstehen hieß. Dann sprach sie zu uns in schleiergestickten Worten, wie Parisatis sie vor ihrem Sohn Cyrus ausgesprochen wissen wollte, oder doch zumindest in purpurdamastener Rede: »Die Redlichkeit, welche die Peripherie eurer Personen umglitzert, erwirkt mir triftiges Urteil über die dem Schwerpunkt eurer Geister innewohnende Tugend; und angesichts des Honigseims eurer ausbündigen Ehrenbezeigungen überzeuge ich mich leicht, daß euer Herz weder an Windbruch noch sonst einer Verkümmerung freier und hochgemuter Wissenschaft krankt, vielmehr überreich ist an etlichen merkwürdigen und raren Disziplinen, als welche gegenwärtig infolge der Gepflogenheiten des unkundigen großen Haufens leichter zu erwünschen als anzutreffen sind. Dies ist der Grund, weshalb ich, ehedem jede private Zuneigung hintansetzend, mich jetzo nicht enthalten kann, zu euch das

weltlich triviale Wort zu sprechen, nämlich daß ich euch sehr, von Herzen, hoch willkommen heiße.«

»Ich bin kein Gelehrter«, flüsterte mir Panurge heimlich zu. »Antwortet Ihr, wenn Ihr wollt.«

Doch antwortete ich nicht, auch Pantagruel tat es nicht, und wir verharrten in Schweigen. Da sagte die Königin: »An dieser eurer Schweigsamkeit erkenne ich, daß ihr nicht nur der pythagoräischen Schule entsprossen seid, in welcher erbmäßig propagiert die Vorfahrenschaft meiner Erzeuger Wurzel faßte, sondern auch daß in Ägyptens berühmter Wirkstätte hoher Philosophie ihr so manchen rückläufigen

Mond eure Nägel gekaut und mit einem Finger euch das Haupt gekratzt habt. In Pythagoras' Schule war Schweigsamkeit das Erkenntnissymbol, im Schweigen der Ägypter erblickte man Götterlob, und es opferten die Hohenpriester in Hieropolis dem großen Gott in der Stille, ohne Festgetöse, ohne ein Wort zu verlauten. Mitnichten bin ich gesonnen, euch gegenüber der Dankespflicht zu entraten; vielmehr durch lebhaftes Formalisieren, sollte ich durch Abstrahieren auch noch mehr an Materie einbüßen, euch meine Gedanken zu entbergen.«

Nachdem sie dies gesprochen, richtete sie das Wort an ihre Hofbeamten und sagte nur zu ihnen: »*Tabachinen, ad panacaeam!*«

Auf dieses Wort hin sagten sie zu uns, wir möchten entschuldigen, wenn die Königin nicht mit uns speise, denn sie nehme bei Tisch nichts zu sich außer ein paar Kategorien, Sechaboten, Emininen, Dimionen, Abstraktionen, Harhorien, Cheliminen, *Intentiones secundae*, Charadothen, Entitäten, Metempsychosen, transzendenten Prolepsien. Dann führten sie uns in ein kleines Gemach, das ganz arbiträr gepunzt war. Da bewirtete man uns Gott weiß wie sehr!

Es heißt, daß Jupiter auf dem diphterischen Balg der Ziege, die ihn auf Kreta säugte (beim Kampf mit den Titanen gebraucht' er ihn als Schild, weshalb sein Beiname ἀιγίοχος lautet), alles, was in der Welt geschieht, verzeichne. Bei meinem Durst, Zecher, ihr meine Freunde; achtzehn Ziegenbälge reichten nicht aus, die guten Gerichte, die man uns auftrug, die Zwischengerichte und erlesenen Fleischgänge, die man uns vorsetzte, aufzuschreiben, wär es auch in so kleiner Schrift, wie Cicero sagt, daß er die Ilias Homers gesehen habe, nämlich so, daß man sie mit einer Nußschale zudecken konnte. Was mich betrifft, so könnte ich, auch wenn ich über hundert Sprachen, hundert Münder und eine eherne Stimme samt der honigfließenden Fülle Platons verfügte, euch nicht in vier Büchern den dritten Teil eines Zweitels wiedergeben. Und Pantagruel sagte zu mir, seiner Auffassung nach habe die Dame, als sie ihren Tabachinen »*Ad panacaeam*« zurief, das Wort verlautbart, das bei ihnen symbolisch für Götterschmaus einsteht, so wie Lucullus *En Apollo* zu sagen pflegte, wenn er seine Freunde ausgesucht regalieren wollte, selbst wenn sie ihm ohne Ankündigung ins Haus fielen, wie es zuweilen Cicero und Hortensius taten.

21. KAPITEL

Wie die Königin die Zeit nach Tisch verbrachte

Nach eingenommener Mahlzeit wurden wir von einem Weisen in den Saal der Dame geleitet und sahen, wie es bei ihr nach Tisch Sitte war, sie in Gesellschaft ihrer Zofen und Kammerherrn Platz nehmen und die Zeit verwirken, sieben und durchpassieren mit einem schönen großen weißblauen Seihbeutel aus Seide. Dann ward ich inne, daß sie einem alten Brauch die Ehre gaben, indem sie gemeinsam zum

Cordax,	Calabrismum,
Emmelia,	Molossicum,
Sicinnia,	Cesnophorum,
Jambicum,	Mongas,
Persicum,	Thermastrias,
Phrygium,	Florulum,
Nicatismum,	Pyrrhichium
Thracium,	

und tausend anderen Tänzen aufspielten.

Danach besichtigten wir auf ihr Geheiß den Palast und erblickten da so neue, wunderbare und merkwürdige Dinge, daß ich beim bloßen Denken daran noch jetzt ganz entzückten Sinnes bin. Nichts jedoch überwältigte so mit Staunen unsere Sinne wie die Leistungen der Edelleute ihres Hauses, der Abstraktoren, Perazonen, Nedibiner, Spodisatoren und anderer, die uns offen heraus und ohne Hehl sagten, daß alles, was unmöglich sei, die Frau Königin vollbringe, daß sie allein die Unheilbaren heile, während sie, ihre Kammerherren, was übrig sei, täten und heilten.

Da sah ich einen jungen Perazonen die Lustsiechen, und zwar die exquisitesten (von der Rouaner Sorte, würdet ihr sagen), nur dadurch heilen, daß er ihnen den zahnförmigen Rückenwirbel mit einem Latschenrüssel dreimal antippte.

Einen anderen sah ich die Wassersüchtigen zusamt den Wasserköpfen, Bauchwassersüchtigen und Nierenverstopften bloß damit vollkommen heilen, daß er ihnen mit einer tenedischen Axt neunmal hintereinander ohne Bruch der Kontinuität auf den Bauch klopfte.

Ein anderer heilte im Nu von allen Quartanfiebern, bloß indem er an den Gürtel der Quartaner auf der linken Seite den Schwanz eines Fuchses, der bei den Griechen *alopex* benannt ist, hängte.

Einer heilte von Zahnweh, indem er bloß dreimal die Wurzel des erkrankten Zahns mit Holunderessig spülte und sie eine halbe Stunde lang zum Trocknen an die Sonne legte.

Ein anderer jede Art von Gicht, ob heiße, kalte, angeborene oder angeflogene, indem er bloß die Gichtkranken den Mund schließen und die Augen aufmachen ließ.

Einen anderen sah ich binnen weniger Stunden acht brave adelige Haudegen vom Franziskusleiden heilen, indem er ihnen alle Schulden tilgte und jedem von ihnen einen Strick um den Hals legte, an dem eine Büchse mit zehntausend Sonnentalern hing.

Ein anderer schmiß mit großartiger Kunst die Häuser durch die Fenster; so wurden sie von ansteckender Luft gesäubert.

Ein anderer heilte die drei Arten von Schwindsucht: die atrophische, die tabische und die galoppierende, und zwar ohne Bäder, ohne stabianische Milch, ohne Pechöl, Pikartion noch sonst eine Arzenei; er tat sie drei Monate als Alumnen ins Kloster und versicherte uns, wenn sie im Mönchsstand nicht fett würden, bestände keine Aussicht, daß sie auf künstlichem oder natürlichem Wege Fett ansetzten.

Einen anderen sah ich umringt von einer großen Schar Frauen, die sich in zwei Haufen teilte; der eine bestand aus jungen, quicklebendigen, zarthäutigen, rosigblonden, anmutigen und, wie mich dünkte, gutwilligen kleinen Mädchen; der andere aus zahnlosen, triefäugigen, runzligen, verwitterten, knochendürren alten Weibern. Der Heilkundige sagte zu Pantagruel, er schmelze die Alten um und verjünge sie durch seine Kunst dergestalt, daß sie wieder würden wie die hier anwesenden Mädchen, die er erst heute umgeschmolzen und in die Schönheit, Gestalt, Anmut, Größe und Gliederbeschaffenheit zurückversetzt habe, die sie im Alter von fünfzehn und sechzehn besessen, mit Ausnahme allein der Fersen, die jetzt bei ihnen sehr viel kürzer seien, als sie in früher Jugend welche gehabt hätten. Dies sei auch der Grund, weshalb sie von nun an, wenn sie mit Männern zusammenträfen, sehr dazu neigten, einfach auf den Rücken zu fallen.

Der Altweiberhaufe wartete gar andächtig auf die nächste Schmelzschicht und setzte dem Meister nach Kräften zu, indem er geltend machte, es sei ein widernatürlich Ding, wenn Schönheit sich hinterm Rockschoß guten Willens verbergen müsse. Und hatte dieser in seiner Kunst nie Mangel an Praxis und erklecklichem Gewinn. Da Pantagruel ihn fragte, ob er auf dem Schmelzwege auch alte Männer ebenso verjünge, antwortete er mit Nein. Doch gebe es ein Mittel, sie dergestalt zu verjüngen, und zwar müßten sie einer umgeschmolzenen Frau beiwohnen, denn dabei holten sie sich jene fünfte Species der Lustseuche, welche »die Haarige«, griechisch *Ophiasis*, benannt sei, bei der man Haut und Haare wechsle wie alljährlich die Schlangen, so daß sie in erneuerter Jugend erstrahlten wie der arabische Phönix. Dies ist der wahre Jungbrunnen. Da wird plötzlich, wer eben noch alt und siech war, jung, gelenkig und behend, wie es nach Euripides dem Iolaüs widerfuhr, wie es durch Venus' Gunst dem von Sappho so heißgeliebten Phaon widerfuhr, Titon mit Hilfe Auroras, Aeson mittels der Zauberkunst Medeas und Jason gleichfalls, der nach dem Zeugnis von Pherekydes und Simonides von ihr neu gebacken und verjüngt ward; und wie es nach Äschylus den Ammen des guten Bacchus widerfuhr und ihren Männern ebenfalls.

22. KAPITEL

*Wie die Kämmerer der Quint sich unterschiedlich betätigten,
und wie die Dame uns in den Abstraktorenrang erhob*

Danach sah ich eine große Zahl besagter Kämmerer, die
in wenig Stunden die Äthiopier mit einem Korbkiez bleich-
ten, indem sie ihnen bloß den Bauch scheuerten.

Andere mit drei Fuchsgespannen unter einem Joch acker-
ten den sandigen Strand und verdarben nicht ihre Aussaat.

Andere zogen Wasser aus den *Pumices*, zu denen ihr Bims-
stein sagt, stampften es lange in einem marmornen Mörser
und veränderten seine substantielle Beschaffenheit.

Andere schoren Esel und fanden da recht gute Schur-
wolle.

Andere pflückten Weintrauben von den Dornsträuchern
und Feigen von den Disteln.

Andere zapften den Böcken Milch ab und fingen sie in
einem Sieb auf, mit großer Steigerung des Ertrags.

Andere wuschen den Eseln die Köpfe und verscherzten
dabei nicht die Waschbrühe.

Andere gingen mit Netzen auf die Windpirsch und fingen
darin Riesenkrebse.

Einen jungen Spodizator sah ich, der entlockte einem
toten Esel Fürze und verkaufte sie für fünf Sols die Elle.

Ein anderer vergor Sechaboten: o das schöne Leibge-
richt!

Aber Panurge mußte sich elendiglich übergeben, als er
einen jungen Achasdarpeninen sah, der eine große Bütte

Menschenurin auf einer Schicht Dung (nämlich Pferdemist) mit Haufen christlicher Scheiße verrotten ließ: pfui, der Dreckfink! Er sagte jedoch zur Erklärung, daß er mit diesem heiligen Absud die Könige und großen Fürsten päppele und ihnen dadurch das Leben um einen guten Klafter, wenn nicht zwei, verlängere.

Andere schufen aus Nichts große Dinge und ließen große Dinge zu Nichts werden.

Andere brachen Würste übers Knie.

Andere häuteten die Aale vom Schwanz aufwärts, und

schrien besagte Aale nicht, bevor sie gehäutet waren, wie die von Melun.

Andere zerschnitten das Feuer mit einem Messer und schöpften das Wasser mit einem Netz.

Andere machten aus Harnblasen Laternen und aus Wolken eherne Erbsen.

Andere machten aus der Not Tugenden: das dünkte mich ein schönes und richtiges Werk.

Andere machten Gold mit den Zähnen, füllten jedoch, indem sie's taten, die Nachtstühle nur notdürftig, wiewohl sie gute Verdauung hatten.

Andere auf einem langen Estrich maßen eifrig die Sprünge der Flöhe nach und behaupteten, diese Fähigkeit sei überaus notwendig für das Regierungsgeschäft, die Kriegführung und Staatsverwaltung, beriefen sich auch darauf, daß Sokrates, der als erster die Philosophie auf die Erde herabgeholt und ihre müßige Neugier in Nutzen und Gewinn verkehrt

habe, die Hälfte seiner Forschertätigkeit an das Ausmessen der Flohsprünge gewandt habe, wie der quintessentielle Aristophanes bezeugt.

Ich sah zwei Giborinen für sich auf einem hohen Turm stehend Wache halten, und uns wurde gesagt, sie hüteten den Mond der Wölfe.

Ich traf vier andere in einem Gartenwinkel, die sich erbittert stritten und drauf und dran waren, einander in die Haare zu geraten. Als ich sie nach dem Grund ihres Zanks fragte, vernahm ich, daß sie schon seit vier Tagen über drei hochbedeutsame und überphysikalische Probleme stritten, von deren Lösung sie sich Berge Goldes versprachen. Und handelte das eine vom Schatten eines geilen Esels, das zweite vom Rauch einer Laterne, das dritte von Ziegenhaar, nämlich ob's Wolle sei. Auch wurde uns gesagt, es scheine ihnen nicht aus der Welt, daß zwei Widersprüche der Form, dem Modus, der Figur und der Zeit nach wahr sein könnten, ein Punkt, in dem die Pariser Sophisten eher ihre Taufe rückgängig machen als ihn zugeben würden.

Indes wir noch neugierig den wundersamen Leistungen dieser Leute zusahen, trat die Dame mit ihrem vornehmen Gefolge herzu, da schon der helle Hesperus funkelte. Ihr Erscheinen überwältigte sogleich unsere Sinne und blendete unser Gesicht. Sie bemerkte alsbald unser Erschrecken und sprach zu uns: »Was menschliches Denken durch Abgründe von Staunen verrückt, ist mitnichten die Erhabenheit der Wirkungen, die Menschengeist aus natürlichen Ursachen mittels der Kunstfertigkeit der beschlagenen Werkmeister vor sich entspringen sieht: es ist vielmehr die menschliche Sinne bestürmende Neuartigkeit der Erfahrung, da ihnen Voraussicht für die Leichtigkeit des Vollbringens, so abgeklärtes Urteil sich mit fleißigem Studium verbündet, fehlt. Seid darum hirnhaft und entledigt euch jeglicher Schreckempfindung, so ihr von einer solchen in Anschauung dessen, was meine Kammerherrn verrichten, übermannt sein solltet. Sehet, begreift, beobachtet nach eurem freien Ermessen alles, was mein Haus birgt, indem ihr euch so nach und nach von der Sklaverei der Unwissenheit emanzipiert. Der Fall ist in meinem Willensrat fest beschlossen, weswegen ich, um euch scheinfreie Belehrung zu erteilen, in Anbetracht des heißen Bemühens, dem ihr, wie mich dünkt, in eurem Herzen ein ragend Mahnmal erstellt, euch von Stund an in Rang und Stand meiner Abstraktoren erhebe. Durch Geber, meinen Obertabachinen, werdet ihr scheidend von hier eingetragen werden.«

Wir dankten ihr wortlos und verstanden uns zu dem von ihr verliehenen Amt und Ehrentitel.

23. KAPITEL

Wie die Königin beim Abendbrot bedient ward,
und wie sie aß

Nachdem die Dame diesen Ausspruch getan, wandte sie
sich an ihre Kammerherren und sprach zu ihnen: »Das
Magenorificium, welches der Nahrungsversorgung sämtlicher Glieder, der unteren sowohl wie der oberen, gemein-
schaftlich von Amts wegen vorsteht, drängt uns, durch Zu-
fuhr der gebührenden Nährstoffe ihnen den geschuldeten
Teil dessen wiederzuerstatten, wessen sie durch stete Einwir-
kung der animalischen Wärme auf die Urfeuchtigkeit verlustig gingen. Strafe verhängt Natur, meine Königin,
auf dem Fuße, so wir nicht geistgegründetem Entschluß
willfahren. Spodizatoren, Cosimimen, Noemamimen und
Perazonen, gebt euch nicht die Blöße, daß nicht auf euer
Gebot hin sogleich Tafeln gerichtet werden, die von zu-
lässiger Stärkung jeglicher Art strotzen. Zu euch nun, edle
Prägusten, insonderheit meine lieben Massiteren: kundig
eurer mit Sorgsamkeit und Geschick umhäkelten Werk-
tätigkeit, versag ich meiner Bitte die Order, daß Unordnung
nicht in euren Verrichtungen sei; nur zu tun, was ihr tut,
gemahne ich euch.«

Nachdem sie also gesprochen, zog sie sich mit einem Teil

ihres Hofgesindes einige Zeit zurück, und zwar, wie uns gesagt wurde, um ein Bad zu nehmen, wie's im Altertum der Brauch war und so geläufig wie heute bei uns das Händewaschen vor Tisch. Dann wurden Tafeln mit sehr kostbaren Gewirken gedeckt. Die Tischordnung sah vor, daß die Dame nichts aß außer himmlischem Ambrosia und nichts trank außer göttlichem Nektar. Dagegen wurden die Herren und Damen ihres Hofes, insgleichen wir, mit erlesenen, leckeren und köstlichen Gerichten bewirtet, wie nur je Apicius sie im Traum erblickte.

Als Magenbeschluß wurde ein Gemüsetopf mit verschiedenerlei Fleisch aufgetragen, falls der Hunger das Feld noch

nicht geräumt haben sollte, und war der Topf von einem Umfang und einer Größe, daß die goldene Platane, die Pythius Bithynus dem Darius schenkte, ihn kaum bedeckt hätte. Der Eintopf bestand aus verschiedenerlei Gemüsearten, Salaten, Frikassees, Ragouts, Röstfleisch vom Ziegenlamm, Gebratenem, Gesottenem, Karbonaden, großen Stücken Pökelfleisch, abgehangenem Rauchschinken, Teigwaren, einem Berg Maiskörner *à la moresque*, Torten und Käsen, Rahmquark, Eingemachtem und Früchten aller Art. All das mutete mich trefflich und schmackhaft an, doch rührte ich nichts davon an, da ich schon rundherum satt war.

Vermelden muß ich euch nur noch, daß ich da Teigpasteten in Teighülle sah, was ganz Seltenes, und daß die Teigrollen Topfenteigrollen waren. Am Grund dieses Topfen erblickte ich Würfel, Karten, Tarocks, Luetten, Schachfiguren samt Brettern die Menge, mit ganzen Tassen voll Goldtaler für solche, die gern spielen wollten. Ganz unten bemerkte ich eine Anzahl schön aufgeschirrter Saumtiere mit Sammetschabracken, auch Zelter zur Benützung für die Herren und Damen, desgleichen samten ausgeschlagene Sänften, wie viele weiß ich nicht, und etliche Ferrareser Kutschen für solche, die sich auf freier Flur ergötzen wollten.

Dies erschien mir nicht weiter seltsam, doch fand ich die Art, wie die Dame aß, ganz unerhört. Sie kaute nichts, aber nicht etwa, daß sie nicht starke und schöne Zähne gehabt oder daß, was sie zu sich nahm, Kauen nicht nötig gehabt hätte, sondern dies war bei ihr nun einmal Brauch und Gewohnheit. Die Speisen, von denen ihre Vorschmecker gekostet hatten, wurden von ihren Massiteren übernommen, die sie ihr wohlanständig vorkauten, denn ihr Schlund war mit purpurroter Seide, durchzogen von eingewirktem Goldfiligran, ausgefüttert und ihre Zähne schieres Elfenbein, woraufhin sie, sobald die Speisen gar durchgekaut waren, ihr dieselben durch einen Trichter aus feinem Gold bis in den Magen flößten. Aus demselben Grund, wurde uns erzählt, führe sie auch nur durch einen Stellvertreter ihren Stuhl ab.

24. KAPITEL

*Wie in Anwesenheit der Quint ein fröhlicher Ball in Form
eines Turniers veranstaltet ward*

Nach vollendeter Abendmahlzeit wurde in Gegenwart
der Dame ein Ball nach Art eines Turniers veranstaltet, der
nicht nur das Anschaun lohnte, sondern ewigen Gedenkens
wert war.

Zu seiner Eröffnung wurde der Fliesenboden des Saals
mit einem umfänglichen samtenen Teppich in Form eines
Schachbretts ausgelegt; das heißt, er war halb in weiße,
halb in gelbe Quadratfelder aufgeteilt, jedes drei Palmen
nach Länge und Breite, woraufhin den Saal zweiunddreißig
junge Leute betraten, von denen sechzehn in goldenes
Tuch gekleidet waren; acht junge Nymphen, wie die
Alten sie als Gefolge Dianas abzubilden pflegten, ein
König, eine Königin, zwei Turmwächter, zwei Ritter und
zwei Bogenschützen. In der gleichen Anordnung traten
sechzehn andere auf, die in Silbertuch gekleidet waren.

Ihr Stand auf dem Teppich war so:

Die Könige hielten das vierte Quadrat der letzten Reihe
besetzt, so daß der goldene König auf dem weißen, der silberne König auf dem gelben Quadrat Aufstellung nahm;
die Königinnen neben ihren Königen, die goldene auf dem
gelben, die silberne auf dem weißen Quadrat; anschließend
zwei Bogenschützen als Leibwächter ihrer Könige und

Königinnen, neben den Bogenschützen zwei Reiter, neben den Reitern zwei Turmwächter. In der nächsten Reihe vor ihnen standen die acht Nymphen. Zwischen den zwei von den Nymphen gebildeten Reihen blieben vier Felderreihen leer.

Jede Partei hatte ihre eigenen Musikanten in entsprechender Livree; die einen trugen orangefarbenen, die anderen weißen Atlas; und zwar waren es auf jeder Seite acht mit ganz verschiedenen lustig ausgedachten Instrumenten, die jedoch sehr schön und wundersam melodisch zusammenklangen, verschieden nach Tonart, Tempo und Takt, wie's der Fortgang des Balls eben erheischte, was ich angesichts der Figurenvielfalt von Schritten, Schleifern, Sprüngen, Doppelsprüngen, Rückzügen, Fluchten, Hinterhalten, Platzwechseln und Überfällen bewundernswert fand.

Was menschliche Vorstellungskraft jedoch noch mehr überstieg, war meines Bedünkens die Geistesgegenwart, mit der die Ballteilnehmer den ihrem Vor- oder Zurückgehen entsprechenden Ton auffaßten, so daß sie sich, wenn sie musikalisch aufgefordert wurden, ein bestimmtes Feld zu betreten, dieses betraten, mochte ihre vorherige Schrittweise auch ganz anders gewesen sein.

Denn die Nymphen, die gleichsam als Plänkler in der ersten Reihe stehen, gehn auf ihren Gegner in gerader Linie los, nämlich von Feld zu Feld, ausgenommen beim Eröffnungsschritt, der ihnen zwei Felder zu nehmen erlaubt. Sie allein dürfen nicht zurückweichen. Geschieht es, daß eine von ihnen bis in die Reihe ihres feindlichen Königs gelangt, so wird sie zur Königin ihres Königs gekrönt und genießt fortan das Privileg, sich zu bewegen wie eine richtige Königin. Dagegen schlagen sie die Feinde immer nur in schräger Diagonalrichtung und stets vorwärts. Doch steht weder ihnen noch anderen frei, einen ihrer Feinde zu nehmen, wenn sie dadurch ihren König ungedeckt und im Stich lassen.

Die Könige ziehen und schlagen ihre Feinde nach jeder Seite im Quadrat, rücken indessen nur vom weißen auf das anliegende gelbe Feld vor und umgekehrt; ausgenommen beim ersten Zug, wenn etwa ihre Reihe außer den Turmwächtern von Offizieren unbesetzt ist, können sie den Wächter an ihre Stelle setzen und sich auf das Feld neben ihm zurückziehen.

Die Königinnen ziehen und schlagen mit mehr Freiheit als alle anderen, das heißt überallhin und auf alle Arten, in gerader Linie, so weit es ihnen beliebt, wenn die Felderflucht nicht von den Ihren besetzt ist, aber die Felder in schräger Richtung auch, sofern sie nur die Farbe ihres Standorts haben.

Die Bogenschützen gehen vor und ebenso zurück, so weit und so nahe, wie sie wollen; aber auch sie wechseln nie die Farbe ihres ursprünglichen Standorts.

Die Ritter ziehen und schlagen auf potenzierte Art; sie überspringen ein freies Feld, selbst wenn es von ihrer Partei oder vom Gegner besetzt ist, und begeben sich auf das zweite Feld links oder rechts daneben, indem sie die Farbe wechseln, was für die Gegenpartei ein sehr verderblicher und Aufmerksamkeit erheischender Sprung ist, denn sie schlagen nie geradezu.

Die Wächter ziehn und schlagen Aug in Auge, nach rechts und links, vorwärts und rückwärts, auf gleiche Art wie die Könige, nur daß sie so weit vorrücken dürfen, wie sie wollen und sie ein freies Feld finden, was die Könige nicht tun.

Gemeinsames Gesetz der beiden Parteien war, am Ende den Kampf so zu beschließen, daß der König, belagert und eingesperrt von der Gegenpartei, nach keiner Seite hin entweichen könnte. War er derart eingeschlossen und ohnmächtig zu fliehen, konnten ihm auch die Seinen nicht zu Hilfe kommen, so war der Kampf beendet, und der belagerte König hatte verloren. Um ihn jedoch vor diesem Mißgeschick zu bewahren, ist keiner und keine in seiner Schar, die nicht bereit wären, ihr eigenes Leben hinzugeben, und so schlagen sie sich gegenseitig überall zum Klang der Musik.

Nahm einer einen Gegner gefangen, so klatschte er ihm mit einer Verneigung sachte in die rechte Hand, führte ihn vom Tanzboden fort und trat an seine Stelle.

Geschah es, daß einem der Könige die Verhaftung drohte, so durfte die Gegenpartei ihn nicht nehmen; vielmehr galt für jeden, der ihn entblößt hatte oder gefangenhielt, das strenge Gebot, eine tiefe Verbeugung vor ihm zu machen und ihn mit den Worten »Gott schütz Euch« zu warnen, damit er von seinen Offizieren Beistand und Deckung erhalte oder er einen anderen Platz aufsuche, falls ihm unseligerweise nicht geholfen werden konnte. Nie wurde er jedoch von der Gegenpartei genommen, sondern mit gebeugtem linkem Knie gegrüßt, indem man »Guten Tag« zu ihm sagte. Damit war das Turnier dann zu Ende.

25. KAPITEL

Wie die zweiunddreißig Balltänzer miteinander kämpften

Nachdem die beiden Scharen so ihren Platz eingenommen, stimmten die Musikanten gemeinsam eine kriegerische Weise an, die gar entsetzlich wie Sturmblasen klang. Da sehn wir, wie die beiden Parteien erbeben und sich zu wackerem Kampf zusammennehmen, denn der Augenblick naht, da sie aus ihren Lagern entboten werden sollen. Als plötzlich die Musikanten der silbernen Partei mit Spielen aufhörten, tönten nur noch die Bläser der goldenen fort, womit uns bedeutet wurde, daß die goldene Partei den Kampf eröffnen werde. Was auch sogleich geschah, denn bei wiedereinsetzender Musik sahen wir die vor der Königin aufgestellte Nymphe eine volle Drehung nach links zu ihrem König hin ausführen, als wolle sie um Urlaub bitten, die Partie zu eröffnen, zugleich aber auch ihrer ganzen Schar den Gruß entbieten. Dann rückte sie bescheidentlich zwei Felder weit vor und machte mit einem Kratzfuß der Gegenpartei ihre Reverenz. Da verstummten die goldenen Musikanten, setzten die silbernen ein. Hier soll jedoch nicht verschwiegen werden, daß die Nymphe mit einer vollen Drehung ihren König und ihre Schar begrüßt hatte, damit auch diese nicht müßig blieben. So wurde sie auch von ihnen mit einer vollen Drehung wiedergegrüßt, mit Ausnahme der Königin, die sich nach rechts hin ihrem König zuwandte; und wurde dieser Gruß von allen Teilnehmern während des ganzen Balls beobachtet und genauso der Gegengruß, von jeder der beiden Parteien.

Mit klingendem Spiel der silbernen Musikanten trat jetzt die silberne vor ihrer Königin stehende Nymphe heraus, grüßte artig ihren König wie ihre ganze Schar, von der sie ebenso wiedergegrüßt ward, wie wir's von der goldenen vermeldet, außer daß diese sich nach rechts hin wandte und die Königin nach links hin. Sie nahm Aufstellung auf dem zweiten Feld voraus und stand, indem sie ihrer Gegnerin Reverenz erwies, der ersten goldenen Nymphe ohne jeglichen Abstand genau gegenüber, wie wenn sie mit ihr kämpfen wollte, schlügen die Nymphen nicht nur nach den Seiten.

Ihre Gefährtinnen folgten ihr, goldene wie silberne, in einer Leiterfigur, und fingen an handgemein zu werden, indem nämlich die goldene Nymphe, die als erste ins Feld gerückt war, einer silbernen links in die Hand klatschte, sie von der Walstatt wegbrachte und ihren Platz einnahm; jedoch nicht lange, so wurde sie bei neuem Einsatz der Musikanten ihrerseits von dem silbernen Bogenschützen mit Handschlag verabschiedet. Eine goldene Nymphe machte diesem den Platz streitig, so daß er sich zurückzog; der silberne Ritter rückte ins Feld; die goldene Königin stellte sich vor ihren König.

Da vertauschte der silberne König, die Wut der goldenen Königin fürchtend, den Platz; er zog sich dahin zurück, wo sein Turmwächter ihm seinen Standort freigab, der ausgezeichnet bewehrt und ein guter Schutz zu sein schien.

Die beiden Ritter linker Hand, goldene sowohl wie silberne, rücken aus und machen zahlreiche Gefangene unter den gegnerischen Nymphen, die sich nach hinten nicht zurückziehen konnten; der goldene Ritter insbesondere ist angelegentlich auf Nymphenraub aus. Der silberne Ritter dagegen plant etwas Bedeutenderes: indem er sein Vorhaben verhehlt und zuweilen gar die Gelegenheit, eine goldene Nymphe zu nehmen, vorbeigehn läßt und weiterzieht, gelangt er dicht in die Nähe seiner Feinde, an einen Platz, von dem aus er dem gegncrischen König seinen Gruß entbietet und »Gott schütz Euch« zu ihm sagt.

Die goldene Schar, da ihr die Warnung, ihrem König beizustehn, im Ohr klingt, erbebt am ganzen Leibe; nicht daß es ihr schwergefallen wäre, dem König sogleich beizuspringen, doch verlor sie unrettbar ihren rechten Turmwächter. Da sich der goldene König nach links hin verzog, nahm der silberne Ritter den goldenen Turmwächter: was ein großer Verlust für sie war. Indessen sinnt die goldene Schar auf Rache und kreist ihn von allen Seiten ein, daß er nicht zurückfliehen und ihren Händen entwischen kann; er trachtet auf tausenderlei Art auszubrechen, die Seinen brauchen tausend Ränke, ihn zu erhalten, doch endlich nahm ihn die goldene Königin.

Die goldene Schar, einer ihrer Hauptstützen beraubt, ermannt sich und trachtet, ob krumm oder gerade, nach einem Mittel, sich recht unbedacht zu rächen, und richtet unter dem Heerhaufen der Feinde viel Schaden an. Die silberne Schar verstellt sich und wartet auf die Stunde der Vergeltung; sie bietet der goldenen Königin eine ihrer Nymphen an, womit sie jedoch in eine Falle geriet, da bei der Gefangennahme der Nymphe der goldene Bogenschütze um ein Haar die silberne Königin erwischt hätte. Der goldene Ritter hat es auf König und Königin der Silbernen abgesehen und sagt: »Guten Tag.« Der Bogenschütze rettet sie, doch wurde er von einer goldenen Nymphe genommen, diese wurde von einer silbernen Nymphe genommen.

Die Schlacht ist erbittert. Die Turmwächter rücken von ihrem Standort zur Hilfe aus. Alle stehen gegen alle: Enyo hält ihren Spruch noch zurück. Einige Male stoßen alle Silbernen bis zum Zelt des goldenen Königs vor, werden jedoch sofort zurückgedrängt. Unter anderen vollbringt die goldene Königin große Heldentaten; sie nimmt in einem Zug den Bogenschützen und, zur Seite rückend, den silbernen Turmwächter. Die silberne Königin sieht's, rückt vor und schlägt mit derselben Kühnheit zurück; sie nimmt den letzten goldenen Turmwächter und obendrein einige Nymphen.

Die beiden Königinnen stritten lange, teils bestrebt, einander zu überrumpeln, teils, um sich zu retten und ihre Könige zu bewahren. Schließlich nahm die goldene Königin die silberne, doch wurde sie gleich darauf selber von dem silbernen Bogenschützen genommen. Somit blieben dem goldenen König nur noch drei Nymphen, ein Bogenschütze und ein Turmwächter; dem silbernen blieben drei Nymphen und der rechte Ritter. Weshalb sie nun auch vorsichtiger und zaudernder kämpften.

Die beiden Könige schienen betrübt über den Verlust ihrer so geliebten Königinnen; ihr ganzes Sinnen und Trachten geht dahin, aus der Zahl der ihnen verbliebenen Nymphen womöglich eine andere zu dieser Würde und neuen Vermählung zu küren, sie frohen Herzens zu lieben mit dem gewissen Versprechen, sie an ihrer Seite aufzunehmen, sofern sie bis in die letzte Reihe des gegnerischen Königs vorstößt.

Die Goldenen machen das Rennen, und aus ihren Reihen geht eine neue Königin hervor, der man die Krone aufs Haupt setzt und neue Gewänder anlegt. Die Silbernen ziehen nach, und nur eine Linie fehlte noch, so hätten auch sie eine neue Königin erkoren, doch lauerte an diesem Punkt der goldene Turmwächter: darum standen sie still.

Die neue Königin wollte sich bei ihrer Thronbesteigung stark, tapfer und kriegerisch erweisen. Sie verrichtete große Waffentaten im Feld. Indessen nahm bei diesen Gefechten der silberne Ritter den goldenen Turmwächter, der die Grenzlinie des Feldes bewachte. Hierdurch gelangte die neue silberne Königin auf den Thron, die sich bei ihrer Erhebung gleichfalls tüchtig erweisen wollte. Der Kampf entbrannte hitziger denn zuvor. Tausend Listen, tausend Angriffe, tausend Züge wurden von beiden Seiten unternommen. Bis endlich die silberne Königin heimlich ins Zelt des goldenen Königs eindrang, mit den Worten: »Gott schütz Euch!« und er nur seiner neuen Königin die Rettung verdankte. Diese trug kein Bedenken, sich seiner Rettung zuliebe aufzuopfern.

Da begab sich der silberne Ritter mit allerlei Kreuz- und Quersprüngen an die Seite seiner Königin, und brachten sie beide den goldenen König so in Verlegenheit, daß er seinem Heil zuliebe seine Königin drangeben mußte. Doch nahm der goldene König den silbernen Ritter. Desungeachtet verteidigten der goldene Bogenschütze mit zwei übriggebliebenen Nymphen den König aus Leibeskräften, doch wurden sie schließlich genommen und vom Feld verwiesen, und übrig blieb allein der goldene König.

Da sagte die silberne Schar mit einer tiefen Verbeugung »Guten Tag« zu ihm, und Sieger blieb der silberne König. Auf dieses Wort hin stimmten die beiden Musikkapellen einen Siegesmarsch an. Und schloß dieses erste Turnier mit solcher Fröhlichkeit, so holden Gebärden, so geziemender Haltung und so ausgesuchter Anmut, daß wir in unserem Gemüt lachten wie Verzückte und wir nicht zu Unrecht das Gefühl hatten, als seien wir zu den höchsten Wonnen und der schieren Glückseligkeit des olympischen Himmels aufgestiegen.

Nachdem so das erste Turnier beschlossen war, kehrten die beiden Scharen in ihre Ausgangsstellung zurück, und wie sie zuvor gekämpft hatten, so hoben sie nun ein zweites Mal zu kämpfen an, außer daß die Musik einen halben Takt schneller war als beim vorigen Mal; auch waren die Züge ganz andere denn zuvor.

Da sah ich, wie die goldene Königin, als reue sie die Niederlage ihres Heeres, von der einsetzenden Musik herausgerufen wurde und als eine der ersten mit einem Bogenschützen und einem Ritter ins Feld zog, und wenig fehlte daran, daß sie den silbernen König in seinem Zelt inmitten seiner Offiziere überrumpelt hätte. Als sie dann feststellen mußte, daß ihr Anschlag aufgedeckt war, tummelte sie sich unterm Fußvolk und machte so viele silberne Nymphen, aber auch Offiziere nieder, daß es ein Jammer anzusehen war. Man hätte meinen können, eine zweite Penthesilea, Königin der Amazonen, vor sich zu sehen, die im Lager der

Griechen Verderben säte. Doch währte dieses Gemetzel nicht lange, denn die Silbernen, erbebend beim Verlust ihrer Leute, aber ihre Trauer weislich verhehlend, legten ihr insgeheim einen Hinterhalt mittels eines in einer entlegenen Ecke lauernden Bogenschützen und eines schweifenden Ritters, von denen sie genommen und vom Feld verwiesen ward. Die übrigen waren schnell niedergemacht. Ein andermal wird sie besser beraten sein; sie wird sich zu ihrem König halten, wird nicht so weit abspringen oder, falls die Not sie dazu zwingt, mit besserem Geleitschutz ausrücken müssen. So blieben auch diesmal die Silbernen Sieger wie beim erstenmal.

Zum dritten und letzten Ball stellten sich die zwei Scharen wie vordem auf, und wie mir schien, trugen sie eine fröhlichere und entschlossenere Miene zur Schau als bei den zwei vorhergehenden Treffen. Und war die Musik um mehr als ein Hemiol schneller im Takt, in phrygischer und kriegerischer Tonart, wie sie voreinst Marsyas erfunden. Da begannen sie mit solcher Flinkheit zu wirbeln und den Kampf aufzunehmen, daß sie auf einen Takt der Musik vier Züge samt den dazugehörenden Verbeugungen und Drehungen machten, von denen vorhin die Rede war; derart, daß alles in Sprüngen, Sätzen und seiltänzerischen Schwüngen, die sich ineinander flochten, vor sich ging. Und da wir sie nach getaner Verbeugung auf einem Fuß herumwirbeln sahen, verglichen wir sie mit einem schwirrenden Drehkreisel, wie ihn die Kinder spielend mit der Peitsche antreiben und der sich so rasch dreht, daß die Bewegung zur Ruhe kommt, er stillzustehn, sich nicht zu rühren, ja einzuschlafen scheint, wie sie's nennen. Und wenn auf ihm ein farbiger Punkt ist, scheint er für unsere Wahrnehmung kein Punkt zu sein, sondern eine fortlaufende Linie, wie es Cusanus an Hand eines sehr göttlichen Themas scharfsinnig vermerkt hat.

Nichts hören wir außer Händeklatschen und anfeuernden Rufen, die bei jedem Engpaß von der Musik beider Kapellen aufgenommen werden. Nie hat's einen so gestrengen Cato, einen so mürrischen älteren Crassus, einen so menschenfeindlichen Timon von Athen noch einen das eigentliche Wahrzeichen des Menschen, nämlich das Lachen, verabscheuenden Heraklit gegeben, der nicht aus der Fassung geraten wäre, hätte er bei diesem feurigen Tempo der Musik so blitzgeschwind diese Burschen samt den Königen und Nymphen auf fünfhunderterlei verschiedene Art schreiten, springen, kurbettieren, hüpfen und wirbeln sehn – und dabei so geschickt, daß keiner je dem anderen in den Weg geriet. Je weniger Tänzer im Feld blieben, desto größer wurde die Lust, ihren Kniffen und Wendungen zu gegenseitiger Überrumpelung nach Angabe der Musik zuzuschauen. Ja, ich möchte sagen, daß mehr noch als dieses übermenschliche Schauspiel, das unsere Sinne verwirrte, unseren Geist bestürzte und außer sich brachte, der Tonfall der Musik unser Gemüt erschütterte und erschreckte, und ohne weiteres laß ich mich überzeugen, daß mit solcher Tonweise Ismanias Alexander den Großen, da er bei Tisch saß und in Ruhe speiste, anfeuerte, sich zu erheben und zu den Waffen zu greifen. Beim dritten Turnier blieb der goldene König Sieger.

Während der Tänze entzog sich die Dame unauffällig unseren Blicken und ward von uns nicht mehr gesehen. Wohl aber wurden wir von Gebers Schweizern zu ihm gebracht und in dem von ihr befohlenen Rang schriftlich bestätigt. Dann begaben wir uns, zum Hafen Mateotechne herniedersteigend, auf unsere Schiffe, da man uns Heckwind angesagt hatte, der, wenn wir ihn jetzt ausschlügen, kaum binnen drei Mondvierteln wieder zu haben sein werde.

26. KAPITEL

Wie wir auf der Wegerich-Insel landeten, wo die Wege wandern

Nach zwei Tagen Seefahrt zeigte sich unseren Blicken die Wegerich-Insel, auf der wir merkwürdige Dinge erlebten. Die Wege sind da lebendige Wesen, sofern der Satz von Aristoteles richtig ist, der besagt, unwiderleglicher Beweis für etwas Lebendiges sei, daß es sich selbsttätig bewege. Denn die Wege wandern da wie Tiere, und sind ihrer einige Wandelwege wie die Planeten, andere Durchgangswege, Kreuzwege, Querwege. Und ich erlebte, wie häufig Reisende die Landeseinwohner fragten: »Wo geht der Weg hin? Und *der* da?«

Man gab ihnen zur Antwort: »Südlich nach Faverolles... Zur Gemeinde... Zur Stadt... Zum Fluß hin...«

Überließen sie dann das Steuer dem einschlägigen Weg, so gelangten sie ohne irgendwelche Mühsal noch Beschwernis an den Bestimmungsort; wie ihr's ja auch bei denen seht, die sich von Lyon nach Avignon oder Arles einem Boot auf der Rhone anvertrauen. Aber da bekanntlich in allem ein Widerspruch und nichts allenthalben wohlbestellt ist, wurde uns auch hier gesagt, es gebe eine Art Leute, die sie Wegelagerer und Pflastertreter nannten. Vor denen fürchteten sich die armen Wege und blieben ihnen fern wie Räubern. Denn die lauerten ihnen im Vorübergehen auf wie den Wölfen mit dem Fanggarn und den Schnepfen mit dem Netz.

Ich sah einen, den die Gerichtsbehörde gefaßt hatte, weil er Pallas entgegen unredlicherweis den Schulweg eingeschlagen hatte: dies war der längste.

Ein anderer brüstete sich damit, daß er frischfröhlich den kürzesten erwischt habe, indem er sagte, das komme ihm insofern zustatten, als er mit seinem Vorhaben als der erste am Ziel sei. So sprach auch Carpalim zu Epistemon, da er ihn eines Tages mit seinem Pißpott im Arm eine Mauer bepissen sah, jetzt wundere ihn nicht mehr, daß er beim Aufstehen des guten Pantagruel immer als der erste bei der Hand sei, denn er mache es am kürzesten und unumwundensten ab.

Ich erkannte da den großen Heerweg von Bourges und sah ihn im Trappenschritt dahinziehen und beim Erscheinen etlicher Fuhrleute davonlaufen, weil die ihn mit den Hufen ihrer Rosse zu stampfen und ihm mit ihren Karren über den Bauch zu rollen drohten, so wie Tullia ihren Wagen über den Bauch ihres Vaters Servius Tullius, sechsten Königs der Römer, rollen ließ.

Ich erkannte da auch den grünen Fahrweg von Péronne nach Saint-Quentin, und dünkte er mich ein gar reputierlicher Weg.

Ich erkannte zwischen den Schrofen einherziehend den guten alten Weg von la Ferrière hinauf zum Mont Cenis, ein Geschöpf des Königs Artus, begleitet von einem großen Bären. Bei seinem Anblick fand ich ihn einem gemalten heiligen Hieronymus ähnlich, wäre sein Bär ein Löwe gewesen. Denn er war ganz zerknirscht, hatte einen langen schneeweißen und ungekämmten Bart (ihr hättet geradezu gemeint, es wären Eiszapfen), er trug ganze Litaneien zerzauster Latschen auf dem Buckel; er kroch gleichsam auf Knien, stand weder aufrecht noch lag er flach und schlug sich die Brust mit dicken Wackersteinen. Er flößte uns Furcht und zugleich Mitleid ein.

Während wir ihn anschauten, zog uns ein von da stammender Wanderscholar auf die Seite und sprach zu uns, indem er auf einen schön ebenen, ganz weißen und ein wenig mit Stroh gepolsterten Weg hindeutete: »Verschmäht von nun an nicht mehr die Anschauung des Thales von Milet, der das Wasser den Anfang aller Dinge nannte, noch auch Homers Ausspruch, in welchem er behauptet, alle Dinge entsprängen dem Meer. Dieser Weg, den ihr da seht, entstand aus Wasser und wird wieder zu Wasser werden: vor zwei Monaten noch fuhren hier die Kähne vorbei; zur Stunde fahren Wagen drüber hin.«

»Wahrhaftig«, sagte Pantagruel, »was Besonderes erzählt Ihr mir damit nicht. In unserer Welt erleben wir alljährlich dergleichen Verwandlungen, fünfhundert an der Zahl, wenn nicht mehr.«

Indem er sodann das Benehmen dieser Wanderwege betrachtete, sagte er zu uns, daß seiner Ansicht nach voreinst Philo, Aristarch und Seleucus auf dieser Insel philosophiert und die Anschauung vertreten hätten, in Wahrheit kreise die Erde um die Pole, dagegen nicht der Himmel, wiewohl wir das Gegenteil für wahr hielten, wie es uns ja auch, wenn wir auf dem Loirefluß dahintrieben, so scheine, als bewegten sich die Bäume; doch bewegen nicht sie sich, sondern wir uns durch die Fahrt des Kahns.

Als wir zu unseren Schiffen zurückkehrten, sahen wir, wie am Strand drei Wegelagerer aufs Rad geflochten wurden, die sie klammheimlich ertappt hatten, und wie bei kleinem Feuer ein ungeschlachter Kerl geröstet wurde, der einen Weg abgekloppt und ihm eine Rippe gebrochen hatte, und wurde uns gesagt, es sei das der Wachs- und Flutweg des Nil in Ägypten gewesen.

Auch wurde uns gesagt, daß Panigon in seinen letzten Lebensjahren sich in eine Einsiedelei auf dieser Insel zurückgezogen und da in großer Heiligkeit und echt katholischer Frömmigkeit sein Leben zugebracht habe, ohne fleischliches Gelüsten, ohne Leidenschaft, ohne Laster, in Unschuld, seinen Nächsten liebend wie sich selbst und Gott über alle Dinge; daher vollbrachte er auch eine Anzahl schöner Wunder.

Bei unserer Abfahrt von Wegerich sah ich das wunderherrliche Bild vom Knecht auf der Suche nach einem Herrn, das ehedem Charles Charmois aus Orléans gemalt.

27. KAPITEL

*Wie wir an der Insel der Kluten vorbeikamen, und vom
Orden der Brummelbrüder*

Darauf kamen wir an der Insel der Kluten vorbei, die nur
von Stockfischbrühe leben. Doch wurden wir da von Benius,
dem König der Insel, Dritten dieses Namens, freundlich
aufgenommen und bewirtet. Nachdem wir getrunken,
führte er uns ein jüngst entstandenes Kloster vor, das nach
seinem Plan und Entwurf für die Klosterbrüder errichtet
und gebaut war. Brummelbrüder nannte er seine Ordens-
männer, da auf dem Festland, wie er sagte, die kleinen
Armenbrüder, Diener und Freunde der holdseligen Jungfrau, wohnten, *item* die glorreichen und prächtigen Minder-
brüder, gemindert um einen Bullen-Halbton, ferner die
Bücklings-Mindestbrüder sowie die gestrichenen Baß-
Minimi, so daß er den Namen nicht weiter habe vermindern
können als in Brummelbrüder. Laut Statut und Stiftungs-
urkunde der Quint, die mit allen akkordiert, waren sie
durchweg wie Zündelbrüder gekleidet, außer daß sie, so wie
die Dachdecker im Anjou Lederfleckerl auf den Knien
tragen, viereckige Bauchranzen hatten, denn die Bauch-
ranzigen standen bei ihnen in hohem Ansehen.

Der Latz an ihren Hosen hatte die Form einer Zott, und
trug jeder deren zwei, den einen vorn, den andern am Hintern aufgenäht; und betonten sie mit dieser Zwielatzfaltig-
keit irgendwelche abgründigen und schaudervollen Mysterien, die so die geziemende Darstellung fanden. Sie trugen
napfrunde Schuhe nach dem Vorbild der Steinwüstenbe-

wohner. Im übrigen hatten sie Scherbärte und Leichdornhufe. Und um an den Tag zu legen, daß sie Fortunas nicht achteten, ließ er ihnen wie Schweinen den Hinterkopf vom Scheitel bis zu den Schulterblättern kahl schaben und rupfen; vorne dagegen wuchsen ihnen von der Zirbeldrüse an die Haare, wie sie wollten. Dergestalt nahmen sie Fortuna auf die Schippe als Leute, die sich um die Güter der Welt keinen Deut kümmern. Auch trumpften sie wider die wankelmütige Fortuna mit dem scharfen Rasiermesser auf, das sie nicht wie sie in der Hand, sondern wie ein Skapulier am Gürtel trugen und das sie dreimal des Nachts wetzten und schliffen.

Auf den Füßen trug jeder eine runde Kugel, weil von Fortuna gesagt wird, sie habe eine unter den Füßen. Der Zipfel ihrer Kapuzen war vorne festgezurrt, nicht hinten; auf diese Weise verbargen sie ihr Gesicht und spotteten frei Fortunas wie der Fortunajünger, just ebenso, wie's unsere Fräuleins machen, wenn sie ihr Scheueltüchlein vortun, zu dem ihr Nasenheber sagt (die Alten nannten's Schürzlein der Nächstenliebe, weil es bei ihnen das Offenbarwerden vieler Sünden verhehlt). Sie trugen auch stets den hinteren Teil des Kopfes bloß, so wie wir das Gesicht; und zwar darum, weil sie sich sowohl bäuchlings wie ärschlings fortbewegten, wie es ihnen gerade paßte. Wenn sie ärschlings gingen, hätte man meinen können, es sei das ihre natürliche Gangart, sowohl ihrer kreisrunden Schüsselschuhe wegen als auch ihres vorprellenden Hosenlatzes; außerdem aber auch, weil sie hinten ein glattes, roh gemaltes Gesicht hatten, mit zwei Augen und einem Mund, wie ihr's auf Kokosnüssen gemalt seht. Wenn sie bäuchlings gingen, hättet ihr meinen können, es wären Leute, die Blindekuh spielen. Es war eine Pracht, sie anzuschauen.

Ihre Lebensregel sah vor, daß sie beim Aufgehn des hellen Luzifer ob der Erde einander aus christlicher Nächstenliebe gegenseitig stiefelten und spornten. Dergestalt gestiefelt und gespornt, schliefen oder schnarchten sie zumindest, und im Schlaf hatten sie Brillen auf der Nase oder schlechtenfalls Kneiferringe.

Wir fanden dieses Benehmen recht sonderbar, doch stellten sie uns mit ihrer Antwort zufrieden, indem sie uns klarmachten, daß dereinst das Jüngste Gericht zu dem Zweck stattfinde, damit die Menschen endlich Ruhe und Schlummer fänden. Somit, um klar zu erweisen, daß sie nicht unwillig seien, vor den Richterstuhl zu treten, wie's bei den Seligen der Fall ist, trugen sie sich gestiefelt und gespornt und zum Aufsitzen bereit, wann die Drommete erschallen werde.

Beim Mittagsläuten (beachtet, daß bei ihnen die Glocken, die der Kirchturmuhr sowohl wie die im Refektorium, nach dem pontanischen Ausspruch gemacht waren, nämlich aus feingesteppten Daunen, und der Schwengel bestand aus einem Fuchsschwanz), beim Mittagsläuten also erwachten sie und zogen die Stiefel aus, pißten und misteten jeder nach freier Wahl, doch mußten alle notgedrungen und strenger Satzung gemäß lang und erbärmlich gähnen, und sie entnüchterten sich so mit Gähnen. Das Schauspiel kam mir lustig vor, denn nachdem sie die Stiefel und Sporen an einem Rechen aufgehängt, stiegen sie in den Klosterhof hinab, wuschen sich da umständlich Hände und Mund, setzten sich dann auf eine lange Bank und stocherten sich die Zähne, bis der Prior, auf den Fingern pfeifend, das Zeichen gab: dann riß ein jeglicher den Mund auf und gähnte, so lang er irgend konnte, manchmal eine halbe Stunde lang, manchmal mehr, manchmal weniger, je nachdem wie es der Prior der Festlichkeit des Tages entsprechend für angemessen hielt. Waren sie damit fertig, veranstalteten sie eine schöne Prozession, bei der sie zwei Banner trugen, auf deren einem das Abbild der Tugenden in leuchtenden Farben prangte, auf dem andern das Abbild Fortunas. Voran trug ein Brummler das Fortunabanner; ihm auf dem Fuße folgte der mit dem Tugendbanner, der außerdem einen in merkuriales Wasser – von Ovid, *5 Fast.*, beschrieben – eingetunkten Wedel trug, mit dem er unausgesetzt den voranschreitenden Fortunabrummler fuchtelte.

»Diese Reihenfolge«, sagte Panurge, »steht im Wider-

spruch zu dem Wort Ciceros und der Akademiker, wonach Tugend vorangehen, Fortuna folgen soll.«

Es wurde uns jedoch entgegengehalten, daß sie es so machen müßten, da ihnen befohlen sei, Fortuna zu fuchteln.

Während der Prozession brummelten sie melodisch irgendwelche Antiphonen durch die Zähne; ich konnte ihr Platt nicht verstehen und hätte, so ich es mit Verständnis angehört hätte, bemerken müssen, daß sie nur mit den

Ohren sangen. O wie harmonisch das klang und wie passend zum Klang ihrer Glocken! Nie hättet ihr sie aus dem Ton fallen hören.

Pantagruel machte über ihre Prozession eine treffende Glosse und sprach zu uns: »Habt ihr auch gesehen und bemerkt, wie feinsinnig diese Brummelbrüder sind? Um ihre Prozession abzuhalten, sind sie durch ein Tor der Kirche heraus-, aber durch das andere hineingegangen; sie haben sich wohl gehütet, da hineinzugehen, wo sie herausgekommen sind. Bei meiner Ehre: das sind feinsinnige Leute, goldfeine, sag ich, fein wie ein bleierner Degen, keine verfeinerten Feinen, sondern durch ein Haarsieb passierte Feinschleifer.«

»Diese Feinheit«, sagte Bruder Jan, »ist von einer okkulten Philosophie abgezogen, von der ich, zum Teufel, nicht das mindeste verstehe.«

»Um so mehr«, sagte Pantagruel, »muß man vor ihr auf der Hut sein, gerade weil man sie nicht im mindesten versteht. Denn verstandene Feinheit, voraussehbare Feinheit, aufgedeckte Feinheit büßt mit der Feinheit Inhalt und Namen ein; wir nennen sie dann bloß noch Plumpheit. Bei meiner Ehre, die sind noch ganz anders gewitzt!«

Nachdem die Prozession, die als Lustwandel und heilsame Leibesübung diente, beendet war, begaben sie sich in ihr Refektorium und knieten unter den Tischen nieder, wobei jeder Brust und Magen auf eine Laterne lehnte. Indem sie so verharrten, kam ein großer Klute mit einer Forke in der Hand herein und durchbleute sie da mit der Forke: so daß sie ihre Mahlzeit mit Käs anfingen und mit Senf und Lattich beschlossen, wie es nach Martials Zeugnis bei den Alten Sitte war. Schließlich wurde jedem nach Tisch ein Tellerchen Senf gereicht.

Ihre Kost bestand in Folgendem: Sonntags aßen sie Blunzen, Geschwollene, Gehacktes, Geschnetzeltes, Wachteln, von der Käsvorspeise und dem Senfnachtisch abgesehen, die es immer gab. Montags dicke Erbsen mit Speck, reich kommentiert und mit Interlinearglossen versehen. Dienstags Weichbrot die Menge, Buchteln, Stuten, Zwieback. Mittwochs Bries: das sind schöne Hammel-, Kalbs- und Schwadderköpfe, die in dieser Gegend reichlich vorkommen. Donnerstags: siebenerlei Gemüse und immerzu Senf zwischendurch. Freitags: nichts als Spierlingsbeeren; dabei waren sie nicht einmal ganz reif, wie ich aus ihrer Farbe schließen konnte. Samstags benagten sie die Knochen. Trotzdem waren sie weder arm noch bresthaft, denn ein jeglicher kam auf seine Kosten.

So verhielt es sich mit ihrem Essen, wenn sie in Klausur waren. Gingen sie auf Befehl des Priors nach auswärts, war ihnen bei Androhung fürchterlicher Strafen verboten, Fisch anzurühren oder zu essen, wenn sie auf See oder auf Flüssen waren, und keinerlei Fleisch, wenn sie auf dem Festland waren, auf daß durch sie offenbar werde, daß nur bei ihnen das Objekt die potentielle Kraft und Begehrlichkeit so wenig errege, als beständen sie aus parischem Marmor.

Ihr Getränk war antifortunaler Wein; so nannten sie ich weiß nicht welches einheimische Gesöff. Wenn sie trinken oder essen wollten, klappten sie den Zipfel ihrer Kapuzen vorne herunter, und diente er ihnen als Seiberlatz.

War das Essen eingenommen, beteten sie gar innig zu Gott und durchweg mit Brummeln. Sonst befleißigten sie sich in Erwartung des Jüngsten Gerichts tagsüber werktätiger Liebe. Sonntags putzten sie sich gegenseitig herunter, montags versetzten sie sich Nasenstüber, dienstags zerkratzten sie sich, mittwochs verpetzten sie sich, donnerstags zogen sie sich die Würmer aus der Nase, freitags stichelten sie aufeinander, samstags rieben sie sich aneinander.

All das taten sie mit den einschlägigen und zutreffenden Antiphonen, wobei sie, wie gesagt, stets mit den Ohren sangen. Ging die Sonne im Ozean zur Rüste, stiefelten und spornten sie einander, wie oben gesagt, und legten sich mit Brillen auf der Nase zum Schlafen nieder. Mitternachts trat der Klute herein, und alles fuhr hoch; dann wetzten und schliffen sie ihre Rasiermesser und stülpten nach abgehaltener Prozession die Tische über sich und futterten, wie oben gesagt.

Als Bruder Jan von Hackemack diese lustigen Brummelbrüder sah und den Inhalt ihrer Ordensregel vernahm, geriet er ganz aus der Fassung und schrie laut auf, indem er sprach: »O über den dicken Kahlratz am Tisch! Ich stech ihn, und er vergilt mir, weiß Gott, mit gleicher Münze. O daß Priap nicht hier ist, wie seinerzeit bei dem nächtlichen Spuk Canidias und Saganas! Ich möchte erleben, wie er aus vollem Balg mit Fürzen und Kontrafürzen brummorgelte! Jetzt wird mir klar, daß wir hier am Gegenpol und Antipodex Germaniens sind; dort schleift man die Klöster und reißt die Mönche aus der Kutte; hier zäumt man sie hinterwärts und widerhaarig auf.«

28. KAPITEL

Wie Panurge, da er einen Brummelbruder ausfragte, nur einsilbige Antwort erhielt

Panurge hatte, seit wir hereingekommen waren, nichts anderes getan als das Gefries dieser königlichen Brummler tiefsinnig angestarrt. Schließlich zupfte er einen von ihnen, der mager war wie ein Hering, am Ärmel und fragte ihn: »Brummelbruder, Mümmler, Mümmelmann, wo ist die Dirn?«

Der Brummler antwortete ihm: »Drunt.«

P.: »Habt Ihr viele bei euch drin?«   Br.: »Kaum.«

P.: »Wie viele sind's denn genau?«   Br.: »Zweng.«

P.: »Wieviel möchtet Ihr denn haben?« Br.: »Schwung.«

P.: »Wo haltet Ihr sie versteckt?«   Br.: »Dort.«

P.: »Ich nehme an, daß nicht alle
gleichaltrig sind; aber wie
sind sie von Statur?«   Br.: »Strack.«

P.: »Die Hautfarbe, wie?«   Br.: »Milch.«

P.: »Die Haare?«   Br.: »Blond.«

P.: »Die Augen, wie?«   Br.: »Schwarz.«

P.: »Die Titten?«   Br.: »Rund.«

P.: »Das Frätzchen?«   Br.: »Nett.«

P.: »Die Augenbrauen?« Br.: »Flaum.«
P.: »Ihre Reize?« Br.: »Drall.«
P.: »Ihr Blick?« Br.: »Keck.«
P.: »Die Füße, wie?« Br.: »Platt.«
P.: »Die Fersen?« Br.: »Kurz.«
P.: »Das Untergestell, wie?« Br.: »Schön.«
P.: »Und die Arme?« Br.: »Lang.«
P.: »Was tragen sie an den Händen?« Br.: »Händsch.«
P.: »Die Ringe an den Fingern?« Br.: »Gold.«
P.: »Was nehmt Ihr, sie zu kleiden?« Br.: »Tuch.«
P.: »Wie ist das Tuch, mit dem Ihr
sie kleidet?« Br.: »Neu.«
P.: »Welche Farbe hat's?« Br.: »Schleh.«
P.: »Ihr Haubenzeug, welche?« Br.: »Blau.«
P.: »Ihre Strümpfe, welche Farb?« Br.: »Braun.«
P.: »All die genannten Stoffe, wie?« Br.: »Fein.«
P.: »Und wie steht's mit ihrem
Schuhwerk?« Br.: »Schuh.«
P.: »Aber wie sind sie bei ihnen leicht?« Br.: »Fies.«
P.: »So gehn sie also umher?« Br.: »Flink.«
P.: »Komm«, sagte Panurge, »gehn
wir in die Küche, in die Mägde-
küche, mein ich, und klamüsern
wir alles bedächtig auseinander.
Was ist in der Küche?« Br.: »Brand.«
P.: »Und was nehmt Ihr zum
Brennen?« Br.: »Holz.«
P.: »Das Holz da, wie ist's?« Br.: »Dürr.«
P.: »Von welchen Bäumen nehmt
Ihr's?« Br.: »Eib.«
P.: »Und das Kleinholz und Reisig?« Br.: »Erl.«
P.: »Was für Holz brennt Ihr in den
Stuben?« Br.: »Kien.«
P.: »Und von welchen Bäumen noch?« Br.: »Lind.«
P.: »Besagte Dirnen laß ich mir
gefallen.
Wie verköstigt Ihr sie?« Br.: »Gut.«
P.: »Was essen sie denn?« Br.: »Brot.«

P.: »Welcher Art?« Br.: »Schrot.«

P.: »Und was sonst?« Br.: »Fleisch.«

P.: »Fleisch, wie zubereitet?« Br.: »Gar.«

P.: »Essen sie gar keine Suppen?« Br.: »Nie.«

P.: »Und Backwerk?« Br.: »Wohl.«

P.: »Das ist recht! Essen sie keinen
Fisch?« Br.: »Doch.«

P.: »Wie setzt Ihr ihnen den vor?« Br.: »Kalt.«

P.: »Und was noch?« Br.: »Ei.«

P.: »Und wie?« Br.: »Kocht.«

P.: »Ich frage, wie gekocht?« Br.: »Hart.«

P.: »Ist das ihr ganzes Essen?« Br.: »Nein.«

P.: »Wie? Was bekommen sie denn
sonst noch?« Br.: »Rind.«

P.: »Und außerdem?« Br.: »Schwein.«

P.: »Sonst noch etwas?« Br.: »Gans.«

P.: »Weiter?« Br.: »Ant.«

P.: »Item?« Br.: »Hendl.«

P.: »Und was haben sie als Soße?« Br.: »Salz.«

P.: »Und die Genäschigeren?« Br.: »Senf.«

P.: »Was gibt's als Nachtisch?« Br.: »Reis.«

P.: »Und was noch?« Br.: »Milch.«

P.: »Und außerdem?« Br.: »Ärz.«

P.: »Was für Erbsen meint Ihr?« Br.: »Schäl.«

P.: »Was tut Ihr hinein?« Br.: »Speck.«

P.: »Und wie steht's mit dem Obst?« Br.: »Gut.«

P.: »Was gibt's denn?« Br.: »Birn.«

P.: »Was noch?« Br.: »Nüß.«

P.: »Wie aber trinken sie?« Br.: »Ex.«

P.: »Was?« Br.: »Wein.«

P.: »Wie sieht er aus?« Br.: »Weiß.«

P.: »Im Winter?« Br.: »Schier.«

P.: »Im Frühjahr?« Br.: »Gach.«

P.: »Im Sommer?« Br.: »Kühl.«

P.: »Im Herbst und zur Weinlese?« Br.: »Süß.«

»Potz Kuttenschlampe«, rief Bruder Jan, »wie diese
Brummeldirnen fett sein und wie scharf sie traben müssen,
da sie so gut und ausgiebig futtern.«

»Wartet«, sagte Panurge, »bis ich fertig bin. Wie spät ist es, wenn sie zu Bett gehen?« – Br.: »Nacht.«

»Und wann stehn sie auf?« – Br.: »Früh.«

»Wahrlich«, sagte Panurge, »das ist der reizendste Brummer, der mir dieses Jahr untergekommen ist. Gefiele es doch Gott und dem gottseligen heiligen Brummbär samt der hochseligen heiligen Brummelmadonna, daß er Ober-

präsident von Paris wär! Gottsdunner, was für einen Fallbereiniger, Prozeßabkürzer, Zankschlichter, Taschenpflükker, Aktenblätterer, Dokumentenverschleißer gäb er ab! Laßt uns jetzt«, sagte Panurge, »auf die anderen Leibgedinge kommen und sie in Muße und Gemütsruhe abhandeln. Sagt uns aus brüderlicher Liebe: wie sieht der Einlaßschein aus?« – Brummelbruder: »Pfunds.«

P.: »Am Zutritt?« Br.: »Klamm.«

P.: »Im Innern?« Br.: »Hohl.«

P.: »Ich meinte, wie ist's drinnen?« Br.: »Heiß.«

P.: »Was gibt's am Rand?« Br.: »Pelz.«

P.: »Wie sieht er aus?« Br.: »Rot.«

P.: »Und bei den Älteren?« Br.: »Grau.«

P.: »Ihr Zappeln, wie ist's.« Br.: »Stracks.«

P.: »Das Mahlen der Hinterbacken?« Br.: »Stramm.«

P.: »Sind alle schlingerig?« Br.: »Mords.«

P.: »Eure Werkzeuge, wie sind die?« Br.: »Lang.«

P.: »Am Randfutter, wie sind sie?« Br.: »Steif.«

P.: »Und an der Spitze, wie gefärbt?« Br.: »Falb.«

P.: »Wenn sie ihr Werk verrichtet, wie sind sie?« Br.: »Schlapp.«

P.: »Die Zeugungsartikel, wie sind sie?« Br.: »Schwer.«

P.: »Wie eingesackt?« Br.: »Prall.«

P.: »Wie werden sie hinterher?« Br.: »Matt.«

P.: »Wohlan, bei dem Gelübde, das Ihr abgelegt: wenn Ihr sie beschlafen wollt, wie stoßt Ihr sie hin?« Br.: »Dal.«

P.: »Was sagen sie beim Pimpern?« Br.: »Nix.«

P.: »Bescheren Euch lediglich Genuß und denken im übrigen ans fröhliche Spiel?« Br.: »Just.«

P.: »Machen sie Euch auch Kinder?« Br.: »Keins.«

P.: »Wie schlaft Ihr zusammen?« Br.: »Nackt.«

P.: »Bei dem besagten Gelübde: wie viele Male macht Ihr's, rund gerechnet, gewöhnlich am Tag?« Br.: »Sechs.«

P.: »Und des Nachts?« Br.: »Zehn.«

P.: »Krieg die Kränke! Der Protz möchte über sechzehn nicht hinausgehen: er ist geschämig. Würdest du wohl auch so viele Nummern hinlegen, Bruder Jan? Er ist, bei Gott, grüngrindig.

Machen's die andern auch so?« Br.: »All.«

P.: »Wer ist von allen der tüchtigste?« Br.: »Ich.«

P.: »Geht Euch dabei nie was fehl?« Br.: »Nix.«

P.: »Da steht mir doch der Verstand still. Wenn Ihr am vorhergehenden Tag die Samengefäße so ausgeleert und erschöpft habt, kann da am nächsten noch so viel übrig sein?« Br.: »Mehr.«

P.: »Sie besitzen – oder ich will kein Christ sein – das von Theophrast so gerühmte indische Kraut. Aber wenn Ihr nach Fug und Recht oder anderswie verhindert seid: wirkt sich das vermindernd auf die Zahl aus, und wie fühlt Ihr Euch dabei?« Br.: »Schlecht.«

P.: »Und was machen in einem solchen Fall die Dirnen?« Br.: »Krach.«

P.: »Was gebt Ihr ihnen dann?« Br.: »Wichs.«

P.: »Und wenn Ihr nun einen Tag aussetzen würdet?« Br.: »Faul.«

P.: »Was machen sie da wohl?« Br.: »Stunk.«

P.: »Wie sagst du?« Br.: »Fürz.«

P.: »Die klingen wie?« Br.: »Dumpf.«

P.: »Wie züchtigt Ihr sie?« Br.: »Derb.«

P.: »Und treibt was heraus?« Br.: »Blut.«

P.: »Indem Ihr ihnen das Fell gerbt?« Br.: »Färbt.«

P.: »Angemalt wär's nicht so ...« Br.: »Blank.«

P.: »So sind sie vor Euch immer ...« Br.: »Bang.«

P.: »Und sagen zu Euch im stillen?« Br.: »Sankt.«

P.: »Bei besagtem Holzgelübde: in welcher Jahreszeit geht's Euch am lockersten ab?« Br.: »Mahd.«

P.: »Und wann am stürmischsten?« Br.: »März.«

P.: »Und wie geht's im übrigen Jahr?« Br.: »Flott.«

Da sagte Panurge lächelnd zu uns: »Das ist der wortkargste Brummer, den's gibt. Habt ihr gehört, wie resolut, summarisch und gedrängt er in seinen Antworten ist? Er gibt nur Einsilbiges von sich; ich glaube, der machte aus einer Kirsche noch drei Schnitzen.«

»Sapperdibix«, sagte Bruder Jan, »mein Freund, auf die Art spricht er auch nicht mit seinen Dirnen, denn da rutschen ihm so manche Silben heraus. Ihr sprecht von den drei Schnitzen einer Kirsche? Beim heiligen Bums, ich möchte wetten, daß er aus einer Hammelschulter nur zwei Happen und aus einer Pinte Wein nur einen Schluck macht. Seht nur, wie beschissen er dreinschaut!«

»Dieses widerwärtige Mönchsgelichter«, sagte Episte-mon, »ist immer scharf hinter der Leibzehr her und will uns dann weismachen, es hätte auf Erden nur das nackte Leben. Was zum Teufel haben die Könige und hohen Herren denn mehr? Meiner Treu, mich verdrießt der Aufenthalt hier gar sehr!«

»Folge jeder«, sagte Panurge, »seiner Neigung. Aber sollt ich einmal nach Wunsch verheiratet sein, werd ich eine ganz neue Möncherei aufmachen, nicht von Kuttenvögeln, sondern von Vögelkutten: die werd ich zu Laien- oder besser zu Maienbrüdern heranpäppeln. Die sollen nicht so rasch draufgehen wie die tüchtigen Brummelbrüder da-hier.«

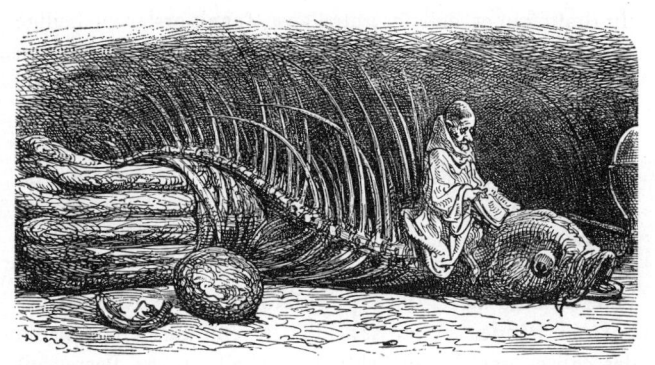

29. KAPITEL

Wie die Fastenregel Epistemon verdrießt

»Habt ihr«, sagte Epistemon, »bemerkt, wie dieser ver-
ruchte Lotterbube von einem Brummler uns März als König
der Zicken angeführt hat?«

»Jawohl«, erwiderte Pantagruel; »dabei fällt er doch stets
in die Fastenzeit, die zur Marter des Fleisches, zur Abtötung
der sinnlichen Begierden und Bekehrung der venerischen
Furien eingesetzt ward.«

»Hieran«, sagte Epistemon, »könnt ihr sehen, wo jener
Papst seinen Kopf hatte, der sie als erster einführte, indem
dieser gemeine Brummelköter bekennt, daß er nie so viel
Schmand auf der Peitsche hat wie just in der Fastenzeit, was
auch mit einleuchtenden Gründen alle guten und kundigen
Ärzte belegen, indem sie betonen, daß im gesamten Ablauf
des Jahres keine so zur Schlüpfrigkeit aufreizende Kost ge-
nossen wird wie eben in dieser Zeit: Böhnchen, Erbsen,
Schoten, Kichererbsen, Zwiebeln, Nüsse, Austern, Heringe,
Marinaden, Fischsuppe, Salate, alle mit aphrodisischen
Kräutern angemacht wie Rauke, Nasturtium, Estragon,
Kresse, Pimpernell, Rapunzel, Sauerampfer, Hopfen, Fei-
gen, Reis, Rosinen.«

»Erst recht erstaunt«, sagte Pantagruel, »wäret Ihr, wenn

Ihr drauf kämet, daß der gute Papst, der als erster die heilige Fasten eingeführt, da er sie in eine Jahreszeit verlegte, wann die natürliche Hitze aus dem Zentrum des Körpers, wo sie sich während Frost und Winter verhalten, wieder hervorgeht und sich dem gesamten Umfang der Glieder mitteilt wie der Saft der Rinde der Bäume, seine Fastenregel, von der Ihr gesprochen, zu dem Zweck entworfen hätte, um die Vermehrung des menschlichen Geschlechts zu fördern. Was mich drauf bringt, ist die Tatsache, daß im Kirchenbuch von Thouars die Zahl der im Oktober und November geborenen Kinder größer ist als in den zehn übrigen Monaten des Jahres, welche zurückberechnet alle in der Fastenzeit gemacht, empfangen und gezeugt worden sind.«

»Ich«, sagte Bruder Jan von Hackemack, »hör mir diese Erklärung an und finde sie nicht wenig lustig. Doch schrieb der Pfarrer von Jonvert selig dieses ausgiebige Dickwerden der Weiber nicht der Fastenspeise zu, sondern den kleinen buckelnden Bettelmönchen, den ausgepichten Bußpredigerlein, den speckigen Beichtabnehmerlein, die während dieser Zeit ihrer Herrschaft die kolligen Ehemänner bis in den Boden hinein, drei Klafter tief unter Luzifers Klauen, verdonnern. Insofern die Ehemänner vor entsetzlicher Angst da nicht mehr ihre Dienstboten bürsten, sondern sich an ihre Frauen halten. Ich habe gesprochen.«

»Deutet«, sagte Epistemon, »die Einrichtung der Fasten, wie es euch beliebt; jeder hat auf seine Art vollauf recht; aber ihrer Aufhebung, die ich für bevorstehend halte, werden sich – das weiß ich, denn ich hab es gehört – alle Ärzte widersetzen. Denn ohne die Fastenzeit käme ihre Kunst in Mißkredit, verdienten sie nichts mehr, wäre kein Mensch mehr krank. In der Fastenzeit grassieren die Krankheiten; sie ist die leibhaftige Pflanzschule, der Mutterboden und die Hortverwalterin aller Gebresten. Denkt nur daran, daß die Fasten nebst dem Körper, den sie verrotten läßt, auch die Seelen hitzig entflammt. Teufel werden da betriebsam, Mucker tun sich allenthalben hervor, Gugelmänner haben da ihre großen Tage, öffentlichen Auftritte, Sitzungen, Stehkonvente, Ablässe, Synteresen, Beichten, Kasteiungen,

Bannflüche. Ich will hiermit jedoch nicht sagen, daß die Arimaspianer in diesem Punkt bessere Menschen sind als wir, sondern ich spreche zur Sache.«

»Sassa«, sagte Panurge, »brummvögelnder Wicht, was meinst du zu dem da? Ist er nicht ein Ketzer?« – Brummler: »Arg.«

P.: »Sollte er nicht verbrannt werden?«	Br.: »Soll.«
P.: »Und sobald es irgend geht?«	Br.: »Woll.«
P.: »Nicht erst, wenn er ganz ausgekocht ist?«	Br.: »Nicht.«
P.: »Auf welche Art also?«	Br.: »Gleich.«
P.: »So daß er am Ende was ist?«	Br.: »Tot.«
P.: »Denn er hat Euch gar zu sehr geärgert.«	Br.: »Hach.«
P.: »Wie kommt er Euch vor?«	Br.: »Toll.«
P.: »Über die Maßen toll?«	Br.: »Mehr.«
P.: »Was sollte er Eurer Meinung nach sein?«	Br.: »Asch.«
P.: Man hat deren andere verbrannt?«	Br.: »Viel.«
P.: »Die Ketzer waren?«	Br.: »Äweng.«
P.: »Wird man noch mehr verbrennen?«	Br.: »Meng.«
P.: »Werdet Ihr sie loskaufen?«	Br.: »Neng.«
P.: »Sollte man demnach alle verbrennen?«	Br.: »Soll.«

»Ich weiß nicht«, sagte Epistemon, »welchen Spaß Ihr daran findet, mit diesem übeln Kuttenlump zu diskutieren, aber ich sag Euch, wäret Ihr mir nicht von einer anderen Seite bekannt, würdet Ihr in meiner Meinung von Euch einen wenig rühmlichen Eindruck hinterlassen.«

»Geh zu, was gilt's«, sagte Panurge, »ich brächte ihn weiß Gott gern zu Gargantua, so eine närrische Freude hab ich an ihm. Wär ich verheiratet, würd ich ihn meiner Frau als Schäl halten.«

»Wenn nicht als Be-schäler«, sagte Epistemon, »nach dem Gesetz der Silbentrennung.«

»Jetzt hast du wieder mal dein Fett«, sagte lachend Bruder Jan, »armer Panurge! Du kommst nie aus, ohne daß man dich bis in den Arsch als Hahnrei erkennt.«

30. KAPITEL

Wie wir das Seidenschein-Land besuchten

Froh, daß wir die neue Lehre der Brummelbrüder in Augenschein genommen, segelten wir zwei Tage lang. Am dritten gewahrte unser Steuermann eine schöne Insel, wonniger als alle früheren, und nannte sie Fries-Insel, denn die Wege bestanden da aus Fries. Auf ihr lag das Seidenschein-Land, das bei den Hofpagen so hohes Ansehen genießt, in welchem die Bäume noch zu keiner Zeit weder Blüten noch Laub verloren und aus Sammet und Damast gebildet sind. Die Tiere und Vögel waren mit Seidenfäden eingestickt.

Dort sahen wir eine Anzahl Tiere, Vögel und Bäume, wie wir sie in gleicher Gestalt, Größe, Breite und Farbe auch bei uns haben, nur daß sie hier nichts fraßen, auch nicht sangen; sie bissen denn auch nicht, wie sie's bei uns tun.

Etliche auch sahen wir darunter, die uns noch nicht vor Augen gekommen waren. Unter anderen sahen wir da mehrere Elefanten von unterschiedlicher Farbe; insonderheit erkannte ich da die sechs Bullen und sechs Weibchen, die von ihrem Zuchtmeister zur Zeit des Germanicus, Neffen des Kaisers Tiberius, in Rom im Theater vorgeführt worden waren: gelehrige, musikalische, tanzende, pavanierende, plattelnde Elefanten, die sich auch zu Tisch setzten und stillschweigend tranken und aßen wie behäbige Patres in ihrem Refektorium. Sie haben eine zwei Ellen lange Schnauze, die wir *Proboscis* nennen; mit der schläuchen sie Trinkwasser, picken sie Palmkerne und Äpfel oder sonst allerlei Futter auf, verteidigen sie sich auch und schlagen mit ihr wie mit einer Hand, schleudern mit ihr beim Kampf die Leute hoch in die Luft und lassen sie beim Sturz vor Lachen platzen. Sie haben sehr schöne und große Ohren, die wie eine Getreideschwinge gebildet sind. Sie haben Gelenke an den Beinen und Zehenglieder; diejenigen, die das Gegenteil schreiben, haben sie immer nur auf Bildern gesehen. Unter ihren Zähnen sind zwei große Hörner: so nannte Juba sie, auch Pausanias sagte, es seien Hörner, nicht Zähne, während Philostrat sie als Zähne, nicht als Hörner ansieht (was mir ganz gleich ist, sofern ihr nur begreift, daß dies hier das echte Elfenbein ist); sie sind drei bis vier Ellen lang und befinden sich im Ober-, nicht im Unterkiefer. So ihr denen glaubt, die das Gegenteil behaupten, seid ihr gründlich auf dem Holzweg, wär's auch Aelian, der Erzlügner. Nirgendwo anders als hier hatte Plinius sie bei Schellengerassel auf Spannseilen und Trampolinen tanzen, sie auch auf dem Gipfel des Zechgelages über die Tische trippeln sehen, ohne daß sie die zechenden Zecher irgend versehrten.

Ich sah da auch ein Rhinozeros, das in jedem Zug dem glich, das Heinrich Kleberg mir einst gezeigt hatte, kaum verschieden auch von dem Eber, den ich vordem in Legugé gesehen, außer daß es auf dem Gefräß ein ellenlanges und zugespitztes Horn hatte, mit dem es sogar einen Elefanten zum Kampf zu stellen wagte und ihn, wenn es ihm damit von unten in den Bauch (die zarteste und schwächste Körperpartie des Elefanten) stieß, tot zur Strecke brachte.

Ich sah auch zweiunddreißig Einhörner. Es ist das ein

gar grimmiges Tier, das ganz wie ein Lavedaner Pferd aussieht, nur daß es den Kopf eines Hirsches, Füße wie ein Elefant, den Schwanz eines Keilers hat und daß ihm auf der Stirn ein spitzes, schwarzes und sechs bis sieben Fuß langes Horn wächst, das gewöhnlich herabhängt wie der Kamm eines Truthahns; sobald es jedoch kampflustig ist oder sich sonstwie damit helfen will, reckt es dasselbe starr und bolzengerade auf. Eines davon sah ich in Gesellschaft verschieden gearteter wilder Tiere mit seinem Horn eine Quelle säubern. Da sagte Panurge zu mir, sein Schwengel habe Ähnlichkeit mit einem Einhorn, wenn auch nicht im Sprachsinne, so doch nach Fähigkeit und Eigenschaft; denn so wie es das Wasser der Teiche und Quellen, wofern Schmutz oder Gift darin enthalten sei, reinige und diese vielerlei Tiere unbesorgt nach ihm trinken könnten, ebenso könne man nach ihm unbekümmert balzen, ohne sich Schanker, Tripper, Pißbrand, Leistenbeulen und dergleichen kleine Kümmernisse aufzuhalsen, denn sei das mephitische Loch irgendwie verseucht oder infiziert, so schabe er es mit seinem nervigen Horn gründlich sauber.

»Wenn Ihr erst verheiratet sein werdet«, sagte Bruder Jan, »wollen wir die Probe darauf bei Eurer Frau machen. Gott zuliebe soll's geschehen, da Ihr uns darüber ein so heilsames Licht aufgesteckt habt.«

»Wohlan«, sagte Panurge, »und gleich darauf in den Magen die treffliche Himmelfahrtspille, zusammengesetzt aus zweiundzwanzig auf Cäsar gezückten Dolchstößen.«

»Besser munden«, sagte Bruder Jan, »würde mir ein Becher guten kühlen Weins.«

Ich sah da auch das von Jason erbeutete Goldene Vlies. Die behauptet haben, es sei kein Vlies, sondern ein goldener Apfel gewesen, weil μῆλον sowohl Apfel wie Lamm heißt, haben sich im Seidenschein-Land nur flüchtig umgesehen.

Ich sah da auch ein Chamäleon, wie es Aristoteles beschrieben hat und wie es mir gelegentlich Charles Marais, der bedeutende Arzt in der edlen Stadt Lyon am Rhonestrom, gezeigt hatte, und lebte ebenso von der Luft wie das andere.

Ich sah da auch drei Hydren, genau von der Art, wie ich sie früher anderwärts gesehen hatte. Es sind das Schlangen, von denen jede sieben verschiedene Köpfe hat.

Ich sah da auch vierzehn Phönixvögel. Bei mehreren Autoren hatte ich gelesen, es gebe auf Erden für jedes Zeitalter immer nur einen. Jedoch meiner bescheidenen Auffassung nach haben die Leute, die das schrieben, außer im Tapetenland nie eins gesehen, wär's auch der Firmianer Laktanz.

Ich sah da die Haut des Goldenen Esels von Apulejus.

Ich sah da dreihundertundneun Pelikane, sechstausendundsechzehn seleukidische Vögel, die in Reih und Glied marschierten und die Heuschrecken in den Kornfeldern verschlangen; ich sah Cynamolgen, Argathilen, Caprimulgen, Tinnunculen, Kotonotare – was sag ich? –, Onokrotalen mit ihren großen Kröpfen, Stymphaliden, Harpyien, Panther, Werwölfe, Onozentauren, Tiger, Leoparden, Hyänen, Giraffen, ägyptische Einhörner, Gazellen, Antilopen, Kynocephalen, Satyrn, Likornen, Taranden, Auerochsen, Ure, Büffel, Orophagen, Meerkatzen, Neaden, Maulaffen, Cercopicteren, Bisons, Musimonen, Buluren, Ophiren, Vampire, Greife.

Ich sah da auch eine Remora, einen von den Griechen *echeneis* genannten kleinen Fisch, in der Nähe eines großen Schiffes, das sich nicht fortbewegte, obwohl es auf hoher See fuhr und alle Segel gehißt hatte. Meiner Überzeugung nach war dies das Schiff Perianders, des Tyrannen, das ein so kleiner Fisch dem Wind zum Trotz aufhielt; in diesem Seidenschein-Land hatte es auch Mutianus erblickt. Bruder Jan erzählte uns, wie einst durch Parlamentsbeschluß zwei Arten von Fischen sich in das Regiment geteilt und alle Rechtheischenden, Adelige und Bürgerliche, Arme und Reiche, Große und Kleine, am Leib hätten verrotten und in der Seele rasend werden lassen. Und zwar seien die einen die Aprilfische gewesen: das sind die Makrelen oder Kummelfische; die anderen sind eben die giftspeienden Remoren: das heißt unendliche Verschleppung des Verfahrens ohne abschließendes Urteil.

Ich sah da auch Sphinxe, Schakale, Luchse, Cephen, deren Füße vorne Menschenhänden, hinten Menschenfüßen gleichen; ferner Tromiten, Dalen, die groß wie Flußpferde sind, Schwänze wie Elefanten und Kinnbacken wie Eber haben und deren Hörner beweglich sind wie Eselsohren; Lancerculen, ganz leichtgebaute Tiere, von der Größe eines mirebalesischen Esels, die Hals, Schwanz und Brust eines Löwen haben, Beine wie ein Hirsch, das Maul bis zu den Ohren klaffend mit nur einem Ober- und einem Unterzahn darin; sie sprechen mit menschlicher Stimme, doch im Augenblick gaben sie keinen Laut von sich. Ihr sagt, man habe noch nie ein Würgernest zu Gesicht bekommen; nun, ich sah dort deren elf und habe sie mir gut gemerkt.

Ich sah da auch milchträchtige Krebse, und waren diese sehr schmackhaft.

Ich sah auch linkshändige Halbarden; die hatte ich sonstwo nie gesehen.

Ich sah dort Mantikoren, höchst wunderliche Tiere: sie hatten einen Löwenkörper, rotes Fell, ein Menschengesicht, drei Reihen Zähne, die sich verschränkten, wie wenn ihr die Finger beider Hände faltet. Am Schwanz hatten sie einen Stachel, mit dem sie wie die Skorpione stachen, und haben dabei eine sehr wohllautende Stimme.

Ich sah dort Katoblepen, grimmig wilde Tiere, kleingebaut, mit unverhältnismäßig großem Kopf; kaum daß sie ihn vom Boden aufheben können; sie haben dermaßen giftige Augen, daß jeder, der sie ansieht, stirbt wie beim Anblick eines Basilisken.

Ich sah da auch Tiere mit zwei Rücken, die mich über die Maßen erheiterten und üppiger mit dem Steiß wippten als die Bachstelzen, so bibberten sie immerfort mit ihren Kruppen.

31. KAPITEL

*Wie wir im Seidenschein-Land Hörensagen Zeugnis-Schule
abhalten sahen*

Als wir in dieses Tapetenland ein wenig tiefer eindrangen,
sahen wir das Mittelländische Meer geöffnet und bis in die
Tiefen aufgetan vor uns liegen, genauso wie im Arabischen
Golf das Erythräische Meer beim Auszug der Kinder Israel
sichtbar ward.

Da erkannte ich den auf seinem ungefügen Muschelhorn
blasenden Triton, Glaucus, Proteus, Nereus und tausend
andere Meeresgötter und -ungeheuer. Auch sahen wir eine
Unzahl Fische der verschiedensten Art tanzen, schweben,
schwänzeln, kämpfen, segeln, schnappen, balzen, jagen,
scharmützeln, auflauern, sich vertragen, feilschen, spielen,
ihre Lust haben.

In einer Ecke da ganz in der Nähe sahen wir Aristoteles,
der eine Laterne in ähnlicher Haltung schwang, wie der
Einsiedler beim Flußübergang des heiligen Christophorus
gemalt wird, und der spähend und beobachtend alles schriftlich niederlegte. Hinter ihm standen wie Geschworene
mehrere andere Philosophen: Appianus, Heliodor, Athenäus, Porphyrius Dorianus, Pancrates Arcadiensis, Numenius, Archippus, Seleucus, Nymphodorus, Aelianus, Oppianus, Matranus; fünfhundert andere Leute schauten müßig
zu, darunter Chrysippus und Aristarchus von Sole, der
achtundfünfzig Jahre lang bei der Beobachtung des Bienen-
staats verweilte, ohne sonst etwas zu tun. Unter diesen bemerkte ich auch Pierre Gilles, der, ein Uringlas in der Hand,
tiefsinnig den Urin dieser schönen Fische beschaute.

Pantagruel, nachdem er dieses Seidenschein-Land lange betrachtet hatte, sagte: »Ich habe hier sattsam meine Augen geweidet, doch fühle ich mich nicht die Spur gesättigter; vielmehr brüllt mir der Magen vor rasendem Hunger.«

»Futtern wir, futtern wir!« sagte ich. »Wie wär's mit den Anakampseroten, die ich da oben hängen sehe?«

»Pfui, damit ist mir nicht gedient!«

Da pflückte ich mir ein paar Myrobalänen, die an einem Tapetenendchen hingen; aber ich vermochte sie weder zu kauen noch zu schlingen, und da ich sie kostete, hätte ich wahrlich behauptet und beschworen, es wär aufgespulte Seide, und hatten sie keinerlei Geschmack. Man hätte meinen können, daß Heliogabal von hier – gleichsam als Bullenabschrift – seine Art die Leute zu bewirten bezogen hätte; denn nachdem er sie lange hatte fasten lassen und ihnen ein ausschweifendes, üppiges kaiserliches Festmahl am Schluß in Aussicht gestellt hatte, speiste er sie mit Gerichten aus Wachs, Marmor, gebranntem Ton, mit Stilleben und gegenständlich bemalten Laken.

Während wir so auf der Suche nach etwas Eßbarem das Land durchstreiften, vernahmen wir einen gellenden und vielstimmigen Lärm wie von Waschweibern am Laugefaß oder dem Kreischen der Bazacle-Mühle bei Toulouse.

Unverzüglich begaben wir uns an den Ort, von wo es herkam, und erblickten da ein greises, buckliges, mißgeschaffenes und scheußlich anzusehendes Männlein. Man nannte es Hörensagen. Es hatte einen Mund vom einen Ohr zum andern und im Rachen sieben Zungen, oder eine einzige siebenfach gespaltene Zunge. Wie dem auch sei: mit allen sieben Zungen zugleich hielt es verschiedene Reden in verschiedenen Sprachen. Auch hatte es am Kopf sowie am ganzen übrigen Körper so viele Ohren, wie vormals Argus Augen hatte; dabei war es blind und beinlahm.

Um den Redner versammelt sah ich eine unglaubliche Zahl aufmerksam zuhörender Männer und Frauen und erkannte einige in der Schar, die gute Miene machten. Er hielt gerade eine Weltkarte in der Hand und erklärte sie ihnen in Bausch und Bogen mit kleinen Sprüchlein; dadurch wurden sie binnen kurzer Zeit gelehrt und sprachen über ungemein heikle Dinge, die auszustudieren ein Menschenleben nicht ausreichen würde, leichthin und aus gutem Gedächtnis: so über die Pyramiden am Nil, über Babylon, über die Troglodyten, Himantopoden, Blemyen, Ganifasanten, Kannibalen, die hyperboräischen Gebirge, die Aegipane und was zum Teufel sonst noch, und alles vom Hörensagen.

Ich sah da, wenn mir recht ist, Herodot, Plinius, Solinus, Beros, Philostrat, Mela, Strabo und so manchen anderen antiken Schriftsteller; ferner Albertus, den großen Jakobiner, Pierre Testemoing, Papst Pius den Zweiten, Volteran, Paulus Jovius, den wackeren Mann, Cadacuist, Tevault, Jacques Cartier, Haïton, den Armenier, Marco Polo, den Venezianer, Ludovic Romain, Piedro Alvarez und ich weiß nicht wieviel andere; ferner hinter einem Wandteppich versteckt moderne Geschichtsschreiber, die da verstohlen die schönsten Geschichten aufschrieben, und alles vom Hörensagen.

Hinter einem mit einem Blattmuster bestickten Stück Sammet erblickte ich ganz dicht neben Hörensagen eine große Zahl blutjunger studiersamer Leutchen aus Perche und Maine; als wir sie fragten, welcher Fakultät sie ihr Studium widmeten, erfuhren wir, daß sie von Jugend an das Zeugesein lernten und in dieser Kunst so fortgeschritten seien, daß sie, von hier scheidend und in ihre Provinz heimgekehrt, vom Zeugnishandwerk anständig leben könnten, indem sie von allem, was tagtäglich gerade im Schwange ist, Zeugnis gäben – und alles vom Hörensagen. Haltet davon, was ihr wollt, doch steckten sie uns was aus ihren Schnappsäcken zu und ließen uns aus ihren Fäßchen geruhsam trinken. Dann gaben sie uns den wohlmeinenden Rat, wir sollten mit der Wahrheit so schonend wie möglich umgehen, wenn wir zu großen Herren an den Hof kommen wollten.

32. KAPITEL

Wie sich das Leuchterland ankündigte

Schlecht bewirtet und schlecht verköstigt, schieden wir vom Seidenschein-Land und segelten drei Tage lang; am vierten in der Frühe näherten wir uns dem Leuchterland.

Im Näherkommen sahen wir überm Meer gewisse schwebende Flämmchen. Was mich anging, so dachte ich, es seien Laternenfische, die mit ihrer flammenden Zunge die Meeresoberfläche in Brand setzten, oder auch das, was ihr Glühwürmchen nennt, die da leuchteten wie bei uns am Abend.

Indessen erklärte uns der Steuermann, es seien Späher-Laternen, die ringsum die Bannmeile auskundschafteten und auswärtigen Leuchterlingen, die sich da wie gute Franziskaner und Jakobiner zum Provinzialkapitel einstellten, das Geleite gäben. Da wir trotzdem Bedenken hatten, ob es nicht ein Sturmvorzeichen sei, versicherte er uns, es verhalte sich so, wie er sage.

33. KAPITEL

*Wie wir im Hafen der Lichnobier landeten und
in Leuchterland Einzug hielten*

Sodann fuhren wir gleich in den Hafen von Leuchterlingen
ein. Da erkannte Pantagruel auf einem hohen Turm die Laterne von La Rochelle, die uns große Helligkeit spendete.
Auch sahen wir die Laternen von Pharos, von Nauplia und
die der Pallas geweihte auf der Akropolis in Athen.

Nahe beim Hafen liegt ein kleines Dorf, dessen Bewohner, die Lychnobier, bei Lampenlicht leben, so wie bei uns
zu Lande die Nollenbrüder im Schein der Nonnenklöster,
achtbare und studiersame Leute. Demosthenes hatte da einst
seine Ölfunzel leuchten lassen. Von diesem Ort bis zum
Palast gaben uns Obeliskopharen das Geleite, Soldaten der
Hafenwache mit hohen Albanermützen, denen wir die
Gründe unserer Reise und den Zweck unseres Kommens
auseinandersetzten, indem wir nämlich von der Königin von
Leuchterland eine Laterne erbitten wollten, die uns auf unserer Fahrt zum Orakel der Flasche leuchten und leiten solle, was
zu tun sie uns auch gutwillig versprachen, indem sie bei-
fügten, wir seien grade zur rechten Zeit und bei guter Gelegenheit angekommen und hätten gut Laternen aussuchen,
da sie gerade ihr Provinzialkapitel abhalte.

Als wir zum Palast kamen, wurden wir von zwei Ehren-
laternen, nämlich der Aristophanes-Laterne und der Kle-
anthes-Laterne, der Königin vorgestellt, der Panurge in

laternischer Sprache die Gründe unserer Reise in Kürze darlegte. Und fanden bei ihr freundliche Aufnahme nebst der Aufforderung, ihrer Abendtafel beizuwohnen, damit uns die Wahl einer, die wir als Führerin haben wollten, leichter fiele, was uns überaus behagte; auch unterließen wir nicht, alles an ihr genau zu beachten und zu betrachten: ihre Gebärden sowohl wie ihre Kleidung und Haltung wie auch das Hofzeremoniell.

Die Königin war in einen Kristall gekleidet, der damas-

ziert und mittels schmelzflüssiger Bearbeitung gebändert und mit dicken Diamanten eingefaßt war. Die Laternen von Geblüt trugen teils Gewänder aus Straß, teils aus reichvergoldetem Stuck und aus phenengitischem Stein. Die übrigen waren in Horn, Papier und Wachsleinwand gekleidet, so auch die Stocklaternen, je nach Rang und Alter ihres Hauses. Nur eine bemerkte ich, die aus gebrannter Erde bestand wie ein Pott und auf gleicher Stufe mit den prächtigsten stand. Als ich darob erstaunte, wurde mir gesagt,

das sei die Laterne Epiktets, die man ehedem nicht für dreitausend Drachmen hergegeben hätte.

Ich betrachtete angelegentlich die hervorstechende Machart und Gewandung der Vielschnabel-Laterne Martials, mehr noch diejenige der einst von Canope, Tochter des Kritias, gestifteten zwanzigschnäbligen.

Ich entdeckte da die Hängelaterne, die einst im Apollotempel in Theben erbeutet und später von Alexander dem Eroberer in die äolische Stadt Kimä verbracht wurde.

Eine andere entdeckte ich, die sich mit einer Haube aus karmesinfarbener Seide hervortat, die sie auf dem Kopfe trug, und wurde mir gesagt, es sei Barthole, die Rechtsleuchte.

So fielen mir auch zwei andere auf, die sich durch Spritzen und Klistiere, die sie am Gürtel trugen, auszeichneten, und wurde mir gesagt, die eine sei das große, die andere das kleine Weisheitslicht der Apotheker.

Als es Zeit zur Abendtafel war, nahm die Königin den Vorsitz ein und dementsprechend die anderen, je nach Rang und Würdigkeit. Als Vorspeise wurden allen dicke gezogene Kerzen gereicht; nur der Königin wurde ein praller und steifer Loderlichtstock aus weißem, an der Spitze leicht gerötetem Wachs serviert; ebenso den Laternen-Prinzessinnen, mit Ausnahme der Provinzlaterne von Mirebalais, der eine Nußkerze gereicht ward, und der Provinzialin vom Unteren Poitou, der man, wie ich sah, eine mit Schildereien verzierte auftrug, und Gott mag wissen, was für ein Licht sie hinterher mit ihren Kräuseldochten verströmten.

Sehet hier auch ab von einem Häuflein junger Laternen, die unter der Fuchtel einer dicken Laterne standen. Da mußte ich an Matheline denken, die nicht wollte, daß man ihr mit Öl oder mit Unschlitt zu Leibe kam; sie leuchteten denn auch nicht wie die anderen, sondern gaben, wie mich dünkte, blinzelnden Schein.

33. KAPITEL *(bis)*

Wie die Laternendamen bei der Abendtafel gespeist wurden

Die Blasen, Bockshörner und Maultrommeln erschallten harmonisch, und wurden den Tischgästen die Gänge aufgetragen. Doch bevor der erste gereicht wurde, nahm die Königin anstelle jener so aromatischen, auf lateinisch *ante cibum* benannten Pille einen Löffel Furzin ein, um ihren Magen zu entfetten. Sodann wurden gereicht:

Hier folgt, was weggelassen und nicht in das vorliegende Buch aufgenommen wurde, enthalten in Buch 4, Panorgum ad nuptias.

Die vier Viertel des Hammels, der Helle und Phrixus über die Meerenge des Hellespont trug; die zwei Zicklein der berühmten Ziege Amalthea, Nährmutter Jupiters; die Kitzchen der Hirschkuh Egeria, Ratgeberin des Numa Pompilius; sieben Küken, ausgebrütet von der ehrenwerten kapitolinischen Gans, die mit ihrem Gesang den Tarpejischen Felsen zu Rom rettete; die Ferkel der Muttersau; das Kalb der Kuh Io, die Argus so schlecht bewachte; die Lunge des Fuchses, die Neptun und Vulkan gefeit hatten, wie

Julius Pollux *in Canibus* erzählt; der Schwan, in den Jupiter sich aus Liebe zu Leda verwandelte; der Apis-Stier aus Memphis in Ägypten, der sich von Germanicus Caesar nicht wollte füttern lassen, sowie die sechs von Cacus geraubten und von Herkules wiedergeholten Ochsen. Die zwei Rehkitz, die Corydon für Alexis aufzog; der erymantische, olympische und kaledonische Eber; die Hoden des von Pasiphae so geliebten Stierbullen; der Hirsch, in den Aktäon verwandelt ward, die Leber der Bärin Callisto.

Berzel, schmackhaft zubereitet,
Kaulquappen,
Weißlinge,
Hanepampen in Weinessig,
Lemmermäus,
Gründlinge,
Flausen in Brotteig,
Feine Kötli auf nasweise Art,
See-Ulken,
Hasenpastete, sehr fein,
Proschiß, Feinschmeckerart,
Kot-letten,
Primknusperli,
Latzknödel,
Hinrichse,
Flickerlinge,
Pintenellen,
gequälte Eierschlampen,
langstielige Knublonen,
Rausfeger,
Hornkürbis,
Hörndlarsch glasiert,
Gendarmarinaden,
Muddelkuddeln,
Dreigeschmeiß,
Schmutzfinken,
Mopsinaspik,
Lemmerdings,
Schmelzle,
Dachteln,
Pustelmusen,
Labbebopp,
Viecherein,
Trissoletten,
Mirapolitaner,
Krähschleck.

Als zweiter Gang wurden aufgetragen:
Holterdipolteretten,
Zwitterwurz,
leckere Schwartenhalspastete,
Ringeloden,
Hasenpfeffer,
Klatschkies,
Sankt Bullerjan,
Spinatwachteln,
Gaudischocken,
Märzbullkater,
Dausbickel,

Schimmeldiwog, seltenes
  Gericht,
Larifari di Levante,
Brimbiorioni di Ponente,
Knattrinchen,
Unsottilien,
Dünnpfiff,
Auer Sulz,
Riedeselschmalz,
Klötimbart,
Kokelores,
Flitterflusen,
Menkenken,
Laß-mi-in-Ruh,
Scher-dich-fort,
Gib's-ihm,
Brechdigräten,
Tingeltangel,
Klumpfies,
Backstelzen,
Mackerlots,
So-wahr-ich-leber,
Spargelstiebitzen,
Männertrostschnitten,
Pfizaufdibuxen,
Bilbabusen,
Meerassaffen,
Ichweraten,
Wassistas,
Klatschmohnkippen,
Meerschlecker,
Steckinarschen,
Hoppelaten,
Schweintopf mit extra
  starker Pißbrüh,
Filzragout,
Schellenasnas in Brotteig,
Ostersoleier,
Stafiladen,
Klabusterspätzle.

Als letzter Gang wurden serviert:
Drucksdrogen,
Sportelnimroden,
abgetropfte Nasenpopel,
Papperlapappen,
Frikassee auf Schuh-
Wischiwaschi, [sohlenart,
Schariwari,
Backerbsen,
Hugnottenmus,
Hoppelpoppel,
Schnee vom Vorjahr, der
  in Leuchterland im
  Überfluß vorhanden,
Spirbel,
Butenlaten,
Mirapolitaner,
Balzamoren, köstliche
  Früchte,
Marioletten,
Fickinellen,
Schandangerkräm,
Brummarsch,
Leckmiam,
Kümmelspalter,
Bettelmann,
Rübezehlen,
Abdihosen,
Pupenzieher,
Hahnenstich,
Baetismuscheln,
Knackmandeln,
Scherbeln.

Zum Nachtisch trugen sie eine mit blühenden Kotstrünken garnierte Platte Scheiße auf; das war eine Platte voll Wabenhonig, die mit einer Rüsche aus karmesinroter Seide bedeckt war.

Ihr Gesöff nahmen sie aus Schnabelkannen, schönen altehrwürdigen Gefäßen, zu sich; auch tranken sie nichts wie Elaiodes, ein nach meinem Geschmack recht übles Gebräu, doch gilt es in Leuchterland als ein göttlicher Saft, und sie berauschen sich daran wie sonst einer; ja, ich sah, wie eine alte zahnlose Laterne, die in Pergament gekleidet und Korporalin anderer jüngerer Laternen war, dem Buddelwart zurief: »*Lampades nostrae extinguntur!*« und von dem Getränk so trunken ward, daß sie auf dem Fleck Leben und Licht einbüßte. Und sie erzählten Pantagruel, daß in Leuchterland die illuminierten Laternen häufig so umkämen, auch in der Zeit, da die Königin kapituliere.

Nach dem Essen wurden die Tafeln aufgehoben, und während die Spielleute sich noch melodischer vernehmen ließen, eröffnete die Königin den Ball mit einem Zwiefältigen, den alle, Stöcke und Laternen, zusammen tanzten. Danach begab die Königin sich wieder auf ihren Platz, während die anderen zum göttlichen Klang der Zinken und Hörner auf so verschiedene Weise tanzten, wie ihr's im folgenden sehen könnt:

Nur zu, Martin,	Die Entree des Narren,
Das ist die schöne	Zur Weihnachtszeit,
Franciscane,	Die Feronnelle,
Auf der Stiegen zu Arras,	Der Gouvernal,
Bastienne,	An die Verstoßene,
Der bretonische Trihorry,	Foix,
Heli, bist doch ein schönes	Grünes Laub,
Kind,	Herzensprinzessin,
Die Sieben Gesichter,	Das Herz ist mein,
Die Gaillarde,	Das Herz ist gut,
Die Revergasse,	Lebenslust,
Die Goutte,	Chasteaubriant,
Von seinem Weib gefreit,	Frische Butter,

Die Gaye,
Male maridade,
Die Pamine,
Kathrin,
Sankt Rochus,
Sauxerre,
Nevers,
Picardie, du hübsches
  Land,
Die Doulourouze,
Ohne sie mag ich nicht,
Pfarrer, so kommt doch,
Ich bleib allein,
Die Biscayer Mousque,
Die Galliotte,
Holderblüh,
Bruder Pierre,
Fahr hin, mein Trauren,
Jede hohe Stadt,
Steckt nicht alles drein,
Lämmchens Klagelied,
Der Spanische Bail,
Ade zu sagen ist schwer,
Mein Schätzl ist Sergeant
  geworden,
Wart a bissel a Weil,
Ansehn eines räudigen
  Schäfleins,
Was ist geworden, Liebste,
Die Gnad erwartend,
Ich trau ihr fürder nicht,
Klagend in Tränen scheid
  ich,
Her da, Guillot,
Lieben tat mich gereuen,
Die Geduld des Mauren,
Die Seufzer des Füllens,
Weiß nicht warum,

Sie geht davon,
Die Ducate,
Von Sorge frei,
Die Kröten und die
  Kraniche,
Die Marquise,
Hab ich auch mein schöne
  Zeit verlorn,
Der Dornstrauch,
Das kränkt mich sehr,
Die Frisque,
Bin gar zu schwarzbraun
  ein Mädel,
Von meiner Trübsal,
Was ihr wißt,
Denkt ihr doch all, die
  Furcht,
Schöne, groß Unrecht,
Ich weiß nicht, warum,
Ah, was tatet ihr meinem
  Herzen an!
Hei! Gott, das Weib, das
  ich hab,
Mir kam die Zeit zu
  klagen,
Mein Herz wird immer
  lieben,
Wer gut ist, sieht mir
  gleich,
Cauldas,
Das ist mein Leid,
Dulcis amica,
Der Chault,
Die Burgen,
Die Giroflée,
Komm zu mir,
Beschwört den Preis,
Die Nacht,

Laßt sie uns, laßt,
Schwarz und gegerbt,
Die schöne Françoise,
All mein Gedanken,
O Hoffnung stets getreu,
Glück,
Die Allemande,
Die Gedanken meiner
  Herrin,
Jacqueline,
Das große Weh,
So ist mir leid,
Mein Herz wird einst,
Die Seignore,
Beauregard,
Perrichon,
Gefahr zum Trutz,
Groß Liebesleid,
Im Schatten eines Hains,
Der Schmerz, der mich im
  Herzen kränkt,
Er ist zur rechten Stund
  geborn,
Vom Schmerz des Reit-
  knechts,
Der Schmerz der Charte,
Der Große Allemand,
Dafür, daß ich meinem
  Schatz den Willen tat,
Die gelben Mäntel,
Der Most der Rebe,
Alles eins,
Cremona,
Die Mercière,
Die Trippière,
Meine Kinder,
Durch falschen Schein,
Die Valentinoise,

Mit Gott, ich geh,
Gute Regel,
Misonnet,
Pampelune,
Sie haben getrogen,
Meine Freud,
Meine Base,
Sie kehrt zurück,
Zur Hälfte,
Alles Gut,
Was euch gefallen mag,
Da ich in der Liebe un-
  selig bin,
Im Grünen,
Mehr als alle Farben,
Zur guten Stunde,
Jetzt ist zu lieben gut,
Meine holden Fluren,
Mein trautes Herz,
Guter Fuß, gutes Auge,
Auf, Schäferin, mein
  Schatz,
Die Tisserande,
Die Pavane,
Wie gut ist doch,
Der kleine Oweh,
Wenn ich wiederkehr,
Ich tu nicht mehr,
Arme Soldaten,
Der Faulcheron,
Es ist kein Spiel,
Breaulté,
Te grati, Königin Geduld,
Navarra,
Jac Bourdaing,
Rouhault der Starke,
Adel,
Grad andersherum,

Glück wider Recht,	Heli, bist doch ein schönes
Testimonium,	Kind,
Calabreser,	Die Marguérite,
Der Extrakt,	Jetzt tut es gut,
Liebelei,	Die Alaine,
Hoffnung,	Die vergangene Zeit,
Robinet,	Der liebe Wald,
Traurige Lust,	Die Stunde naht,
Rigoron, dreh dich,	Am wehesten,
Das Vöglein,	Wirf ihm den Trödel hin,
Biscaya,	Die Hecken.
Die Doulourouze,	

Auch sah ich sie zu den Weisen von Poitou tanzen, die bald ein Laternenstock von Saint-Messant, bald ein Meistertänzer von Partenay le Vieil vortrug. Laßt euch sagen, Zecher, daß alles seinen Schick hatte und die netten Stöcke ihre Holzbeine sehr vorteilhaft zur Geltung brachten.

Zum Schluß wurde der Schlaftrunk mit trefflicher Arschbrummelade aufgetragen, indessen die Königin vermittels einer Schachtel Furzin in den Ruf »Allseits Prosit« ausbrach. Darauf befahl sie uns, eine ihrer Laternen als Führerin zu erwählen, welche auch immer uns am besten gefiele. Und zwar erkoren und wählten wir die Amie des großen Pierre Lamy, deren Bekanntschaft ich früher gemacht hatte; an untrüglichen Zeichen erkannte sie mich ebenfalls, und dünkte sie uns göttlicher, liebenswerter, gebildeter, klüger, kundiger, menschlicher, gütiger und uns zu führen geschickter als irgendeine der ganzen Gesellschaft.

Nachdem wir der Frau Königin ergebenst gedankt hatten, wurden wir von sieben jungen Stocklaternen zu unseren Schiffen geleitet, da schon Dianens heller Mond schien. Als wir von dem Palast schieden, vernahm ich die Stimme eines großen Stocks auf einem Korkenzieherbein, welcher sagte, daß ein »Guten Abend« um so viel mehr wert sei als noch so viele »Guten Morgen«, als man seit der ogigesischen Flut Kastanien in Schlachtgänse gestopft habe, womit er uns bedeuten wollte, daß man nur nachtmahlend gut speist, wenn Laternen in Begleitung ihrer lustigen Stöcke zugegen sind. Auf dergleichen Gastereien blickt die Sonne scheel herab, was Jupiter bezeugen kann: als er mit Alkmene, der Herkulesmutter, schlief, ließ er die Tagesleuchte zwei Tage lang verschwinden, denn kurz zuvor hatte sie die Buhlschaft von Mars und Venus an den Tag gebracht.

34. KAPITEL

Wie wir beim Orakel der Flasche eintrafen

Unter der leuchtenden Führung unserer edlen Laterne trafen wir ganz frohgemut auf der ersehnten Insel ein, wo das Orakel der Flasche sich befindet.

Als Panurge an Land stieg, tat er auf einem Bein einen tüchtigen Luftsprung und sagte zu Pantagruel: »Jetzt endlich haben wir das, wonach wir unter so mancherlei Mühsalen und Beschwerden getrachtet haben.«

Dann befahl er sich höflich unserer Laterne an. Die gebot uns, wir sollten alle in Ruhe abwarten und über nichts, was uns begegnen würde, in Schrecken geraten.

Als wir uns dem Tempel der ehrwürdigen Flasche nahten, mußten wir durch einen großen Weinberg, der alle erdenklichen Weinsorten trug: Falerner, Malvasier, Muskat, Tajo, Beaulne, Mirevaux, Orléans, Piqueardent, Arboys, Coussy, Anjou, Grave, Corsica, Verron, Nérac und andere. Dieser Weinberg war vorzeiten von dem guten Bacchus angepflanzt und so gesegnet worden, daß er jederzeit Laub, Blüte und Frucht trug wie die Orangenhaine von San Remo. Unsere herrliche Laterne gebot uns, wir sollten jeder drei Weinbeeren essen, Weinlaub in unsere Schuhe tun und einen grünen Zweig in die linke Hand nehmen.

Am Ende des Weinbergs durchschritten wir einen antikischen Bogen, in den das Wappenschild eines Zechers sehr zierlich eingehauen war: nämlich eine sehr lange Reihe von Gemäßen, Angstern, Flaschen, Kanistern, Tönnchen, Fässern, Pullen, Pötten, Pinten und antiken Henkelvasen, die in einer schattigen Laube hingen; dazu eine große Menge Knoblauch, Zwiebeln, Schalotten, Schinken, Butargen, Käsestangen, gepökelte Ochsenzungen, abgelagerter Käse und dergleichen Zukost, mit Weinlaub durchschlungen und sehr kunstfertig mit Ranken zusammengebündelt; außerdem hundertfältige Glasformen wie Standgläser, Galoppgläser, Kufen, Kugelbecher, Humpen, Trinkschalen, Tummler, Tassen und Magelein und dergleichen mehr bacchisches Geschütz. An der Stirnseite des Bogens waren unterhalb des Tierfrieses die zwei folgenden Verse eingemeißelt:

Kommst du herein in diese Taverne,
Versieh dich mit einer guten Laterne.

»Dafür«, sagte Pantagruel, »haben wir gesorgt. Denn im
ganzen leuchterlichen Gau findet sich keine bessere und gött-
lichere Laterne als unsere.«

Dieser herrliche Bogen bildete den Abschluß eines schönen weitgespannten Laubengangs, der ganz aus Weinranken
bestand und auf der einen Seite mit Trauben behangen war,
auf der anderen in fünfhunderterlei verschiedenen Farben
und fünfhundert verschiedenen Formen prangte, wie die
Natur sie nicht hervorbringt, sondern die gärtnernde Kunst
heranzüchtet: gelb, blau, braun, azuren, weiß, grün,
schwarz, violett, gestreift, gesprenkelt, lang, rund, drei-
eckig, viereckig, gekipfelt, gezipfelt, hudelig, kugelig, krau-
tig. Am Ende schloß der Gang mit uralten Efeustämmen,
die frisch grün und voller Beeren waren.

Hier wurde uns von unserer erlauchten Laterne befohlen,
wir sollten uns jeder aus diesen Efeuranken einen albanischen
Hut machen und damit das Haupt völlig bedecken; was
auch unverweilt getan ward.

»Jupiters Priester«, sagte Pantagruel, »hätte einst nicht
hier drunter durch zu gehen gewagt.«

»Der Grund«, sagte unsere gar helle Laterne, »war mystischer Art. Denn ginge er hier drunter durch, so hätte er
den Wein (die Trauben nämlich) über dem Kopf und er-
weckte so den Anschein, als sei er vom Wein bemeistert
und beherrscht, zum Zeichen dessen, daß die Priester und
alle die Menschen, die sich der Betrachtung göttlicher Dinge
widmen und weihen, ihre geistigen Kräfte ungetrübt erhalten müssen, frei von jeglicher Sinnverwirrung, welche in
der Trunkenheit sich deutlicher zeigt als bei jeder anderen
Leidenschaft welcher Art auch immer. So werdet ihr auch
im Tempel der göttlichen Flasche nicht eher Einlaß erhalten,
als bis euch Bacbuc, die edle Priesterin, die Schuhe bis
oben hin mit Weinlaub gefüllt hat, was dem früheren Sach-
verhalt widerspricht und diametral widerstrebt, denn
dadurch wird offenbar, daß bei euch der Wein verachtet

ist und daß ihr ihn verschmäht und unter die Füße tretet.«

»Ich«, sagte Bruder Jan, »bin leider Gottes kein Gelehrter. Doch finde ich in meinem Brevier, daß in der Offenbarung die Wundererscheinung einer Frau gesehen ward, die den Mond unter ihren Füßen hatte; das sollte, wie Brigot mir auseinandergesetzt hat, bedeuten, daß sie nicht in der Art geschaffen sei wie die anderen, die umgekehrt den Mond stets im Kopf haben und deren Hirn infolgedessen allezeit mondkalbig ist. Hierdurch wird es mir leicht an das, was Ihr sagtet, zu glauben, meine liebe Frau Laterne.«

35. KAPITEL

*Wie wir unter die Erde hinabstiegen, um in den Tempel
der Flasche einzutreten, und wieso Chinon die erste Stadt
der Welt ist*

So stiegen wir durch eine mit Gips verkleidete Bogen-
wölbung unter die Erde hinab; der Bogen aber war außen
in groben Zügen mit einem Reigen von Weibern und
Satyrn, die dem alten lachenden Silen auf seinem Esel das
Geleite gaben, bemalt. Da sagte ich zu Pantagruel: »Diese
Eingangspforte ruft mir den Bilderkeller der ersten Stadt
der Welt ins Gedächtnis, denn dort befinden sich ähnliche
Freskomalereien.«

»Wo liegt«, fragte Pantagruel, »und welches ist diese
erste Stadt, von der Ihr sprecht?«

»Chinon«, sagte ich, »oder Caynon in der Touraine ist's.«

»Ich weiß wohl«, sagte Pantagruel, »wo Chinon liegt,
kenne auch den Bilderkeller, in dem ich so manches Glas
guten und kühlen Weins getrunken habe; auch ist kein
Zweifel daran, daß Chinon eine uralte Stadt ist: sein Wappen
bezeugt es, dessen Devise lautet:

> Chinon, zweimal dreimal die Stadt,
> Die klein, doch großen Namen hat;

Lagernd auf alter Steine Horst
Am Fuß der Vienne, hoch oben Forst.

Aber inwiefern soll sie die erste Stadt der Welt sein? Wo findet Ihr's geschrieben? Welche Vermutung hegt Ihr diesbezüglich?«

»In der Heiligen Schrift finde ich, daß Kain der erste Städtebauer war. Die Wahrscheinlichkeit spricht dafür, daß er die erste Stadt nach sich Caynon nannte, wie nach seinem Vorbild alle die anderen Gründer und Stifter von Städten diesen in der Folge ihren Namen gegeben haben: Athéné (der griechische Namen Minervens) Athen, Alexander Alexandria, Konstantin Konstantinopel, Hadrian Adrianopel, Pompejus Pompejopolis in Cilicien; Kanaan den Kanaanäern, Saba den Sabäern, Assor den Assyrern, Ptolemaïs, Caesarea, Tiberium, Herodium in Judäa.«

Während wir so miteinander plauderten, kam der große Flakon (unsere Laterne nannte ihn Philakon), Statthalter der göttlichen Flasche, in Begleitung der Tempelwache heraus, und alle waren französische Bouteillen. Als er uns thyrsusschwingend, wie ich erwähnt, und mit Eppich bekränzt sah, auch unsere hochmögende Laterne erkannte, ließ er uns unbedenklich herein und befahl, uns stracks zur Fürstin Bacbuc, Ehrendame der Flasche und Priesterin aller ihrer Mysterien, zu bringen. Was auch geschah.

36. KAPITEL

Wie wir die tetradischen Staffeln hinabstiegen, und von der Furcht, die Panurge befiel

Darauf stiegen wir eine Marmortreppe unter die Erde hinab. Da war ein Absatz; linker Hand stiegen wir zwei weitere hinab: da war ebenfalls ein Absatz; dann drei, linksum, und wieder ein Absatz; und vier weitere ebenso. Da fragte Panurge: »Ist es hier?«

»Wieviel Staffeln«, sagte unsere hochmögende Laterne, »habt Ihr gezählt?«

»Eins«, erwiderte Pantagruel, »zwei, drei vier.«

»Wie viele ergibt das zusammen?«

»Zehn«, antwortete Pantagruel.

»Mit selbiger pythagoräischer Vierzahl multipliziert die einzelnen Summanden!«

»Das sind«, sagte Pantagruel, »zehn, zwanzig, dreißig, vierzig.«

»Das ergibt im ganzen?«

»Hundert«, erwiderte Pantagruel.

»Fügt noch«, sagte sie, »den Kubus des ersten hinzu.«

»Das sind acht.«

»Bei dieser Schicksalszahl angekommen, werdet ihr die Pforte des Tempels finden. Und richtet besonnen euer

Augenmerk darauf, daß dies die wahre Psychogonie Platons ist, so hochgerühmt von den Akademikern und doch so wenig verstanden, deren Hälfte aus Eins, den zwei ersten Grundzahlen, zwei Quadrierungen und zwei Kubierungen zusammengesetzt ist.«

Beim Abstieg über diese Zahlenstaffeln unter die Erde hatten wir zum ersten unsere Beine dringend nötig, denn ohne das wären wir nicht hinabgestiegen, sondern wie Weinfässer in ein Lagergewölbe hinabgerollt; zum zweiten unsere erleuchtete Laterne, denn bei diesem Abstieg schien uns im übrigen so wenig ein Licht, wie wenn wir im Höhlenloch Sankt Patricks in Hibernien oder in der Trophoniushöhle in Böotien gewesen wären.

Als wir ungefähr achtundsiebenzig weitere Staffeln abwärts gestiegen waren, schrie Panurge, indem er das Wort an unsere leuchtende Laterne richtete: »Wundertätige Herrin, aus zerknirschtem Herzen bitte ich Euch, laßt uns umkehren! Beim Ochsentod, ich komme um vor Furcht. Ich bin auch damit einverstanden, nie zu heiraten. Ihr habt Euch um meinetwillen viel Kummer und Mühe gemacht; Gott mög es Euch lohnen in seiner großen Löhnerei; ich will mich dafür auch nicht unerkenntlich zeigen, sofern ich aus dieser Troglodytenkaverne wieder herauskomme. Bitte, kehren wir um! Ich argwöhne stark, daß hier Tänara ist, wo man zur Hölle hinuntersteigt, und mir ist, als hörte ich Cerberus bellen. Horcht! Das ist er, oder ich habe Ohrensausen. Ich bin ihm durchaus nicht gewogen, denn es gibt kein schlimmeres Zahnreißen, als wenn uns die Hunde am Schlafittchen haben. Ist dies aber die Höhle des Trophonius, so werden uns die Lemuren und bösen Zwerge bei lebendigem Leibe auffressen, wie sie einst einen der Hartschiere des Demetrius fraßen, weil er den Honigkuchen als Douceur mitzubringen vergessen hatte. Bist du auch da, Jan? Sei so gut, mein Zwiegesell, bleib ganz dicht neben mir! Ich sterbe vor Furcht. Auch hab ich keinerlei Waffen, weder offensive noch defensive, bei mir. Kehren wir doch um!«

»Ich bin schon da«, sagte Bruder Jan, »hab keine Angst, ich bin da, ich halt dich am Kragen gepackt. Achtzehn Teufel könnten dich meinen Händen nicht entwinden, ob ich auch waffenlos bin. An Waffen hat's im Notfall nie gefehlt, wenn ein wackeres Herz sich mit einem kräftigen Arm zusammentut. Eher regnete es da Waffen vom Himmel, wie es auf der Trift von la Crau bei den Mariusgräben in der Provence einst Kieselsteine geregnet hat (sie liegen jetzt noch dort), als Herkules keine Waffe hatte, um sich der beiden Sprößlinge Neptuns zu erwehren. Aber wie? Steigen wir denn hier in den Kleinkinderlimbus hinab (bei Gott, sie werden uns alle vollscheißen!) oder in die Hölle zu allen Teufeln? Leib Gottes, wie ich dich gleich verwichsen werde, seit ich Rebranken in meinen Schuhen habe, oh, wie ich dich saftig prügeln werde! Wo ist wer? Wo sind sie?

Bange ist mir nur vor ihren Hörnern. Aber die Vorstellung von den Hörnern, die Panurge als Ehemann aufhaben wird, hält mich für sie völlig schadlos. Ich seh ihn schon in meinem prophetischen Geist als einen zweiten Aktäon mit soundsoviel Enden, gehörnt, Hornissen im Arsch, daherkommen.«

Sagte Panurge: »Gib acht, Frater, daß du dir nicht, bis daß man die Nonnen freit, das Quartanfieber ankuppelst. Wahrlich, es sollte mir beschieden sein, aus diesem Grabverlies herauszukommen, wär's nur, um dich mit Bocken zum Hornvieh, zum Hornpetzer zu machen. Im übrigen bin ich der Meinung, daß das Quartanfieber eine hundsgemeine Matratze ist. Mir gedenkt noch, daß Klaufretter sie dir zur Frau geben wollte, doch schaltest du ihn einen Ketzer.«

Hier wurde ihr Gezänk durch unsere strahlende Laterne unterbrochen, die uns ermahnte, daß dies der Ort sei, den es durch Wortlosigkeit und Zungenstille günstig zu stimmen gelte. Auch tat sie uns ein für allemal kund, daß wir ohne den Spruch der Flasche umzukehren keinerlei Hoffnung mehr hätten, nun wir einmal unsere Schuhe mit Weinlaub gefüttert hätten.

»Voran denn«, sagte Panurge, »und rennen wir mit dem Schädel alle Teufel ein. Um draufzugehen, braucht's nur einen Bums. Doch spare ich mein Leben noch für eine Schlacht auf. Los, auf geht's, drauf und dawider! Mut hab ich mehr als genug; freilich bebt mir das Herz, aber das kommt von Kälte und Moderstank dieses Kellerlochs. Furcht ist daran nicht schuld, auch kein Fieber. Auf geht's, ins Horn geblasen, gestoßen, in die Hosen!«

37. KAPITEL

*Wie die Pforten des Tempels sich auf wunderbare Art
von selber auftaten*

Am Fuß der Staffeln trafen wir auf ein Portal aus feinem
Jaspis, das über und über gesprenkelt und auf dorische Art
gestaltet und bearbeitet war, darauf in jonischen Goldlettern
der Satz geschrieben stand: ἐν οἴνῳ ἀλήθεια, das heißt: Im
Wein ist Wahrheit. Die beiden Torflügel waren aus, wie
mich dünkte, korinthischem Erz; sie waren aus einem Guß
und mit kleinen erhabenen Vignetten geziert, die, je nachdem wie das Bildwerk es verlangte, mit Schmelzfluß gar
zierlich bearbeitet waren; auch waren sie fugenlos und
ebenmäßig über ihrem Anschlag geschlossen, ohne daß ein
Türschloß, Sperriegel oder sonst etwas sie zusammenhielt;
nur hing da ein großer indischer Diamant von der Dicke
einer ägyptischen Bohne, der in zieliertes Gold gefaßt und
zweikantig in Form eines Sechsecks mit geraden Linien ge-

schliffen war; zu beiden Seiten an der Wand hing je ein Bündel Knoblauchzehen.

Hier sagte unsere edle Laterne zu uns, wir sollten sie für rechtmäßig entschuldigt halten, wenn sie davon abstehe, uns weiter zu führen, denn fortan brauchten wir nur den Weisungen der Priesterin Bacbuc zu gehorchen; mit uns einzutreten sei ihr aus gewissen Gründen nicht erlaubt, doch blieben diese besser verschwiegen, als daß lebende Menschen sterblicher Natur über sie aufgeklärt würden. Auf alle Fälle gebot sie uns, geistesgegenwärtig zu sein, keinerlei Furcht noch Schrecken zu empfinden und bei der Rückkehr uns wieder ihrer Führung anzuvertrauen. Dann zog sie an dem Diamanten, der am Falz der beiden Torflügel hing, und warf ihn rechts in eine eigens dafür bestimmte Silberbüchse. Auch löste sie von der Angel jeder Tür einen anderthalb Ellen langen Strang aus roter Seide ab, an welchem der Knoblauch hing. An zwei goldenen Schnallen, die eigens zu diesem Zweck an den Seiten angebracht waren, band sie ihn fest und trat dann beiseite.

Plötzlich taten sich die beiden Flügel von selber auf, ohne daß jemand sie berührte, und beim Aufgehen kreischten sie nicht etwa noch polterten sie entsetzlich, wie das sonst ungefüge und schwere Bronzetüren zu tun pflegen, sondern öffneten sich mit einem sanften, lieblichen und von der Wölbung widerhallenden Raunen, dessen Ursache Pantagruel mit eins herausfand, als er unter den beiden äußersten Türflügelenden zwei kleine Zylinder sah, die mit ihrer Achse in die Tür eingelassen waren und sich, wenn sie zur Wand zurückwich, auf einem harten porphyrartigen Stein von ganz glattem und ebenmäßigem Schliff drehten, so daß durch ihre Reibung dieses sanfte und harmonische Raunen hervorgebracht wurde.

Aber recht verblüfft war ich doch, wie die beiden Türen so von allein, ohne daß jemand sie anstieß, aufgegangen waren. Um diesen wundersamen Vorgang zu verstehen, richtete ich, nachdem wir eingetreten waren, mein Augenmerk auf den Winkel zwischen Tür und Wand, da mich zu wissen verlangte, durch welche Macht und Vorrichtung sie so zurückgestemmt worden waren, im Zweifel, ob nicht etwa unsere liebenswürdige Laterne ihren Verschluß mit dem sogenannten Aethiopis- oder Springkraut angerührt habe, mit welchem man alles, was verschlossen ist, aufmacht. Doch bemerkte ich, daß an der Stelle, wo sich die Flügel im inwendigen Falz zusammenfügten, ein Band aus dünnem Stahl, das mit Stiften auf der korinthischen Bronze saß, befestigt war; ferner bemerkte ich zwei große halbzöllige Platten aus indischem Magnetstein von schwarzblauer Farbe, die ganz glatt poliert und geschliffen waren. Diese waren, ohne hervorzustehen, in die Wandflächen eingelassen, und zwar dort, wo die weit geöffneten Türen an die Mauer anschlugen. Infolge der Zugkraft und Stärke des Magneten erlitten nach wunderbarem und geheimem Ratschluß der Natur die Stahlbänder die mitgeteilte Bewegung; dabei wurden dann die Türflügel langsam mitgenommen und fortgetragen, dies jedoch nicht in jedem Fall, sondern nur dann, wenn der Diamant, von dem ich gesprochen, weggenommen worden war, durch dessen aufhebende Kraft der Stahl hinwiederum von dem natürlichen Gehorsam, den er dem Magneten schuldet, erlöst und entbunden ward, und ebenso wenn die beiden Knoblauchbündel abgenommen wurden, die unsere fröhliche Laterne mit dem roten Strang weggezogen und seitlich aufgehängt hatte, weil Knoblauch die Kraft des Magneten dämpft und ihn seiner Anziehung beraubt.

Auf einer der erwähnten Tafeln, der zur Rechten, stand wunderfein in antiken lateinischen Lettern der senarische Jambus eingegraben:

Ducunt volentem fata, nolentem trahunt.
Wollende führt das Schicksal, Nichtwollende zieht es.

Auf der andern zur Linken sah ich in jonischen Majuskeln schwungvoll den adonischen Versspruch eingraviert:

ΠΡΟΣ ΤΕΛΟΣ ΑΥΤΩΝ ΠΑΝΤΑ ΚΙΝΕΙΤΑΙ.
Ein jedes Ding erstrebt sein Ziel.

38. KAPITEL

Wie das Bodenpflaster des Tempels aus herrlichem Bildwerk gemacht war

Nachdem ich diese Inschriften gelesen, wandte ich meine Augen der Betrachtung des großartigen Tempels zu und sah mir vor allem die unglaublich kunstfertige Machart des Steinbodens an, mit dem denn auch kein Werk, das es irgend unter dem Himmelszelt gibt noch je gegeben, den Vergleich aushält, sei dies der Mosaikboden im Fortunatempel zu Präneste in Sullas Zeit oder das Asarotum genannte Bodenpflaster der Griechen, das Sosus in Pergamon schuf. Er war nämlich in Einlegearbeit aus lauter kleinen Quadraten ausgeführt, die samt und sonders aus edlen polierten Steinchen bestanden, deren jedes seine natürliche Farbe hatte: eines war roter Jaspis, der aufs lieblichste verschiedentlich gefleckt war, eines Ophit, das nächste Porphyr, wieder eins Lykophthalm, mit atomfeinen Goldstäubchen übersät, ein anderes Achat, mit wirren regellosen Flammenbüscheln gestromt, ein anderes sehr heller Chalzedon, ein anderes grüner Jaspis mit allerlei roten und gelben Äderungen, und waren alle in diagonaler Anordnung auf ihrem Platz eingelassen.

In der Vorhalle war die Pflasterung ein Mosaik aus kleinen zueinander passenden Steinen, die jeder mit seiner natürlichen Farbe das Figurenmuster bilden halfen, so daß es so aussah, als hätte man über besagten Estrich eine Schütte Weinlaub ausgestreut, ohne auf die Verteilung besonders zu achten, denn hier lag es anscheinend üppiger gebreitet, dort weniger; und war dieser Laubteppich allerorten merkwürdig, besonders aber da, wo sich im Halbdämmer Schnecken hervortaten, die über die Trauben dahinkrochen, oder an einer anderen Stelle kleine Eidechsen, die durchs Gerank huschten, wie auch halbreife und vollreife Trauben mit so viel Kunst und Geschick des Werkschöpfers zusammengesetzt und gebildet waren, daß sie Stare und andere kleine Vöglein ebenso leicht getäuscht hätten wie das Gemälde des Zeuxis von Herakleia. Wie dem auch sei: uns jedenfalls täuschten sie gründlich, denn an der Stelle, wo der Künstler das Weinlaub so recht dick aufgeschüttet hatte, gingen wir aus Furcht, uns an den Füßen weh zu tun, hochbeinig und in Sprüngen darüber hin, wie man es beim Überqueren einer unebenen und holprigen Stelle macht.

Darauf ließ ich meine Augen wandern und betrachtete die Wölbung des Tempels nebst den Wänden, die alle mit Marmor und Porphyr in Mosaikarbeit verkleidet waren und vom einen bis zum andern Ende einen herrlichen Fries bildeten, auf dem gleich linker Hand vom Eingang mit unglaublicher Beschwingtheit die Schlacht dargestellt war, die der gute Bacchus gegen die Inder gewann, und zwar auf folgende Art:

39. KAPITEL

*Wie auf dem Mosaikfries des Tempels die Schlacht darge-
stellt war, die Bacchus gegen die Inder gewann*

Zunächst waren da mehrere Städte, Dörfer, Burgen,
Festungen, Felder und Wälder abgebildet, die alle lichterloh
brannten. Auch fanden sich bildlich dargestellt etliche
rasende Frauen mit fliegenden Haaren, die wutentflammt
Kälber, Hämmel und Lämmer bei lebendigem Leib zer-
fleischten und sich an ihrem Fleisch letzten. Hiermit wurde
uns bedeutet, daß Bacchus bei seinem Einzug in Indien
alles mit Feuer und Blut überzog.

Desungeachtet stand er bei den Indern in solcher Verachtung, daß sie es für unter ihrer Würde hielten, ihm ent-
gegenzutreten, zumal sie von ihren Spähern gewisse Kunde
hatten, daß er in seinem Heer keinen einzigen Gewaffneten
mit sich führe, sondern bloß ein dickes altes Männlein, ver-
weichlicht und immerzu betrunken, dessen Gefolge aus

ländlichem Volk bestand, das nichts am Leibe hatte, immerfort tanzte und hüpfte und geschwänzt und gehörnt war, sowie aus einer großen Schar betrunkener Weiber. Somit beschlossen sie, den Zug gehen zu lassen, ohne ihm mit den Waffen Widerstand zu leisten, da es ihnen Schmach, aber keinen Ruhm, Unehre und Schande, aber weder Ehre noch Preis eintragen würde, über solches Pack zu siegen.

Indem Bacchus so in Verachtung fiel, gewann er ständig an Boden und setzte alles in Brand, weil Feuer und Blitz die Waffen sind, die Bacchus von seinem Vater hat und weil er vor seiner Geburt durch Jupiter vorm Feuer gerettet wurde (als seine Mutter Semele und seine Mutterbehausung in Flammen aufgingen und zerstört wurden); ebenso steht es mit dem Blut, denn naturgemäß bildet er welches in Friedenszeiten und zapft davon in Kriegszeiten. Bezeugen mag dies die Flur auf der Insel Samos, Panaima genannt, was soviel bedeutet wie »ganz blutig«, wo Bacchus den aus dem Gebiet der Epheser flüchtenden Amazonen entgegentrat und sie alle durch Phlebotomie oder Aderlaß zu Tode brachte, so daß das genannte Feld von Blut ganz durchtränkt und bedeckt war. Hiernach werdet ihr künftig noch besser die Erklärung des Aristoteles in seinen Problemata verstehen, warum man früher mit einer sprichwörtlichen Wendung sagte: »In Kriegszeiten iß und bau keine Minze.« Die Ursache ist (da in Kriegszeiten gemeinhin rücksichtslos Schläge ausgeteilt werden), weil sich bei Verwundeten, wenn diese am selben Tag Minze angefaßt oder gegessen haben, das Blut unmöglich oder doch nur sehr schwer stillen läßt.

Weiterhin war auf besagtem Fries dargestellt, wie Bacchus in die Schlacht zog. Und zwar saß er auf einem prächtigen Streitwagen, der von drei zusammengespannten Paaren junger Leoparden gezogen wurde. Sein Gesicht war das eines blühenden Kindes, um darauf hinzudeuten, daß wackere Zecher nie altern, rosig wie ein Cherubim und ohne die Spur eines Bartflaums am Kinn. Auf dem Haupt trug er spitze Hörner, und war ein schöner Kranz aus Reblaub und

Trauben darauf gedrückt sowie eine scharlachrote Mitra.
Beschuht war er mit goldenen Sandalen.

In seinem Gefolge befand sich kein einziger Mann; seine

Leibwache und seine Streitkräfte waren insgesamt Bassariden, Eleiden, Evhiaden, Aedoniden, Treateriden, Ogygien,
Mimallonen, Mänaden, Thyaden und Bacchiden, verzückte,
wutentbrannte, rasende Frauen, anstelle des Gürtels mit

lebendigen Drachen und Schlangen gegürtet, die Haare wallend in Lüften, mit Stirnbinden aus Weinlaub, gekleidet in Hirsch- und Rehfelle, in den Händen kleine Äxte, Tyrsusstäbe, Hirschfänger und Hellebarden in Form von Pinienkernen, dazu eine Art kleiner leichter Schilde, die klangen und dröhnten, wenn man sie berührte, wofern sie ihnen nicht, wenn es sich so gab, als Tamburine und Pauken dienten. Ihre Anzahl betrug siebenzigtausendzweihundertsiebenundzwanzig.

Die Vorhut wurde von Silen angeführt, einem Mann, dem er sein volles Vertrauen schenkte und dessen Tapferkeit und Großmut, Beherztheit und Umsicht er in zurückliegender Zeit verschiedentlich erprobt hatte. Ein kleiner schlotteriger Greis war das, krummbucklig, fett und schmerbäuchig; seine Ohren waren groß und hochgestellt, die Nase spitz und adlermäßig, seine Brauen struppig und breit wie Ackerfurchen. Er saß auf einem Eselhengst; in der Faust hielt er als Stütze, aber auch um sich zu wehren, sollte er einmal abzusitzen gezwungen sein, einen Knotenstock; und bekleidet war er mit einem gelben Weibergewand. Seine Leibwache bestand aus jungen bockshörnigen, hasenschwänzigen Bauernburschen, die alle nichts anhatten und immerzu den Cordax sangen und tanzten: man nannte sie Tityren und Satyrn. Ihre Zahl betrug fünfundachtzigtausendsechshundertdreiundzwanzig.

Pan führte die Nachhut an; ein schaudererregender und ungeheuerlicher Mann, denn unterwärts glich sein Leib einem Bock, die Schenkel hatte er dicht bepelzt, und am Kopf hatte er steil gen Himmel gereckte Hörner. Sein Gesicht war rot und flammend und sein Bart sehr langzottig herabhängend; ein verwegener, mutiger, launischer Kerl, der leicht in Zorn geriet. In der linken Hand trug er eine Flöte, in der Rechten einen gekrümmten Stab. Seine Heerhaufen setzten sich ebenfalls aus Satyrn, Hoemypanen, Aegipanen, Sylvanen, Fatuussen, Lamien, Laren, Irrlichtern und Kobolden zusammen, achtundsiebenzigtausendeinhundertvierzehn an der Zahl.

Ihrer aller Feldgeschrei war das Wort: *Evoë*.

40. KAPITEL

Wie auf dem Mosaik Bacchus' Kampf gegen die Inder
dargestellt war

In der Folge war des guten Bacchus' Vorstoß und Ansturm gegen die Inder dargestellt.

Da sah ich, wie Silen, Anführer der Vorhut, dicke Schweißperlen vergoß und seinen Esel weidlich plagte; der Esel riß das Maul entsetzlich weit auf, bockte, verrenkte und zappelte sich fürchterlich ab, wie wenn ihm eine Hornisse am Hintern säße.

Die Satyrn als Hauptleute, Feldwebel, Geschwaderführer und Korporale sprengten, auf Alphörnern Trutzlieder blasend, mit Ziegensprüngen, Hupfern, Fürzen, Kickern, Schmeißern wie wild um den Heerhaufen herum, indem sie die Kompanien anfeuerten, tapfer zu kämpfen. Alle auf dem Bild schrien Evoë. Die Mänaden in der Frontreihe stürzten sich mit grausigem Gebrüll und entsetzlichem Gedröhn ihrer Pauken und Schilde auf die Inder. Der ganze Himmel hallte davon wider, wie auf dem Mosaik gezeigt war, damit ihr fürder die Kunst von Apelles, Aristides Thebanus und anderen, die Donner, Blitze, Wetterkeile, Stürme, Echo, die Sitten und die Geister gemalt haben, nicht mehr so ausschließlich bewundert.

Auf der andern Seite erblickte man das Heer der Inder, als sei ihnen erst jetzt aufgegangen, daß Bacchus ihr ganzes Land verwüstete. Ganz vorne standen die mit Türmen beladenen Elefanten inmitten ungezählten Kriegsvolks; doch

befand sich das ganze Heer in Auflösung, und gegen die Fliehenden und über sie hinweg wälzten sich stampfend die Elefanten, wie irr von dem grausigen Gelärm der Bacchiden und vor panischer Angst, die ihnen die Besinnung raubte. Da hättet ihr Silen sehen können, wie er seinen Esel ingrimmig mit den Fersen bearbeitete und sich mit einem Stock nach alter Fechtkunst schlug, wie sein Esel den Elefanten sein falbes Maul zudrehte, wie wenn er brällte und mit kriegerischem Brällen so tapfer Sturm bliese, wie seinerzeit, als er die Nymphe Lotis mitten im Bacchanal auf-

weckte, als Priap sie priapischerweis ihr zum Trotz ungebeten priapisieren wollte.

Da hättet ihr Pan sehen können, wie er auf seinen krummen Beinen um die Mänaden herumsprang und sie mit seiner ländlichen Flöte anspornte, tapfer zu kämpfen. Auch hättet ihr einen jungen Satyr siebzehn Könige gefangen abführen sehen können, oder eine junge Bacchide, die mit ihren Schlangen zweiundvierzig Hauptleute tötete, sowie einen jungen Faun, der zwölf dem Feind abgewonnene Feldzeichen schleppte, und endlich den biederen Bacchus, wie er auf seinem Wagen ungefährdet im Feld herumfuhr, lachend, sich königlich belustigend und jedem zuprostend.

Schließlich waren in Mosaikarbeit die Trophäen des Sieges und Triumphs des guten Bacchus dargestellt. Sein Triumphwagen war ganz mit Efeu bedeckt, der vom Berg Meros genommen und gepflückt war, und dies wegen der Seltenheit (die den Preis aller Dinge erhöht) dieser Pflanze, ausgesprochen in Indien. Hierin ahmte ihn später Alexander der Große nach bei seinem indischen Triumph. Zusammengekoppelte Elefanten zogen den Wagen. Hierin ahmte ihn später Pompejus der Große bei seinem afrikanischen Triumph in Rom nach. Auf ihm saß der edle Bacchus und trank aus einem Weinkrug. Hierin ahmte ihn später Marius nach dem Sieg über die Cimbern bei Aix-en-Provence nach. Sein ganzes Heer war mit Efeu bekränzt, ihre Thyrsusstäbe, Schilde und Pauken waren damit umhüllt; auch Silens Esel war nicht vergessen, der eine Efeuschabracke trug.

Zu Seiten des Wagens schritten die gefangenen indischen Fürsten, die mit dicken goldenen Ketten daran gefesselt waren. Der ganze Aufzug bewegte sich mit göttlichem Pomp, unsagbarer Freude und ausgelassener Fröhlichkeit, beladen mit zahllosen Trophäen, Wahrzeichen und Kriegs-

geräten der Feinde, während heitere Festgesänge und ländliche Volkslieder dithyrambisch erschallten.

Ganz am Schluß war das Land Ägypten wiedergegeben, mit dem Nil und seinen Krokodilen, Cerkopitheken, Ibissen, Affen, Ichneumonen, Flußpferden und anderen dort einheimischen Tieren. Da sah man Bacchus, von zwei Ochsen geführt, dahinwandern; auf dem einen Ochsen stand in goldenen Lettern: *Apis*, auf dem andern: *Osiris*, weil in Ägypten vor Bacchus' Einzug weder Ochse noch Kuh erblickt worden war.

41. KAPITEL

Wie der Tempel von einer wunderherrlichen Lampe
erleuchtet war

Bevor ich auf die Flasche des näheren zu sprechen
komme, will ich euch die herrliche Gestalt einer Lampe
beschreiben, die im Tempel überall so reichliches Licht
verbreitete, daß man darin, obgleich er unter der Erde war,
so deutlich sah, wie wenn am Mittag die helle heitere Sonne
über der Erde leuchtet.

In der innersten Mitte des Gewölbes war ein massiver
Goldring befestigt, so groß wie eine geballte Faust, von
dem drei silberne Ketten von etwa gleicher Stärke herab-
hingen; sie waren gar künstlich gefertigt und umfaßten
zweieinhalb Fuß tiefer in Dreiecksform eine runde Platte
aus feinem Gold, von solcher Größe, daß ihr Durchmesser
mehr denn zweieinhalb Ellen und eine halbe Palme betrug.
An ihr befanden sich vier Schließen oder Ringverschlüsse,
mit denen jeweils eine leere, innen ausgehöhlte Kugel festgehalten wurde; diese war oben offen wie eine kleine Lam-
penglocke und maß im Umfang etwa zwei Palmen; jede
bestand aus einem kostbaren Stein: die eine aus Amethyst,
die andere aus libyschem Karfunkel, die dritte aus Opal, die
vierte aus Topas. Jede war mit Feuerwasser gefüllt, das in
einem Schlangenkolben fünfmal destilliert worden war und

sich so wenig verzehrte wie das Öl, das einst Kallimachus in die goldene Lampe der Pallas auf der Akropolis zu Athen goß, darin ein brennender Docht, der teils aus Asbestlinnen gefertigt war wie einst in Jupiters Tempel in Ammon (wo Kleombrotos, der sehr gelehrsame Philosoph, ihn sah), teils aus karpasischem Leinen, und wurde dieser Docht durch Feuer eher aufgefrischt als verzehrt.

Unterhalb dieser Goldplatte faßten etwa zweieinhalb Fuß tiefer die drei Ketten in unveränderter Gestalt mit Ringen in drei Henkel, die an einer runden Lampe aus sehr lauterem Kristall von anderthalb Ellen Durchmesser vorsprangen; die obere Öffnung dieser Lampe maß etwa zwei Palmen. Durch diese Öffnung nun hatte man genau in die Mitte ein ebenfalls kristallenes Gefäß eingeführt, das wie eine Korbflasche oder ein Uringlas geformt war und bis zum Boden der großen Lampe hinabreichte; gefüllt war es

mit einer solchen Menge besagten Feuerwassers, daß die Lohe des Asbestlinnens genau in der Mitte der großen Lampe lotrecht emporstrebte. Es sah deshalb so aus, als brenne und flamme deren ganzer Kugelkörper, insofern das Feuer in der Mitte war und nicht daneben. Und es fiel schwer, sie fest und beharrlich ins Auge zu fassen, so wenig man dies bei der Sonnenscheibe vermag, angesichts des so durchlässigen und so wundersam durchscheinend geschliffenen Materials wie auch dem Widerschein der verschiedenen Farben (die natürliche Eigenschaft der Edelsteine sind), den die kleinen oberen Lampen der großen unteren zuwarfen; und die Lichter dieser vier huschten flackernd und unstet allerorten durch den Tempel. Zumal wenn dieses unbestimmte Licht auf den polierten Marmor traf, mit dem der ganze Innenraum des Tempels verkleidet war, leuchteten Farben auf, wie wir sie im Bogen der Iris sehen, wenn die grelle Sonne auf die regenschweren Wolken trifft.

Die Erfindung war bewundernswert; noch wunderbarer schien mir, daß die Bildkünstler rings um den Leibesumfang der Lichtkugel ein keckes und herzhaftes Turnier kleiner nackter Bübchen eingraviert hatten; die ritten auf Steckenpferden, schwangen Kienspanlanzen und Rundschilde, die aus mit Weinranken durchflochtenen Trauben zierlich gebildet waren, mit kindlich trotzigen Gebärden, die sich die Kunst so lebenswahr zu eigen gemacht hatte, daß die Natur selbst es nicht besser vermocht hätte. Auch schienen sie in das Material nicht eingraviert zu sein, sondern hoben sich bossiert oder zumindest in Grottomanier völlig davon ab, was von dem verschiedenartigen und lieblichen Licht herkam, das aus dem Inneren strahlend die Bildnerei hervortrieb.

42. KAPITEL

*Wie uns von der Priesterin Bacbuc im Tempel ein
phantastischer Brunnen gezeigt ward*

Indem wir diesen wunderherrlichen Tempel und seine
denkwürdige Lampe verzückt betrachteten, kam uns die
ehrwürdige Priesterin Bacbuc mit ihrem Gefolge fröhlichen
und lachenden Gesichts entgegen; und da sie uns gerüstet
fand, wie oben gesagt, führte sie uns ohne weiteres in den
mittleren Raum des Tempels, wo sich unter der erwähnten
Lampe ein phantastischer Brunnen befand, kostbarer hinsichtlich des Stoffs und der künstlerischen Bearbeitung, aus-
erlesener und wunderbarer, als Dädalus je einen ersann.
Das Becken, der Fuß und die Bodenplatte bestanden aus
sehr reinem und durchsichtigem Alabaster und erhoben
sich zu einer Höhe von wenig mehr als drei Palmen, ein
Siebeneck bildend, das außen gleichmäßig in Felder aufgeteilt und mit einer Fülle von Perlstäben, Aruletten, Cimasellen und dorischen Wellenornamenten rundum geziert
war. Im Innern war der Brunnen kreisrund. Am Scheitel
jeden Winkels trug die Randeinfassung je eine Säule mit
eingezogener Rundung wie eine Winden- oder Hebebaum-
rolle (die modernen Architekten nennen das *potrie*), und
war ihre Zahl im ganzen sieben, entsprechend den sieben
Winkeln. Die Höhe der Säulen betrug von den Sockeln bis
zu den Gesimsen kaum weniger als sieben Palmen und
stand in genauem und ausgeklügeltem Verhältnis zu einem
durch den Mittelpunkt der Einfassung und der inneren
Rundung gezogenen Durchmesser.

Und war ihr Stand so angeordnet, daß, wenn man hinter eine von ihnen, ganz gleich wo sie aufsaß, trat, um die gegenüberstehenden zu betrachten, der pyramidische Conus unserer Sehlinien in besagtem Mittelpunkt endete, wo er von zwei gegenüberstehenden als Gegengabe ein gleichschenkliges Dreieck empfing, von dem zwei Schenkel die Säule (jene, die zu messen war) gleichhälftig teilten und, indem sie zu beiden Seiten zwei freie Säulen passierten, im ersten Zwischenraumdrittel auf ihre Basis- und Grundlinie stießen, welche, mittels einer gedachten Linie bis zum Mittelpunkt des Ganzen durchgezogen, wenn man von dieser die Hälfte nahm, den genauen Abstand der sieben Säulen von ihrem äußeren Eckpunkt angab. Auch war es nicht möglich, auf eine andere gegenüberstehende Säule zu treffen, wenn man vom stumpfen Winkel der Einfassung eine gerade Linie durch den Mittelpunkt legte, da bekanntlich bei jeder Vieleckfigur ungerader Zahl ein Winkel sich stets mitten zwischen zwei andere einschiebt.

Worin für uns die stillschweigende Lehre enthalten war, daß sieben halbe Durchmesser nach geometrischer Proportion annähernd Umfang und Radius der Kreisfigur, der sie entstammen, ausmachen, nämlich drei Ganze und anderthalb Achtel, wenig mehr, oder eineinhalb Siebentel, kaum weniger, nach der antiken Lehre von Euklid, Aristoteles, Archimedes und anderen.

Die erste Säule, diejenige nämlich, die sich am Eingang des Tempels unseren Blicken aufdrängte, bestand aus azur- und himmelblauem Saphir.

Die zweite aus Hyazinth in seiner natürlichen Farbe, mit den griechischen Buchstaben A I an mehreren Stellen, dem Inbild jener Blume, in die Ajax' zornwütiges Blut verwandelt ward.

Die dritte aus anachitischem Diamant, blitzeud und gleißend wie Wetterschein.

Die vierte aus maskulinem Balas-Amethyst-Rubin, derart daß sein Feuer und Licht ans Pfauenblaue und Violette grenzte wie beim Amethysten.

Die fünfte aus fünfhundertmal herrlicherem Smaragd, als

der Serapis-Koloß im Labyrinth der Ägypter einst war, leuchtkräftiger und strahlender als die Smaragdsteine, die man anstelle der Augen den Marmorlöwen auf dem Grabmal des Königs Hermias eingesetzt hatte.

Die sechste aus Achat, der bunter und vielfältiger gefleckt und verschiedenfarbener geädert war als jener, auf den Pyrrhus, König der Epiroten, so stolz war.

Die siebente aus durchsichtigem Mondstein, milchig wie ein Beryll, mit einem Schimmer von hymettischem Honig, und gewahrte man im Innern den Mond, genau gleich in Form und Bewegung dem Vollmond, Sichel- und Halbmond an unserem Himmel beim Zu- und Abnehmen. Es sind dies Steine, die von den alten Chaldäern und Magiern den sieben Himmelsplaneten zugeordnet wurden.

Damit dies auch einem ungeschulteren Verstand eingehen sollte, stand oben auf dem Kapitell der ersten Säule aus Saphir in unmittelbarer und lotrechter Fortführung ihrer Mittelachse, in sehr kostbares gereinigtes Blei gegossen, das Bildnis des Saturn mit der Sichel in der Hand, einen Kranich aus Gold zu Füßen, der den natürlichen Farben des saturnischen Vogels entsprechend künstlich emailliert war;

auf der zweiten hyazinthenen Säule im Umlauf links stand Jupiter, in jovetanischem Zinn ausgeführt, der auf der Brust einen naturgetreu emaillierten Adler trug;

auf der dritten Mars in Erz, zu seinen Füßen ein Grünspecht;

auf der vierten Phoebus in zizeliertem Gold, in der Rechten einen weißen Hahn;

auf der fünften Venus in Kupfer, im gleichen Material ausgeführt, aus dem Aristonides das Standbild des Atanas fertigte, um mit der errötenden Weißfarbe die Scham auszudrücken, die ihm der Anblick seines zerschmetterten Sohnes Learch eingeflößt; zu ihren Füßen eine Taube;

auf der sechsten Merkur in starrem Quecksilber, schmiedbar und nicht flüssig, zu seinen Füßen ein Storch;

auf der siebenten Luna in Silber, zu ihren Füßen ein Windhund.

Und waren die Standbilder etwas mehr als ein Drittel der

Tragsäule hoch; so sinnreich bemessen nach dem Entwurf der Mathematiker, daß der Kanon Polyklets, von dem gesagt wird, er habe ganz allein und als einziger durch künstlerische Mittel die Kunst geschaffen, hier kaum vergleichsweise wäre zugelassen worden.

Die Basen der Säulen, die Kapitelle, die Architrave, Zoophoren und Gesimse waren auf phrygische Art massiv aus reinerem und feinerem Gold gefertigt, als der Lee bei Montpellier, der Ganges in Indien, der Po in Italien, der Hebrus in Thrazien, der Tajo in Spanien und der Paktolus in Lydien mit sich führen.

Die Bogen zwischen den Säulen erstreckten sich in dem nämlichen Stein, aus dem diese bestanden, bis hin zum nächsten, so wie sie aufeinander folgten: das heißt vom Saphir zum Hyazinth, vom Hyazinth zum Diamant, und so fort.

Über den Bogen und Säulenkapitellen des inneren Umlaufs war als Bedachung des Brunnens eine Kuppel aufgeführt, die hinter dem Standort der Planeten ansetzte und, aus einem Siebeneck entfaltet, allmählich reine Kugelform gewann; und war der Kristall, aus dem sie bestand, so geläutert, so durchscheinend, so blank geschliffen, einheitlich und gleichmäßig in allen seinen Teilen, ohne Trübungen, ohne Schlieren, ohne Zäserchen, daß Xenokrates nie einen vergleichbaren erblickt hat.

In den Mantelumfang waren in mustergültiger Ordnung, Figur und Zeichnung die zwölf Zeichen des Tierkreises eingegraben, die zwölf Monate des Jahres mit ihren Besonderheiten, die zwei Sonnenwenden, die zwei Tagundnachtgleichen, die ekliptische Linie mit einigen der bedeutendsten Fixsterne rings um den antarktischen Pol: all dies so kunst- und ausdrucksvoll, daß ich vermeinte, ein Werk des Königs Nekepsos oder Petosiris, des antiken Mathematikers, vor mir zu haben.

Am Scheitel besagter Kuppel waren unmittelbar über der Brunnenmitte drei Riesenperlen von kreiselförmiger Trägnenschwellung angebracht, einander völlig gleich und von letzter Vollkommenheit, die unter sich in Gestalt einer

Lilie zusammenhingen und so groß waren, daß die Blüte über eine Palme maß.

Aus dem Kelch erhob sich ein Karfunkel von der Dicke eines Straußeneis, der siebeneckig geschliffen war (die Sieben ist eine Lieblingszahl der Natur) und so ungeheuer stark und herrlich funkelte, daß man, die Augen aufhebend, um ihn anzuschauen, um ein Haar das Sehvermögen eingebüßt hätte. Denn flammender und sprühender sind Feuer nicht und Sonne und Blitz, als er uns da erschien, und mit Leichtigkeit hätte er den Pantarbes des indischen Magiers Iarchos genauso verdunkelt wie die Sonne die Gestirne am hellen Mittag; dergestalt daß man bei rechter Würdigung unschwer zu dem Schluß käme, es seien in alldem, in diesem Brunnen und der oben beschriebenen Lampe, mehr Schätze und Merkwürdigkeiten enthalten, als Asien, Afrika und Europa insgesamt bergen.

Mag nun Kleopatra, Königin Ägyptens, sich mit ihren zwei Ohrgehängen aus Perlen brüsten, deren eine sie in Anwesenheit des Triumvirn Antonius mittels Weinsäure in Wasser auflöste und hinuntertrank, und wurde der Wert der Perle auf das Hundertfache von hundert Sesterzien geschätzt.

Mag Lollia Paulina prahlen mit ihrem Gewand, das von paarweise eingestickten Smaragden und Perlen ganz bedeckt war und alles Volk der Stadt Rom zur Bewunderung hinriß; Rom, von dem es heißt, es sei Abladeplatz und Stapellager der siegreichen Räuber aus aller Welt.

Der Abfluß und Auslauf des Brunnens erfolgte durch drei kleine Röhren und Rinnen aus Murrhinglas, die vom Scheitel der drei gleichschenkligen zum Rand vorstoßenden Winkel, von denen oben die Rede war, begrenzt wurden; und zwar beschrieben die Rinnen umeinander eine Halbschneckenwindung.

Wir richteten, nachdem wir diese betrachtet hatten, unsere Blicke anderswohin, als Bacbuc uns empfahl, auf den Auslauf des Wassers zu lauschen. Da vernahmen wir einen wundersam harmonischen, wenn auch gedämpften und gebrochenen Klang, der von weither aus dem Erdengrund zu dringen schien, weshalb er uns noch wonniger dünkte, als wenn er von nahe her entsprungen und gehört worden wäre; dergestalt daß im gleichen Maße, wie sich unser Gemüt durch die Fenster der Augen beim Anschaun der genannten Dinge erletzt hatte, es unseren Ohren beim Anhören dieser Harmonie ebenso erging. Da sagte Bacbuc zu uns: »Eure Philosophen wollen nicht wahrhaben, daß kraft der Figur Bewegung erzeugt wird; merkt auf diesen Laut und erfahrt hier das Gegenteil. Allein durch die Schneckenfigur, die ihr hälftig geteilt seht, sowie durch ein fünfblättriges bewegliches Kläppchen an jeder inwendigen Mündung (wie sich eins in der Hohlader an der Stelle befindet, wo sie in die rechte Herzkammer eintritt) wird dieser heilige Brunnen abgeleitet, und durch diesen Einklang, den ihr vernehmt, steigt er hinauf bis zum Meer eurer Welt.«

42. KAPITEL *(bis)*

Wie das Wasser des Brunnens nach Wein schmeckte, je nach der Einbildung des Trinkers

Dann befahl sie Humpen, Schalen und Becher aus Gold, Silber, Kristall und Porzellanerde herbei und richtete an uns die freundliche Aufforderung, von dem Naß zu trinken, das diesem Brunnen entsprang, was wir auch von Herzen gern taten. Denn um euch klaren Wein einzuschenken: wir sind nicht vom Schlag einer Kälberherde, die, so wie die Spatzen erst fressen, wenn man ihnen auf den Schwanz klopft, nicht eher säuft und frißt, als bis man sie mit schweren Stockhieben kreuzlahm schlägt; wir geben nie jemandem einen Korb, wenn man uns höflich zum Trinken auffordert.

Darauf fragte Bacbuc und erkundigte sich bei uns, wie wir's fänden. Wir gaben ihr zur Antwort, es schmecke wie gutes kühles Brunnenwasser, lauterer und silberner als Argirondes in Italien, Peneus in Thessalien, Axios in Migdonien, Cydnus in Cilicien, wo Alexander, der Mazedonier, das Wasser so schön, so klar und mitten in der Sommersglut so kalt fand, daß er die Lust, darin zu baden, dem Leid, das er sich von diesem flüchtigen Vergnügen gewärtigte, voranstellte.

»Ha!« sagte Bacbuc, »da fehlt's euch an Beachtung und Verständnis der Bewegungen, die der Zungenmuskel ausführt, wenn das erquickende Naß darüber hinläuft, um hinabzurinnen – nicht etwa in die Lungen durch die ungleiche Arterie, wie es die Auffassung des guten Platon, Plutarch, Macrobius und anderer gewesen ist –, sondern in den Magen durch den Oesophagus. Fremdlinge, habt ihr denn belegte, verpichte und emaillierte Zungen, wie einst Pithileus, genannt Theutes, daß ihr weder Geschmack noch Aroma dieses göttlichen Getränks erkennen konntet? Bringt mir«, sagte sie zu ihren Zofen, »das Scheuermittel her, ihr wißt schon, um ihnen den Gaumen abzukratzen, zu säubern und zu reinigen.«

Sogleich wurden schöne und pausbäckige Schinken, dicke und herzerfreuende geräucherte Ochsenzungen, frischfröhliches Pökelfleisch, Gehacktes, Butargen, Kaviar, schöne pralle Wildwürste und derlei mehr Gaumenputzmittel aufgetragen. Auf ihr Geheiß aßen wir davon so viel, bis wir bekannten, daß unsere Mägen gründlich ausgescheuert seien und der Durst uns gar verdrießlich plage, worauf sie zu uns sagte: »Es war einmal ein jüdischer Heerführer, der war gelehrt und mannhaft und führte sein Volk durch die Wüste, wo es grimmen Hunger litt; da erflehte er vom Himmel das Manna, das ihnen in der Einbildung genauso schmeckte wie vordem die Speisen, die sie genossen, in Wirklichkeit. Hier ist's genauso: trinkt ihr von diesem Wundernaß, so werdet ihr den Geschmack des Weins, den ihr euch vorstellt, auf der Zunge haben. Stellt euch also einen vor und trinkt!«

Was wir sogleich taten. Da rief Panurge mit lauter Stimme: »Bei Gott, das hier ist Wein von Beaune, und zwar besserer, als ich dort je getrunken, oder neunmal neunzig Teufel sollen mich holen. O daß einer, um ihn länger zu kosten, einen drei Ellen langen Hals hätte, wie sich's Philoxenus wünschte, oder wie ein Kranich, wonach Melanthius sich sehnte.«

»Bei der Himmelslaterne!« rief Bruder Jan, »das ist Grave-Wein, resch und spritzig. Oh, lehrt mich um Gottes willen, Herrin, die Art, wie Ihr ihn so hinkriegt.«

»Mich dünkt«, sagte Pantagruel, »es ist Wein von Mirevaulx, denn vor dem Trinken hab ich ihn mir vorgestellt. Das schlimme ist nur, daß er kühl, ja geradezu kalt, kälter noch als Eis ist, kälter als das Wasser von Nonie und Dirce, als die Quelle Kontoporie in Korinth, die den Magen und die zur Nahrungsaufnahme bestimmten Organe derer, die ihn tranken, vereiste.«

»Trinkt«, sagte Bacbuc, »einmal, zwei- und dreimal. Im Nu, wenn ihr euch einen andern vorstellt, werdet ihr ihn in Geschmack, Aroma und Süffigkeit genauso finden, wie ihr ihn euch vorgestellt. Und laßt euch künftig nicht einfallen zu sagen, daß bei Gott etwas unmöglich sei.«

»Niemals«, erwiderte ich, »hat das einer von uns gesagt; wir behaupten fest, daß er allmächtig ist.«

43. KAPITEL

Wie Bacbuc Panurge ausstaffiert, um den Spruch der Flasche zu erhalten

Als diese Gespräche und Weinproben abgeschlossen waren, fragte Bacbuc: »Wer ist derjenige unter euch, der den Spruch der Herrin Flasche erhalten will?«

»Ich«, sagte Panurge, »Euer demütiges Treberlein.«

»Mein Freund«, sagte sie, »ich brauche Euch nur in einem zu belehren: nämlich daß Ihr, wenn Ihr dem Orakel naht, darauf bedacht sein müßt, den Spruch nur mit einem Ohr zu hören.«

»Das ist«, sagte Bruder Jan, »einöhriger Wein.«

Darauf bekleidete sie ihn mit einem grünen Leinenkittel, setzte ihm eine schöne weiße Haube auf den Kopf, benestelte ihn mit einem Würzweinseihbeutel, an dessen Zipfel sie anstelle der Troddel drei Eierkuchen hängte, schusterte ihn in zwei altfränkische Hosenlätze, gürtete ihn mit drei zusammengebundenen Maultrommeln, tunkte ihn mit der Stirn dreimal in den genannten Brunnen, warf ihm schließlich eine Handvoll Mehl ins Gesicht, steckte drei Hahnenfedern auf die rechte Seite des hippokratischen Beutels, ließ ihn neunmal den Brunnen umwandeln, ließ ihn drei nette kleine Hüpfer machen, ließ ihn siebenmal mit dem Arsch den Boden betupfen, indem sie immerfort irgendwelche Beschwörungsformeln in etruskischer Sprache murmelte und zuweilen in einem Ritualbuch las, das eine ihrer Mystagoginnen neben ihr aufgeschlagen hielt. Kurzum, ich glaube, daß Numa Pompilius, zweiter König der Römer, Caeristes von Tuscien und der heilige Judenhäuptling nie so viel Zeremonien einführten, wie ich sie da in Übung sah; und

ebensowenig ist Apis von den memphitischen Wahrsagern in Ägypten noch Rhamnusia von den Euböern in der Stadt Rhanis noch auch Jupiter Ammon, noch Feronia von den Alten ein so andächtiger Kult dargebracht worden, wie ich ihn hier erlebte.

Dergestalt ausstaffiert, trennte sie ihn von unserer Schar ab und führte ihn rechter Hand durch eine goldene Pforte aus dem Tempel hinaus in eine runde Kapelle, die aus phengitischem Stein und Bergkristall gemacht war und deren gediegene Vorspiegelungskraft bewirkte, daß ohne ein Fenster noch sonst eine Öffnung das Sonnenlicht aufgefangen wurde, das durch die Kluft des den Tempel überhangenden Felsmassivs fiel, und dies so ungehindert und in solcher Fülle, daß das Licht drinnen zu entspringen und nicht von außen zu kommen schien. Nicht minder bewunderungswürdig war die Anlage als ehedem der heilige Tempel zu Ravenna oder in Ägypten der auf der Insel Chemnis; auch soll nicht verschwiegen werden, daß der Bau dieser Rundkapelle so symmetrisch abgemessen war, daß der Durchmesser der Grundfläche zugleich auch die Höhe der Kuppel war.

Inmitten stand ein Brunnen aus feinem Alabaster in Form eines Siebenecks, eigenartig bearbeitet und ornamental ausgestattet, voll eines so lauteren Wassers, wie es ein Element in seiner Einfalt nur irgend sein kann. Darin ruhte halben Leibes die heilige Flasche, ganz mit reinem Kristall eiförmig umhüllt, außer daß die Mündung ein bißchen weiter offenstand, als es sich mit dieser Form ansonst verträgt.

44. KAPITEL

Wie die Priesterin Bacbuc Panurge vor die göttliche Flasche führte

Da ließ Bacbuc, die edle Priesterin, Panurge niederknien und den Rand des Brunnens küssen. Drauf hieß sie ihn sich erheben und drei Inthibones oder Thibones tanzen. Nachdem dies geschehen, ließ sie ihn zwischen zwei Stühlen, die da bereitstanden, mit dem Hintern am Boden niedersitzen. Dann schlug sie ein Ritualbuch auf und ließ ihn, während sie ihm ins linke Ohr blies, eine Epilänie singen, die folgendermaßen lautete:

O
Flasche,
Schierer
Mysterien
Hort du,
Die mit
Einem Ohr
Ich benasche:
Zögert nicht länger,
Sprecht aus das Wort,
Das mir Kummer schafft;
In dem hehren heiligen Saft,
So dein Leib birgt verschlossen,
Hält Bacchus, der Indien gestraft,
Jegliche Wahrheit beschlossen.
Hochheiliger Wein, ausgeschlossen
Von dir ist aller Lug und Trug;
Von Seligkeit sei Noahs Seel umflossen,
Der für unsre Labung Sorge trug.
Das Wort laß ertönen; hab genug
Elend gelitten: nimm's bitte fort,
Auf daß jeden Tropfen, ob Weißen,
Ob Roten, ich von dir erhasche.
O Flasche,
Schierer
Mysterien Hort.

Als dieses Lied zu Ende gesungen war, warf Bacbuc ich weiß nicht was in den Brunnen, und plötzlich fing das Wasser an zu sieden wie der große Suppenkessel in Bourgueil am Fronleichnamstag. Panurge lauschte stillschweigend mit einem Ohr, Bacbuc hielt sich kniend an seiner Seite, als der heiligen Flasche ein Geräusch entfuhr, wie es die Bienen

machen, wenn sie aus dem Fleisch eines Jungstiers, der getötet und nach Kunst und Erfindung des Aristaeus zubereitet worden ist, zum Leben erwachen, oder wie ein Bolzen, der von einer Armbrustsehne abschwirrt, oder im Sommer ein jäher Platzregen. Dann wurde das Wort vernommen:

Trink!

»Sie ist«, schrie Panurge, »bei Gottes Herrlichkeit, zerbrochen oder gesprungen, das möcht ich schwören! So reden bei uns daheim die Kristallflaschen, wenn sie am Feuer platzen.«

Da erhob sich Bacbuc und sprach, indem sie Panurge sachte unterfaßte, zu ihm: »Freund, sagt den Himmeln Dank, die Vernunft zwingt Euch dazu. Ihr habt das Wort der göttlichen Flasche im Umsehn erhalten. Und zwar das freudigste, göttlichste und unzweideutigste Wort, das ich in der ganzen Zeit, die ich im Dienst ihres hochheiligen Orakels stehe, von ihr vernommen habe. Erhebt Euch und kommt mit mir ins Kapitel, in dessen Glossa das schöne Wort seine Deutung erfahren soll.«

»Gehen wir«, sagte Panurge, »bei Gott! Ich bin noch immer so klug wie zuvor. Erklärt mir, wo dieses Buch ist. Macht mir dieses Kapitel ausfindig. Schaun wir uns diese lustige Glossa an!«

45. KAPITEL

Wie Bacbuc das Wort der Flasche deutet

Indes Bacbuc ich weiß nicht was in das Becken warf, wodurch sich die Aufwallung des Wassers sogleich beschwichtigte, führte sie Panurge in den Haupttempel zurück, wo inmitten der lebenspendende Brunnen war. Dort zog sie ein dickes silbernes Buch in Form eines Halbmuds oder eines Sentenzen-Viertels hervor, ließ es im Brunnen vollaufen und sprach zu ihm: »Die Philosophen, Prediger und Doktoren eurer Welt mästen eure Ohren mit schönen Worten; hier dagegen verleihen wir unseren Lehren wahrhaft körperliche Gestalt durch den Mund. Darum sage ich zu Euch nicht: Lest dieses Kapitel, seht Euch diese Glossa an; ich sage vielmehr zu Euch: Leert, kostet dieses Kapitel, schluckt diese schöne Glossa hinunter. Ein Prophet des jüdischen Volkes verschlang einst ein Buch und wurde gelehrt bis an die Zähne; nunmehr sollt Ihr eins trinken und werdet davon gelehrt werden bis in die Leber. Los, tut Eure Kinnbacken auf!«

Indes Panurge den Rachen sperrangelweit aufmachte, ergriff Bacbuc das silberne Buch, und wir waren der Meinung, es sei wirklich ein Buch, da es der Form nach wie ein Brevier aussah; doch war es eine ehrwürdige, echte und naturgetreue Buddel, angefüllt mit Falernerwein. Den ließ sie Panurge in einem Zug hinunterschlucken.

»Das nenn ich mir«, sagte Panurge, »ein bedeutsames Kapitel und eine sehr authentische Glossa. Ist das alles, was das Wort der trismegistischen Flasche beinhalten soll? Mir ist wohl dabei, wahrhaftig!«

»Nichts sonst«, erwiderte Bacbuc, »denn ›Trink‹ ist ein panomphäisches Wort, das von allen Völkern hochgehalten und verstanden wird, und soll soviel heißen wie: Haltet euch dran! Ihr sagt in eurer Welt, daß ›Sack‹ eine allen Sprachen gemeinsame Vokabel ist und wie recht und billig von allen Völkern verstanden wird, denn wie die Fabel von Äsop lehrt, kommen alle Menschen mit einem Sack um den Hals zur Welt; notleidend sind sie von Haus aus, und so geht einer den andern mit Betteln an; unter dem Himmel ist kein König so mächtig, daß er des Nächsten entraten könnte; kein Armer ist so hochfahrend, daß er den Reichen entbehren könnte, sei es selbst der Philosoph Hippias, der alles fertigbrachte. Ohne Trinken ist noch weniger auszukommen als ohne Sack. Und wir vertreten hier die Auffassung, daß nicht das Lachen, sondern das Trinken den Menschen zum Menschen macht; dabei meine ich nicht das Trinken schlechtweg und ohne weiteres, denn das tut auch das Vieh; ich meine das Trinken von gutem kühlem Wein. Merkt, Freunde, daß in den Wein sehn zu Einsehn verhilft, und ist kein Argument so unerschütterlich gewiß und keine Seherkunst minder trügerisch. Eure Akademiker behaupten dies auf Grund der Etymologie von ›Wein‹, indem sie erklären, das griechische Wort dafür (οἶνος) sei gleichbedeutend mit *vis*, Kraft, Stärke, weil er die Seele mit jeglicher Wahrheit, jeglichem Wissen und jeglicher Philosophie erfüllt. Wenn ihr bemerkt habt, was in jonischer Schrift über der Tempelpforte geschrieben steht, habt ihr wohl verstehen gelernt, daß im Wein Wahrheit verborgen ist. Die göttliche Flasche weist euch den Weg, seid ihr nun selber Deuter eures Unterfangens.«

»Nicht besser«, sagte Pantagruel, »läßt sich in Worte kleiden, was diese ehrwürdige Priesterin sagt. So hab ich auch zu Euch gesprochen, als Ihr im Anfang die Rede darauf brachtet. Trinkt denn! Was sagt Euer Herz, erhoben von bacchischem Taumel, dazu?«

»Trinken wir«, sagte Panurge.

> »Ein Prosit dem lieben Bacchusknaben!
> Hoho, bald werde ich drinnen schaben
> arschaufwärts mit stattlichem Eierballast,
> so viel die Stopfwurst irgend faßt
> von meinem kleinen Menschenbrast.
> Wie ist mir doch? Die Paternitas
> meines Herzens sagt: ich kann sicher sein,
> daß ich in Bälde nicht allein
> vermählt sein werde in meinem Gefild,
> sondern auch, daß froh und von Herzen gewillt
> mein Weib zum venerischen Streit
> antreten wird. Herrgott, welche Freud
> ahn ich da schon! Ich werde ackern
> aus Leibeskräften und rittlings zackern
> ruckzuck, da ja keine Latte
> ich bin. Nein, der herzensgute Gatte,
> der Besten Bester. Io Päan!
> Io Päan! Io Päan!
> Io dreimal der Ehestand!
> Sassa, Bruder Jan, diese meine Hand
> schwört dir zu klar und vernehmbar,
> daß dieses Orakel ist unfehlbar.
> Triftig ist's und ist ahndevoll.«

46. KAPITEL

Wie Panurge und die anderen durch poetischen Furor reimen

»Bist du«, fragte Bruder Jan, »verrückt geworden? oder
behext? Seht nur, wie er fuchtelt! Hört, wie er Reime
klopft! Was, bei allen Teufeln, hat er gegessen? Er verdreht die Augen im Kopf wie eine verendende Geiß. Wird
er sich verdrücken? Wird er abseits gehn und misten?
Wird er Hundskraut fressen, um seine Futterkiepe zu er-
leichtern? Wird er nach Mönchssitte die Faust bis zum
Ellenbogen in den Rachen bohren, um sich die Hypochonder abzuscheuern? Wird er Haar vom Fell des Hundes
nehmen, der ihn gebissen?«

Pantagruel schalt Bruder Jan und sprach zu ihm:

> »Der poetische Furor ist dies, seid belehrt,
> des lieben Bacchus, die Sinne verkehrt
> der edle Tropfen ihm, macht ihn zum Sänger.
> Denn, leugnet's nicht,
> sein geistig Licht,
> dem nichts gebricht,
> weiht durch den Wein
> mit Jubelschrein
> und Fröhlichsein

Lachen Gedeihn
hierdurch allein
sein Herz so rein
zum Dichter ein,
der herrscherlich
entblödet unsre Feixerein.
Da er nun aber begeisterten Geistes ist,
wär's gehandelt wie ein witzelnder Stinker,
zu verspotten einen so edeln Trinker.«

»Was hör ich?« sagte Bruder Jan, »Ihr reimt auch? Bei
der Kraft Gottes, wir sind alle im Eimer. Möge es Gott gefallen, daß Gargantua uns in diesem Zustand sähe. Ich weiß
beim Himmel nicht, wie ich's halten soll, ob ich reimen
soll wie Ihr oder nicht. Ich versteh davon nichts, aber nun
haben wir einmal die Reimeritis. Beim heiligen Jan, ich
werde so gut wie alle andern reimen, ich hab's im Gefühl.
Gebt acht und haltet es mir zugute, wenn ich nicht in
Purpurflicken reime.

O Gott, Sternenhirt der Sterne,
der du Wasser vertauschtest in Wein,
mach aus meinem Arsch Laterne,
daß ich leuchte meinem Nachbarn heim.«

Panurge fuhr in seiner Rede fort und sprach:

»Hat doch Pythia mit ihrem Dreifußtitel
ehmals durch ihr Priesterkapitel
nie so triftig geantwortet und besonnen;
drum glauben wir, daß in diesem Bronnen
er namentlich sei zitiert
und von Delphi hierher transportiert.
Hätte Plutarch dahier getrunken
wie wir, hätt es ihm schwerlich gestunken,
daß in Delphi die Orakuleme
stummer sind als Gruftembleme,
die auf nichts mehr zu antworten verstehn.
Der Grund davon ist leicht einzusehn:

in Delphi nicht mehr, nein, da –
der fatale Dreifuß, da steht er ja!
Alles Künftigen weissagender Mund.
Denn Athenäus tut uns kund,
daß dieser Dreifuß eine Flasche gewesen,
die einen Tropfen barg auserlesen
von Wahrheit, sag ich und sag damit Wein.
Kann doch nichts offner und ehrlicher sein
in der ganzen prophetischen Kunst
als die einschmeichelnde Gunst
des Wortes, das aus der Flasche kommt.
Auf, Bruder Jan, mich dünkt, dir frommt,
da wir einmal hier sind am Ort,
auch zu empfangen das Wort
der trismegistischen Flaschenpost,
um zu erfahren, ob du nicht etwa getrost
erwählen kannst den Ehestand.
Nur zu, nimm's Herz in deine Hand
und wirb als Prinz der Mondscheinlaube
um meine Hos und meine Haube.
Macht ihn mit Mehl ein bißchen blaß!«

Bruder Jan geriet in Wut und antwortete darauf:

»Heiraten, beim großen Kontrabaß,
bei Sankt Benedicti Postament,
weiß doch ein jeder, der mich kennt,
daß, wenn's drauf ankommt, ich lieber kahl
mich rupfen ließe wie einen Aal
und treten ließe wie einen Schuh,
ehe denn ich heiraten tu.
Wie? Ich soll abtun mein ledig Los
und einem Weib hängen am Rockschoß?
Gerechter, käm es mir doch nicht in den Sinn,
für Alexander Fesseln zu tragen,
noch für Cäsar und seinen Schwertmagen,
noch für den Tapfersten im ganzen Revier!«

Panurge, indem er sich seines Kittels und seiner mystischen Ausstaffierung entledigte, erwiderte:

»Drum wirst du auch, unflätiges Tier,
verdammt sein wie eine öde Darre.
Ich aber werde sein wie eine Gitarre
im Paradies, bestrahlt von der Gnade Licht.
Da werd ich auf dich, du armer Wicht,
herunterpinkeln: das nimm als Eid!
Aber hör zu: ist's mal so weit,
daß du einkehrst beim Höllenoberherrn,
und sollte da, was ja gut und gern
geschehen könnt, Frau Proserpina
vom Dorn, den du im Hosenlatz da
verbirgst, gedörnt, in Liebesleidenschaft
entbrennen zu deiner Vaterschaft –
angenommen, der Fall träte ein
und ihr beide kämet überein
und du stiegest bei ihr ein:
wirst du dann nicht, auf dein Wort,
aus dem besten Wirtshaus am Ort
nach Wein Luzifer, den alten Schnorrer, schicken,
deine Festmahltafel zu bestücken?
So alte Lumpenbrüder hat sie noch
kaum je versetzt, und schön war sie doch!«

»Geh, alter Narr«, sagte Bruder Jan, »zum Teufel! Vor
lauter Reim kommt mir der Schleim. Tun wir uns lieber an
dem Stoff hier gütlich!«

47. KAPITEL

Wie wir, nachdem wir von Bacbuc Abschied genommen,
vom Orakel der Flasche schieden

»Daß ihr euch gütlich tut«, sagte Bacbuc, »darum seid
unbekümmert. Allen wird hier Genüge getan, wenn ihr
mit uns nur zufrieden seid. Hier unten in diesen erdkreis-
zentralen Regionen erklären wir nicht das Nehmen und
Empfangen zum höchsten Gut, sondern das Austeilen und
Geben, und glücklich schätzen wir uns nicht etwa dann,
wenn wir vom Nächsten viel nehmen und empfangen, wie
gelegentlich die Sekten eurer Welt dekretieren, sondern wir
sehen unser Glück darin, daß wir den andern viel zukommen lassen und geben. Das einzige, worum ich euch bitte,
ist, daß ihr uns eure Namen und eure Heimat hier in diesem Stammbuch schriftlich hinterlaßt.«

Damit schlug sie ein großmächtiges Buch auf, in das
nach unserem Diktat, während eine ihrer Mystagoginnen

schrieb, mit einem goldenen Griffel ein paar Krakel gekritzelt wurden, als ob es Schrift sei, aber von Geschriebenem bekamen wir nichts zu sehen. Als dies getan war, füllte sie uns drei Lederflaschen mit dem phantastischen Wasser und sprach, indem sie uns diese einhändigte, die folgenden Worte:

»Ziehet hin, Freunde, beschützt und beschirmt von dieser intellektualen Sphäre, deren Mittelpunkt überall und deren Umfang nirgendwo ist, die wir Gott nennen. Und kommt ihr in eure Welt, so gebt klar und deutlich Zeugnis, daß unter der Erde die großen Schätze und wundersamen Dinge sind. Und nicht mit Unrecht hat Ceres (die in aller Welt Hochverehrte, weil sie den Menschen die Kunst des Ackerbaus gewiesen und gelehrt und unter ihnen die rohe Eichelnahrung abgeschafft hat) so bitter und untröstlich gewehklagt, darum daß ihre Tochter in unsere unterirdischen Bereiche hinab geraubt ward, gewißlich deshalb, weil sie voraussah, daß unter der Erde ihre Tochter mehr an Gütern und Vortrefflichkeiten finden würde, als sie, ihre Mutter, droben vollbracht hatte.

Wohin ist die Kunst entschwunden, vom Himmel den Blitz und das olympische Feuer herabzubeschwören, deren Erfinder der weise Prometheus war? Ihr habt sie gewiß verloren; von eurer Hemisphäre ist sie geschieden. Hier unter der Erde wird sie noch beherrscht, und ohne Ursach seid ihr zuweilen verblüfft, wenn ihr eure Städte lodern und in Flammen aufgehn seht durch Blitzschlag und ätherisches Feuer, ohne daß ihr wißt, von wem und woher dieses so, wie ihr es anseht, entsetzliche Ungemach gekommen, das uns dagegen vertraut und nützlich ist. Eure Philosophen, die darüber klagen, daß alles, was es gibt, von den Alten beschrieben worden sei und ihnen nichts Neues zu erfinden übrigbleibe, sind mehr, als sich sagen läßt, im Unrecht. Was sich euch am Himmel zeigt und ihr Phänomene nennt, was die Erde euch zur Schau gestellt hat, was das Meer und alle die Flüsse in sich bergen, ist nichts gegen das, was im Erdenschoß verborgen ist. Darum wird wie billig der höchste Herrscher nahezu in allen Sprachen nach seinen

Reichtümern zubenannt. Er aber (so sie mit Mühe und Fleiß dem gründlich nachforschen, indem sie den obersten Gott anrufen, den einst die Ägypter in ihrer Sprache den Verborgenen, den Geheimen, den Versteckten genannt haben, und indem sie ihn mit diesem Namen anflehen, er möge sich ihnen offenbaren und entdecken) wird ihnen Erkenntnis seines Wesens und seiner Geschöpfe spenden, indem er sie dergestalt der Führung einer guten Laterne anvertraut. Denn alle alten Philosophen und Weisen waren sich darin einig, daß zwei Dinge erforderlich sind, um den Weg göttlicher Erkenntnis und der Jagd nach Wissen sicher und vergnüglich zurückzulegen: nämlich Führung Gottes und menschliche Gesellschaft.

So nahm bei den Persern Zoroaster den Arimaspes zum Gefährten seiner ganzen geheimnisvollen Philosophie; Hermes Trismegistos bei den Ägyptern hatte [...]; Äskulap hatte Merkur, Orpheus in Thrazien hatte Musäus; desgleichen auch hatte Platon zuerst Dion von Syrakus in Cilicien und nach dessen Tod an zweiter Stelle Xenokrates; Apollonius hatte Damis.

Wenn somit eure Philosophen unter der Führung Gottes und dem Geleite einer guten Laterne sich umsichtiges Nachspüren und Erforschen angelegen sein lassen (wie's in der Natur des Menschen liegt, weshalb dieser Eigenschaft wegen Herodot und Homer *alphestes* genannt wurden, das heißt Forscher und Erfinder), müßten sie darauf kommen, daß die Antwort richtig war, die Thales dem Ägypterkönig Amasis gab, als er von ihm gefragt wurde, worin die meiste Klugheit sei, und er drauf erwiderte: ›In der Zeit‹; denn im Laufe der Zeit wurden und im Laufe der Zeit werden fernerhin alle in Verborgenheit ruhenden Dinge erfunden, und darum haben die Alten Saturn, die Zeit, Vater der Wahrheit genannt und ist Wahrheit die Tochter der Zeit. Auch werden sie unfehlbar darauf kommen, daß alles Wissen, das ihre sowohl wie das ihrer Vorgänger, nur ein winziger Bruchteil des Seienden ist, von dem sie nicht wissen.

Aus diesen drei Flaschen, die ich euch hiermit übergebe,

werdet ihr Urteilskraft und Erkenntnis schöpfen, nach dem Sprichwort: das Beste behaltet. Durch die Verdunstung unseres Wassers, das sie eingeschlossen bergen, infolge der Wärme der Oberweltskörper und des salzigen Meeres Ungestüm, wie es der natürlichen Umwandlung der Elemente gemäß ist, wird euch darin eine sehr heilsame Luft erzeugt, die euch als heller, heiterer, köstlicher Wind dienlich sein wird; denn Wind ist nichts anderes als wallend bewegte Luft. Mit diesem Wind werdet ihr schnurstracks vorankommen, ohne Land anzulaufen, wenn euch danach nicht gelüstet, bis ihr im Hafen Olonne in Thalmodois seid, und zwar braucht ihr ihn nur durch dieses kleine Blasrohr aus Gold, das ihr hier wie eine Flöte angebracht seht, in eure Segel zu schleusen, soviel davon, wie ihr für nötig befindet, um ganz gemächlich in steter Bequemlichkeit und Sicherheit ohne Fährde und Sturm dahinzusegeln.

Hegt hieran keinen Zweifel und denkt nicht, der Sturm komme vom Wind her und gehe aus ihm hervor; der Wind kommt von dem in der Tiefe des Abgrunds entfachten Sturm.

Denkt auch nicht, der Regen komme von dem Unvermögen des Himmels her, ihn länger zu verhalten, und vom Gewicht der hangenden Wolken; er kommt durch Anrufung der unterirdischen Regionen zustande, wie wenn er durch die anrufenden Oberweltskörper von unten nach oben gezogen würde; und dies mag euch der Prophetenkönig bezeugen, der singt und sagt, daß der Abgrund den Abgrund ruft.

Von den drei Flaschen sind zwei gefüllt mit dem Wasser, von dem ich soeben sprach; die dritte ist aus dem Born der indischen Weisen geschöpft, welchen man das Faß der Brahmanen nennt.

Ihr werdet überdies eure Schiffe mit allem gehörig versehen finden, was ihr etwa für den Rest eurer gemeinsamen Wirtschaft notwendig braucht oder nützlich erachtet. Indessen ihr hier weiltet, habe ich dafür jederlei Vorsorge getroffen.

Ziehet nun hin, Freunde, mit frohem Sinn und bringt

diesen Brief eurem König Gargantua; grüßt ihn von uns mitsamt den Fürsten und Kammerherrn seines edlen Hofs.«

Nachdem sie diese Worte gesprochen, überreichte sie uns etliche verschlossene und gesiegelte Briefe; darauf ließ sie uns, nachdem wir ihr unsterblichen Dank abgestattet, durch eine Nebenpforte der Kapelle hinaus, wo die Bacbuc uns mit der Mahnung entließ, zweimal soviel Fragen zu stellen, wie der Olymp hoch ist.

Durch eine unendlich wonnereiche liebliche Landschaft, die von milderen Lüften durchweht war als Tempe in Thessalien, gesünder als jener Teil Ägyptens, der nach Libyen hinsieht, bewässerter und grünender als Themiscyra, fruchtbarer als jener Hang des Taurus, der sein Gesicht gen Norden kehrt, mehr als die hyperboräische Insel im judäischen Meer, als Caliges am Kaspisberg duftgeschwängert, heiter und anmutig wie nur die Landschaft Touraine, gelangten wir schließlich zu unseren Schiffen im Hafen.

Epigramm

Ist Rabelais denn tot? Dies Buch liegt frisch im Nest.
Nein doch, sein bestes Teil hat wieder sich ermannt,
und eine seiner Schriften legt es uns in die Hand,
das ihn unsterblich macht und weiterleben läßt.

Nature quite.

ANHANG

ANMERKUNGEN

5   *Alcofribas Nasier* ist das Anagramm von François Rabelais. Unter diesen beiden Namen erschienen die ersten Ausgaben des *Pantagruel*. Erst die Ausgabe des *Pantagruel* von F. Juste (1534) gibt als Verfasser nur *M. Alcofribas* an und setzt den Titel *Abstracteur de quinte essence* hinzu.
Abstraktor der Quintessenz: Alchimist. Die Quintessenz (quinta essentia), das fünfte Element, reinere, feinere Substanz, die über den vier dichten Elementen (Erde, Wasser, Luft, Feuer) schwebte.

7   *Das Lachen ist allein des Menschen Art:* nach dem Ausspruch des Aristoteles (De part. an. III,10): μόνον γελᾷ τῶν δώων ἄνθρωπος.

9   *Platon, Das Gastmahl:* »Also den Sokrates zu loben, ihr Männer, will ich so versuchen, durch Bilder, er wird nun wohl vielleicht glauben, spöttischerweise, aber gerade zur Wahrheit soll mir das Bild dienen und gar nicht zum Spott. Ich behaupte nämlich, er sei äußerst ähnlich jenen Silenen in den Werkstätten der Bildhauer, welche die Künstler mit Pfeifen oder Flöten vorstellen, in denen man aber, wenn man die eine Hälfte wegnimmt, Bildsäulen von Göttern erblickt, und so behaupte ich, daß er vorzüglich dem Satyr Marsyas gleiche.« (Übersetzung von Schleiermacher.)
Marsyas, der Meister im Flötenspiel war, forderte Apollon zum Wettkampf heraus, unterlag jedoch und wurde zur Strafe lebendig geschunden.
Silene: ältere Satyrn, d.h. Menschen mit tierischen Ohren, mit Schwanz, Hufen und Hörnern, im Gefolge des Dionysos.
Harpyien: antike geflügelte Windgeister, die plötzlich erscheinen und Unheil stiften.
graue Ambra: wachsartige, sehr angenehm riechende graue Masse, Ausscheidung aus dem Darm des Pottwals.
Amomum: Früchte der Amome (Amomum granum paradisi).
Zibet: Ausscheidungssubstanz der Zibetkatzen, früher als Parfüm verwendet.

11 *Sirenen:* in der antiken Sage Mädchen mit Vogelleib, die auf einer Insel im Meer hausten, Seefahrer mit ihrem süßen Gesang anlockten und ihnen das Blut aussogen.

Platon: Der Staat, 2. Buch.

Galen: Galenos von Pergamon (129 – ca. 199 n. Chr.), berühmter griechischer Arzt.

De Facultatibus . . . : Von den natürlichen Eigenschaften.

De Usu . . . : Vom Gebrauch der menschlichen Körperteile.

pythagoräisch: Die Lehren des Pythagoras (aus Samos, um 580–500 v. Chr.), die meist allegorisch ausgelegt wurden, verbanden streng wissenschaftliche Untersuchung mit eigenartig mystischer Spekulation.

12 *Plutarchos,* geb. um 46 n. Chr. in Chaironeia, Verfasser der *Bioi paralleloi* (parallelen Lebensgeschichten), in denen er jeweils einen Griechen einem Römer gegenüberstellte.

Heraklides Ponticus: Das Werk *De Allegoriis apud Homerum,* unter dem Namen des Heraklides Ponticus veröffentlicht, stammt von einem alexandrinischen Grammatiker.

Eustatius: Erzbischof von Thessalonich im 12. Jh., Verfasser eines Kommentars zu den Werken Homers.

Phornutus (oder Cornutus): Stoiker des 1. Jh., Lehrer des Persius und Lukans, aus Leptis in Afrika, Verfasser der *Theoria de natura Deorum.*

kalfatert: im Original *calfaté.* R. vergleicht die Kommentarschreiber, die Lücken in einem Text mit Hilfe von Allegorien ausfüllen, mit den Kalfaterern, die Risse und Löcher eines Schiffs mit Werg stopfen.

Polizian: Angelo Poliziano (eigentlich A. Ambrogini), 1454–1494, ital. Dichter und Humanist. In seiner *Oratio in expositione Homeri,* einem Plagiat der fälschlich Plutarch zugeschriebenen Homer-Vita, feiert er Homer als den Vater aller Dichtung und Philosophie.

Ovid: Publius Ovidius Naso (43 v. Chr.– ca. 18 n. Chr.). Seine *Metamorphosen* (Verwandlungen) bieten einen unterhaltsamen Zyklus zahlloser Verwandlungssagen von der Entstehung der Welt bis zur Metamorphose Cäsars in ein Gestirn.

Bruder Dilldapp: Im Original *un Frère Lubin* – gebräuchlicher Name für einen einfältigen Mönch. Hier zielt Rabelais auf den engl. Dominikaner Thomas Walleys (gest. um

1430), der die Ovidschen Fabeln als christliche Symbole und Bilder interpretierte. Die Humanisten machten sich über diese moralisierenden Deutungen der Metamorphosen weidlich lustig. Auch in den *Epistulae obscurorum virorum* preist ein Frater Dollenkopfius die Weisheit des Walleys.

Ennius: Quintus E. (239–169 v. Chr.), Verfasser der *Annales* (»Jahrbücher«), in denen er in engster Anlehnung an homerische Darstellungskunst die ganze römische Geschichte von Aeneas bis auf seine Zeit behandelt.

Horaz: Quintus Horatius Flaccus (65–8 v. Chr.), einer der bedeutendsten römischen Dichter. Das Lob des Ennius findet sich in den *Episteln*, I, 19, V. 6–8.

Demosthenes (384–322 v. Chr.), der größte und berühmteste attische Redner und Staatsmann aus der Zeit der untergehenden griechischen Freiheit.

14 *Ich verweise ...:* Hinweis auf das zweite Buch, das 1532 erschienen war und mit der Genealogie der Riesen, der Vorfahren Gargantuas und Pantagruels, beginnt.

Philebos: »Das Sprichwort aber scheint wohl recht zu haben, daß man auch zwei- und dreimal das Richtige wieder durchgehen müsse in der Rede.« (Übersetzung von Schleiermacher).

Gorgias: »Denn auch zweimal und dreimal, sagen sie, dürfe man das Schöne vorbringen und erwägen.« (Übersetzung von Schleiermacher.)

Flaccus: Horaz, *Ars poetica*, V. 365: Haec placuit semel: haec decies repetita placebit.

15 *auf unsere Hammel zu kommen:* Reminiszenz aus der Farce vom *Maistre Pierre Pathelin*, die sprichwörtlich geworden ist: zur Sache kommen.

Jean Andeau: Vermutlich ein Bekannter Rabelais'.

Gualeau: Ort in der Nähe von Chinon.

Olivenhof: Pachthof bei Chinon.

Narsay: Weiler eine Meile östlich von Chinon.

16 *Hic bibitur:* Hier wird getrunken.

Der antidotierte ...: Im Original: *Les Fanfreluches antidotées*, wörtlich: wertloses, unnützes Zeug, mit einem Gegengift versehen.

17 *G ... kommen ist er ...:* Eine Deutung dieses gewiß parodistisch gemeinten, mit dunklen Allegorien vollgestopften Gedichts erübrigt sich hier. Die Kommentatoren

haben sich in weisen Interpretationen überboten, doch dürfte es sich wohl um einen ausgelassenen echt Rabelaisschen Scherz handeln.

18 *Empyräum:* höchster Teil des Himmels, wo die Götter wohnten.

19 *Massoreten:* jüdische Schriftgelehrte.

Ate: Griech. Göttin, die Streit stiftete.

Penthesilea: Königin der Amazonen, von Achilleus erschlagen.

21 *Parpailloten:* Im Original: *Parpaillos:* Schmetterlinge.

Nymphe: Die Nymphe Tyro; die beiden Kinder, die sie von Neptun bekam, waren Pelias und Nelea.

22 *Aulus Gellius* (geb. ca. 130 n. Chr.), Verfasser einer Kompilation gelehrter Bücher, *Noctes Atticae* (Attische Nächte).

Alkmene: Gattin des Amphitryon, Königs von Mykene.

Hippokrates von Kos (460– nach 377 v. Chr.), Begründer der Medizin als Wissenschaft.

Plinius: Gaius Plinius Secundus, der Ältere (23–79 n. Chr.), kam beim Vesuvausbruch des Jahres 79 um. Von seinen Werken ist nur seine *Naturalis historia* erhalten.

Plautus: Titus Maccius P. (ca. 254–184 v. Chr.), der bedeutendste röm. Komödiendichter.

Varro: Rabelais zitiert nach Aulus Gellius III,16.

Censorinus: Grammatiker und Philosoph des 3. Jh., dessen Traktat *De die natali* erst 1497 in Bologna gedruckt wurde, im 7. Kap.: caeterum undecimum mensem Aristoteles solus recipit, caeteri universi improbarunt.

Servius: Marcus Honoratus S., lat. Grammatiker des 5. Jh., Verfasser eines Virgil-Kommentars.

Ecl.: Eclogae IV, V. 61.

Gallus: De liberis et posthumis heredibus instituendis vel exheredandis. – De statu hominum (Digesten, Ges. 12, I, 57).

23 *Julia:* Nach Macrobius, *Saturnales*, II, 5.

24 *Cinais . . .:* Ortschaften in der Nähe von Chinon. »Städter« ist ironisch gemeint; es handelt sich um lauter Dörfer und Weiler.

27 *Coudray-Montpensier . . . :* Weiler östlich der Devinière.

Kegelschieber: Joueurs de quille, obszön.

Mud: muid: Das Pariser Mud faßte 18 Hektoliter Getreide oder 268 Liter Wein.

Tonnen: Frz. *bussard,* dickes, kurzes Faß, das ca. 268 Liter faßte.

Töpfe: Frz. *tupin,* irdener Topf.

Weidicht: Frz. *La Saulsaie,* mit Weiden bepflanzte Wiese an der Vède oder am Négron.

28 *Bleichart:* Frz. *clairet,* leicht rosafarbener Wein.

Potz Bimbam: Frz. *Saint Quenet,* spaßiger Heiligenname, dessen Ursprung dunkel ist.

Maultier: Frz. *fantasque comme la mule du pape,* sprichwörtliche Redensart, Wortspiel mit *mule* (Maultier) und *mule* (Pantoffel).

Brevier: Flasche in Form eines Breviers. Der Ausspruch ist eine Antwort auf den vorhergehenden Satz: *Je ne boy qu'à mes heures,* wobei *heures* doppelsinnig ist und sowohl »Stunden« als auch »Stunden- oder Gebetbuch« heißen kann.

29 *privatio ...:* Entbehrung setzt Gewohnheit voraus.

Faecundi ...: Horaz, Episteln I, 5 V. 19. »Wen haben ergiebige Becher nicht beredt gemacht?«

per procuram: D.h. die andern trinken an meiner Stelle: mein Glas wird nicht gefüllt.

30 *Schöpfer neuer Formen:* Scholastischer Scherz über die »substantiellen Formen«. Hier ist der Wein das schöpferische Prinzip, das den Körpern ihr Wesen verleiht.

rote Nase: D.h.: Wenn Eure Nase rot ist, so ist daran Eure Hand schuld, die zu oft das Glas hebt.

Pfützen ... Brustriemen: Gesattelte Pferde, die man in Pfützen saufen läßt, laufen Gefahr, ihre Brustriemen zu zerreißen, weil sie sich zu tief bücken müssen.

Buddeln ... Stöpseln: Obszönes Wortspiel mit *flacon* und *vit – vis.*

Gut gesch ...: Im Original: *C'est bien chié chanté.* Der Sprechende tut, als verspreche er sich, und verbessert sich mit einem ebenfalls mit sch anlautenden Wort.

31 *Templer:* Sprichwörtlich. Für die Trinkorgien der Templer liegt keinerlei Beweis vor.

tamquam sponsus: »Wie ein Bräutigam«, Wortspiel mit *sponsus* und *spongia* (Schwamm).

sicut terra ...: »Wie Erdreich ohne Wasser«; Psalm 143,6.

Schrotbaum: Eine Art Leiter, mittels welcher die Fässer in den Keller befördert werden.

32 *Respice ...:* »Nimm Rücksicht auf die Person; schenk für

zwei ein; *bus* ist nicht gebräuchlich«, als Erklärung für die falsche Form *pro duos* (statt *duobus*), d. h. man soll das Verb *boire* nicht in der Vergangenheit (*je bus*) verwenden, sondern in der Gegenwart: *je bois*.

Jacques Cœur: berühmter Finanzmann und Minister Karls VII., hatte ungeheuren Reichtum erworben und übte bei Hof einen gewaltigen Einfluß aus, wurde aber zu Fall gebracht, wegen schamlosen Mißbrauchs seiner Stellung angeklagt und zu einer derart hohen Geldstrafe verurteilt, daß er sein ganzes Vermögen verlor und 1456 als Bettler starb.

Melindien: Melinda, an der Ostküste Afrikas, wurde von Vasco da Gama 1498 entdeckt, der nach der Umschiffung des Kaps der Guten Hoffnung dort vor Anker ging. Die Stadt galt im 16. Jh. als der Inbegriff der fernen und ungewöhnlichen Stadt.

Schwarte: Der Betrunkene verlangt wohl ein Stück Fleisch, das in der Schüssel übriggeblieben ist.

Lagona . . .: »Geselle, zu trinken!« Baskisch.

33 *Sitio:* »Mich dürstet!« Evangelium Johannis, XIX, 28.

Asbestos: Vom griech. asbestos: unverbrennbar.

Hangest: In dem Traktat *De Causis* (1515) des Hieronymus von Hangest, Bischofs von Le Mans (gest. am 8. Sept. 1538).

Argus: Der hundertäugige Argos wurde von Hera zum Bewacher der Io eingesetzt.

Briareus: Riese aus der griech. Mythologie mit 100 Armen und 50 Köpfen.

Landsmann, stoß an: Im Original: *Lans, tringue!* Offenbar aus der Landsknechtssprache der Deutschen und Schweizer übernommen.

34 *Ex hoc . . .:* »Von dem (dem Becher) in das (den Mund).« Parodie eines Psalmverses (74. Psalm).

Natura abhorret . . .: »Die Natur verabscheut das Leere.« Axiom der alten Physik.

35 *Nur Schafes Mut:* Nicht mehr Mut als ein Schaf (müßt ihr bezeigen).

36 *Ziehen . . . Ochsen:* D. h. das Schlimmste ist überstanden. Wenn die beiden Ochsen an der Deichsel den Pflug in Fahrt gebracht haben, brauchen sie nur noch die beiden vordern Ochsen ziehen zu lassen.

Adstringens: Zusammenziehendes Mittel.

37 *Kotyledonen:* Teil der Placenta.
38 *Rocquetaillade:* Vermutlich der Held einer alten südfranzösischen Sage.
Crocquemouche: Auch diese Sage ist unbekannt.
41 *Pautille und Bréhémont:* In der Gegend von Chinon.
scotistische Doktoren: Schüler des Duns Scotus, eines berühmten scholastischen Doktors des 13. Jh.
Pipe: Großes Faß mit anderthalb Mud Inhalt.
Pinte: Inhalt eines Topfs.
42 *mammaliter:* Im Original *mammalement,* burleskes Adverb zu *mammal,* mit Brüsten versehen.
44 *Occam:* Englischer Franziskaner, Gegner des Duns Scotus und Haupt der Nominalisten, gest. 1347.
Exponibilia: Ein Teil der *Parva Logicalia,* die in den Logiktraktaten der Zeit vorkommen. Die *Parva Logicalia* gehörten zum Prüfungsstoff des Bakkalaureats.
Hohenhosenstein: Im Original: *M. Haultechaussade,* burleske Ableitung mit Hilfe des Suffixes -ade von *haut-dechausses.*
45 *Hosenlatz:* Im Original *braguette,* eine Art Futteral zur Aufnahme des Gemächts.
Orpheus: Der Traktat Περὶ λιθῶν, der dem Orpheus zugeschrieben wurde, ist zur Zeit Konstantins geschrieben worden. Er handelt von den natürlichen und magischen Eigenschaften der Edelsteine. Von der erektiven Wirkung des Smaragdes ist freilich darin nicht die Rede.
Plinius: Auch Plinius spricht lange von den Smaragden in seinem 37. Buch, erwähnt aber diese Besonderheit ebensowenig.
46 *Rhea,* die ihren Sohn Jupiter vor den Nachstellungen Saturns retten wollte, gab ihn (auf der Insel Kreta) in die Obhut der Nymphen *Adrastea* und *Ida,* die ihn mit der Milch der Ziege Amalthea ernährten. Als die Ziege an einem Felsen ein Horn abbrach, füllten sie dieses Horn mit Blumen und Früchten und brachten es Jupiter zum Geschenk dar.
47 *Pracontal:* Vielleicht Humbert de Pracontal, Seigneur d'Anconne, der im Juni 1544 auf Befehl des Königs auf eine Korsarenfahrt in See stach.
48 *Marranen:* zwangsgetaufte Juden.
Hyrkanien: Gebiet in Zentralasien, das sich vom Kaspischen Meer bis zum Tedjend und vom Aralmeer bis zur persischen Grenze erstreckt.

Mark: Gewicht von acht Unzen oder 244 g. Das Medaillon wog also mehr als 16 kg.

Plato in Symposio: Platon, *Gastmahl:* »Ferner war die ganze Gestalt eines jeden Menschen rund, so daß Rücken und Brust im Kreise herumgingen. Und vier Hände hatte jeder und Schenkel ebensoviel als Hände, und zwei Angesichter auf einem kreisrunden Halse einander genau ähnlich, und einen gemeinschaftlichen Kopf für beide einander gegenüberstehenden Angesichter, und vier Ohren, auch zweifache Schamteile . . .«

ΑΓΑΠΗ . . . : »Die Liebe suchet nicht das ihre.« (1. Korinther 13,5)

Necepsos: Nekhepso, König von Ägypten (681–674 v. Chr.), war im Altertum berühmt als Magier und Astronom.

Kabbalisten: In der Auslegung der Heiligen Schrift erfahrene Männer.

Saint-Louand: Kloster unweit Chinon.

49 *vier . . . Metalle:* Gold, Stahl, Silber und Kupfer.

Chappuys: Michel Chappuis, königlicher Schiffskapitän, vermutlich ein Verwandter des Dichters Chappuis, mit dem Rabelais befreundet war.

Ballasrubin: In Orange und Violett spielende Rubinart.

Physon: Einer der vier Ströme des irdischen Paradieses (1. Mose 2,10 und 11).

Carvel: Vermutlich ein Bekannter Rabelais'. – Die bekannte Geschichte vom Ring des Hans Carvel, die bei Poggio (133. Fazetie) in den *Cent nouvelles nouvelles* (L'encens au diable) und bei Ariost zu finden sind, die Lafontaine in Verse gebracht hat, geht kaum auf Rabelais zurück.

Langwollhammel-Gulden: Im Original: *moutons à la grande laine* zur Unterscheidung von den gewöhnlichen *agnels*: Goldstücke, auf deren einer Seite ein *Agnus Dei* abgebildet war, im Wert von 1 livre tournois.

50 *Lob der Farben:* Im Original: *le Blason des Couleurs. Blason* bedeutete im alten Französisch Lob und Tadel.

51 *Zeit der hohen Mützen:* D.h. aus der (alten) Zeit der alten Mode.

52 *Orus Apollon:* Die *Hierogliphica* des Grammatikers (O. A.) oder Horapollon, wie man damals schrieb, waren zu Beginn des 16. Jh. oft gedruckt worden.

Polyphilus: Gemeint ist das Werk des Francesco Colonna *Hypnerotomachia Poliphili, ubi humana omnia non nisi somnium esse docet. (Atque obiter plurima scitu sane quam digna commemorat.)* Es erschien bei Aldus Manutius in Venedig 1499.

Admiral: Guillaume Gouffier, sieur de Bonnivet, gefallen in der Schlacht bei Pavia 1525. Das Emblem ist auf seinem Grabmal zu sehen, dasselbe Emblem, das auch Aldus, der venezianische Drucker, als Firmazeichen verwendete: einen Anker (Langsamkeit) und einen Delphin (Schnelligkeit).

Augustus: Rabelais kennt die Devise des A. aus den *Adagia* des Erasmus. Es ist das bekannte *Festina lente* (Eile mit Weile).

den Hutmodel: D. h. den Kopf.

54 *Laurentius Valla:* In seiner Epistel *Ad Candidum Decembrem* (Basel, 1517), die gegen das Werk des Bartolus *De insigniis et armis* gerichtet ist, sagt L. V.: Color aureus est nobilissimus colorum quia per eum figuratur lux (Die goldene Farbe ist die edelste der Farben, weil durch sie das Licht dargestellt wird).

55 *Bona lux:* Reminiszenz einer Stelle aus dem *Lob der Narrheit* des Erasmus.

56 *Alexander Aphrodisius:* Kommentator des Aristoteles im 2. Jh.

Proclus Diadochus: Platonischer Philosoph des 5. nachchristlichen Jh.

57 *Xenophon* (ca. 430–354 v.Chr.), Verfasser u.a. der *Anabasis,* die den Marsch der 10000 griech. Söldner des Kyros von Babylonien bis nach Thrakien schildert.

Galen: Vgl. Vorspruch, Anm. zu S. 11.

Marcus Tullius: Cicero, Tusculanae, 1,34.

Verrius: Marcus Verrius Flaccus, lat. Grammatiker.

Titus Livius (59 v. Chr.–17 n. Chr.), röm. Geschichtsschreiber, dessen Werk *ab urbe condita* (Von der Gründung der Stadt an) bis zum Tode des älteren Drusus geht (9 v.Chr.).

Aulus Gellius: Noct. Att. III,15.

Diagoras starb vor Freude, als seine drei Söhne bei den Olympischen Spielen als Sieger hervorgingen.

Chilon, ein Spartaner, starb vor Freude, als sein Sohn Olympionike wurde.

Sophokles und *Dionys, der Tyrann von Sizilien,* starben, als sie die Nachricht von ihrem Sieg beim Wettbewerb der Tragiker erhielten.

Philippides, der Komödiendichter, starb bei der unerwarteten Nachricht von seinem Sieg im Dichterwettstreit.

Philemon: Rabelais erzählt den Tod dieses Komödiendichters im 17. Kapitel des 4. Buches. Philemon sah, wie ein Esel die Feigen fraß, die er als Vorspeise essen sollte, und lachte sich über diesen Anblick zu Tode.

Polycrita, von den Milesiern geraubt, sandte heimlich eine Botschaft an ihre Brüder in Naxos und teilte ihnen mit, die Milesier seien berauscht und verteidigungsunfähig. Als der Überfall geglückt war und ihre Landsleute sie beglückwünschen wollten, brach sie tot zusammen.

Philistion, Komödiendichter, starb an einem Lachanfall.

M. Juventius Thalva starb in Korsika vor dem Opferaltar beim Lesen einer freudigen Botschaft.

Avicenna (980–1037), arabischer Arzt und Philosoph (Ibn Sina).

Q. e. d.: Im Original: *Et pour cause* – was zu beweisen war, formelhafte Wendung der Juristensprache, entsprechend dem *quod erat demonstrandum* (q. e. d.).

59 *rief den heiligen Ulrich an:* Im Original: *escorchoyt le renard =* erbrach sich.

betete das Affenpaternoster: Klapperte mit den Zähnen, brummelte vor sich hin.

drehte die Säue zum Heu: Im Original: *tournoyt les truies au foin =* kam unvermittelt auf etwas anderes zu sprechen.

beschlug die Heupferde: Im Original: *ferroyt les cigalles =* unternahm Unmögliches.

Magnificat: Das Magnificat wird nur zur Vesper gesungen; *chanter Magnificat à matines* heißt also: etwas Widersinniges tun.

60 *Wolken . . . Laternen:* Vgl. Villon, Das große Testament, Strophen 67–68.

gab . . . reife: Wohl: für viel Bitteres ein bißchen Angenehmes.

machte . . . Graben: Etwas Unmögliches, Absurdes tun.

63 Die *Windmühlen von Mirebalais* (im Poitou) scheinen sprichwörtlich gewesen zu sein.

64 *Knickerfilz:* Im Original: *le seigneur de Painensac. Manger son pain en sac* bedeutete »knickrig, filzig sein«.

Freitisch-Schmarotz: Im Original: *duc de Francrepas* (der gerne unentgeltlich mitißt).

Windisch-Nassau: Im Original: *le comte de Mouillecent,* auch ein Schmarotzer.

65 *Lavedaner:* Pferd aus Lavedan, einer ehem. Vicomté in der Gascogne, deren Pferde wegen ihrer Schnelligkeit begehrt waren.

66 *Papelbruder:* Im Original: *un papelard,* d.h. ein Heuchler.

67 *Cahuzac:* Im Arrondissement Villeneuve-sur-Lot (Lot-et-Garonne).

69 *Perinäum:* Schamleiste zwischen After und Geschlechtsteil.

71 *Ficke:* Kleidertasche.

72 *Legel:* Frz. *bussard:* Fäßchen.

Véron: Umfaßt die heutigen Gemeinden Savigny, Saint-Louans, Beaumont und Avoine, am Zusammenfluß der Loire und der Vienne.

73 *Asphodelos:* Bei Homer Pflanze auf einer Wiese in der Unterwelt, auf der die Toten wandeln.

76 *Donatus:* Die lateinische Grammatik des Aelius Donatus *Aeli Donati de octo partibus orationis libellus* war in den Schulen des Mittelalters im Gebrauch.

Facetus . . . : Diese drei Werke gehörten zu einer Schulsammlung, die im Mittelalter und bis zum 16. Jh. in den Schulen verwendet wurde: die *Auctores octo morales.* Der *Theodolus* erläuterte auf lateinisch die Falschheit der mythologischen Sagen und die Wahrheit der Heiligen Schrift; der *Facetus* war ein Traktat über kindliche Höflichkeit und Anstand; *Liber Parabolarum Alani* war eine Sammlung moralischer Vierzeiler, verfaßt von Alanus ab Insulis (um 1128–1203).

gotisch: D.h. nicht in italienischen Lettern, wie es damals üblich war.

Ainay: Die Kirche von Saint-Martin d'Ainay, die älteste von Lyon.

de modis: Der *Tractatus de modis significandi seu grammatica speculativa,* dem Thomas von Aquino, Albertus Saxus oder Duns Scotus zugeschrieben, erfreute sich im Mittelalter großer Beliebtheit.

77 *Compost:* Neufrz. *comput:* Kalender.

Leimsieder: Im Original *Maistre Jobelin Bridé,* die verkörperte Dummheit.

Hugutio von Pisa, Bischof von Ferrara (13. Jh.), hatte ein lat. Vokabularium, *Liber derivationum*, verfaßt, das in den Schulen des Mittelalters sehr beliebt war.

Everards Gräzismus: Lexikon des Everard de Béthune (13. Jh.), dessen elf erste Teile sich mit den lat. Wörtern befassen, die aus dem Griechischen kommen.

Doctrinale: Das *Doctrinale puerorum* des Alexandre de Villedieu (13. Jh.) war ein in leoninischen Versen verfaßter Grammatiktraktat.

Partes: De octo partibus orationis, Büchlein, das die acht Teile der Rede behandelt.

Quid est: Wohl ein Schulbuch in Fragen und Antworten.

Supplementum: Es ist nicht auszumachen, welches Supplementum hier gemeint ist.

Mammutdreck: Rabelais verballhornt mit Absicht den Titel eines Bibelkommentars: *Mamotrecus* oder *Mammotreptus*.

De moribus ...: Tischregeln für Knaben des Sulpizio de Veroli (Sulpicius Verulanus, Ende des 15. Jh.).

Seneca: Pseudonym des Martin de Braga, Verfassers des Traktates *De quatuor virtutibus ordinalibus*.

Passavantus: Jacopo Passavanti, ein Florentiner Mönch (14. Jh.), hatte ein Buch mit dem Titel *Specchio della vera penitenza* verfaßt.

Dormi secure: »Schlaf in Frieden«, eine beliebte Predigtsammlung (15. Jh.).

78 *Pampaligosso:* Im Toulousanischen *papeligosso:* Phantasieland, das Doujat (1638) mit *pays de Cocagne*, etwa entsprechend unserem Schlaraffenland, wiedergibt.

Hudelbube: Im Original *taillebacon* (Speckschneider).

Villegongis: In der Nähe von Châteauroux (Indre).

Eudämon: Griechisch: Der Glückliche.

80 *Gracchus:* Tiberius G. hinterließ den Ruf eines großen Redners. Vgl. Cicero, *Brutus*, 27.

Aemilius: Lucius Aemilius Paullus Macedonicus, schlug 168 v.Chr. Perseus bei Pydna.

81 Die *Engländer* standen, wie die Deutschen, im Ruf besonderer Trunksucht.

Ponokrates: Griechisch: etwa »kräftig, fähig, Strapazen auszustehen«.

82 *Fayoles:* Vermutlich François de Fayolles, der die Küsten Afrikas besucht hatte.

wie beim Pferd ... Cäsars: Nach Plinius, H. N. VIII, 42.

Säule bei Saint-Mars: Antiker viereckiger Backsteinturm, 20 m hoch, überragt von vier 3,25 m hohen Pfeilern; jede Seite ist 4 m breit. Er steht auf einem Hügel über der Loire bei Saint-Mars im Arr. Chinon.

Thenaud: Die äußerst seltene (1884 neugedruckte) Reisebeschreibung des Jehan Thenaud hat folgenden Titel: *Le voyage et itineraire de oultre mer faict par frere Jehan Thenaud maistre es ars, docteur en theologie et gardien des freres mineurs Dangoulesmes et premierement dudict lieu Dangoulesmes jusques en Cayre.*

83 *Brigantine:* Ital. *brigantino*, kleines, im Krieg bewaffnetes Schiff.

Olone: Heute Les Sables-d'Olonne (Vendée).

Babin: Es gab in Chinon eine Familie von Schustern dieses Namens.

85 *Proficiat:* Willkommensgabe, die man den Bischöfen darbrachte.

86 *Leuketia:* Vom griech. λευκός: weiß.

Strabon (»der Schieler«, ca. 63 v.Chr.–19 n.Chr.), berühmter griech. Geograph.

89 *Barranco:* Autor und Werk sind offenbar pure Erfindung Rabelais'.

90 *Sankt Anton:* Die Mitglieder des Ordens des Hl. Antonius standen im Ruf, das St.-Antons-Feuer heilen und kranken Schweinen Gesundheit wiedergeben zu können. Dafür gab man ihnen jeweils, wenn ein Schwein geschlachtet wurde, Speck und Schinken. So kamen sie zu dem Spitznamen *jambonnier.*

der von Bourg: Der *commandeur de Saint-Antoine* in Bourg-en-Bresse war Antoine du Saix, Verfasser mehrerer Bände Verse.

93 *Nesle:* Das alte Hotel de Nesle stand an der Stelle der heutigen Münzstätte. Rabelais hat dieses Haus in der Ausgabe von 1542 statt der Sorbonne als Ort, wo das Volk zusammenlief, angegeben, weil Franz I. 1522 dort einen Amtmann (bailli) eingesetzt hatte, der beauftragt war, die Prozesse der Universität zu entscheiden.

Baralipton: In der Sprache der Scholastik bezeichnete man mit folgenden mnemotechnischen Wörtern die neun Arten der ersten Figur des Syllogismus: Barbara, Celarent, Darii, Ferio, Baralipton, Celantes, Dabitis, Fapesmo, Frisemorum.

Magister noster (M. N.) war der Titel, den die Doktoren der theologischen Fakultät führten.

Janotus de Bragmardo: etwa »Hannes von der Plempe«, d.h. ein dümmlicher Raufbold.

94 *geschoren:* D.h. mit einer Glatze.

Lyripipion: Eine Art Kapuze mit Troddel, eines der Insignien des Theologie-Doktors.

95 *Philotomos:* D.h. der gerne schneidet, vom griech. φίλος und τέμνω (schneiden).

Gymnastes: Vom griech. γυμναστής, d.h. Gymnastiklehrer.

96 *mna dies:* Verschliffnes *bona* dies.

Londres ... Bordeaux: Die beiden Örtlichkeiten existieren tatsächlich; Bordeaux ist ein Dorf in der Bannmeile von Paris, Londres ein kleiner Flecken im Quercy.

quidditativ ...: Geschwollene, meist von Rabelais eigens geprägte Wörter: *quidditativ* = wesenhaft; *Extraneisierung* = Entfernung; *Halonen* = Hof (des Mondes oder der Sonne); *Turbinen* = lat. *turbines*, Wirbelwinde.

et vir....: Reminiszenz aus dem Prediger Salomon: Altissimus creavit de terra medicamenta et vir prudens non abhorrebit illa: »und der Weise wird sie nicht verschmähen.«

97 *matagrabolisieren:* Im Original *matagraboliser*, von Rabelais gebildetes Wort, das *nachgrübeln* bedeutet.

Reddite ...: Ev. Lukas 20,25: »Gebt dem Kaiser, was des Kaisers, und Gott, was Gottes ist.« Janotus setzt hinzu: »Hier liegt der Has im Pfeffer.«

in camera charitatis: in der Kammer der christlichen Nächstenliebe: wohl im Gästesaal.

nos...cherubin: Scholarenargot: »Wir werden schlemmen.«

Ego occidi ...: Fehlerhaftes Küchenlatein: »Ich habe ein Schwein geschlachtet, und ich habe guten Wein.«

de parte Dei ...: Küchenlatein: *de par Dieu* = »in Gottes Namen, gebt uns unsere Glocken«.

Sermones ...: Anspielung auf die Predigten (Sermones) des Dominikaners Leonardo Matthei von Udine. Janotus nimmt das Wort *Utino* in der Form der Konjunktion *utinam* (auf daß) wieder auf.

Vultis ...: Küchenlatein: »Wollt Ihr auch Ablässe? Bei Gott, Ihr sollt sie haben und nichts bezahlen.«

est bonum urbis: »Es ist Eigentum der Stadt.«

quae comparata . . .: Reminiszenz aus der Bibel, Psalm 49, 13 und 21.

et est unum . . .: Schulausdruck: ein unwiderlegbares Argument.

Omnis glocka . . .: Wortspielerei in Küchenlatein.

Ergo gluck: Schulterminus, der besagt, daß ein Argument nicht schlüssig sei.

in tertio . . .: Eine Form des Syllogismus. Vgl. Kap. 17, Anm. zu S. 93.

Verum enim . . .: Häufung von rhetorischen Wendungen, mit denen Janotus den Hauptteil seiner Rede einleitet.

98 *Pontanus:* Giovanni Pontano (1426–1503), ital. Dichter und Humanist.

Chronik: Kalauer: Chronik statt Kolik.

Valete . . .: Schlußformel der lat. Komödien: »Lebt wohl und klatscht Beifall.«

Calepinus: Ambrogio Calepino, Mönch aus Bergamo, Verfasser eines weitverbreiteten polyglotten Lexikons, von dem Bérolade de Verville sagte, man lerne darin in mehreren Sprachen schlafen.

recensui ist die Formel, mit der ein Recensor anzeigte, daß er die Kopie eines Manuskripts beendigt hatte.

99 *Crassus:* Dieser Crassus, von Plinius als ein Mensch erwähnt, der zeitlebens nie gelacht hat, war ein Vorfahr jenes Crassus, der auf einem Zug gegen die Parther umkam.-

Philemon: Vgl. Anm. zu S. 57.

Demokrit aus Abdera (um 450 v.Chr.), Zeitgenosse des Sokrates, der »lachende Philosoph«.

Heraklit (Ende des 6. Jh. v.Chr.) hatte durch seine pessimistische Weltanschauung und seine relativistische Welterklärung großen Einfluß auf die Folgezeit.

100 *Songecreux:* Spitzname des berühmten Komikers Jehan de l'Espine.

Steifschwanz: Im Original *Maistre Jousse Bandouille.*

Panus pro quo . . .: Muster einer schuldialektischen Kontroverse: Auf wen bezieht sich das Tuch? – Ganz allgemein und ohne Ansehn der Person. – Ich frage dich nicht, . . . auf welche Weise es sich bezieht, sondern auf wen. Die Antwort lautet: Auf meine Beine . . . Und darum trage ich's selbst, wie das Wesentliche das Unwesentliche trägt.

Patelin: Held einer alten Farce, der sich mit List eines Ballens Tuch bemächtigt.

102 *omnia orta cadunt:* Sallust, *Bellum Jugurthinum*, II,3:
Omnia orta occidunt. (Alles Entstandene geht unter.)
Spruch des Chilon: Nach Plinius, H. N. VII,32.

103 *Wald von Bière:* Wald von Fontainebleau.
Vanum est . . .: Psalm 127,2: »Es ist umsonst, daß ihr früh
aufstehet . . .«

104 *Almain:* Jacques A., scholastischer Doktor der Universität
Paris. Wortspiel mit *la main* (die Hand).
Primsuppe: In Fleischbrühe getunkte Brotschnitten, die
man in den Klöstern zur Stunde der Prime, d.h. um sechs
Uhr früh aß.
Papst Alexander: Alexander VI.
jüdischer Arzt: Bonnet de Lates, ein konvertierter Jude
aus der Provence.

107 *Tubal:* der erste Lehrer des Gargantua.
unde versus: »Wovon der Vers (kommt).«

109 *Flux . . .:* Die lange Aufzählung von Spielen aller Art,
von denen nicht wenige heute unbekannt sind, soll eine
Parodie auf Real-Schriftsteller sein, die sich in Einzelheiten
nicht genug tun konnten.

118 *Nieswurz:* Die Alten hielten dieses Kraut für ein Mittel
gegen Wahnsinn und Gehirnkrankheiten.
Anticyra: Insel im Ägäischen Meer.
Timotheus: Flötenbläser Alexanders des Großen, aus Milet.
Basché: Bei Chinon.
Anagnostes: Griechisch: Vorleser.

119 *Bracque:* Das Ballspielhaus des Grand Bracque stand auf
der Place de l'Estrapade.

120 *Athenäus:* Grammatiker, lebte zur Zeit Mark Aurels und
des Alexander Severus, Verfasser eines griech. Werks,
Die Deipnosophisten oder Das Gastmahl der Gelehrten.
Dioskorides: Verfasser eines medizinischen Traktates Περὶ
ὕλης ἰατρικῆς, das lange Zeit das Lieblingsbuch der Apo-
theker war.
Pollux: Grammatiker und Sophist, Verfasser eines griech.
Lexikons.
Porphyrius: Griech. Schriftsteller, u.a. Verfasser eines
Traktates *Über die Enthaltsamkeit vom Fleisch der Tiere.*
Oppian: Griech. Dichter des 3. Jh., Verfasser zweier
Dichtungen: *Cynegetica* (über die Jagd) und *Halieutica*
(über den Fischfang).
Polybios: Schüler und Schwiegersohn des Hippokrates,

lebte im 5. Jh. v.Chr. Man schrieb ihm verschiedene medizinische Abhandlungen zu.

Heliodoros: Verfasser eines Romans: Die Liebe des Theagenes und der Chariklea.

Aelian: Claudius Aelianus, lebte in Rom unter Heliogabal und Alexander Severus, Verfasser naturwissenschaftl. Schriften.

Quitten: Im Original *cotoniat (cotignac)*; es galt als ausgezeichnetes Verdauungsmittel.

121 *Tunstal:* Cuthbert T. (1476–1559), Bischof von Durham, Erster Schreiber Heinrichs VIII., Verfasser eines arithmetischen Traktats.

123 *Daggert:* Dolch.

124 *Milon* von Kroton, berühmter Athlet.

125 Die *Arkebuse* wog ca. 17 kg und wurde beim Schießen auf eine in die Erde gerammte Gabel aufgestützt.

Papagei: Scheibe in Form eines Vogels, auf die man zielte.

126 *Marinus:* Einer der berühmtesten Anatomen des Altertums (5. Jh.).

Nikander: Griech. Arzt.

Macer: Zeitgenosse Virgils, Verfasser eines Poems über die Pflanzen.

Rhizotomus: Griech.: der die Wurzeln ausschneidet.

129 *Pythagoräer:* Anhänger des Philosophen Pythagoras (um 580–500 v.Chr.).

131 *Leonicus:* Nicolaus Leonicus Thomaeus, ital. Humanist, hatte über dieses Spiel, das wie ein Würfelspiel gespielt wurde, einen Dialog geschrieben.

Lascaris: Janus L., Bibliothekar Franz' I.

133 *Theriakhändler:* Quacksalber, Verkäufer des Theriak, einer Art Allerweltsheilmittel, das aus mehr als 60 Drogen hergestellt wurde.

135 *Ländliche Gedichte:* Gemeint sind Virgils *Georgica*.

136 *Hesiod:* Hesiodos, geb. in Askra in Böotien, u. a. Verfasser eines Gedichts in daktylischen Hexametern: *Werke und Tage*, einer Anweisung zur Verrichtung ländlicher Arbeiten mit tief pessimistischer Weltanschauung, und einer *Theogonie* (Entstehung der Götter), eines für unsere Kenntnis der sog. homerischen Religion eminent wichtigen Werkes.

Der *Rusticus* des ital. Humanisten Angelo Poliziano, nach dem Vorbild der *Werke und Tage* des Hesiod und der

Georgica Virgils, erfreute sich großer Beliebtheit unter den Gebildeten der Zeit.

Cato: De re rustica CXI, III, spricht von dieser Eigenschaft des Efeus.

137 *Dünnpfeifer:* Im Original *foyrars*, schwarze Trauben, die Diarrhöe hervorrufen.

140 *Hundstrauben:* Im Original *raisins chenins*, weiße und blaue Traubenart der Touraine.

141 *Kapitol:* Im Original *Capitoly:* das Schloß von Lerné.

Pikrocholos: Griech.: der Bittergallige.

142 *Miesnick:* Im Original: *Trepelu*, d.h. Lumpenkerl, armer Teufel. Im 16. Jh. wurde die Vorhut eines königlichen Heeres immer vom Konnetabel oder von einem Prinzen aus königlichem Geblüt angeführt.

Angsthas: Im Original *Toucquedillon*, d.h. Feigling (im Languedoc: *touca di lion = touche de loin*).

Batzengrapser: Im Original *Racquedenare:* der die Groschen zusammengrapst.

Pietschenwind: Im Original *Engoulevent*, d.h. der den Wind schluckt.

145 *ad capitulum* . . .: D.h. wer Stimme im Kapitel hat, soll dorthin kommen.

contra hostium . . .: Gegen die Nachstellungen der Feinde.

Hackemack: Im Original *Jean des Entommeures:* Hackfleisch.

Horasfeger. . . .: D.h. einer, der die Horas, Messen und Vigilien rasch abtut.

146 *Glockengießer:* Sprichwörtlich, zu ergänzen: wenn sie die Form zerbrechen und sehen, daß der Guß mißraten ist.

Ini nim . . .: *Impetum inimicorum ne temueris* (fürchte den Angriff der Feinde nicht) steht in den Responsen des Monats Oktober.

149 *Sankt Thomas:* Thomas Becket, Erzbischof von Canterbury, wurde auf Befehl Heinrichs II. in seiner Kirche ermordet.

150 *lambdoide Kommissur:* Schädelnaht, die die Form eines griech. λ hat.

168 *Schindaas* . . . *Filzlausitz:* Im Original: *Duc de Tournemoule, de Basdefesses, de Menuail* (d.h. Mühlsteindreher, kurzbeiniger plumper Kerl, Mensch aus der Hefe des Volkes), *le prince de Gratelles* (Anspielung an *Prince de Gale*, altes

Wortspiel mit *Prince de Galles* (Prince of Wales) und *la gale* = Krätze, Grind) und *le vicomte de Morpiaille* (*morpion*: Filzlaus).

174 *Schlagetot:* Im Original *comte Spadassin* (Raufbold).
Dünnpfiff: Im Original *capitaine Merdaille.*

175 *Barbarossa:* Khair Eddin, genannt Barbarossa, ottomanischer Korsar und Admiral (1476–1546), Herrscher von Algier.

176 *Hippo:* Bizerta, das Hippo Diarrhytus der Römer.

177 *Narbonisches Gallien:* Die Provence.
Allobroger: Völkerschaft in der Gallia Narbonensis.
Sankt Ninian, volkstümlich Sankt Ringan, der Nationalheilige Schottlands.
Festina lente: Eile mit Weile.

178 *Kaiser Julian* starb auf einem Zug gegen die Perser 363 n. Chr.
Sigeilme: Stadt in der Oase von Tafilelt, Marokko.

180 *Echephron:* Griech.: verständig.

184 *Salomon – Markolf:* Die beiden Aussprüche stammen aus den *Dialogues de Salomon et Marcoul*, die im Mittelalter sehr beliebt waren. Sie setzen der Weisheit und Vernunft, durch Salomon verkörpert, die spöttisch-zotigen Überlegungen eines Manns aus dem Volk, Markolf, entgegen, der den gesunden Menschenverstand darstellte.

185 *Faßbauch:* Im Original *le capitaine Tripet. Tripet* ist ein kleiner goldener Becher, dessen gedrungene runde Form wohl auf die Leibesbeschaffenheit des Hauptmanns anspielt.

186 *Ziergeck:* Im Original *Prelinguand* (Geck).
aurum ...: Lat. = trinkbares Gold, eine ölige, alkoholische Flüssigkeit, die als Panazee (Heilmittel) galt.
Proficiat: Lat.: Willkommtrunk.

187 *vorgeschmeckt:* D.h. er ist nicht vergiftet; Speisen und Getränke wurden jeweils vom Truchseß vorgekostet.
La Foye Monjault: Bei Niort (Deux-Sèvres); dieser Wein wird mit dem Hypokras verglichen.

188 *Guthans:* Im Original *Bon Jean*, ein Name, der für Bauern üblich war.
Hagios ...: Griech.: Heilig ist der Gott.

190 *Ab hoste ...:* Lat.: Erlöse uns von dem bösen Feind, Herr.

196 *Aelian: De natura animalium* XVI,25, *De quorum apud Persas disciplina*, erwähnt (nach Homer) die Methode des

Diomedes und des Odysseus und setzt ihr die der Perser entgegen, die ihren Pferden Strohpuppen vor die Beine legten, um sie daran zu gewöhnen, über Leichen hinwegzugehen.

199 *Hippiatrie:* Griech.: Pferdeheilkunde.

200 *Supplementum . . .:* Titel eines imaginären Werkes.

Meßrute: Maß der Hebräer, in Südfrankreich üblich: 1,981 m.

Montaigu: Das Collège de Montaigu beherbergte und unterrichtete 200 arme Scholaren, die elend gekleidet und in Räumen untergebracht waren, in denen es von Ungeziefer wimmelte.

202 *Kuskus:* Arabisches Gericht aus Hirse und Fleisch mit Butter und Fleischbrühe.

Tunkenschleck . . . Sauerwein: Im Original *Fripesaulce* (der die Soßen schleckt), *Hoschepot* (eine Art Ragout aus gehacktem Ochsen- oder Geflügelfleisch, das ohne Wasser in einem Topf zusammen mit Kastanien, Rüben und anderen Zutaten gekocht wird), *Pilleverjus* (der unreife Trauben stampft).

Nagelprob: Im Original *Verrenet* (bis auf den letzten Tropfen geleertes Glas).

204 *Cîteaux:* Die berühmte Abtei C. lag im Zentrum des burgundischen Weinlandes; es ist also nicht erstaunlich, daß sie eine 300 Mud fassende Tonne besaß, deren Herkunft auf den heiligen Bernhard zurückgeführt wurde.

207 *Sankt-Michel-Waller:* Im Original *les micquelotz*, d. h. die Pilger, die zum Mont Saint-Michel wallfahren.

208 *Wegmüd:* Im Original *Lasdaller.*

Psalm Davids: Psalm 124: ». . . Wenn die Menschen sich wider uns setzen, so verschlängen sie uns lebendig, wenn ihr Zorn über uns ergrimmte, so ersäufte uns Wasser, Ströme gingen über unsre Seele; es gingen Wasser allzu hoch über unsre Seele. Gelobet sei der Herr, daß er uns nicht gibt zum Raub in ihre Zähne! Unsre Seele ist entronnen wie ein Vogel dem Stricke des Voglers, der Strick ist zerrissen, und wir sind los. Unsre Hilfe steht im Namen des Herrn, der Himmel und Erde gemacht hat.« Rabelais spottet hier über die Gewohnheit, bei jeder Gelegenheit Bibelzitate anzubringen.

210 *Hödel:* Im Original *couillon.*

Deposita cappa: Lat.: mit abgelegter Kutte.

Schleie: Altes Sprichwort: De tout poisson fors que la tanche prend le dos et laisse la panche.

212 *Germinavit* . . . *:* Obszöne Anspielung auf Jesaja XI, 1 : »Und es wird eine Rute aufgehen von dem Stamm Isais . . .« Das Wortspiel ist erst ganz verständlich, wenn das vorausgehende: Il n'y a plus de moust (mou) schon obszön ausgelegt wird.

Claude von Ober-Bar: Im Original *Frere Claude des Haulx Barrois,* vielleicht einer der Lehrer am Collège de Saint-Denis (wo nach Rabelais Pantagruel studierte).

magis . . . *:* Küchenlatein: Die gelehrtesten Kleriker sind nicht die weisesten.

214 *Ignavum* . . . *:* Virgil, *Georgica,* IV, 168.

216 *Promotor:* Geistlicher Richter. Die P. nahmen offenbar gern Geschenke an.

Quare? Quia: Lat.: Weshalb? Weil . . .

217 *ad te levavi:* Ich habe mich zu dir erhoben; Reminiszenz aus dem 122. Psalm. Bruder Jan zitiert das, um anzudeuten, was man an der Form der Nase erkennt.

221 *Fécamp:* Offenbar ein Wortspiel, dessen Sinn unbekannt ist.

Brevis oratio . . . *:* Lat.: »Kurzes Gebet dringt in den Himmel, langes Trinken leert die Becher.«

venite: Komische Verballhornung von *Venite adoremus* (Kommt, lasset uns anbeten), *apotemus* statt *potemus:* »Kommt, laßt uns trinken.«

223 *Zauchen:* Hündinnen.

de frigidis . . . *:* Gehörte zu den Frigiden und durch Zauber Impotenten.

224 *Dekretalistenprediger:* D. h. Verteidiger der Dekretalien, der Rechte und Ansprüche der Päpste in weltlichen Belangen.

de contemptu . . . *:* Über die Verachtung der Welt und die Flucht aus dem Jahrhundert (= der Welt).

Monachus in claustro . . . *:* »Ein Mönch im Kloster ist keine zwei Eier wert, doch wenn er draußen ist, gilt er wohl ihrer dreißig.«

tempore . . . *:* Lat.: bei Zeit und Gelegenheit.

226 *Laufdavon:* Im Original *Tyravant (qui tire en avant,* d. h. der vor der Schlacht davonläuft).

Frührebel: Im Original *Hastiveau,* Bezeichnung für eine frühe Rebenart.

230 *sphagitide Arterien:* Halsadern.

231 *Ossa bregmatis:* Scheitelbeine.

Sagittalkommissur: Schädelnaht, die beiden Scheitelbeine verbindend und auf der Schädelmitte verlaufend.

Gehirnventrikel: Gehirnhöhlen.

Perikranium: Hirnschalenhaut.

232 *junonische Bremse:* Anspielung auf die Sage von Io, der Geliebten des Zeus, welcher Juno, nachdem jene von Zeus in eine Kuh verwandelt worden war, eine Bremse schickte, die sie verfolgen mußte.

233 *einem den Mönch verpassen:* D.h. ihn prellen, frz. *bailler le moine.*

235 *Vejoven:* Böse Geister oder Gottheiten (Erasmus, *Stultitiae laus*, XLVI, nach Aulus Gellius).

236 *Strabo: De situ orbis*, XV, 695, behauptet, der Nil wirke so fruchtbar, daß die ägyptischen Frauen Vierlinge zur Welt brächten.

243 *Bessé . . . Montsoreau:* Lauter Ortschaften in der Nähe von Chinon.

246 *Traubenschnapp:* Im Original *Grippepinault.*

252 *Phrontistes:* Griech.: vorsichtig, überlegt.

Sebastos: Griech.: achtenswert, verehrungswürdig.

258 *Hahnenstorchkraniche:* Im Original *à la venue des cocquecigrues*, d.h. nie. Das Wort *cocquecigrue* ist wohl eine Neubildung Rabelais' und schwer zu deuten.

261 *Tolmeros:* Griech.: kühn, wagemutig.

262 *Saint-Aubin du Cormier:* La Trémouille errang hier einen Sieg über die Armee des Herzogs der Bretagne, François' II., am 28. Juli 1488. Der Herzog von Orléans (Ludwig XII.), der die Bretonen befehligte, wurde gefangengenommen.

Parthenay: Am 28. März 1487 übergab Joyeuse die Stadt Karl VIII., nachdem er seinen Truppen freien Abzug gesichert hatte.

Hispaniola: Haiti. Der Einfall der Barbaren ist pure Erfindung.

Alpharbal: Von Rabelais gebildeter Name.

268 *Nosocomium:* Griech.-lat.: Krankenhaus.

270 *Dekumanlegion:* Eigentlich die zehnte. *Decumanus* hatte aber bei den Humanisten sehr oft die Bedeutung von »sehr groß«.

273 *Ahasver:* Vgl. Esther I, 9.

Besamgulden: Im Original *besant d'or*, Byzantinergulden, Besamgulden.

Ithybolos … Sophron: Die Namen dieser Hauptleute sind griechisch: Ithybolos = der in gerader Linie Entsandte, Chironaktes = der mit den Händen Arbeitende, Akamas = der Unermüdliche, Sebastos = der Erlauchte, Verehrte, Sophron = der Kluge.

274 *Thelem:* Griech.: Wille, Wunsch.

277 *Dive:* Kleiner Fluß, der bei Montgaugier (Vienne) entspringt und zwischen Montrueil-Bellay und Saumur in den Thouet mündet. Die Schiffsgebühren konnten also nur imaginär sein.

Sonnentaler: Im Original *escuz au soleil*, von Ludwig XI. 1475 geprägte Münze, die den *ecu à la couronne* ersetzte. Der Sonnentaler wies das Wappen Frankreichs mit den drei Lilien auf, darüber die Krone und obendran eine kleine Sonne.

Sterntaler: Im Original *à l'estoille poussinière*. Die *poussinière* ist ein Sternbild, das der Plejaden. Eine Münze dieses Namens existierte nie. Rabelais hat sie analog dem Sonnentaler erfunden.

Rosennobel: Die *nobles à la rose* waren eine von Eduard II. geprägte Münze und trugen die Rose von York und Lancaster aufgeprägt.

Arktika: Griech.: der nördliche.

Kalaer: Griech.: schöne Luft.

Anatole: Griech.: der östliche.

Mesembrine: Griech.: der südliche.

Hesperia: Griech.: der westliche.

Kryera: Griech.: der vereiste.

279 *Serpentin:* Grüner Marmor mit roten und weißen Flecken.

287 *Kermes:* roter Farbstoff aus der Kermesschildlaus.

Basquine: Trichterförmiges Korsett.

Vertugale: Eine Art Krinoline.

288 *Marlotte:* Vorne offener kurzer Mantel.

290 *Nausikletos:* Griech.: der durch seine Schiffe Berühmte.

Kannibaleninsel: Die heutigen südl. Kleinen Antillen.

298 *Iranime:* Das heutige Ischia.

299 *Goderan:* Bischof von Saintes und Abt von Maillezais von 1060–1073.

Merlin: Gemeint ist der Dichter Mellin de Saint-Gelais, der dieses Rätsel in der Tat verfaßt hat.

301 *Dipsoden:* die Durstigen (s. Pantagruel, Kap. 23).

303 *Salel:* Hugues Salel (1504–53), sehr angesehener Dichter in seiner Zeit, Übersetzer mehrerer Gesänge der Ilias.

Demokrit: Griechischer Philosoph (ca. 460–370 v.Chr.), der als der »lachende Philosoph« dem »weinenden« Heraklit gegenübergestellt wurde.

306 *Geheimlehre:* Frz. cabballe = Kabbala, jüdische Geheimlehre.

Raclet: Raimbert R., frz. Rechtsgelehrter, den Rabelais für so unwissend hält, daß er Justinians *Institutiones* nicht versteht.

Pimperlimpimpulver: Frz. poudre d'oribus = Güldenpulver, getrockneter Kot; gemeint sind die Schwitzbadstuben, die bei der Therapie der Syphilis Verwendung fanden.

307 *Margareta:* Eine der vierzehn Nothelferinnen (nach der Legende 304 n.Chr. gestorben).

Ketzer: Frz. prestinateurs; die an die Prädestinationslehre glauben, also Calvinisten.

Pintenkipper: Frz. Fessepinte; unbekannt.

Orlando furioso: Epos von Lodovico Ariosto (1474–1553).

Robert le Diable (Robert der Teufel): frz. Ritterroman in Prosa, ebenso *Fierabras, Guillaume sans peur* (Wilhelm Ohnefurcht) und *Huon von Bordeaux.*

Monteville: Mandeville, Verfasser vielgelesener Reisebeschreibungen.

Matabrune: Gestalt aus dem *Schwanenritter,* einem höfischen Epos.

308 *Onokrotalus:* Wortspiel: Onokrotalus = Pelikan für Protonotar; crotte-Notaire und croque-notaire für Drecks- und Schleck-Notar.

Quod vidimus testamur: Wir bezeugen, was wir gesehen haben (Joh. Apokalypse 3,11).

Kuh-Land: Rabelais begab sich im Sept./Okt. nachChinon.

Quecksilber-Salbe gegen venerische Leiden.

309 Die *Druiden* rechneten nicht nach Tagen, sondern nach Monden.

Kalenden: Die Griechen kannten nicht die römische Zeitrechnung nach Kalenden. Daher der Ausdruck: ad calendas Graecas – am Nimmermehrstag.

März . . . Fastenzeit: Unmöglich, da der März immer in die Fastenzeit fällt, ebenso die Woche der drei Donnerstage.

310 *debitoribus:* krummbeinig (gebildet aus der Vorsilbe de-, bitors (lat. zweifach krumm) und der burlesken Endung -ibus.

Aplane: Griech. Wort für den ptolemäischen Fixstern-himmel.

Ähre: Im Sternbild der Jungfrau.

Waage: Das der Jungfrau benachbarte Sternbild.

Sterndeuter: Nach einer arabischen Theorie findet inner-halb von 7000 Jahren eine Erschütterung des Fixstern-himmels statt, die von einer Verlagerung der Gestirne begleitet ist.

Ventrem omnipotentem: Parodie auf das *Patrem omnipoten-tem* im Credo.

Dickwanst ... Fastnacht: Frz. Saint Pansart und Mardy Gras.

311 *Äsop* war nach der Überlieferung bucklig und wurde im Mittelalter häufig mit der Verkleinerungssilbe Esopet oder Yzopet genannt.

Mud: ca. 270 Liter.

312 *Jambus:* Wortspiel: Jambus = jambe (Bein).

Schmerbauch: Frz. Panzoult, nach dem Namen einer Ort-schaft bei Chinon; panse = Wanst.

Holzfuß: Pied de bois.

Naso: Ovid nannte sich Ovidius Naso (Nase); es handelt sich um Bibelsprüche, die mit »ne« (nicht) anfangen und auf »nez« (Nase) bezogen werden.

Eryx: Sizilischer Riese, von Herakles getötet.

Eryon: Orion.

Kakus: Italischer Riese, Sohn des Vulkan.

313 *Aethion:* Oros, der mit seinem Bruder Ephialtes den Pelion auf den Ossa türmte.

Bartachim: Johannes Bertachinus, ital. Rechtsgelehrter (15. Jh.).

Enkelados: Einer der Giganten.

Köos: Einer der Titanen.

Ägeon: Aigaion, Zweitname von Briareus, hier der Sohn des Porphyrion, einer der Giganten.

Adamastor: Gigant.

Antaeus: Lybischer Riese, von Herakles getötet.

Agatho: Einer der Söhne des Priamus.

Porus: König von Indien, von Alexander d. Gr. besiegt.

Aranthas: Nach Arrianus von Nikomedien von einem Jüngling besiegt.

Gabbara: Bei Plinius (Nat. hist. VII, 16) erwähnter Riese.

Secundilla: ibid.

Offot: Ein riesiger Hirte. Ravisius Textor in seiner *Officina* (1532) beruft sich für Offot auf Saxo Grammaticus (ca. 1150–1220).

Artachees: Artachaies, riesenhafter persischer Feldherr (s. Herodot, *Historiae* VII, 117).

Oromedon: Wahrscheinlich für Eurymedon, bei Homer oberster der Giganten.

Gemmagog: Vermutlich zusammengezogen aus Gog und Magog.

Enak: Biblischer Riese.

Fierabras, Morgant: Helden von Ritterromanen.

Fracassus: Der stärkste unter den Gefährten des *Baldus* in Teofilo Folengos (Ps. Merlin Cocai) burleskem Epos in makkaronischen Versen.

Ferragus: Ferracutus, in der Pseudo-Turpinischen Chronik. Bei Ariost im *Orlando furioso:* Ferraù.

314 *Muckenschnapper:* Frz. Happemouche. Die meisten der folgenden Namen sind Phantasienamen.

Gayoff: Bei Teofilo Folengo (s. oben).

Heukauer: Frz. Mâchefoin.

Eisenbeiß: Frz. Brûlefer.

Galahad: Frz. Galahaud (aus dem Prosaroman *Lancelot du Lac*).

Klobenklotz: Frz. Falourdin; falourde ist eine Last dicker Holzkloben.

Roboaster: Riese aus den *Chansons de geste.*

Sortibrant: König von Coimbra.

Brushant von Mommiere (Brulant de Monmire) und *Maubrun* d'Aigremale sind Sarazenen, die in *Fierabras* vorkommen. *Bruyer Maubrun* spielt in *Ogier der Däne* und in *Huon von Bordeaux* eine Rolle.

315 *Massoreten:* Hebräische Kommentatoren des Alten Testaments.

Stier von Bern: Stierhornbläser in der Schlacht von Marignan (1515), der mehrere Geschütze der Franzosen außer Gefecht setzte.

Ikaromenippos: Anspielung auf den Dialog *Ikaromenippos* von Lukian.

316 *Badebec:* Nfr. bouche bée = mauloffen, baff; so nannte man auch den Haltering für die Kienfackel.

Die *Amauroten* sind die Einwohner der Hauptstadt von *Utopia*, in dem 1516 erschienenen Roman von Thomas Morus; »amauros« ist griech. Ursprungs und bedeutet »dunkel, schwer unterscheidbar«.

317 Die *Alibanten* kommen bei Homer nicht vor. Plutarch erwähnt in seinen *Quaestiones convivales* (VIII, 20, 3) die »alibantes« als Gegenbegriff zu den Lebensfeuchten, d. h. Lebenskräftigen, in Anspielung auf eine Homerstelle.
der reiche Mann: Anspielung auf Lukas 16,19 ff. (Der reiche Mann und Lazarus).

318 *in jenem Jahr:* Rabelais denkt an die Dürre, die in Frankreich in dem Jahr herrschte, als er den *Pantagruel* schrieb.
Philosoph: Empedokles; in Plutarch: *De placitis philosophorum* III, 6.
Via lactea: Milchstraße.
Lifferloffer: Frz. liffresloffres = die Reisläufer oder Schweizer, allgemein das hergelaufene Volk.
Sankt-Jakobsweg: da sie den Pilgerweg nach Santiago de Compostela anzeigt.
Dichter: z. B. Hyginus: *Poeticon Astronomicon* II, 43.
Das *Schwitzbad* war eines der Hauptmittel gegen die Syphilis.
Seneca: Lucius Annaeus Seneca (1–65 n. Chr.); nicht im vierten, sondern im dritten Buch.

319 *Pantagruel* ist der Name eines Seeteufelchens in den Mysterienspielen des 15. Jhs., das die Trinker durstig macht, indem es ihnen nachts Salz in den Mund streut. Mit der Schilderung der Dürre bereitet Rabelais auf den Namen seines Helden vor.
hagarenisch: Arabisch.
Beherrscher der Durstigen: D. h. Beherrscher der Dipsoden (Pant., Kap. 23).

321 *in modo . . . :* Scholastischer Fachausdruck.

323 *Schnecklein:* Frz. con; Vulgärausdruck für die weibliche Scham.
Hufen: Frz. sexterée; die Fläche, die man mit 1½ Hektoliter Korn besäen kann.
Mementos: Totengebete.

324 *da jurandi:* »Gib (Erlaubnis) zu fluchen«, da Flüche vor Gott strafbar sind.
Angesicht: Frz. visage de rebec, d. h. wie das Saiteninstrument, dessen Hals mit grotesken Figuren verziert war.

der schlanke Leib: Frz. corps d'Espagnole = schlank von Leib wie eine Spanierin.

326 *Bourges:* Beim Palast des Duc de Berry in Bourges befand sich ein steinerner Trog, »Riesenschüssel« genannt, der einmal im Jahr für die Armen mit Wein gefüllt wurde.
In *Tain* wurde Salz auf der Rhone nach Vienne und Lyon verschifft.
Françoise: La Grande Françoise, das größte französische Schiff der Zeit, wurde 1533 in Le Havre vom Stapel gelassen.

329 *Ketten:* Die dicke Kette zum Sperren der Hafeneinfahrt in La Rochelle seit 1345. – Die Saone und die Maine wurden gelegentlich mit Ketten gesperrt.
Nicolas de Lyra: Ital. Franziskaner (14. Jh.), der einen vielgelesenen Bibelkommentar schrieb.
Et Og: Og von Basan (5. Moses 3,11).

330 *Karacke:* Im Mittelmeer gebräuchliches Frachtschiff.

332 *Armbrust:* Vermutlich eine Belagerungsmaschine bei der Einnahme des Schlosses von Chantelle, das dem Connetable von Bourbon gehörte und nach dessen Verrat dem Erdboden gleichgemacht wurde.
Passelourdin: Grotte in der Mauroc-Felswand südöstlich von Poitiers.
Lupfstein: Frz. Pierre levée; Dolmen in der Nähe von Poitiers.

333 *Roßquell:* Anspielung auf die Hippokrene-Quelle, die Pegasus mit einem Huftritt auf dem Parnaß freischlug. Quelle bei Poitiers.
Gottfried von Lusignan: Geoffry von L., wegen eines vorspringenden Zahns »à la grand dent« zubenannt, starb 1248, begraben in Maillezais.
Fontenay le Comte: Hier war Rabelais eine Zeitlang Franziskanermönch gewesen, befreundet mit dem Richter *Tiraqueau,* einem berühmten Juristen des 16. Jhs.
Malchus: Eine Art Krummsäbel.
pictoribus . . . : Horaz, *Epist. ad Pisones,* V. 9–10. »Den Malern eignet und Dichtern / doch seit alters das Recht und die Freiheit alles zu wagen« (R. A. Schröder).
Toulouse: Die Universität T. war für ihre religiöse Unduldsamkeit berühmt. 1532 wurde der Toulouser Jurist Jean de Cahors als lutherischer Ketzer verbrannt.

334 *Mirevaulxwein,* der bei Montpellier wächst, wird von

Rabelais mehrfach erwähnt. In Montpellier hatte er studiert und den Doktortitel erworben.

Pont du Gard ...: Römische Bauwerke aus dem 1. Jh. vor Christus und dem 2. Jh. nach Christus.

Avignon und das Comtat Venaissin waren bis zur Französischen Revolution päpstlicher Besitz.

Epistemon: Griech.: der Verständige.

Valence: Die Universität von V. wurde im 15. Jh. gegründet. Die Bürgerschaft und die Studenten lagen sich häufig in den Haaren.

Angers: Die Universität A. wurde 1530 und 1532 durch die Pest entvölkert.

337 *Pandekten:* In der Renaissance ging man auf die Originale zurück und verschmähte die mittelalterlichen Kommentare, so auch den berühmten Kommentar der Pandekten (Auszüge Justinians aus römischen Juristen, die einen Teil des Corpus juris civile bilden), den *Accursius* im 13. Jh. verfaßte.

Spiel: In Orleans gab es bis in die zweite Hälfte des 16. Jhs. an die vierzig Ballspiele.

Inseln: Loire-Inseln.

Stoß ...: Kugelspiel; frz. poussavant, mit obszöner Nebenbedeutung.

338 *Taffetband:* Franz I. hatte den Doktoren der Rechte und den Ärzten das Privileg erteilt, ein schwarzes Taftband zu tragen, das einmal um den Hals geschlungen wurde und bis zum Boden reichte.

339 *almen*....: Verspottung des aus Französisch und Latein gemischten Studentenjargons. alm = alma mater : Nähramme.

Wir transfretieren ...: Wir überqueren die Seine in der Früh- und Abenddämmerung; wir gehen auf den Plätzen und Straßen der Stadt spazieren; wir werfen mit lateinischen Redebrocken um uns und bewerben uns als augenscheinlich Verliebte um das Wohlwollen der allrichtenden, allgestaltigen und allartigen Weiblichkeit. An bestimmten Tagen suchen wir die Hurenhäuser auf und stoßen in erotischer Ekstase unsere Ruten in die innersten Winkel der Schamteile dieser überaus liebenswerten Dirnen; dann schmausen wir ...

340 *Spatulen:* Hammelkeule, mit Petersilie gespickt.

Und wenn zufälligerweis und von ungefähr pekuniäre Ebbe oder Mangel in unseren Taschen herrscht und ihnen das angerostete Kleingeld ausgeht, dann lassen wir unsere Bücher und Kleider zum Pfand, in Erwartung der Boten aus dem väterlichen Haus (d.h. des Monatswechsels).

Signor, no . . .: Nein, Herr, denn mit Freuden, sowie auch nur ein winziges Streifchen Tageslicht heraufdämmert, begeb ich mich in eines der schön gebauten Münster, und dort besprenge ich mich mit schönem Weihwasser, knabbere einen Happen irgendwelcher Meßgebete unserer Priester, und indem ich meine Stundengebete hersage, wasche und reinige ich meine Seele von ihren nächtlichen Befleckungen. Ich verehre die Olymp-Bewohner. Ich verehre abgöttisch den obersten Sternenlenker. Ich liebe und gegenliebe meine Nächsten. Ich halte die Vorschriften der Zehn Gebote ein und weiche, nach der schwachen Maßgabe meiner Kräfte, nicht um eines Nagels Breite von ihnen ab. Wahr ist freilich, daß Geld in meinen Taschen mitnichten im Überfluß vorhanden ist und daß ich deshalb etwas zäh und langsam bin, die Almosen jenen Bedürftigen zu spenden, die ihren Unterhalt von Tür zu Tür erbetteln.

341 *Signor misser . . .:* O mein Herr, mein Geist ist nicht dazu geboren, daß ich, wie dieser nichtswürdige Krittler behauptet, die Haut unserer gallischen Muttersprache schinden sollte. Vielmehr bin ich im Gegenteil bemüht, sie mit Rudern und Segeln nach Kräften um die lateinische (Haar)fülle zu bereichern. . . Der erste Ursprung meiner Ahnen und Vorfahren war einheimisch in den limousinischen Gauen, wo der Leichnam des hochheiligen Martial ruht (sc. in der Abtei Saint-Martial in Limoges).

Alipentin: Phantasieheiliger.

342 *Roland:* Nach volkstümlicher Überlieferung starb R. nach der Schlacht von Ronceval an Durst.

Aulus Gellius: Noctes Atticae I, 10, in denen der Philosoph Favorinus einem Jüngling den Rat erteilt, klar und verständlich zu sprechen.

Octavian Augustus: Nach Aulus Gellius, ibid.

ungebräuchliche Wörter: Frz. épaves = abgelegte, veraltete Wörter.

343 *Aurelians:* Orléans.

Vitruvius: Marcus Pollio V. (1. Jh. v.Chr.): *De architectura libri X.*

Albertus: Leon Battista Alberti (1404–1472) mit seinem Werk über die Baukunst.

Euklid . . . : Drei antike Mathematiker.

Hero: Heron von Alexandria (2. Jh. v.Chr.), Mathematiker und Physiker, von dem es jedoch kein Werk *De ingeniis* gibt.

344 *Malteser Baumwolle:* Die Malteser Baumwollspinner waren bis ins 18. Jh. berühmt.

a remotis: Scholaren-Jargon: abseits.

freie Künste: Grammatik, Logik, Rhetorik, Arithmetik, Geometrie, Musik, Astronomie.

Sankt Innozenz: Der Friedhof von S. I. war überfüllt, so daß die Gebeine in Beinhäuser überführt wurden, zwischen denen sich die Leute ergingen. Auch Bettler fanden sich dort in Menge ein.

Bücherei von Sankt Viktor: Bibliothek der Abtei Sankt Victor, von Rabelais wegen des Streits zwischen den Humanisten und der Sorbonne in der folgenden Aufstellung ungerechterweise verspottet.

Bigua: Stange, aus lat. bigae = Zweigespann. Anspielung auf eine 1498 erschienene Predigtsammlung.

Bragueta: Hosenlatz.

Pantofla Decretorum: Anspielung auf den Pantoffel des Papstes, der die Dekretalen (gesetzliche Bestimmungen über den weltlichen Besitz der Kirche) erließ.

Malogranatum . . . : Granatapfel der Laster.

Olifantenhod: Frz. Couillebarine.

347 *Bilsenkraut* wirkte dämpfend auf fleischliche Lüste.

Affenschwanzius: Frz. Marmotret = Mamotret: Bibelkommentator. Rabelais fügt ein r ein, um den Anklang an *marmob* (= Affe mit langem Schwanz) herbeizuführen. »Über Affen und Paviane, mit dem Kommentar von d'Orballis«, Gemeint ist Nicolas des Orblanx, ein im 15. Jh. in Poitiers lehrender Franziskaner.

Decretum . . . : Dekret der Universität Paris über die Großzügigkeit (oder Busenfreiheit) der leichten Dämchen.

Ars honeste . . . : Die Kunst, in Gesellschaft anständig zu furzen.

Ortuinus: Meister Hardouin de Graës, Kölner Theologe und Gegner des Erasmus, von den Humanisten verspottet.

Schlampeier: Wortspiel: moutardier = Senftopf; mout tard = sehr spät.

Formicarium ...: Anspielung auf das Werk des schwäbischen Dominikaners Johann Nyder (gest. 1438): *Formicarii libri moralisati* (Köln 1477) über Magie.

De supparum ...: Vom Gebrauch der Suppen und der Ehrbarkeit des Süffelns.

Silvestrem ...: Silvester Manzolini aus Prieria bei Savona verteidigte den Ablaß gegen Luther und gab in einer Sammlung von Gewissensentscheidungen den Fastengeboten eine weitere Auslegung.

Lackmeier: Frz. Beliné = der Geprellte.

Schrubbatorium ...: Lat. Decrotatorium = Scheuerbürste (der Scholaren).

Tartaretus: Pierre Tartaret, Theologe an der Sorbonne, Schüler von Duns Scotus, Aristoteles-Glossator.

De modo ...: Über die Art zu kacken.

Bricot: Guillaume B., Theologe, Gegner Reuchlins.

Disziplin: Geißelung; Ärschel (frz. culot) = die Stelle, wo sie erfolgt.

Dreifuß: Wortspiel: frz. tripier (= Eingeweide) von trépied (=Dreifuß); pensement(Gedanke) von panse (Wanst).

Reverendi ...: Des Ehrwürdigen Vaters und Bruders Lubin, Provinzial von Schwatz (lat. Barardie), Traktat über das Knuspern von Speckseiten.

Pasquilli ...: Pasquills, des marmornen Doktors, Traktat über das Verspeisen von Rehbockbraten mit Artischocken in der karwochenpäpstlichen Zeit des kirchlichen Fleischverbots. – Pasquill = Schmähschrift; der Beiname »marmorn« in Anspielung auf Doctor »angelicus«, »subtilis« usw.

Majoris ...: John Mayr (Johann Major), Schotte, Lehrer am Collège de Montaigu.

348 *Beda:* Theologe an der Sorbonne, bekannt durch seinen dicken Bauch. Von der Vortrefflichkeit der Eingeweide.

Naturalspenden: Frz. dragées oder épices = Würzkörner, bildlich für Sporteln.

Praeclarissimi ...: Des hochgelahrten Doktors beider Rechte Meister Schnapphans Batzengrapser Abhandlung über das Zusammenstoppeln von Albernheiten der Glosse des Accursius, auf sonnenklare Weise dargelegt. – Accursius s. Anm. zu S. 337.

Stratagemata ...: Kriegslisten des Freischützen von Baignolet. (Der Freischütz von Baignolet, Typ des feigen

Prahlhans, war der Held eines komischen Romans im 15. Jh.)

De re militari . . .: Von der Kriegskunst mit den Figuren von Töffel.

De usu . . .: Von Brauch und Nutzen des Beschälens der Hengste und Stuten, verfaßt von unserem Magister de Quebecu – vermutlich Anspielung auf *de Quercu*, latinisiert aus *Du Chesne*, Name eines berühmten Theologen an der Sorbonne und Anhänger Noel Bedas.

De senfo . . .: Vierzehn Bücher über den Senf, der nach der Mahlzeit zu servieren ist, mit Randnotizen von Magister Vaurillon (franziskanischer Theologe, erste Hälfte des 15. Jhs.).

Quaestio . . .: Die überaus heikle Frage, ob eine im Leeren summende Chimäre zweite Intentionen (= scholastisch: hinzutretende Eigenschaften zu einer Substanz) verspeisen könne, als welche auf dem Konzil von Konstanz zehn Wochen lang erörtert wurde. – Satirische Anspielung auf die theologischen Haarspaltereien der Zeit.

Flügelhut: Frz. Ratepenade; Name einer weiblichen Kopfbedeckung, die Fledermausflügeln nachgebildet ist.

De calcaribus . . .: Daß man die Sporen ablegen muß, elfmal zehn Bücher von Albericus de Rosata (Rechtsgelehrter aus Bergamo, 14. Jh.).

Ejusdem . . .: Von demselben: Über die Notwendigkeit der Herbeiziehung der Haare zu Heerlagern.

Anton von Leyva: Antonio de Leiva, General Karls V., der in die Provence einfiel und nach Rabelais' Ansicht so wenig Nutzen davon hatte, wie wenn er Brasilien überfallen hätte.

Marforii . . .: Des in Rom liegenden Baccalaureus Traktat über das Striegeln und Schwärzen der Maultiere von Kardinälen. – Marforio ist ein Standbild in Rom, das dem Pasquino gegenübersteht. Beide dienten zum Anheften von Schmähschriften.

Prognosticatio . . .: Prophezeiung, welche beginnt: Silvii Schellensack (frz. Triquebille = testicule), vorgelegt von unserem Magister Grillenfänger (frz. Songecruyson: Beiname des Komikers Jean du Pontalais).

Budarini . . .: Des Bischofs Gekrös Traktat über die Fortschritte der Melkablässe in neun Enneaden, mit päpstlichem Privileg für drei Jahre, länger nicht.

349 *Maut:* Wortspiel: frz. Le Barrage de Manducité – mendicité = Betteln der Mönche; manducité = Freßgier.

Das *Engloch* ist eine kleine Öffnung, wie sie auch die Rattenfalle hat.

Küchenjungen: Schüler des William Occam, die erst die niederen Weihen haben.

Magistri nostri . . . : Von unserem Magister Tunkenschleck: Über die Austüftelung der Gebetsstunden, vierzig Bücher.

Kobolziarium . . . : Kobolzschießen der Brüderschaften, von einem unbekannten Verfasser.

Schlapphut: Frz. Cabourne = Schlapphut oder Radmantel.

Fra Inigo: ob Rabelais auf Ignatius von Loyola anspielt, der zwar 1534 noch unbekannt war, aber von dem er gehört haben kann, steht nicht fest.

Schwachmatismus . . . : Frz. Poltronismus (von it. poltrone = wachsweich, feig) der italienischen Angelegenheiten von dem Magister Bruslefer (Etienne B. war Theologe an der Sorbonne im 15. Jh. und Vertreter der Lehren von Duns Scotus).

Lullius: Raimundus Lullius (Ramon Llull, 1235–1316), katalanischer Universalgelehrter und Alchimist. Rabelais, der ihn nur in dieser letzten Eigenschaft kennt, verspottet ihn wie alle Humanisten. – Von den Narrensposen der Fürsten.

Piephahnatorium . . . : Callibistratorium caffardiae (callibistrae = weibliche Schamteile; caffardia = Muckerei). Meister Jakob Hooghstraten (gest. 1522): Großinquisitor für Deutschland, Feind der Erasmianer.

Warmschell: Frz. Chautcouillon: Zehn sehr galante Bücher über die Schmausereien der Magistronostrati (so wurden die Theologiedoktoranden genannt).

Bullisten: Verfasser der päpstlichen Bullen; *Skriptoren:* Scriptores = päpstliche Kanzleibeamte; *Abbreviatoren:* beauftragt mit der päpstlichen Korrespondenz usw. Ihre Ausfertigungen stellte der niederländische Minorit und Ordensprovinzial Peter *Regis* (oder Coninck), gest. 1573, zusammen.

Manieres . . . : Über die Arten des Kaminfegens von Magister Eck; Johannes Eck, eigentlich Johannes Meier (1486–1543), bekannt durch die Disputationen mit Luther.

Gulasch: Frz. gualimafrée = Mischmasch.

Tückebolde: Frz. farfadets = Spukgeister, Kobolde.

Offizialen: Bevollmächtigte der Bischöfe bei Rechtshändeln.

Hede: Frz. bauduffe; Bedeutung ungeklärt.

Salbadorium . . .: Salbaderei der Sophisten. So nannte Rabelais die Theologen der Sorbonne.

merdicantium: von merde = Scheiße; für mendicantium (= Bettelbrüder).

350 *Affenpaternoster:* Der Affe sagt das Paternoster, wenn er die Nüstern bewegt.

Fliegenwedel: Anspielung auf den langen Bart der Klausner.

Hudelmönche: Frz. frères Frapars = ausschweifende Mönche.

Tölpelius: Frz. Lourdaudus = Tolpatsch.

Lyripipii . . .: Moralische Betrachtungen über den Doktorhut der Sorbonne.

Lupoldus: Anspielung auf Lupoldus Federfusius, einen der Korrespondenten Ortvins in den Dunkelmännerbriefen.

Weinbischöfe . . .: Frz. Potingues (Heiltränke) der Potativ (Trunk)-Bischöfe. Man nannte Potativ-Bischöfe die Bischöfe einer *in partibus infidelium* verlorengegangenen Diözese.

Tribulationes . . .: frz. Tarraballationes = Umtriebe der Kölner Doktoren gegen Reuchlin.

Gerson: Über die Absetzbarkeit des Papstes durch die Kirche. Titel einer Schrift Gersons, verfaßt 1414, zum Beweis, daß das Konzil das Recht habe, einen der Gegenpäpste abzusetzen.

Jo. Brühreichii . . .: Kopfloses Büchlein von Joh. Brühreich: von der Entsetzlichkeit der Exkommunizierungen. Die Kunst, Teufel und Teufelinnen anzurufen, von M. Gingolf.

Bettelmönche: Frz. perpetuons = Mönche, die ständig beten.

Mohrentanz: Anspielung auf die Sprünge der Ketzer am Schnappgalgen, bevor man sie ins Feuer fallen läßt.

Cajetan: Vielleicht zu beziehen auf den Kardinal C., der in Augsburg Luther zum Widerruf aufforderte.

Rüsselnässer . . .: Sieben Bücher über den Ursprung der Leisetreter und die Bräuche der Halsverrenker von Rüsselnässer, cherubinischem Doktor.

Gaudemaria: Wortspiel: Godemarr = Schmerbauch; Gaudi Maria.

351 *Summa:* Thomas von Aquino: Summa theologica und Summa contra Gentiles.

Sutoris . . .: Von Sutor (= Couturier: Doktor der Theologie, Verfasser eines Traktats gegen Erasmus) gegen einen, der ihn einen Schubiak geheißen hatte, und daß die Schubiaks von der Kirche nicht verdammt werden.

Cacatorium . . .: Das Kacksal der Ärzte.

Campi . . .: Der Lyoneser Arzt Symphorien Champier schrieb ein Werk, in dessen Titel die Wörter »Felder der Klystiere« vorkommen.

Justinianus: Gemeint ist Kaiser Justinian, der durch Gesetz die Abschaffung der Mucker verfügen sollte.

Antidotarium . . .: Von den Gegengiften der Seele.

Merlinus . . .: In der *Baldus*-Ausgabe von 1521 von Teofilo Folengo (Merlin Cuccaio) wird erzählt, daß Merlin ein Werk über die Wohnstatt der Teufel geschrieben habe.

Tübingen war wegen seiner Buchhändler berühmt, die in katholischen Ländern verbotene Bücher druckten.

355 *Marcus Tullius:* Cicero, *De senectute* III, 9.

Plutarch: De se ipsum citra invidiam laudando XX.

Papinian: Aemilius Papinianus (142–212 n. Chr.), römischer Rechtsgelehrter.

Moralien: Moralia; die nichtbiographischen Werke Plutarchs.

Pausanias (2. Jh. n. Chr.), Verfasser einer Beschreibung Griechenlands, die von den Humanisten geschätzt wurde.

356 *Athenäus:* Griech. Grammatiker (2./3. Jh. n. Chr.): *Deipnosophistai.*

Quinctilian: Römischer Rhetor (2. Jh. n. Chr.), fordert in seiner *Institutio oratoria,* daß der Unterricht mit Griechisch anfangen soll.

Lullius: Ramon Llull, s. Anm. zu S. 349.

357 *Salomo:* Weisheit 1, 4.

358 *Utopia:* Die Heimat der Mutter Pantagruels, die Tochter des Königs der Amauroten war; s. Anm. zu S. 316.

359 *Apfelpflücker* . . .: Sprichwörtliche Wendung.

360 *Al barildim* . . .: Die auf das Deutsche folgende Sprache ist eine Erfindung Rabelais'.

Signor mio . . .: (Italienisch:) »Mein Herr, seht Euch als Beispiel den Dudelsack an, der nur klingt, wenn er den Wanst voll hat; desgleichen vermöchte ich nicht meine Schicksale zu erzählen, ehe denn mein geplagter Bauch seinen gewohnten Imbiß hat; ihm ist so, wie wenn die Hände und die Zähne ihre angestammte Funktion eingebüßt hätten und ganz und gar zunichte wären.«

361 *Lord . . .:* (Schottisch:) »Herr, so Ihr an Geisteskraft so stattlich seid wie von Natur an Höhe des Leibes, solltet Ihr Euch meiner erbarmen, denn die Natur hat uns gleichermaßen geschaffen, doch hat das Glück einige erhöht, andere erniedrigt. Trotzdem wird die Tugend oft verschmäht und werden Tugendhafte geringgeschätzt, denn keiner ist gut vor dem letzten End.«

Jona andie . . .: (Baskisch, Vulgärform): »Großer Herr, bei allen Übeln bedarf es einer Abhilfe; in Ordnung zu sein ist die Schwierigkeit. Ich hab Euch doch so gebeten! Sorgt, daß unsere Angelegenheit zurechtkommt, und zwar wird dies ohne Anstoß der Fall sein, wenn Ihr mir etwas zur Sättigung beschafft. Danach fragt mich, was Ihr wollt. Es wird Euch nicht einmal übel anstehen, für zweie aufzukommen, wenn es Gott gefällt.«

Genicoa: Janicoac = Gott.

Carpalim: Griech.: der Schnelle, der Behende.

Sankt Trinian: Sankt Rigan, Kraftwort schottischer Söldner, wenn sie Französisch sprachen.

Prug . . .: Phantasiesprache.

pathelinisch: In der Satire von Meister Pierre Pathelin verfällt der Held in ein Kauderwelsch, um nicht den Tuchhändler bezahlen zu müssen.

Laternensprache: Im Leuchterland befindet sich die göttliche Flasche.

Herre, ie . . .: (Holländisch:) »Herr, ich spreche anders keine Sprache als eine christliche Sprache; jedennoch dünkt mich, daß, sagte ich auch kein Wort, meine Not Euch genugsam erklärt, was ich begehre; gebt mir aus Barmherzigkeit etwas, wovon ich mich ernähren kann.«

362 *Señor . . .:* (Spanisch:) »Herr, ich bin müde von soviel Sprechen, deshalb bitte ich Euer Ehrwürden, auf die evangelischen Gebote Rücksicht zu nehmen, auf daß sie Euer Ehrwürden dazu bewegen, nach Eurem Gewissen zu handeln; sollten sie jedoch Euer Ehrwürden nicht zu Mitleid bewegen, flehe ich, Ihr möchtet das natürliche Mitleid beachten, von dem ich glaube, daß es Euch wie billig dazu bewegen wird, und hiermit sage ich nichts weiter«.

Myn Herre . . . : (Dänisch:) »Mein Herr, wenn ich auch keine Sprache redete wie die Tiere und die unschuldigen Kinder, so würden doch meine Kleidung und die Magerkeit meines Leibes Euch klärlich dartun, wessen ich bedarf: nämlich Essen und Trinken; habt also Erbarmen mit mir und befehlt, daß mir etwas gereicht wird, womit ich meinen bellenden Magen beschwichtigen kann, ebenso wie man Cerberus eine Suppe vorsetzt. So werdet Ihr auch lange und glücklich leben.«

Eusthenes: Griech.: kräftig, stark.

Adoni . . . : (Hebräisch:) »Herr, der Friede sei mit Euch. So Ihr Eurem Knecht Gutes antun wollt, gebt mir sogleich ein Stückchen Brot, denn es stehet geschrieben: der leiht dem Herrn, welcher dem Armen gibt.«

Despota . . . : (Altgriechisch, in neugriechischer Umschrift:) »Grundgütiger Herr, warum gebt Ihr mir kein Brot? Ihr seht mich elend Hungers sterben und habt doch kein Mitleid mit mir und fragt mich, was nicht nötig ist, obwohl alle Schriftgelehrten darin einig sind, daß Wort und Gerede sich erübrigt, wenn die Tatsachen offen vor aller Augen liegen. Reden sind nur da vonnöten, wo die Tatsachen (über die wir reden) nicht von sich aus einleuchtend sind.«

363 *Agonou* . . . : Phantasiesprache, in der man ein paar Wörter erkennt.

Jam toties . . . : (Latein:) »Schon so vielfach habe ich Euch bei allem, was heilig ist, bei allen Göttern und Göttinnen beschworen, Ihr möchtet, so ein Funke Mitleid Euch bewegt, meine Not lindern, doch nützen meine Schreie und Klagen zu nichts. Laßt mich, unbarmherzige Männer! Laßt mich, ich bitt Euch! Wohin das Schicksal mich ruft, laßt mich gehen und betäubt mir ferner nicht die Ohren mit Euren eitlen Fragen, eingedenk des Sprichworts, wonach ein hungriger Magen keine Ohren zu haben pflegt.«

364 *Metelin:* Mytilene; Hauptstadt der gleichnamigen Insel vor der türkischen Westküste. Panurge hat offenbar an der französischen Belagerung von Mytilene (1502) teilgenommen, die sich der Papst zu seinem Jubelfest als kleinen Kreuzzug vom französischen König gewünscht hatte.

365 *Thesen:* Die Gelehrten der Zeit schlugen die Thesen, die

sie vertraten, an öffentlichen Plätzen an. Luther stellte 95 Thesen auf, Pico della Mirandola 900.

Kanonisten: Leute von der Fakultät für kanonisches Recht.

366 *Kneifhökerinnen:* Frz. ganyvetières = Messerhändlerinnen.

Demosthenes: Vgl. Cicero: Tusculanae V, 36.

Leckarsch: Frz. Baisecul.

Jason: Mainus, genannt Jason; ital. Rechtsgelehrter aus Padua (1485–1519).

Decius: Philippe D., gest. 1535, Rechtsgelehrter in Bourges und Valence.

Petrus de Petronibus: Pierre des Perrons; unbekannt.

Douhet: Briand Vallée, Sieur du Douhet, gest. vor 1544, Rat am Parlament von Bordeaux, Freund der schönen Künste und der Humanisten. Siehe auch IV. Buch, Kap. 37.

369 *Cepola:* Bartholomaeus Cepola, ital. Rechtsgelehrter in Verona (15. Jh.) und Verfasser eines Buches *Cautelae* (Kniffe).

Accursius . . .: Glossatoren des Römischen Rechts, die den ursprünglichen Wortlaut, auf den die Humanisten zurückgingen, durch Zusätze entstellt hatten.

370 *Ulpian:* Nicht Ulpianus, römischer Rechtsgelehrter (170 bis 228 n. Chr.), sondern Pomponius (2. Jh. n. Chr.) führt das römische Zwölftafelgesetz auf griechischen Ursprung zurück.

Sallust: Römischer Geschichtsschreiber (86–35 v. Chr.).

Varro: Marcus V., römischer Schriftsteller und Gelehrter (116–27 v. Chr.).

Titus Livius: Römischer Geschichtsschreiber (59 v. Chr. – 17 n. Chr.)

Quinctilian: S. Anm. zu S. 356.

371 *Titus Livius: Ab urbe condita* (Seit Gründung der Stadt) XXI, 4, 1.

376 *Non de ponte . . .:* Wer vorsichtig geht, fällt nicht von der Brücke.

König von Kanarien: S. Gargantua, Kap. 13 und 50.

377 *tu autem, Domine, miserere nobis:* Schlußformel nach der Bibellesung.

382 *quid juris . . .:* Welches Recht für die Minderjährigen?

384 *vivae vocis . . .:* Durch mündlichen Orakelspruch.

una voce: einstimmig.

ex nunc . . .: ab jetzt wie ab damals.

Caton . . .: Gesetze aus den Pandekten, mit den Anfangsworten zitiert.

386 *Jubeljahre:* Jedes 50., später jedes 25. Jahr = Jubel- und
Ablaßjahr.

387 *Engel* . . . *Menschen:* Der heilige Anselmus und andere
Kirchenväter behaupten, Gott habe die Menschen als
Ersatz für die abtrünnigen Engel geschaffen.

388 *Cusanus:* Nicolaus C. (1401–1464), Kardinal und päpstlicher Legat, bedeutender Gelehrter; von ihm stammt
eine Berechnung des Weltuntergangs im 34. Jubeljahr
nach Christi Geburt.

Mondkugel . . .: Bei Lukian trifft Ikaromenippos den
Empedokles auf dem Mond an, zu dem die Dämpfe des
Ätna ihn emporgetragen haben.

Schleimfluß: Die Antike glaubte an einen Zusammenhang
zwischen dem Mond und den Erkältungskrankheiten.

Türken: S. Anm. zu S. 364.

389 *Merkurius:* Merkur schläferte den hundertäugigen Argus
ein und raubte die von ihm auf Junos Befehl bewachte
Kuh Io.

391 *Grilgoth* und *Gribouillis* sind von Rabelais erfundene
Namen. *Astarot* und *Rapallus* kommen im Mittelalter
vor.

392 *Jamblichos:* Neuplatoniker (ca. 283 – ca. 333 n. Chr.) in
Alexandria.

Murmault: Johannes Murmellius, Humanist, Gymnasial-
rektor in Münster und Alkmar (gest. 1517). Rabelais
schreibt ihm ein Werk *Über die Buckligen und Mißgestal-
teten für unsere Magister* zu.

Agios . . .: »Gott ist heilig und unsterblich«; hier als Be-
schwörungsformel aufgefaßt.

Misser Bugrino: Herr Schuft.

Seraphinen: Orientalische Münze.

Doch wo ist . . .: Kehrreim einer bekannten Ballade von
François Villon (1431–1463?).

395 *Myrobalanen:* Myrobalaines; Frucht des Baums Phyllan-
thus Emblica L., die eingezuckert oder getrocknet von
Alexandria kam.

398 Das *Lusthaus der Gobelins* befand sich im Faubourg Saint-
Jacques. Die Färberei der Gobelins befand sich im
Faubourg Saint Marcel.

Agesilaos: König von Sparta, nach Plutarch: *Apophtheg-mata laconica – Agesilaus* XXIX f.

399 *Schnuckelschneckchen:* Callibistris; weibliche Schamteile.
Turm von Bourges: Stadtfestung von Bourges, von Phi-lippe-Auguste erbaut, auf Mazarins Befehl zerstört.

400 *Frater Lubinus . . . :* Frater Lubin im Buch von den Zech-gelagen der Bettelmönche.

403 *Et ubi . . . :* Küchenlatein: Und woher nehmen?
Quersack: Eine Fabel von Äsop spricht von einem Quersack, mit dem wir auf die Welt kommen. In dem hinteren sind unsere Fehler, in dem vorderen die Fehler unserer Nächsten, die wir ständig vor Augen haben.

404 *Über die Kommodität:* Rabelais spricht dreimal von einem Buch über *Dignité* oder *Commodité* der Hosenlätze in Buch I, Prolog, Kap. 8 und hier.

405 *der beste Mensch . . . :* Zitat aus Clément Marots *Epitre au roy pour avoir esté dérobbé* (1531).

406 *Deus det nobis suam pacem:* Gott gebe uns seinen Frieden. Gebetsformel nach der Mahlzeit.
galbanum, assa foetida: Übelriechende Harze einer persi-schen Nachtschattenpflanze.
Bibergeil: Urogenitale Drüsenausscheidung des Bibers.

409 *De Alliaco:* Pierre d'Ailly (1350–1425), Verf. mehrerer philosophischer und moralischer Traktate. Die *Supposi-tiones* sind ein Abschnitt der scholastischen Logik.

410 *Arachne:* Die berühmte Weberin aus Lydien, die *Minerva* zum Wettkampf herausforderte und, von ihr besiegt, in eine Spinne verwandelt wurde.
Theriak: Eigentlich Gegengift, Universalmittel der Quack-salber.

413 *Grates . . . :* Dank Euch Gott; verballhorntes Latein.

414 *Centuplum . . . :* Du sollst es hundertfach empfangen; Formel der Ablaßkrämer, von Panurge buchstäblich auf-gefaßt.
Diliges . . . : Du wirst den Herrn lieben = liebe den Herrn.
Rabbi Kimhy (1160–1240), jüdischer Gelehrter aus Nar-bonne.
Rabbi Esra: Rabbi Aben Ezra (1119–1174), spanisch-jüdischer Gelehrter. *Bartolus* (Bartoli) (1313–1375), be-rühmter ital. Rechtsgelehrter.

Papst Sixtus VI., gest. 1484, soll in Rom ein Bordell gegründet haben. S. Kap. 30.

Kreuzzug: Kreuzzüge wurden 1515, 1517 und 1518 gepredigt, fanden jedoch nicht statt.

416 *Abtritträumer:* frz. Maitre Fify.

Kumplegel: Pipe de Bussart; Bussart ein Faß, das ca. 268 Liter faßt.

Sentenz: Wortspiel mit sentir = riechen.

Hof des Justizpalastes: Hof der Sainte-Chapelle.

417 *Adauras:* Von Rabelais erfundener Heiliger: ad auras = in die Lüfte.

418 *Thaumast:* Griech.: staunenswert.

Peripatetiker: Die späteren Anhänger des Aristoteles, eigentlich die Herumwandelnden, weil sie in einer Wandelhalle philosophische Fragen erörterten.

Plato: Im *Phaidros* 250 d; Könige I, 10,1–3;

419 *Anacharsis:* Skythischer Weiser, der um 590 v. Chr. nach Athen kam und Solons Freund wurde. Vgl. Aelian: *Varia historia* V, 7; Diogenes Laertius (3. Jh. n. Chr.) Philosophen-Biographien I, 101 f.

Pythagoras aus Samos, Mathematiker und Philosoph (6. Jh. v. Chr.); Seelenwanderungslehre und Zahlenmystik. Der Besuch des Pythagoras bei den Wahrsagern in Memphis wird bei Hieronymus (ca. 340–420) im 53. Brief (an Paulinus von Nola) erwähnt.

Apollonius von Tyana, Neuplatoniker (1. Jh. nach Chr.).

Physon: Fluß im irdischen Paradies.

Gymnosophisten: Die unbekleideten Weisen: eine indische Philosophenschule.

420 *Akademiker:* Platon-Schüler.

Mirandola: Giovanni Pico della M., ital. Humanist und Philosoph (1463–1494).

Navarra-Saal: Collège de Navarra, wo in dem Saal im Erdgeschoß die Kandidaten disputierten.

Heraklit: Der Satz wird auch Demokrit zugeschrieben.

421 *Beda Venerabilis:* Englischer Benediktiner und Kirchenlehrer (7. Jh.): Über Zahlen und Zeichen oder De loquela per gestum digitorum (Über das Sprechen mit Fingergebärden).

Plotin: Neuplatoniker (3. Jh. n. Chr.). Seine Enneaden übersetzte Marsilio Ficino (1433–1499).

Proclus: Neuplatoniker (5. Jh. n. Chr.): *De sacrificio et magia.*

Artemidorus: Griech. Autor des 2. Jhs. nach Chr. Traumdeutung.

Anaxagoras: Griech. Vorsokratiker (5. Jh. v. Chr.), nur in Fragmenten überliefert.

Ynarius: Autor und Titel sind erfunden.

Philistion: Nicht überliefert.

Hipponax: Über die zu verschweigenden Dinge. Von dem griech. Satiriker dieses Namens (6. Jh. v. Chr.) ist kein derartiger Titel überliefert.

422 *ad metan...:* An die Grenze des Nichtmehrsprechens (scholastische Redeweise).

Primus...: Spiele.

dieser Engländer ist ein zweiter Vauvert-Teufel. Spukteufel in Schloß Vauvert vor Paris.

426 *Maske:* Anspielung auf die pantomimischen Mummereien des Mittelalters, bei denen die Teilnehmer nicht sprechen durften.

trismegistisch: Trismegistos: spätantiker Beiname des Hermes, dem ein Corpus philosophisch-geheimwissenschaftlicher Schriften, das sog. *Corpus hermeticum,* zugeschrieben wurde.

432 *Et ecce...:* Und siehe, hier ist mehr denn Salomo (Matth. XII, 42; Lukas XI, 31).

433 *Non est...:* Kein Schüler ist über dem Lehrer (Matth. X, 24).

434 *Sicut terra...:* Wie Land ohne Wasser (Psalm 142,6).

437 *Schnickschnack...:* Frz. alibits forains; Nebenumstände, die nicht zur Hauptfrage gehören: juristischer Ausdruck.

Ein schönes Weib...: Bekanntes Sprichwort.

438 *Leckst du...:* A Beaumont le Vicomte – à beau con le vit monte.

443 *Orgoosische Lykiske:* Griech.: ὀργάω = brünstig sein. Lycisca heißt eine Hündin bei Vergil (*Buc.* III, v. 18).

448 *Bach:* Die Bièvre, die in der Nähe der Färberei Gobelin in die Seine mündete.

d'Oribus: Matthieu Ory, 1556 Großinquisitor.

Bazacle bei Toulouse: Berühmte alte Mühle an der Garonne.

449 *Dipsoden:* Griech.: die Durstigen.

Morgana: Die Fee Morgane spielt in den Epen von den Rittern der Tafelrunde eine bedeutende Rolle.

Ogier der Däne: Held einer Chanson de geste.

Könige von Kanarien: S. Buch I, Kap 1 und 13.

Milliar: Römisches Maß; 1000 Schritte.

Stadion: Griech. Maß; ca. 180 m.

Parasange: Ursprünglich persisches Maß (1 Parasange = 30 Stadien).

König Pharamond: Sagenhafter König der Franken im 5. Jh.

452 *Ammoniak:* Das Rezept dieser sympathetischen Tinte ist einem Traktat von Joannes Tritomius (1518) entnommen.

Wolfsmilchsaft: Frz. Lithymalle (Plinius, *Hist. nat.* XXVI, 8).

453 *Walsamen:* Frz. sperme de baleine. Die *graue Ambra* wurde im Mittelalter für Walsperma gehalten.

Gellius: Dieses Verfahren wird von Aulus G. (*Noct. att.* XXII, 9) geschildert. Ein Lederstreifen wird um einen Stab gewickelt und von oben nach unten beschrieben. Der Empfänger kann ihn nur lesen, wenn er einen Stab von gleicher Länge und gleichem Durchmesser besitzt.

Haare scheren: Dieses Verfahren wird von Herodot, Aulus Gellius und Erasmus in den Adagia beschrieben.

Nianto: Vermutlich erfundener Name mit Anklang an ital. niente = nichts.

Zoroaster: Grammatiker in der Regierungszeit Domitians: Von den schwer zu entziffernden Schriften.

Calphurnius Bassus: Gewährsmann des Plinius.

454 *LAMAH...:* Christi letzte Worte am Kreuz.

455 *Äneas:* Vergil, *Aeneis* IV.

Heraklides: Bei Diogenes Laertius V, 9 als Arzt erwähnt.

Porto Santo: Insel im Archipel von Madeira. – Pantagruel schlägt denselben Weg ein wie die Portugiesen unter Vasco da Gama nach Indien, beschrieben von Simon Grynaeus (Basel 1552).

Cap Blanco: Cap Blanc an der westafrikanischen Küste.

Cap Verde: Bei Dakar.

Gambia: Westafrika.

Sagre: Cap Sagres, vor Guinea.

Melli: Mali; Königreich im westl. Sudan.

Melindien: Melinde, Melinda oder Malindi; Stadt an der ostafrikanischen Küste, letzte Station Vasco da Gamas vor seiner Überfahrt nach Indien, dadurch berühmt.

Meden, Uti, Udem: Griech. Wörter, die geographisch nichts bedeuten.

Gelasim: = Lächerlich.

Achorien: Griech.: die Ortlosen. Bei Thomas Morus heißen so die Einwohner von Utopia. Rabelais macht aus ihnen die Nachbarn der *Amauroten.*

Athener: Nach Erasmus, *Adagia* I, 8, 44, machte der Rhetor Demosthenes den Athenern diesen Vorwurf.

456 *Zopyrus:* Ein Perser, der sich Nase und Ohren abschnitt, als Darius die Babylonier belagerte, vor denen er sich als Überläufer ausgab (Herodot, *Historiae* III, 154 ff.; Erasmus, *Adagia* II, 10, 64).

Sinon: Vgl. Vergil, Aeneis II, V. 57 ff.

Pegasus: Das geflügelte Roß P. entsprang dem Leib der Medusa, als Perseus ihr das Haupt abschlug.

Pacolet: Erbauer eines Wunderpferdes aus magischem Holz, das den Reiter in die Lüfte trägt (*Valentin et Orson,* afr. Ritterroman).

457 *Camilla:* Vgl. Vergil, *Aeneis* VII, v. 808.

463 *Nach der Alten Weise:* Nämlich aus Haselholz (s. Vergil, *Georgica* II, v. 396).

Turmglocken von Rennes: Die »Madame Françoise« im Glockenturm von Rennes wog mehr als 40 000 Pfund.

464 *Koboldshaupanzer:* Koboldspanzer, die undurchdringlich (d. h. gefeit) sind.

Anarches: Griech.: der Nichtherrscher.

465 *Viterb:* Biterne = Viterbo. »Beim Teufel von Biterne schwören« ist eine im Süden gebräuchliche Redensart.

466 *Qui potest . . . :* Wer nehmen kann, der nehme! Zitat aus Matth. 19, 12, hier buchstäblich.

Herodot: Historiae VII, 70 schätzt das Fußvolk des Xerxes auf 700 000 Mann.

Trogus Pompeius: Römischer Historiker (1. Jh. v. Chr.) II, 10, schätzt es auf eine Million.

468 *Fabius* Cunctator (ca. 275–203 v. Chr.) siegte gegen Hannibal; Scipio Africanus besiegte Hannibal in der Schlacht bei Zama Regia (202 v. Chr.).

470 *Pygmäen:* Bezeugt bei Homer, Aristoteles und Plinius.

Kraniche: Homer, *Ilias* III, V. 3 ff. Kampf zwischen Pygmäen und Kranichen. Ferner: Aristoteles, *Historia animalium* VIII 12, 597 a. 6; Plinius, *Nat. Hist.* IV, 11.

Als Aufenthalt der Pygmäen verschiedene Teile Asiens.
Zwuckel: Frz. manches d'estrille = Striegelstiele.

475 *Lithontripon:* Mittel, das Nieren- und Blasensteine auf-
löst.
Nephrocatarticon: Nierenreinigung.
Kanthariden: Spanische Fliegen; Blasenmittel.

476 *Luçon:* Baronat in der Vendée.
Schellenrubbeln: Beim Frühläuten reibt sich der jäh aus
dem Schlaf Geweckte die angegebene Körperstelle.

477 *Kalliope:* Muse der epischen Dichtung.
Thalia: Muse der Komödiendichtung.

478 *Äneas:* Vgl. Vergil, *Aeneis* II, V. 707 ff.

479 *Herkules:* Vgl. Erasmus, *Adagia* I, 5, 39.

480 *Turpin:* Erzbischof von Reims und Waffengefährte Karls
des Großen (im Rolandslied und anderen Chansons de
geste). Gemeint ist hier die Pseudo-Turpinische Chronik
(*Historia Caroli Magni et Rotholandi*), Mitte des 12. Jhs.
Nikolaus: Wunder des heiligen N. (Bischof von Myra),
gest. 324.
chalybischer Stahl: Chalybisches Erz war im Altertum berühmt. Die Chalyber saßen im nordwestlichen Teil Kleinasiens.

483 *Sanheribs Heer:* IV Könige 19, 35 ff.

487 *Golfarin:* Corfarain oder Corfarin: Sarazenenname in der
afr. Epik.

488 *Butterturm:* Der Nordturm der Kathedrale von Bourges
stürzte 1506 ein. Der neue Turm, der heute noch steht,
wurde, wie es heißt, aus den Ablaßgeldern erbaut, die die
Leute, die während der Fasten Butter essen wollten,
entrichten mußten. Rabelais verwechselt absichtlich die
beiden Türme.
Wurstriffler: Riflandouille, auch im Buch IV, Kap. 37.

493 *Diakackmus:* Burleske Medizin, wie viele Arzeneien der
Zeit mit der Vorsilbe dia- benannt.
Wendehals ...: Rabelais benennt so die Frömmler und
Scheinheiligen.
Xerxes ...: Die burleske Variante der Jenseitsfahrt geht
vermutlich auf Lukian, Menippus XVII zurück. Die
ehemaligen Helden führen in der Unterwelt ein ärmliches
Leben. Jenseitsfahrt bei Homer, Vergil, Dante, Calderon
u. a.
Romulus: Gründer und erster König Roms.

Numa Pompilius: Sagenhafter zweiter König von Rom (8./7. Jh.).

494 *Tarquinius:* Etruskischer König von Rom.

Piso: Lucius Calpurnius P. (38–69 n. Chr.).

Sulla (138–78 v. Chr.).

Cyrus: Kyros der Große (6. Jh. v. Chr.).

Themistokles: Athenischer Staatsmann und Feldherr (ca. 527–459 v. Chr.).

Epaminondas: Thebanischer Staatsmann (4. Jh. v. Chr.).

Brutus und Cassius: Verschwörer gegen Cäsar.

Demosthenes: Athenischer Redner (384–322 v. Chr.).

Fabius: S. Anm. zu S. 468.

Artaxerxes: Sohn des Xerxes, persischer König.

Nestor: Der weise Alte im Heer des Agamemnon.

Darius: Perserkönig (521–486).

Ancius Martius: Enkel des Numa Pompilius.

Marcellus: Römischer Feldherr und Konsul (2. Punischer Krieg).

Drusus Germanicus (38–9 v. Chr.).

Scipio Africanus: S. Anm. zu S. 468.

Hasdrubal: Karthagischer Heerführer, Bruder Hannibals.

Hannibal: Karthagischer Feldherr (246–183 v. Chr.).

Priamus: König von Troja.

Lancelot: Gralsritter.

Kokytos . . . Lethe: Flüsse der Unterwelt.

Trajan: Römischer Kaiser (52–117 n. Chr.).

Antoninus Pius: Römischer Kaiser (86–161 n. Chr.).

Commodus: Römischer Kaiser (161–192 n. Chr.).

Pertinax: Nachfolger des Commodus (126–193 n. Chr.).

Lucullus: Römischer Feldherr (ca. 109 – ca. 57 v. Chr.).

495 *Justinian I.:* Oströmischer Kaiser (483–565 n. Chr.).

Hektor: Sohn des Priamus.

Paris: Räuber Helenas, Veranlasser des Trojanischen Krieges.

Kambyses II.: Sohn und Nachfolger Kyros' des Großen.

Nero: Römischer Kaiser (37–68 n. Chr.).

Fierabras: Held eines Ritterromans.

496 *Valentin und Orson:* Helden eines nach ihnen benannten Ritterromans.

Giglan: Held eines Ritterromans.

Gawain: Berühmter Ritter der Tafelrunde.

Gottfried mit dem großen Zahn: S. Anm. zu S. 333.

Billon: Gottfried von Bouillon (1061–1100), Führer des 1. Kreuzzugs.

Jason: Held der Argonautensage.

Don Pedro der Grausame (14. Jh.).

Morgant: Held des Romans von Luigi Pulci (1432–1484).

Huon von Bordeaux: Held eines Ritterromans in Prosa.

Pyrrhus: König von Epirus (ca. 318–272).

Antiochus: A. der Große, gest. 187 v.Chr., Herrscher des Seleukidenreichs.

Octavian: Kaiser Augustus (63 v.Chr.–14 n.Chr.).

Nerva: Römischer Kaiser (22–98 n.Chr.).

Julius II.: Papst (1443–1513).

Johann von Paris: Held eines Prosaromans.

Artus: König A. von Wales.

Perceforest: Bethis, König von Britannien, Held eines Ritterromans.

Bonifaz: Bonifatius VIII., Papst 1294–1303.

Nikolaus III.: Papst 1277–1280.

Alexander VI.: Borgia, als Giftmischer berüchtigt; Papst 1492–1503.

Sixtus: Papst (gest. 1484), gründete in Rom ein Bordell.

Ogier der Däne: Held einer Chanson de geste.

König Tigranes von Armenien, gegen den Lucullus und Pompejus kämpften.

497 *Galien Restoré:* Galienus Restauratus; Held eines Prosaromans.

Die vier Haimonskinder: altfranz. Prosaroman.

Calixtus III.: Papst 1455–1458.

Urban VI.: Papst 1378–1389.

Melusine: Aus der Sage Gottfrieds von Lusignan.

Matabrune: Gestalt aus dem Schwanenritter.

Kleopatra: 69–30 v.Chr., Königin von Ägypten.

Helena: Gattin des Menelaos von Sparta (Ilias).

Semiramis: Königin von Babylon.

Dido: Königin von Karthago (Aeneis).

498 *Penthesilea:* Königin der Amazonen.

Lukrezia: Wurde von Sextus Tarquinius geschändet.

Hortensia: Tochter des römischen Rhetors Quintus Hortensius (1. Jh. v.Chr.).

Livia: Gemahlin des Augustus.

Diogenes: Philosoph (413–327 v.Chr.), Begründer der kynischen Lehre.

501 *Epiktet:* Stoiker, Verfasser des Handbüchleins der Moral (ca. 50–130 n.Chr.).

Pathelin: Held der nach ihm benannten Farce (15. Jh.).

Rhadamanthes: Einer der Unterweltsrichter.

Le Maire: Jean Lemaire de Belges, franz. Dichter aus der Schule der sogenannten Grands Rhétoriqueurs, der den Papst in Prosastreitschriften heftig angegriffen hatte (ca. 1473–ca. 1515).

502 *Caillette und Triboullet:* Narr Ludwigs XII. und Narr Franz' I.

François Villon war der Held vieler Anekdoten.

503 *Freibogner:* Freischütz von Baignolet; s. Anm. zu S. 348 (Stratagemata . . .).

509 *Halmyroden:* Griech.: die Gesalzenen.

510 *Montrible:* Brücke in dem Ritterroman *Fierabras*. Eine Comedia von Calderon, die den Fierabras-Stoff behandelt, ist nach ihr benannt: *La puente de Mantible.*

Dänemark . . . Zähne: Wortspiel: Danois = dents: Zähne.

511 *Aspharaga:* Griech. asparagos = Luftröhre.

Laryngen und Pharyngen: Kehlkopf und Rachen.

513 *Schlundlinge:* Frz. L'histoire des Gorgias, gebildet aus gorge = Schlund und gorgias = prächtig.

Salmigondien ist die Heimat Panurges.

515 *Scammonium:* Droge aus Kolophon in Kleinasien (Plinius, Hist. Nat. XXVI, 2, 42).

Cassia: Hülsenfrucht; Abführmittel.

Camarinischer Sumpf: Sumpf bei Camarina auf Sizilien.

Sorbonne-See: Sarbonischer See, von *Strabo* zitiert (*Geographica* XVI,2, 42). Auf den Sarbonischen See spielt wegen des Lautanklangs der Sorbonne-See an.

516 *Heiligkreuz-Kirche:* Die vergoldete Kupferkugel auf dem Dom von Orléans, die zehn Meter Umfang hatte, wurde 1568 von den Protestanten zerstört.

517 *Frankfurter Messe:* Auf der im Frühjahr und Herbst stattfindenden Frankfurter Buchmesse wurden viele Bücher umgesetzt.

Kaspisches Gebirge: Die Kaspischen Berge zwischen Medien und Armenien.

Perlasinseln: Perlen-Inseln, zu den Antillen gehörend.

Presthan: Priester Johannes, sagenhafter indischer Fürst.

518 *Pardonnante my:* Vergebt mir; verderbtes Italienisch.

Sarabaiter: Verlotterte ägyptische Mönche.

Et Curios . . .: Sie spielen die Aufrechten, aber führen ein ausschweifendes Leben: Juvenal (römischer Satiriker, ca. 60–140 n.Chr.), *Satiren* II, V, 3.

521 *Fran. Rabelais:* Rabelais nennt sich hier im Titel seines Buches zum erstenmal mit seinem vollen Namen.

523 *Königin von Navarra:* Im Erscheinungsjahr 1546 des Dritten Buches neigte Marguérite d'Angoulème, Königin von Navarra (1492–1549), mehr und mehr zum Mystizismus. Rabelais fordert sie auf, die Himmel, wo sie verkehrt, zu verlassen und sich an seinem Buch zu ergötzen.

525 *Blindgeborener:* Matth. 20, 30 ff.; Markus 10, 46 ff.; Lukas 18, 35 ff.

526 *Midas* empfing von Dionysos die Gabe, daß alles, was er berührte, sich in Gold verwandelte; Apollon ließ ihm Eselsohren wachsen, als er sich auf einen Wettstreit mit Pan einließ.

Otakusten: Lauscher.

Antoninus: Gemeint ist Caracalla (188–217 n.Chr.), der sich auf seine Aushorcher verließ.

Serpentine von Rohan: Die Anspielung ist dunkel.

Alexander: Der Ausspruch nach Erasmus: Apophtheg-mata III.

Sinope: Im Norden Kleinasiens.

527 *Katzen:* Frz. cavalliers = hoch aufgeführte Plattformen aus Balken und Erde.

Hotte: Rückentrage, Kiepe.

528 *Korintherinnen:* Korinthische Buhldirnen.

529 *per antiphrasim:* Durch das Gegenteil. Der »häßliche« Krieg soll durch das Gegenteil – nämlich das Wort »bellum = schön« – seinen Namen erhalten haben, wie der Grammatiker Priscian (um 500 n.Chr.) behauptet hatte.

Salomon: Hoheslied 6, 9.

530 *arkadische Esel:* Erasmus, *Adagia* I, 4, 35 und *Lob der Torheit* VI.

Hippokrene-Brunnen: Die Dichterquelle auf dem Parnaß.

Ennius: S. Anm. zu S. 12.

Aeschylus: Griech. Tragiker, 525–456 v.Chr.

Plutarch: Symposiaca (Tischgespräche).

531 *Cato* der Ältere, römischer Schriftsteller und Staatsmann, 234–149 v.Chr.

denn nicht jedem ist es vergönnt . . .: Griech. Sprichwort, von Horaz, *Epist.* I, 17 V. 36 benutzt.

Neptun und Apollon mußten auf Geheiß Jupiters für *Laomedon* die Mauern von Troja bauen.

Renaud de Montauban: Zur Buße half er den Maurern beim Bau des Kölner Doms.

Amphion: Zum Klang der Leier Amphions fügten sich die Steine der Mauern Thebens von selber zusammen; vgl. Horaz, *Oden* III, 2,2 und *Ars poetica* v. 394.

epicenarisch: Nach dem Essen.

532 *Ptolemäus I.:* Sohn des Lagos (gest. 283 v.Chr.), ägyptischer Herrscher und Begründer der ptolemäischen Dynastie. Die Anekdote findet sich bei Lukian.

hälftig schwarz . . . : Die oben weiße, unten schwarze Frau begegnet uns in der Apollonius-Biographie von Philostratos (3. Jh. n.Chr.).

Venus . . . Pudel: Bezeichnung der Würfe beim Knöchelspiel. Der höchste hieß *Venus,* der niedrigste *damnosi canes.*

Plautus: Aulularia (Töpfchen-Komödie).

Ausonius (4. Jh. n. Chr.) entdeckte sein Gedicht *Gryphus* angeblich in einer verstaubten Bibliothek, so wie bei Plautus der Hahn Euclion den vergrabenen Schatz.

533 *Tantalus:* Reminiszenz an die Apollonius-Vita des Philostratos III,25, 32, in der sich Tantalus' Trinkschale immer aufs neue mit Wein füllt.

Cato: Vgl. Aulus Gellius, *Noct. att.* II,222.

Virgil: Aeneis VI, V. 136/37.

534 *Lucilius:* Vgl. Cicero, *De finibus* VII,1.

Konsentiner: Bewohner von Cosenza.

Doriphag: Griech.: Gabenfresser: bestechliche Anwälte.

535 *Diogenes:* Vgl. Cicero: *Tusculanae* I,43 und Erasmus: *Apophthegmata* III.

Papimanien: Vgl. Buch IV, Kap. 98 ff., wo Papimanien beschrieben wird.

536 *Männer an der Zahl . . . :* Nach Matthäus XIV.

de Lyra: Der ital. Franziskaner Nikolaus de Lyra: Bibelkommentator (1270–1349). Wortspiel: Lyra-Delirium.

537 *Sphärengeister:* Die Geister, die nach Aristoteles die Sphären bewegen.

Demovoros: Völkerfresser (*Ilias* I, V. 231).

538 *Osiris:* Sagenhafter König Ägyptens. Vgl. Plutarch: *De Iside et Osiride* XII.

Euergetes: Griech.: εὐεργέτης = Wohltäter.

Pamyle: Eine Thebanerin, hörte aus dem Jupitertempel eine Stimme, die ihr befahl, die Geburt eines großen Königs mit Namen Osiris zu verkünden (Plutarch, *De Iside et Osiride* XII). Pamyle wurde die Erzieherin des Osiris.

Hesiod in *Werke und Tage,* V. 122.

Alexander ... Herkules: Plutarch setzt Alexander den Großen und Herakles in Parallele (*De Alexandri fortuna*).

Thrasybul: Die Beispiele sind Erasmus, Adagia II,1, 94 entnommen.

539 *Cicero: Philippicae* I,1.

Aurelian: Römischer Kaiser (214–175 n.Chr.) erließ eine Amnestie.

Maro: Virgil, *Georgica* IV, V. 559 ff.

Terminus: Römischer Gott der Grenze.

540 *Plan Karls des Großen:* Nach der Chronik Sigeberts von Gembloux (1030–1112). Rabelais schöpft aus einer unbekannten Quelle.

541 *Seraphgulden:* Feines Gold einer orientalischen Münze.

543 *Pantheologie:* Universaltheologie, vertreten von der Sorbonne.

verschmausen ... Bischof: Ein Bischof mußte in Paris beim Einzug in seine Bistumsstadt große Bankette veranstalten, und zwar eines davon wohl auch für die Doktoren der Sorbonne.

Noch nie ...: Aus dem *Thyestes* des Tragikers Seneca.

Cato der Ältere (234–149 v.Chr.): *De re rustica* II,7.

Ulysses: Schiffbruch des Odysseus vor der Phäakeninsel, *Odyssee* V.

Hippokrates: Aphorismen I,13.

platonisch und ciceronianisch: Erasmus, *Adagia* IV,6, 81: Nemo sibi nascitur – niemand wird nur für sich selber geboren; hier werden Platon und Cicero zitiert.

544 *Milon* von Kroton fand den Tod, als er einen Baum spaltete und mit den Händen eingeklemmt blieb.

Thestilis (Testylis) heißt eine Magd in Vergils *Bucolica* II, V. 10.

545 *Nero:* Nach Suetons *Leben Neros* XXX.

C. Caligula: Römischer Kaiser (12–41 n.Chr.).

Tiberius: Römischer Kaiser (42 v.Chr.–37 n.Chr.), Nachfolger des Augustus.

Tafel -und Aufwandgesetze: Diese Gesetze werden bei

Macrobius, *Saturnalia* III,17, aufgeführt.

Protervia: Propter viam = Wegzehrung; s. Erasmus, *Adagia* I,9, 44.

Albidius: Vgl. Erasmus, *Adagia* I,9,44.

Consummatum est . . .: Anekdote, erzählt von Michael Scotus in *Mensa philosophica* (Köln 1508; Paris 1517). Der heilige Thomas, von König Ludwig dem Heiligen zu Tisch geladen, aß eine Lamprete, die für den König bestimmt war, auf und rief, als er fertig war, in Gedanken an eine Hymne auf das Sakrament, die ihm im Kopf herumging: »Consummatum est« (Es ist vollbracht).

546   *Wie Panurge* . . . *lobt:* Panurges Lob der Schuldner und Borger ist eine ironische Lobrede, die auf die Antike (so Lukian) zurückgeht und bei den Humanisten im *Lob der Torheit* von Erasmus zur Vollendung kam.

Druiden: Vgl. Cäsar, *Gallischer Krieg* VI,19.

547   *Dis,* der Herr der Unterwelt und des Reichtums, entspricht dem griech. Pluto. Nach Cäsar führen die Gallier ihre Abstammung auf Dis zurück.

Philosophen: Plutarch sagt in *De vitanda usura* V, die Wucherer könnten aus nichts etwas machen, während die Philosophen behaupteten, aus nichts könne nichts entstehen.

548   *Xenokrates:* Schüler Platons (406–314 v.Chr.); er hatte berechnet, daß die Zahl der Silben, die sich aus den Buchstaben des Alphabets bilden lassen, 100 200 000 betrage.

Passion: Passionsspiel in Saumur 1534.

Hesiod: Werke und Tage, V. 189 ff.

Sankt Bambolin: Erster Abt von Saint-Maur-des-Fossés, wo Rabelais zuerst Mönch, dann Kanonikus war.

549   *Akademiker:* Platon, *Timaios,* zit. von Augustinus, *De civitate Dei* XIII,17,2.

Metrodoros: M. von Lampsake, Schüler Epikurs, gest. 277 v.Chr.

Petron: Petronius von Himera, Pythagoräer (6. Jh. v.Chr.) von Plutarch in *De defectu oraculorum* (Vom Ende der Orakel), Kap. XXII und XXIII, erwähnt, der ein aus 183 Welten zusammengesetztes Universum annahm.

homerische Kette: Die goldene Kette Homers, *Ilias* VIII, V. 18 ff.; XV, V. 18.

Camill: Aus Plutarch; *Leben Numas* VII.

Stoiker: Plutarch, *De placitis philosophorum* II,17,2.

Cicero: De natura deorum III,14.

Aloiden: Söhne des Aloeus, der mit Äthion den Olymp erstürmen wollte.

550 *Poinen:* Strafen. Personifikation von Poena – Pön, Pein. Poena ist eine der Furien.

Doué: Doué-la-Fontaine, zehn Meilen von Chinon.

gleich reißenden Wölfen: Anspielung auf das lat. Sprichwort: Homo homini lupus, von Erasmus, *Adagia* I,1,70, kommentiert.

Lykaon: Wurde wegen Mißachtung der Gastfreundschaft in einen Wolf verwandelt.

Bellerophon: Wollte auf dem Pegasus den Olymp überfliegen, wurde von Zeus gestürzt und endete in Wahnsinn.

Nebukadnezar: Wurde in einen Ochsen verwandelt (Daniel 4,33).

Ismael: I Moses 16,12.

Metabus: Aeneis: XI, V. 540ff.

Timon: bei Lukian

misanthropos: Menschenfeind.

551 *Äsop:* Fabel CLIX, Verschwörung der Glieder gegen den Magen.

553 *Ivo:* Sankt Yves: der große Heilige der Bretonen.

Und er borgte . . .: Farce von Meister Pierre Pathelin, 174.

Das Leben besteht aus Blut . . .: Kritias behauptete, die Seele sei nichts anderes als das Blut. Empedokles, Lukrez, Vergil, Plinius lehrten, das Blut sei der Sitz der Seele.

companage: in der langue d'oc bedeutet *companage* den täglichen Unterhalt des Hauses ohne Brot und Wein.

556 *Apostel:* Paulus, Römer 13,8.

der tyanische Philosoph: S. Apollonius von Tyana, sein Leben von Philostratos IV, 4–10. Apollonius erkannte den Pestdämon in der Gestalt eines Greises.

Perser: Vgl. Plutarch, *De vitanda usura*, Kap. V.

557 *Plato:* Gesetze VIII, 844b.

559 *Miles d'Illiers* wurde 1459 Bischof von Chartres. Seine Bitte an Ludwig XI. (1423–1483) wurde sprichwörtlich.

560 *Gesetz Mosis:* V Moses 20,5ff.

561 *Varennes:* Varennes-sur-Loire, Gemeinde Chinon.

Enyo: Kriegsgöttin.

562 *Galen: De usu partium* VII,8.

563 *nach jüdischem Brauch:* II Moses 21,5ff.

hyrkanisch: Hyrkanien: in der Antike ein Land östlich des Kaspischen Meeres. Plinius, *Nat. hist.* VIII,25.

Maravedi: Spanische Münze.

564 *Bourgeois:* berühmter Franziskanerprediger, gest. 1494, genannt »der bebrillte Franziskaner«.

565 *aus s ein f zaubern:* Aus einem Sou einen Franc zaubern.
Trajanssäule: Gemeint sind die Bilderreliefs, mit denen die Säule umwunden ist.
Septimius Severus: Römischer Kaiser 193–211 n.Chr.
Die *Großmuhme Laurence* entstammt der Farce von Meister Pathelin, V. 158f.
Galen: De usu partium VIII, 5.

567 *Zoophyten:* Die Tierpflanzen: Korallen, Schwämme usw.

568 *Priap:* Aus dem Orient stammender Zeugungsgott.
Moses: III Moses 7.

569 *Valentin:* Die Valentins und Valentinen wurden in Nancy am ersten Fastensonntag im Lauf von Tänzen und Lustbarkeiten ausgelost.
Galen: De semine I,15.
Justinian ...: Burleske Erfindung wie anläßlich der Bibliothek von Sankt Victor.

570 *Sperenzchen ...:* Ebenfalls Erfindung.

572 *Vae soli:* Weh dem, der allein ist (Prediger Salomo IV,10).
Seneca: Dieser von S. *Ep.* 94 überlieferte Ausspruch stammt von Publius Syrus.

573 *Hiob,* der so geschlagen wurde.

574 *Der Weise:* Jesus Sirach 36,27.

577 *Montserrat:* Die Einsiedlergrotten am M. in Katalonien, berühmt durch Ignatius von Loyola, der in einer von ihnen einige Zeit zubrachte.
Schafft mir Virgils Werke ...: Um ein Buch-Orakel zu befragen.
῍Ηματι ...: *Ilias* IX, V. 363.
Plato: Im *Kriton* 44b.
Diogenes Laertius: II, 60; nur bei diesem wird Aischines und nicht Kriton als Dialogpartner des Sokrates genannt.
Opilius Macrinus: Römischer Kaiser 164–218 n.Chr.
Rabelais zitiert aus *Historiae Romanae* (78,40) von Dion Cassius (ca. 155–ca. 235 n.Chr.).
ὦ γερον ...: *Ilias* VIII, V. 302.

578 *Heliogabalus:* Römischer Kaiser 204–222 n.Chr.
Brutus: Verschwörer gegen Cäsar. B. kam jedoch nicht in

der Schlacht von Pharsalus um, sondern beging Selbstmord nach der Schlacht von Philippi.

'Αλλά με . . .: *Ilias* XXXVI, V. 849.

Tu regere . . .: Dieses Beispiel sowie die fünf folgenden sind der *Historia Augusta* entnommen, einer im 4. Jh. n.Chr. entstandenen Sammlung von Kaiserbiographien. Der Vers aus *Aeneis* VI, V. 851.

Hadrian: Römischer Kaiser, 76–138 n.Chr., Adoptivsohn und Nachfolger Trajans (52–117).

Quis procul . . .: *Aeneis* VI, V. 809.

579 *Claudius Secundus:* Römischer Kaiser (214–270 n.Chr.).

Tertia . . .: *Aeneis* VI, V. 265.

Ostendent . . .: *Aeneis* VI, V. 869.

Gordian: Zwischen 238 v. und 22 n.Chr. gab es drei römische Kaiser mit Namen Gordianus (*Historia Augusta*).

Clodius Albinus. 196–197 n.Chr. *Aeneis* VI, V. 857.

D. Claudius: D. = Abkürzung für Divus = göttlich; Claudius = Claudius Secundus.

His ego . . .: *Aeneis* I, V. 278.

580 *Pierre Amy:* Studienfreund Rabelais' in Fontenay-le-Comte.

Heu! . . .: *Aeneis* III, V. 44.

581 *Wie man sich* . . .: Frz. Übersetzung des *Libro delle sorti* von Lorenzo Spirito da Perugia (1476).

Bura: Stadt in Achaia, wo es ein Orakel des Herkules gab, bei dem Würfel verwendet wurden.

Tiberius: Sueton, Leben des Tiberius, 14, zitiert in *Sannutus sive de ludo talario* von Nicolaus Leonicus Thomaeus.

582 *Merlinus Coccaius:* Teofilo Folengo: Von der Wohnstatt der Teufel.

583 *Herkules:* Anspielung auf das Herkules-Orakel in Bura.

Tenitische Göttinnen: Losgöttinnen.

584 *Nec Deus* . . .: *Bucolica* IV, V. 63.

Manubiae: Nach einer Scholie von Servius über *Aeneis* I, V. 42.

585 *Ajax Oileus:* Achaischer Held (Sohn des Lokrerkönigs Oileus).

Göttinnen . . . *verjagen:* Flucht der Götter und ihre Verwandlungen: Ovid, *Metamorphosen* V, V. 321 ff.

Vulkan: Servius erwähnt Vulcan in der o.a. Scholie; s. Anm. zu S. 584.

586 *Muttersau* . . .: Nach Athenaeus IX, 5 (375), der sich auf den Babylonier *Agathokles* beruft.

Amalthea: Nach Apollodor I,1, 57.

Ammonier: Nach Herodot II,42.

Akrisios schloß aus Furcht, von der Hand seines Enkelsohns zu sterben, seine Tochter Danae in einen Turm ein, wo Jupiter sie in der Gestalt eines Goldregens heimsuchte.

Agenor mißhandelte seine Nichte Antiope und wurde von deren zwei Söhnen, die sie von Jupiter empfing, getötet.

Asopos: Böotischer Flußgott, dem Jupiter die Tochter Aigina raubte.

Lychaon: Vater der von Jupiter verführten Kallisto, der in einen Wolf verwandelt wurde.

Korytos: Italischer König, Gemahl der Elektra, mit der Jupiter den Dardanus zeugte.

Atlas: Vater der sieben Plejaden, zu denen Elektra gehört.

Atome: Die Atomlehre des Demokrit hat auf Epikur gewirkt.

magistronostralisch: Adjektiv zu Magistri nostri = Kandidaten der Theologie.

Schatten von Gedanken: secundae intentiones = zu einer Substanz hinzutretende Eigenschaften (scholastisch).

Uranos wurde von *Saturn* (Kronos) entmannt.

Seneca: Von Lactanz (um 300 n.Chr.) zitiert: *Divinae institutiones* I,16.

Rhea ... Atys: Kybele (Rhea, Gemahlin des Kronos) läßt Attis wahnsinnig werden und sich entmannen.

587 *testiculos...:* Er hat keine Hoden. Vgl. IV. Buch, Kap. 48.

Membra ...: Aeneis III, V. 30.

Kambles: Vgl. Athenaeus X,415.

Faemineo ...: Aeneis XI, V. 782.

588 *Satirendichter:* Juvenal (ca. 65–128 n.Chr.), *Satiren* VI, V. 209.

Baldus: Petrus Baldus de Ubaldis (1323–1400) schrieb einen Kommentar zum Codex Justinians.

L. Ait ...: In dem Abschnitt *Ait praetor* »über die Minderjährigen«. Die Abschnitte werden mit den Anfangsworten zitiert.

589 *Hippokrates: Über die Träume.*

Plotin: 3. Jh. n.Chr., Neuplatoniker; seine *Enneaden* übersetzt und kommentiert von Marsilio Ficino (1433–1499). Rabelais folgt hier der Kompilation von Caelius Rhodiginus: *Lectiones antiquae* XIV,42ff.

Iamblichos: S. Anm. zu S. 392.

Xenophon: Gastmahl.

Plutarch: Quaestiones convivales.

Artemidoros Daldianus: 2. Jh. n.Chr., *Über die Traumdeutung.*

Herophilus: 4. Jh. v.Chr., alexandrinischer Arzt.

Q. Calaber: Quintus von Smyrna (4. Jh. n.Chr.).

Theokrit: Griech. Dichter (3. Jh. v.Chr.), Idyllen.

590   *Hermes Trismegistos* nannte man den Verfasser eines philosophischen Dialogs *(Pimander)*, der von einem griech. Platoniker des 2. Jhs. stammte. Pantagruels Rede ist von einem Kommentar zu diesem Dialog von Rosseli angeregt.

Oneirokrit und Oneiropol: ὀνειροκρίτης = Traumdeuter; ὀνειροπόλος = Traumbewohner.

Heraklit: S. Plutarch: *De Pythiae oraculis* XXI.

Atlanten: Bewohner des Atlasgebirges (Herodot, *Hist.* IV,184 und Plinius *Nat. hist.* V,8 zufolge träumen sie nicht).

Thasos: Insel im nördlichen Ägäischen Meer.

Kleon von Daulis, Thrasymedes: Vgl. Plutarch: *De defectu oraculorum* L.

Villanovanus: Simon de Villeneuve, gest. in Padua 1530, berühmter Gelehrter.

591   *Proteus* war nach *Odyssee* IV, V. 417–424 und nach Vergil, *Georgica* IV, V. 405–414, mit der Gabe der Weissagung ausgestattet.

Nous und Mens: Geist, Vernunft.

Amphiaraos: Nach der Philostratos-Biographie des Apollonius von Tyana ein Sohn Apollons.

592   *Jahrmarkt von Fonteney:* Dieser dreimal jährlich stattfindende Jahrmarkt war sehr besucht.

Homer: Ilias XIII, V. 20.

593   *crustumenische und Bergamottenbirnen:* Birnen aus Constumeria in Latium und aus Bergamo.

Morpheus: Gott des Schlafs.

Icelos und Phobetor: Doppelname für den Gott des Schrekkens.

Phantasus: Gott der Traumgesichte.

Ino: Tochter des Kadmus und der Harmonia, heißt als Meergöttin, zu der sie erhoben wurde, Leukothea; hatte zwischen Pithyos und Thalamai im Süden des Peloponnes ein Traum-Orakel. Vgl. Pausanias: *Graeciae descriptio* III, 26.

Serapion . . . : Die vier griech. und der lat. Schriftsteller, die Rabelais anführt, haben über Traumdeutung geschrieben.

594 *Demokrit:* Plinius beruft sich auf das Werk Demokrits über das Chamäleon.

Eumetris: Vgl. Plinius, *Nat. hist.* XXXVII,58. Rabelais verwechselt den Eumeces-Stein mit dem Eumetris.

Traumpforten: Odyssee XIX, V. 562; Vergil, *Aeneis* VI, V. 874 ff.

595 *Seht, da kommt* . . . : Die Brüder Josephs sagen, als sie ihn kommen sehen: Ecce somniator venit – da kommt der Träumer (I Moses 57,19).

Guillot: Das Urbild des sprichwörtlichen »Guyot der Träumer« soll Don Guilan el Cuidador in dem Ritterroman *Amadis de Gaula* sein.

596 *Momus:* Gott des Spottes und Tadels; er hatte auszusetzen, daß sich die Augen des Stiers nicht näher bei den Hörnern befänden. Erasmus, der in *Adagia* I,5,74 die Anekdote resümiert, bezieht sich auf Aristoteles und Lukian.

597 *Artemidoros: Über die Traumdeutung* II, Kap. 12.

de Cornibus: Es gab 1533 tatsächlich einen franziskanischen Theologen mit Namen Pierre Cornu.

fiat . . . : *Fiat* ist korrekt, während Panurge, im Unterschied zum Papst, inkorrekt *fiatur* sagt.

de frigidis . . . : Von den Frigiden und durch Hexerei Impotenten handelt Buch IV,15 der päpstlichen Dekretalen.

598 *Metalepsis* oder Transposito: rhetorische Figur, bei der etwas für etwas anderes eintritt (das Erzeugnis für den Erzeuger usw.).

Wer's nicht glaubt . . . : Letztes Verspaar des Kehrreims eines Weihnachtsliedes.

599 *Hekuba:* Gattin des Priamos (Cicero, *De divinatione* I,21).

Ennius: Der Traum Eurydices wird von Cicero *(De divinatione)* in einem Zitat aus Ennius erwähnt, doch ist mit Eurydice nicht die Gattin des Orpheus gemeint.

Fabius Pictor: Römischer Geschichtsschreiber (3. Jh. v. Chr.), auf den Cicero sich beruft.

Dichter: Vergil, in *Aeneis* II, V. 268 f.

600 ἐχθρῶν . . . : Die Gaben der Feinde sind keine Gaben (Erasmus, *Adagia* I,3, 35 nach Sophokles).

602 *Ein hungriger Bauch* . . . : Erasmus, *Adagia* II,8,84.

603   *de missa* . . .: Von der Messe zu Tisch.
Sibylle . . .: Vgl. Vergil, *Aeneis* VI, V. 417 ff.
Der *Ackersmann* ist der Ochse.
605   *Äsop:* Vgl. Erasmus, *Adagia* I, 6, 90.
606   *Panzoust:* Ortschaft, östlich von Chinon.
Canidia, Sagana: Zauberinnen der Antike (Horaz, *Ep.* V).
Thessalien: Heimat der Hexen.
Gesetz Mosis: V Moses 13, 1 ff. und 18, 10.
elfte Sibylle: Varro hatte zehn Sibyllen aufgezählt.
607   *Alexander:* Lukian, *Rhetorum praeceptor* V.
608   *Raphael:* Vgl. Tobias 3, 25.
Die *Juno Moneta* (Mahnerin) wurde auf dem Kapitol verehrt. In ihrem Tempel befand sich die römische Münzstätte.
Ortuinus: Hardouin de Graes, Kölner Theologe. Vgl. *Epistolae obscurorum virorum.* Anläßlich der Bibliothek Sanct Viktor erwähnt.
Brauch der Germanen: Tacitus, *Germania* 8.
610   *Scotist:* Wortspiel: skoteinos, griech. = dunkel; scotus = schottisch.
Hekale gewährte *Theseus* in ihrer Hütte Gastfreundschaft (Plutarch, *Leben des Theseus*, 14).
Hireus, Oenopion: Aus Hekales Urin erschufen Jupiter, Neptun und Merkur den Orion zum Dank für die Gastfreundschaft, die H. und O. ihnen gewährt hatten (Ovid, *Fasti* V, V. 499–536; Servius, *Über die Aeneis* I, 535).
pißtopfweis: Frz. *offizialement*, da Rabelais an *official* = Nachtgeschirr denkt.
611   τῇ καμινοῖ: Altes Backofenweib; vgl. *Odyssee* XVIII, V. 27.
goldner Zweig: Ihn muß Äneas pflücken, bevor er die Unterwelt betritt.
615   *Loch der Sibylle:* Vgl. *Aeneis* VI, V. 10. horrendaeque procul secreta Sibyllae, antrum immane petit . . .: neben ihm gähnt entsetzungsvoll / der Sibylle unermeßlich Geschlüft (Schröder).
619   *Bacchus:* Dionysos wurde nach dem Tod seiner Mutter Semele durch den Blitz des Zeus in dessen Schenkel eingenäht und gleichsam zum zweitenmal geboren.
Hippolytos: Als Päon ihm das Leben wiedergeschenkt hatte, entließ Diana ihn aus der Unterwelt.
Thetis: Gemeint ist die Titanin Thetys.

Apollonius: In der Philostratos-Vita I, 4.

Paliken: Zwei Kraterseen. Die beiden Palici waren Kinder des Zeus und der Nymphe Thalia, die sich aus Furcht vor Heras Zorn in der Erde verbarg.

Palintokie: Palintokia = Wiedergeburt (Plutarch, *Quaestiones Graecae* VIII).

Palingenesis: Demokrits Vorstellung vom Werden und Vergehen unendlicher Welten.

Schriftkundige: Vgl. Ovid, *Heroiden* I, V. 22.

620 *Kermessamen:* Die Kermeslaus wurde (nach Dioskorides IV, 34) von den kilikischen Weibern mit dem Mund gelesen.

Pantheologie: Die universale Mönchstheologie; vgl. zu S. 543.

621 *Catull: Epigr.* LIX.

Properz: römischer Dichter (ca. 47–ca. 15 v. Chr.), *Elegien* II, 28, V. 36.

Tibull: Römischer Elegiker (ca. 50–ca. 18 v. Chr.), *Elegien* II, 5, V. 81 f.

Porphyrius: Schüler Plotins (3. Jh. n. Chr.), Schrift über die philosophischen Orakel (I, 42).

Eustathius: Bischof von Thessalonike (12. Jh.), Kommentar zu *Ilias* I, 14.

622 Λοξίας: von griech. loxos = schief, wegen der Dunkelheit seiner Orakelsprüche. Plutarch: *De garrulitate,* 17.

623 *Herodot: Historiae* II, 2.

Bartolus: Kommentar zu Pandekten XLV, 1 (*De verborum obligationibus* – Von der Verbindlichkeit mündlicher Äußerungen).

stilgewandter Autor: Lukian (*De saltatione* – Über den Tanz, 60); vgl. Plinius XXX, 2; Tacitus, *Annalen* XVI, 23; Sueton, *Nero* 30.

624 *Ithyphallos:* Das aufgereckte männliche Glied, Symbol des Dionysos und des Priapos.

Ein junger römischer Edelmann ...: Nach Antonio de Guevara: *El reloj de Principes* – *Libro aureo de Marco Aurelio* (1528).

626 *Dathan und Abiron:* IV Moses 16, 20 ff.

Hittenas: Frz. *naz de cabre* ist provenzalisch und bedeutet Ziegennas.

627 *Lehre der Pythagoräer:* Pantagruels Erklärungen der Zeichen beziehen sich auf die pythagoräische Zahlensymbolik,

die zu Rabelais' Zeit durch das Werk *De occulta scientia* von Cornelius Agrippa von Nettesheim wieder ins Bewußtsein getreten war.

628 *Terpsion:* Vgl. Caelius Rhodiginus: *Antiquae lectiones* I, 31 nach Plutarchs *De genio Socratis.*

629 *Davus:* Gestalt aus Terenz' *Andria.* D. »bringt alles durcheinander«.
Cicero: De divinatione II, 40.
al katim: Die Lenden.

633 *Raunzemurner:* Frz. Raminagrobis.
Aelianus: Varia historia I, 14.
Alexander Myndius: Alexander aus Myndos in Karien, von Athenaeus IX, 393 d zitierter Philosoph.
die Dichter, die unter Apollos Schutz stehen ...: Platon, *Phaidon* 84 e ff.
Aristophanes: Griech. Komödiendichter (ca. 445–386 v. Chr.) in *Die Ritter.*
'O δὲ ...: Der Greis neigt der Sibylle zu. Aristophanes meint: Das Alter sehnt sich nach dem Übergang.

634 *Rhodesier:* Vgl. Cicero, *De divinatione* I, 30.
Posidonius: ca. 135–50 v.Chr. Bei Cicero auch die Anekdote von *Calanus,* der Alexander sterbend weissagte, er werde ihn bald wiedersehen; ebenfalls bei Plutarch, *Leben Alexanders des Großen* LXIX.
Hekuba: Tragödie von Euripides; darin die Weissagung Polymnestors V. 1259 ff.
Orodes mit Mezentius: Vgl. Vergil, *Aeneis* X, V. 739 f.
Guillaume du Bellay: Bruder des Kardinals Jean du Bellay, bei dem Rabelais eine Zeitlang Leibarzt war und auf den er im *Pantagruel* mehrfach zu sprechen kommt.
die große Gurr: Die große Lustseuche.

635 *Sokrates:* Vgl. Platon, *Phaidon* 118 A.
Nimm sie ...: Das Rondeau stammt von Guillaume Crétin (ca. 1460–1525).

637 *gyrognomonische ... homozentrisch:* kreiserfüllende Nabelumscheidung – himmelherkünftige Gegengewichte – wortfeindlicher Grübelüberschwang – im gleichen Schwerpunkt.
Ichthyophagien: Das Land, wo man nur Fisch ißt.

638 *Jago von Bressuire:* Rabelais nennt die Abtei Saint-Jacques in Bressuire Santiago, als handle es sich um den berühmten Wallfahrtsort Santiago de Compostela.

Tiresias: Das behauptet Horaz, *Sat.* II,5, V. 59.

Juno: Ovid, *Metam.* III,316–338; Apollodor III,6, par. 7.

639 *Meden:* Medina = Würmer (Fadenwürmer).

Demiurgon: Im Mittelalter der Name eines Teufels.

643 *Miserere . . . :* Das Miserere bis zu der Stelle, die mit dem Wort *vitulos* schließt (»dann wird man Farren auf deinem Altar opfern«, Luther).

Äschylos, dem geweissagt worden war, er werde von etwas Herabfallendem sterben, begab sich an dem vorbestimmten Tag vor die Stadt, wo eine Schildkröte, die ein Adler aus den Fängen ließ, ihm aufs Haupt fiel und ihn tötete (Plinius, *Nat. hist,* X.3; Valerius Maximus IX,12).

644 *Toledo* galt im Mittelalter als die hohe Schule der Magie.

Picatris: Picatrix hieß eine aus dem Arabischen übersetzte Sammelschrift der astrologischen Magie (erschienen 1552).

Äneas: Vergil, *Aeneis* VI, V. 260 und 290 f.

Trivulzio: Trivulzi, Marschall von Frankreich unter Ludwig XII.

646 *Franz der Jüngere:* Franz von Paula (1416–1507), der »Jüngere« im Verhältnis zu Franz von Assisi. Er reformierte den Minoritenorden und starb in Frankreich, wo er in Plessis-les-Tours mehrere Häuser gegründet hatte.

647 *Argiver:* Vgl. Herodot I,82.

Michel d'Oris: Miguel d'Oris aus Aragon hatte 1400 das Gelübde getan, einen Splitter von einer Beinschiene so lange zu tragen, bis sich ihm ein englischer Ritter im Turnier gestellt hätte.

Enguerrand de Monstrelet, Fortsetzer der Chronik Froissarts von 1400 bis 1467.

Philosoph aus Samosata: Lukian: *Historia quomodo conscribenda* (Wie man Geschichte schreiben muß).

Horaz: Epist. ad Pisones, V. 139.

Jupiter Philios: Zeus, der Beschützer der Freundschaft.

648 *Hippokrates:* Kurz ist das Leben, lang ist die Kunst.

Mit *Lango* ist die Insel Kos gemeint.

Platoniker: Jamblichus, *De Mysteriis* IX,3; Servius, Komm. zur *Aeneis* VI, V. 742.

Orakel . . . : Fast die gesamte Liste dieser Orakelstätten findet sich bei dem Kompilator *Alessandro Alessandri* in seinen *Geniales Dies* VI, 2. Ein paar zusätzliche Namen und Ungenauigkeiten stammen von Rabelais.

Lebadeia: In Böotien.

Delos: Geburtsstätte des Apollon und der Artemis, eine der Kykladen im Ägäischen Meer.

Cyrrha: Der Hafen von Delphi mit einem Apollontempel.

Patara: Lykien.

Tegyra: In Böotien.

Präneste: In Latium (Fortunatempel).

Lykien: Identisch mit Patara.

Kolophon: In Lydien, nordwestlich von Ephesus.

Kastalien: Quelle am Fuß des Parnaß, ursprünglich Reinigungsquelle der Tempeldiener, später Dichterquelle.

Antiochia: In Syrien, Lorbeerhain des Apollon.

Branchiden: Priester des Apollon-Orakels in Didyma bei Milet.

Dodona: In Epirus, Zeus-Orakel.

Pharä: In Achaia.

Apis: Der heilige Stier, der in Memphis verehrt wurde.

Serapis: Vermutlich identisch mit dem Apis-Orakel.

Kanopus: Bei Alexandrien.

Faunus: Italischer Bauern- und Hirtengott.

Menalien: Mainalon-Gebirge auf dem Peloponnes, dem Pan heilig.

Albunea: Bei Tivoli, Ort des Faunus-Orakels, gleichzeitig der Name der Quellnymphe.

Orchomenos: Nordöstlich von Theben.

Mopsus: Enkel des Teiresias. Sein Orakel in Mallos in Kilikien.

Orpheus: Ahnherr der orphischen Geheimlehre.

Lesbos: Insel in der Ägäis vor der Küste Kleinasiens.

Trophonius: Erbauer des Apollontempels in Delphi. Sein Grab (Trophoniushöhle) wurde als Stätte der Weissagung verehrt.

Leukadien: Irrtümliche Herkunftsbezeichnung.

Agrippina ...: Vgl. Tacitus, *Ann.* XII, 22.

649 *Sankt Paul:* Paulus der Einsiedler, gest. 341 in der Thebais-Wüste.

650 *Herr Trippa:* Henri Cornelis, lat. Cornelius Agrippa von Nettesheim (1486–1553), Jurist, Theologe in Köln, zeitweilig Leibarzt bei Louise von Savoyen. Verfasser von *De incertitudine et vanitate scientiarum* (Von Unsicherheit u. Vergeblichkeit der Wissenschaften) sowie des Traktats *De occulta scientia* (Von der Geheimwissenschaft), die Rabelais in Grenoble kennengelernt haben mag.

Geomantie: Weissagung aus der Erde, d.h. aus Figuren, die der Sand bildet.

Chiromantie: Handlesekunst.

Metopomantie: Eine Art Physiognomik.

Insel Bouchart: Bei Chinon.

651 *Metoposkopie:* Agrippa behauptet, man könne jedem seinen Charakter auf den ersten Blick von der Stirn ablesen.

Mous Jovis: Muskelvorsprung an der Wurzel des Zeigefingers.

Aries ...: Widder, Stier, Steinbock.

652 *Martial:* Römischer Dichter (ca. 40 – ca. 104 n. Chr.), *Epigramme* VII, 10.

Irus: Iros = der Bettler, mit dem Odysseus kämpft (*Odyssee* 18, V. 87 ff.).

πτωχαλαξών: Ptochalaxon = aufschneiderischer Lump.

Polypragmaton: Plutarch schrieb einen Traktat Περί πολυπραγμασίνηυ (Über die Neugier), dessen Titel Rabelais das Wort entlehnt hat.

Lamia, Königin von Libyen, die Zeus liebte, wurde von Hera aus Eifersucht mit Wahnsinn geschlagen, so daß sie ihre eigenen Kinder tötete. Seitdem raubt sie anderen Müttern die Kinder. Rabelais schließt sich der Darstellung Plutarchs an.

Nikander: Griech. Arzt und Dichter (3. Jh. v. Chr.), verfaßte das Lehrgedicht *Theriaka* und *Alexipharmaka.*

Pyromantie: Weissagung aus dem Feuer.

Aeromantie: Weissagung aus der Luft.

Bei *Aristophanes* treten die *Wolken* als Chor auf.

Hydromantie: Weissagung aus den Veränderungen des Wassers. Rabelais hält sich bei der folgenden Aufzählung an Cardanus, *De sapientia.*

Lekanomantie: Weissagung aus einem mit Wasser gefüllten Becken.

Barbarus: Ermolao Barbaro (1454–1493), Aristotelesübersetzer und Pliniuskommentator.

655 *Katoptromantie:* Weissagung aus dem Spiegel.

Didus Julianus war zwei Monate römischer Kaiser (133 bis 193 n. Chr.).

Koskinomantie: Weissagung aus einem Sieb.

Alphitomantie: Weissagung aus Gerstenmehl.

Theokrit ...: Theokrits Pharmaceutria (*Idyllen* II).

Aleuromantie: Weissagung aus Weizen und Mehl.

Astragalomantie: Weissagung aus Kichererbsen.

Tyromantie: Weissagung aus Löchern im Käse.

Gyromantie: Weissagung aus sich drehenden Reifen.

Sternomantie: Weissagung aus der Beschaffenheit der Brust.

Libanomantie: Weissagung aus aufsteigendem Weihrauch.

Gastromantie: Weissagung aus dem Bauch.

Jacoba aus Rovigo: Ihre Geschichte bei Caelius Rhodiginus. S. auch Buch IV, Kap. 58.

Kephaleonomantie: Weissagung aus einem Eselskopf.

Ciromantie: Weissagung aus Wachs, das in Wasser abtropft.

Kapnomantie: Weissagung aus dem Rauch von Mohn- und Sesamkörnern.

Axinomantie: Weissagung aus den Schwingungen einer Axt, oder man läßt Gagat auf einer Axt verbrennen.

Homer: Odysseus schießt als einziger seinen Pfeil durch zwölf durchlöcherte Äxte (*Odyssee* XXI).

Onymantie: Weissagung aus Öl und Ruß.

Tephramantie: Weissagung aus in die Luft gestreuter Asche.

Botonomantie: Weissagung aus den Blättern der Pflanzen.

Sykomantie: Weissagung aus dem Feigenbaum.

Ichthyomantie: Weissagung aus den Fischen. Vgl. Cornelius Agrippa, *De occulta scientia* 1,57.

656 *Choeromantie:* Weissagung aus Schweinen.

Kleromantie: Weissagung durch Lose.

Anthropomantie: Weissagung aus menschlichen Eingeweiden.

Heliogabel befragte (nach Pictorius Vigillanus, den Rabelais für dieses Kapitel heranzieht) die Eingeweide von Kindern.

Stichomantie: Weissagung aus Sibyllenversen.

Onomatomantie: Weissagung aus Namen.

Alektryomantie: Weissagung durch einen Hahn.

657 *Valens:* Römischer Kaiser (ca. 328–378 n. Chr.).

Θ.E.O.Δ.: Die ersten Buchstaben des Namens Theodosius.

Haruspizium: Fleischbeschau von Opfertieren.

Extispizium: Eingeweideschau.

Augurium: Weissagung aus dem Vogelflug.

Oscines: Weissagende Vögel.

Körner: Aus dem Verstreuen der Körner beim Füttern der heiligen Hühner (hier der Enten).

Nekromantie: Totenbeschwörung.

Apollonius: Vgl. Philostratos 16.

Hexe von Endor: I Könige 28,8ff.

Erichtho: Pictorius Vigillanus nach Lucan (39–65 n. Chr.), *Pharsalia* VI, V. 508ff.

Skiomantie: Weissagung aus beschworenen Schatten.

Smaragd oder Hyänenstein: Beide verliehen angeblich die Gabe der Weissagung.

Wiedehopfzungen . . .: Rabelais verwechselt wie Cardanus, dem er hier folgt, Froschzunge mit Wiedehopfherz (Plinius, *Hist. nat.* XXXII, 18).

Drachen: Apollonius, nach Philostratos I, 20.

659 *Huymes:* Nördlich von Chinon.

662 *Crescite . . .:* Wachset und mehret euch, solange wir leben: ein Gemisch aus Bibelzitaten.

dum venerit . . .: Nach Psalm 95: Wenn er zu richten kommt.

Nehmt ihr mich . . .: Martial, *Spectacula* XXV.

Ypsilon: Das Y steht sinnbildlich für die männlichen Geschlechtsteile.

663 *Rigomar:* Im unteren Poitou verehrter Heiliger.

664 In *Dodona* erfolgte die Weissagung aus dem Klang aufgehängter Schallbecken.

fest wie eine eherne Mauer: Vgl. Horaz, *Epist.* I, 1, V. 60.

der steife Gott: Priapus.

Messalina: Dritte Gemahlin des Kaisers Claudius (Plinius, *Nat. hist.* X, 83).

Die *Marquise von Winchester* ist ungedeutet.

Salomon: Sprüche 30,15f.

Aristoteles: *Problemata* IV, 26, 879b 28.

665 *Prokulus:* Proculus Caesar, römischer Kaiser (3. Jh. n. Chr.).

Mahumet: Vgl. Agrippa von Nettesheim, *De incertitudine et vanitate scientiarum* LXIII (Antwerpen 1530).

Messer Cotale: Das männliche Glied.

Cotale von Albingo: Castres (aus Castrum Albiensium) im oberen Languedoc.

Primo del mondo: Der Erste der Welt.

Saint-Maixant: Die Passion von François Villon (s.

IV. Buch, Kap. 13) wird ebenfalls in Saint-Maixant (nordöstl. Niort) aufgeführt.

666 *Cato:* Vgl. Valerius Maximus II, 10. In Anwesenheit des strengen C. wagten die Hetären nicht, ihre Kleider fallen zu lassen.

667 *Hyperboräisches Gebirge:* Die Berge im höchsten Norden. *See Wunderbarlich:* Offenbar der Thuner-See oder – nach Regis – der Pilatus-See.

672 *Melindien:* die erste Landstation, die Vasco da Gama nach der Umschiffung des Kaps der Stürme anlief. *Hans Carvel* hatte Gargantua die Kleinodien geliefert. *Mahomet:* Ein Fluch, den die Christen den Mohammedanern zuschreiben.

675 *Hippothaddäus:* Zusammengesetzt aus Hippos (= Pferd) und Thaddäus (Apostelname). *Rondibilis:* Namensanklang an Guillaume Rondelet, Mediziner (1507–1596), den Rabelais in Montpellier kennengelernt hatte. Er war hilarus und facetus – lustig und zu Possen aufgelegt. *Zäumegans:* Frz. Bridoye; Phantasiename. *Tetras:* Die pythagoräische Vierzahl galt als heilige und vollkommene Zahl. *Haspelmus:* Frz. Trouillogan = Stülphandschuh. *assertorisch:* bejahend und nachdrücklich.

676 *Boyssonné:* Jean de B., berühmter Jurist der Zeit an der Universität Toulouse, mit dem Rabelais befreundet war.

677 *Fonsbeton:* Name einer Quelle am Weg zwischen Poitiers und Ligugé. *Alliaco:* Alliacus = Pierre d'Ailly, Kanzler der Pariser Universität. Eine seiner Schriften behandelte *Insolubilia* (Unlösbare Probleme).

683 *Salomon:* Sprüche 31,10ff.

684 *fünferlei Mittel:* Rabelais folgt hier den Argumenten Tiraqueaus in *De legibus connubialibus* XV, 98 nach Plutarch. *durch Wein:* Vgl. Terenz, *Eunuch* IV 5, V. 733.

685 *Venus friere . . . :* Plutarch, *Quaestiones convivales* III, 5,2. *Diodorus Siculus* IV, 6. *Pausanias* IX, 31. *Nymphaea heraclia:* Weiße Seerose; vgl. Plinius XXVI, 61. *Amerina:* Weidenart. *Vitex:* Keuschbaum: vgl. Plinius XXIV, 38. *mandragora:* Alraune.

686 *Hippokrates: De aere, aquis et locis* (Über Luft, Gewässer und Örtlichkeiten) XXIf.

Ovid: Remedia amoris V. 161f.

niemals... treffen: Ovid, ibid. V. 139–40.

Theophrast: Fragmente 114.

Diogenes Laertius und Tiraqueau, *De legibus connubialibus* IX, 126 (Paris 1546).

Kanachos: Vgl. Tiraqueau IX, 128 nach Pausanias.

687 *Plexus mirabilis:* Wundernetz; vgl. Galen, *De usu partium* IX, 4: Aderngeflecht im Gehirn.

Sokrates: Vgl. Platon, *Phaidon* 64 a.

Demokrit: Vgl. Cicero, *Tusculanae* V, 39; Plutarch, *De curiositate* XII.

688 *irgendwo gelesen...:* Lukian, *Göttergespräche* XIX,2. Vgl. Ronsards Ode *A Cupidon* (Str. 5).

De Genitura: Über die Zeugung II.

Fra Scyllino: Wahrscheinlich Roscelino oder Rousselin, Prior von Sankt Viktor 1250.

Waldbruder: Den Klausner Jean de Chinon soll die heilige Radegunde (518–581) besucht haben.

690 *S.P.Q.R.:* Senatus Populusque Romanus.

691 *Lango:* S. Anm. zu S. 648.

Polystilo: Abdera in Thrazien.

der Weiber Natur...: Vgl. Plutarch, *Conjugalia praecepta* (Ehegebote) IX; Platon, *Timaios* 90 e; Erasmus, *Lob der Torheit* XVII; Tiraqueau, *De legibus* I, 64.

692 *Proetiden:* Töchter des Proitos, Königs von Argos.

Mimalloniden: Rasende Frauen im Gefolge des Bacchus; ebenso die *Thyaden.*

Aristoteles: Physica VIII, 2, 252 b 22.

Plato: Timaios 91 a.

Korrugation: Zusammenfaltung.

Galen: De locis affectis (Über die erkrankten Stellen) VI, 5.

693 *Kritolaos:* Aristotelesschüler, der 155 v. Chr. aus Athen nach Rom kam.

694 *berühmter Autor:* Äsop, auf den sich Plutarch in *Consolatio ad uxorem* (Trostbrief an seine Gattin) VI beruft, sowie *Consolatio ad Apollonium* XIX, 112.

Devinière: Weingut, das Rabelais' Eltern gehörte.

695 *Tinteville:* François de Dinteville, gest. 1530. Die Kalenderreform stammt jedoch von seinem Vorgänger Michel

de Creney.

700 *Semiramis* soll nach Plinius (*Hist. nat.* VIII, 42) ein Pferd »bis zum Beischlaf« geliebt haben.

Pasiphae gab sich dem Stier hin, von dem sie den Minotaurus empfing.

Egesta (oder Segesta) hatte von dem Fluß Crimisius, der sich in einen Hund oder Bären verwandelte, einen Sohn, der der Stadt Segesta auf Sizilien ihren Namen gab.

Mandez: Die Weiber von M. (= Mendes im östlichen Teil des Nildeltas) vermischten sich zu Ehren Pans mit Böcken (Herodot II, 46; Strabo XVII, 802).

Johannes XXII.: Papst im Jahr 1316, gest. 1335; residierte in Avignon.

Abtei Coingnaufond: Einer Legende zufolge erhielten die Nonnen von Fontevrault die Erlaubnis, ihrer Abtissin zu beichten. Die Anekdote bei Rabelais findet sich in dem Verstraktat von Gratian Dupont: *Controverses des sexes masculin et féminin* (Toulouse 1539).

702 *Montpellier:* Die Studenten von M. veranstalteten am Dreikönigstag lustige Umzüge mit Fahnen, Mummenschanz und Possenspielen wie der *moralischen Komödie von dem Mann, der eine stumme Frau heiratete.* Rondelet spielte darin eine Rolle, ebenfalls *Antoine Saporta:* Sohn und Enkel von Ärzten, immatrikuliert 1521, Doktor 1531, gest. 1575, nachdem er Kanzler geworden war und mehrere medizinische Abhandlungen veröffentlicht hatte.

Posse: Anatole France schrieb die Komödie, deren Grundzüge bei Rabelais angegeben werden, als literarischen Schwank nieder.

Kommen wir auf unsere Hammel zurück: Sprichwörtliche Redewendung aus Meister Pierre Pathelin.

703 *Stercus et urina . . . :* Kot und Urin sind des Arztes erste Mahlzeit. / Suche bei den andern die Spreu, bei diesen das Korn.

Ihr verwechselt das: Panurge bringt die beiden Sprüche durcheinander. Der erste ist auf die Medizinstudenten gemünzt, der zweite auf die Jurastudenten, und zwar fängt dieser an: Dat Galenum spes, Justinian honores (Galen schafft das Glück, Justinian die Ehren).

Nobis sunt . . . : Uns sind es Zeichen, euch ist's ein Ehrenmal.

De ventre ...: Pandekten 25: *De inspiciendo ventre custo-diendoque partu* (Über die Untersuchung des Unterleibs und die Überwachung der Geburt).

704 *Kyne:* Griech.: Hund. Der Name wird in *Tobias* nicht genannt.

705 *alter Philosoph:* Aristipp, Schüler des Sokrates (5. Jh. v. Chr.), Gründer der kyrenaischen Philosophie. Er sagte über die Hetäre Lais: Ich besitze Lais, aber ich werde von ihr nicht besessen.

Magd in Sparta: Vgl. Plutarch *Conjugalia praecepta* XVIII.

706 *Apostel:* Paulus, I Korinther 7,29.

707 *ephektisch:* skeptisch (von epechein = sich zurückhalten).

pyrrhonianisch: Pyrrhon von Elis, Skeptiker (ca. 360–270 v. Chr.). Weisheit bestand für ihn in der Urteilsenthaltung.

Heraklit: Der Ausspruch stammt nicht von H., sondern von Demokrit.

Disjunktiva: Einander ausschließende Begriffe.

708 *Dido:* Vgl. *Aeneis* IX, V. 550 ff.

711 *im Ballspielhaus:* Irgendwo auf dem Mond.

Phrontisterion: Griech. Denkstätte.

Aporrhetiker: Die Ungewissen.

Ephektiker: Die ihr Urteil zurückhalten.

Platos Timaios: Sokrates in Platos *Timaios* 17 a.

714 *Faunus:* Der Sohn des *Picus*, dessen Vater Saturn war. Sein eigener Sohn war Latinus.

Fatuel: Eigentlich Fatuus.

Astrologen: Erasmus, *Adagia* I, 3,1; vgl. Seneca: Aut regem aut fatuum nasci oportet (Man sollte entweder als König oder als Narr geboren sein).

Choroebus: Ein trojanischer Held (Servius zu Vergil, *Aeneis* II, V. 341).

Euphorion: Von Servius angeführter Dichter und Gelehrter des 3./2. Jhs. v. Chr.

Giovanni Andrea: Ital. Rechtsgelehrter des 15. Jhs.

Panormitus = Niccolo de Tedeschi (1398–1445), Erzbischof von Palermo.

Barbatia: Ital. Rechtsgelehrter des 15. Jhs. Die vier angeführten Juristen werden bei Tiraqueau, *De legibus connubialibus,* zitiert.

Seigny Joan war die volkstümliche Verkörperung des Narren.

Caillette: Hofnarr Ludwigs XII.

717 *Rota:* Gerichtshof aus zwölf Prälaten für Benefizien u. Berufungssachen.

718 *Triboulet:* Le Feurial (ca. 1490 – ca. 1556), Hofnarr Ludwigs XII. und Franz' I.

721 Die *Quirinalien* wurden am 17. Februar zu Ehren des Quirinus (des vergöttlichten Romulus) gefeiert.
Bonadies: Guten Tag. Ein von Rabelais erfundener Gott, dem er die Göttin *Bonadea* zugesellt.

723 *Rundhain:* Frz. Toucheronde; auch der Name einer Ortschaft bei Ligugé.
not. per ...: Archidiacon I, 86, 24; Glosse zu Gratians Dekret I, 86, 24. – Zäumegans zitiert aus dem kanonischen und dem römischen Recht. Die Abkürzungen bedeuten:
D. = distinctio; C. = Canon; ff. = Digest, Codex des römischen Rechts, im 6. Jh. auf Anordnung Justinians von Tribonian zusammengefaßt; l. = Gesetz; C. = Codex Justinians. Zitiert wird mit den Anfangsworten der betreffenden Abschnitte.

724 *Lud. Ro.:* Ludovicus Romanus (gest. 1434), Über die Begrenzung der Anwendbarkeit allgemein gehaltener Vorschriften.
Doct. ...: Doctores. Über Erlaubtheit bzw. Verurteilung der Würfel.
Barthol.: Bartolus, Kommentar zu Pandekten XVIII,1,8.
Ferrandat: Henri F. aus Nevers, Kanonist, Verfasser mehrerer Kommentare.

725 *Bal., Bart.* ...: Baldus, Bartolus und Alexander Tartagna: Glossen zu dem angeführten Gesetz.
Gl. l. j. ...: Glosse zu Pandekten IV, 2, 1.
Gaudent brevitate moderni: Die Modernen fassen sich gern kurz.
Innoc.: Gemeint ist der Kanon von Papst Innozenz IV. (13. Jh.) zu Dekretalen I, 4, 1.
Klagen ...: Aufzählung der Stationen eines Gerichtsverfahrens.
Spec.: Speculum *judiciale* des Kanonisten Guillaume Durand, glossierte Ausgabe 1531.

726 *Cum sunt* ...: Wenn die Rechte der Parteien unklar sind, ist eher für den Angeklagten als für den Kläger zu entscheiden.

visum visu: Gegenüber.

opposita ...: Gegensätze, die man einander gegenüberstellt, werden deutlicher.

Semper in stipulationibus: Immer wenn unklar ist, in welcher Währung gezahlt werden soll.

Semper in obscuris ...: Immer wo der Fall dunkel ist, halten wir uns an das Geringste.

728 *forma mutata ...:* Bei veränderter Form verändert sich auch die Substanz.

Julianus: Pandekten X, 4, 9.

729 *Othoman Vadare:* Nicht identifizierbar.

quia accessorium ...: Weil das Akzessorische der Natur des Prinzipiellen folgt.

Thomas: Th. von Aquino.

Alber. de Ros.: Alberic de Rosata, Kanonist aus Bergamo im 14. Jh., der »ein großer Praktiker« war.

Barbatia: S. Anm. zu S. 714.

Interpone ...: Laß in deine täglichen Sorgen von Zeit zu Zeit ein wenig Kurzweil einfließen.

pecuniae ...: Dem Geld gehorcht alles.

hic not.: hic nota = bemerkt hier.

Musco: Von Muscus seinem Erfinder, Wortspiel: Muscus = Moschus (Musacus).

Die *Picquet* waren eine Medizinerfamilie in Montpellier.

730 *c. j. extra ...:* Dekretalen II, 23, 1 und die dortige Glosse.

resolutorie loquendo: Folgerungsweise, schließlich zu reden (Regis).

Bart. et Jo.: Bartulus und Johannes de Prato, ital. Rechtsgelehrte des 15. Jhs.

die Zeit ... bringt: Erasmus, *Adagia* II, 4, 7.

l. j. C.: Codex III, 34, 1.

no. glo. ...: Novellae XXXIX, Pandekten XXVII, 13.

Portatur ...: Was einer ganz trägt, wird leicht getragen.

Portatur ...: Novellae CXI. In der Praefatio der Satz: *Quod medicamenta ...* (Was die Heilmittel bei Krankheiten bewirken, das bewirken die Rechte bei Geschäften).

Inst. de re.: Institutiones (1. Teil des Corpus juris), II, 1, 36.

731 *ff. de donat ...:* Pandekten XIX, 1, 13, 10; Decretum II, 27, 2, 1.

Jam matura ...: Schon war die Jungfräulichkeit für das Brautbett vollreif geworden (Vergil, *Aeneis* VII, V. 53).

732 *Brocardium* . . .: *Brocardia juris* (1497) war ein Kompendium der Rechtshermeneutik.

Smarve: Ortschaft nahe bei Ligugé, wo Rabelais gewohnt hatte.

Concil von Lateran: Lateran-Konzil 1512–1517.

Pragmatische Sanktion: Sanctio Pragmatica von Bourges (1438–1516).

Chauvigny . . .: Ortschaften in der Nähe von Smarve u. Ligugé.

Arg. in l. . . .: Pandekten XLV, 1,137.

733 *ut no. per* . . .: Pandekten XVIII, 6,1.

Saepe solet . . . Oft pflegt der Sohn dem Vater nachzugeraten, und leicht tritt das Töchterlein in die Fußstapfen der Mutter, wie die Glosse sagt zu Decretum II, 6,1, 12 usw.

734 *Excipio filios* . . .: Ich nehme die von einer Nonne mit einem Mönch gezeugten Söhne aus.

vigilantibus jura subveniunt: Den Wachsamen kommt das Gesetz zu Hilfe. Pandekten XLII, 8,24; Pandekten XLII, 8, 6, 7 usw. Institutiones mit Glosse des Accursius; Pandekten IX, 1,5 – Der Fall eines Reitknechts, dessen Pferd ein Maultier beroch; das Maultier schlug aus und brach dem Reitknecht das Schienbein.

olfecit i. nasum . . .: Beroch und steckte die Nase in den Hintern.

Qui non laborat . . .: Wer nicht arbeitet, soll auch nicht reich werden (Wortspiel mit manducare = essen und manie ducat = scheffeln).

et currere . . .: Und rasch zu laufen zwingt die Not das alte Weib.

Sermo datur . . .: Zu reden verstehen alle, doch gescheit nur wenige.

735 *oportet:* Man sollte oder muß, substantivisch gebraucht.

gl. C. de appell.: Codex VII, 6,2,16 (über Appellationsfragen).

Dulcior est . . .: Süßer ist durch allerlei Fährlichkeiten geleitete Frucht.

l. non moriturus: Codex VIII, 38,8.

Deficiente . . .: Geht das Geld aus, geht alles aus (pecunia zerlegt in pecu- und -nia).

736 *König* . . . *Ferraresen:* Ludwig XII., Kaiser Maximilian,

Papst Paul III. (1534–1549) und der Herzog von Ferrara.

Sophi: Der persische König (Sophi) ist Thaamas I.

Odero...: Hassen will ich, wenn ich kann; wenn nicht, wider Willen lieben (Ovid, *Amores* III, V. 35).

737 *Arg. in l. si...:* Decretum III, 1,16.

Bär: Vgl. Ovid, *Metam.* XV, V. 379f.; Plinius *Nat. hist.* VIII, 54 u. a.

ut no, doct....: Pandekten IX, 2,2.

forma dat...: Die Form gibt einem Ding das Sein.

738 *Debile...:* Auf schwachen Anfang folgt ein besseres Glück.

de quibus...: Von denen der Titel handelt.

gl. de cons....: Decretum III, 4,92.

Qualis...: Am Gewand erkennt man die Gesinnung.

Hic no.: Hic nota = beachte hier.

Beatius est...: Geben ist seliger denn Nehmen (Apostelgesch. 20,35). Pandekten und Dekretalen III, 41,6.

Affectum...: Die Liebe des Gebenden wägt das Urteil des Donnernden (Gottes).

Accipe...: Nimm, greif, pack zu sind dem Papst wohlgefällige Wörter.

Alber. de Ros.: Albericus de Rosata, *Lexicon sive dictionarium utriusque juris per ordinem alphabeti* (1498).

Roma manus...: Rom nagt die Hände leer; die es nicht nagen kann, haßt es; über die Gebenden wacht es; die Nichtgebenden verachtet und haßt es.

Ad praesens...: Das Ei heute in der Hand ist besser als die Henne morgen.

glo. in l....: Pandekten II, 15,8; Glosse. – Codex VII, 41,3; in der Glosse das folgende Zitat.

Cum labor...: Wenn die Arbeit zum Teufel ist, kommt der Sterbliche in Not.

739 *Litigando...:* Durch Prozessieren wachsen die Rechte; durch Prozessieren bekommt man Recht.

gl. in c....: Glosse Dekretalen II, 23,11.

Et cum...: Was einzeln genommen nichts nützt, hilft weiter, wenn es in größerer Anzahl zusammenkommt.

Schlaf: Hier im Sinne von Beischlaf.

gl., 32 q....: Decretum II, 32,7,24.

Quandoque...: Wenn der gute Homer einmal einnickt (Horaz, *Epist. ad Pisones*, V. 359).

Stockholm: Christian II. von Dänemark belagerte 1518 Stockholm mit einem Söldnerheer.

pecunia est alter . . . : Geld ist soviel wie Blut (Codex IV, 3,7). Im Kommentar des Baldus das folgende Zitat.

pecunia est vita . . . : Geld ist des Menschen Leben und sein bester Sachwalter in Notfällen.

741 *Crissé:* Jacques Turpin, Baron de Crissé, in erster Ehe mit einer Verwandten des Kardinals Du Bellay verheiratet.

Ploratur . . . : Mit echten Tränen wird verlorenes Geld beweint (Juvenal, *Satiren* XIII, V. 134).

glos. de paenitent . . . : Decretum II, 3,3,42. Der Vers in der Glosse.

742 *Joan. And. . . . :* Sextus, Decretalium II, 14,5 (über die Rechtsgültigkeit im Sitzen ausgesprochener Urteile); Kommentar: Giovanni Andrea.

Sedendo . . . : Durch Sitzen und Ruhen wird die Seele klug.

745 *Ardillon:* Antoine A., Abt des Augustinerklosters Fontaine-le-Comte bei Ligugé, wo Rabelais verkehrt hatte. Die Geschichte von Perrin Denchin mag auf Wahrheit beruhen.

746 *Dolabella:* Vgl. Valerius Maximus VIII, 1, § 13.

747 *Los der Würfel . . . :* Augustinus (in *Psalmum* XXX).

des Leibhaftigen: Vgl. Paulus II, Kor. 9,14.

749 *Cato:* Vgl. Plinius, *Nat. hist.* XIX, 6.

750 *Buzançay:* Buzançais bei Chateauroux war ein berühmter Herstellungsort von Dudelsäcken.

751 *Mussaphis:* Schriftgelehrte (türkisch-arabisch).

752 *Lampridius:* Vgl. *Historia Augusta,* in: Leben des Antonius Heliogabalus VII.

Plautus: Asinaria II, 3, V. 403.

anderswo: In *Trinumnus* V, 2, V. 1169.

753 *Catull: Carmina* LXIII, V. 19 ff.

Livius: Ab urbe condita XXXIX, 13,12.

754 *Julian:* Nach Budé, *Annotationes priores in Pandectas,* Kommentar zu einer Glosse zu XXI, 1,1,9.

Virgil: Anspielung auf Bucolica VI, V. 3 f.

755 *Morosoph:* Närrischer Weiser.

756 *Fou:* Das Dorf Fou liegt drei Meilen von *Toul* entfernt.

Salomon: Prediger 1,15.

Aristoteles: Vgl. Erasmus, *Adagia* IV, 8,4.

Avicenna: Arabischer Philosoph und Arzt; s. auch Prolog zu Buch V.

Catull: Carmina II und III.

Domitian: Vgl. Sueton, Leben des Domitian III.

758 Fiaker: Reliquie des heiligen Fiacre von Brie in der Kathedrale von Meaux.

759 Damis: Freund und Schüler des Apollonius von Tyana.

Wie der Magistrat ...: In Frankreich war der König der einzige und oberste Richter, die behördlichen Richter nur seine Stellvertreter, denen er die Rechtsprechung entziehen konnte.

Sankt Martin: Bischof von Tours im 4. Jh., starb in Quande.

Milord Debitis: Lord Deputy; Statthalter des Königs von England in Calais, das damals englisch war.

debitoribus: Schuldnern (Anspielung auf das Vaterunser).

762 Pastophoren: Priester.

764 Drusus: Tacitus, Ann. II, 72,82.

Ceres ...: Vgl. Theokrit, XIII, V. 55 ff.

Hekuba: Euripides, Hekuba V. 391 ff.

765 Kinder Jakobs: I Moses 34.

766 Thalassa: Tallart bei Saint Malo (Sammalo).

767 Xenomanes: Der für Fremdes Entflammte, auf Fremdes Neugierige.

in gleicher Zahl: Das heißt zwölf (Ilias II, V. 557).

768 Smyrnium olusatrum: Nachtschattengewächs, das ehemals pharmazeutisch verwendet wurde.

Mylasea: Aus Mylasa in Karien stammend, hat also mit mesa = Mitte nichts zu tun.

Olonne: Les Sables–d'Olonne (Vendée).

Theophrast: Historia plantarum I, 3.

Dendromalache: Baum-Malve.

770 Juno ...: Ovid, Metam. IX, 297–301. Bei Ovid verhindert die Geburtsgöttin Lucina die Niederkunft Alkmenes.

771 im Rückwärtsgehen: D.h. die Seilmacher.

Zeitvertreib ... Penelope: D.h. sie weben.

Die folgenden Beispiele sind alle Plinius, Hist. nat. XXV, entnommen.

Mercurialis: Eine Art Wolfsmilch.

Äskulap (Asklepios): Gott der Heilkunst.

Panacäa: Allheilpflanze.

Artemisia: Beifuß.

Eupatoria: Wasserhanf; *Eupator:* Beiname von Mithridates VI. König von Pontus (2./1. Jh. v. Chr.).

Thelephus: Sohn des Herkules.

Euphorbium: Wolfsmilchart, von König Juba II. von Numidien entdeckt und nach dessen Arzt *Euphorbus* benannt.

Clymenos: Geißblatt.

Alcibiadion: Anchusa oder Ochsenzunge.

Gentiana: Enzian, nach *Gentius*, König der Illyrer, benannt.

Lyncus ... Luchs: Vgl. Ovid, *Metam.* V, V. 642 ff.

772 *Polemonia:* Vgl. Plinius XXV, 6.

Rha: Die heutige Wolga.

Ammianus Marcellinus: Römischer Geschichtsschreiber (4. Jh. n. Chr.).

Santonica: Von Santoni (Saintonge).

Kastanien: Von Castanea (Medien).

Pfirsiche: Von Persicus = persischer Apfel.

Sabina: Sabinerbaum, aus Savinien (Mittelitalien).

Hyères-Inseln: Im Titel des Dritten Buches nennt Rabelais sich »Mönch von den Hyères-Inseln«. Diese hießen auch die *Stoechaden*, und auf ihnen findet sich nach Plinius das *Stoechas*-Kraut.

Spica celtica: Keltische Narde, eine Art Baldrian.

Aristolochia: Osterluzei; s. Plinius XXV, 54.

Flechten: Vgl. Plinius XXVI, 100.

Malva: Malven; von mallificando = erweichen.

Callithrichum: Frauenhaar (Farnart); s. Plinius XXII, 30.

Alyssum: Pflanze gegen den Biß tollwütiger Hunde.

Ephemerum: Giftpflanze.

Bechium: Huflattich, gegen Husten.

Nasturtium: Brunnenkresse.

Hyoskyamus: Bilsenkraut.

Adiantum: Frauenhaar, eigentlich das Nicht-Naßwerdende.

Hieracia: Habichtskraut.

Eryngion: Mannstreu.

Myrte: Myrrha Tochter des Kinyras von Myrsine, wurde in einen Myrrhenbaum verwandelt. Offenbar verwechselt Rabelais die Myrte mit der Myrrhe, oder es liegt Namensanklang zu Myrsine vor.

Pytis: eine von Pan verfolgte Nymphe, die in eine Fichte verwandelt wurde.

773 *Kynara*, Cinara: Frauenname bei Horaz.

Narzisse: Narkissos verliebte sich im Spiegel einer Quelle in sein Ebenbild und wurde in die Blume gleichen Namens verwandelt.

Safran, Smilax: Stechwinde und Krokus. Namen eines in diese Blumen verwandelten Paars.

Hippuris: Griech.: Pferdeschwanz.

Mirobolan: Myrobalanos = Dufteichel, s. Plinius XII, 46.

774 *Cuscuta:* Schmarotzerpflanze.

Schilf ... Farnkraut: Nach Plinius XVIII, 8 wächst Farn, der mit Schilfrohr abgehauen wird, nicht nach.

Schachtelhalm macht die Sense stumpf.

Nymphaea ...: Plinius XXV, 37 bezeichnet die Wurzel dieser Pflanze als Anti-Aphrodisiakum.

Knoblauch ...: Nach Plutarch, *Quaestiones convivales*, verliert ein mit K. eingeriebener Magnetstein seine Kraft.

Farnkörner: Abtreibungsmittel.

Weidensamen: Antispasmodikum.

Schatten der Eibe: Taxusschatten ist nach Plinius XVI, 20 tödlich.

Eisenhut: Man vergiftete mit E. Panther und Leoparden; vgl. Plinius XXIII, 64.

Schierling: Plinius X, 79 spricht nicht von Sch., sondern von Brennesseln.

Phyllis wurde in einen Mandelbaum verwandelt.

Bonosus (3. Jh. n.Chr.) erhängte sich (*Historia Augusta*).

Amate: Amata, Mutter der Lavinia, erhängte sich (*Aeneis* XII, V. 62 ff.).

Iphis erhängte sich an der Tür der Anaxarete (Ovid, *Metam.* XVI, V. 698 ff.).

Anctolica: Antikleia, Mutter des Odysseus, starb aus Kummer (*Odyssee* XI, V. 197 ff.).

Likamber: Ein Bürger der Insel Paros.

775 *Arachne*, von Athene im Weben besiegt, wollte sich erhängen.

Acheus soll von seinen Untertanen gehenkt worden sein.

Atropos: Eine der drei Parzen.

Solözismus: Verstoß gegen die rhetorische Formenlehre.

des Ikarus Hund: Der Hundsstern oder Sirius, daher die Hundstage.

Troglodyten: Höhlenbewohner.

776 *Prophet:* Der Verfasser des Buchs der Richter: Samuel, Ezechiel oder Esra.

Oxylus ...: Vgl. Athenaeus; *Deipnosophistae* III,78.

Rüster: Rinde und Saft der R. sind heilkräftig.

777   *Die Isispriester* trugen nach Plutarch, *De Iside et Osiride* III, linnene Gewänder.

Tylos: Tyros, die Insel Bahrain im Persischen Golf.

Cynen: Nach Plinius XII,22 ein Stoff liefernder Baum.

Manen und Lemuren: Die Geister der Verstorbenen und die Totengeister.

778   *Taprobrana:* Ceylon.

Riphäische Berge: Nördlich des Schwarzen Meeres.

Phebol: Insel im Roten Meer (s. Aristoteles, *De mundo* III).

Aloiden: Die Riesen, die den Olymp erstürmen wollten.

781   *Efeutrichter:* Nach Plinius I,24.

Artemisia ...: Vgl. Aulus Gellius, *Noctes Att.* X,18.

Asbeston: Unverzehrbar.

Karpasion: Carpusion; Stadt auf Zypern.

Syene: Stadt am Nil, das heutige Assuan.

782   *Galen: De temperamentis* III,4.

Dioskorides: De materia medica II,62.

hölzerner Turm: Vgl. Aulus Gellius, *Noct. Att.* XV,1.

Argos: Das Schiff, mit dem Jason und seine Gefährten nach Kolchis fuhren.

Harz: Lärchenharz.

783   *Antenoriden:* Paduaner; nach Antenor, der Padua gegründet haben soll.

Larignum recte: Bei Vitruvius, *De architectura* II,9, und nach ihm bei Caelius Rhodiginus, *Lectiones antiquae* VI,10.

795   *Odet:* O. de Coligny, Kardinal von Chastillon (1517–1571), Bruder des späteren Anführers der Hugenotten Admiral Gaspard de Coligny. Er war seit 1547 Mitglied des Conseil privé und hatte Einfluß auf die Erteilung von Druckprivilegien. O. trat zum Calvinismus über und starb in England, wohin er emigrierte, an Gift.

796   *Hippokrates: De epidemiis* VI,2, 12 und VI, 4,7, ferner *De medico* I.

Soranus: Arzt des 2. Jhs. n.Chr.

Oribasius: Arzt des 4. Jhs. n.Chr.

Galen: Kommentar zu Hippokrates, *De epidemiis* VI.

Hali Abbas: Arabischer Arzt des 10. Jhs., 1525 ins Lateinische übersetzt.

Hippokrates: Vgl. Galen, Kommentar zu Hippokrates, *De epidemiis* VI.

Julia: . . . Vgl. Macrobius, *Saturnalia* II, 5.

797 *Alexandrinus:* Johannes A. schrieb einen Kommentar zu Hippokrates' Schrift *De epidemiis.*

798 *Plato: Staat* III, 308 e.
Averroes: Ibn Rusd (1126–1198), arabischer Arzt und Philosoph aus Cordoba.
Kallianax, Schüler des *Herophilus* (Vgl. Galen, Kommentar).
Auch Held Patroklus . . .: Homer, *Ilias* XXI, V. 107.
Und mein Urin . . . .: Maistre Pierre Pathelin, V. 656 ff.
Agelasten: Die nie lachen.

799 Διάβολος: Diabolus; bei Rabelais der Verleumder.
Anagnosten: Vorleser. Gemeint ist Pierre du Chastel, Bischof von Macon, später von Orléans, Vorleser Franz' I.

800 *gallischer Herkules:* Odet de Coligny ließ sich mit den Attributen des Herkules darstellen.
Alexikakos: Abwender von Unheil. Beiname des Herkules.

802 *Erstes Vorwort:* Prolog zur Teilausgabe von 1548.
Ihr gebt . . . : Lat.: Do, dico, addico.
Brevier: Flasche in Form eines Breviers.

803 *Die Elster knatschen:* Frz. croquer la pie = einen ordentlichen heben.
Schlacht bei Saint Aubin: Poggio, *Facetien* CCXL, erzählt von einer Schlacht zwischen Elstern und Dohlen.
Frapin: Rabelais' Onkel mütterlicherseits.

805 *Es trägt . . . :* Principibus placuisse viris non ultima laus est (Horaz, *Epist.* I, 17, V. 35).
Naevius: Römischer Dichter des 3. Jh.s, zitiert von Cicero, *Tusculanae* IV, 31.

806 *Jörg von Nieder-Ägypten:* Vermutlich ein »Ägypter«, d. h. ein Zigeunerhauptmann.

807 *Cato Censor:* Der Titel Censor, Beiname des älteren Cato (Censorius) nach Plutarch, *An recte dictum sit latenter vivendum esse* (ob es richtig ist zu sagen, man müsse im Verborgenen leben) I.
Medicus Bitterlich: Doctor Amer; nicht identifiziert.

808 *Hippokrates: De medico* If. *De oficina medici;* s. Widmung an Monseigneur Odet.

809 *amphicyrtisch:* Griech.: doppelt konvex.
Timon, der Menschenfeind: Griech. Philosoph des 5. Jhs. v. Chr., nach Plutarch, *Leben des Marcus Antonius* LXX.

810 *Leontium:* Eine Hetäre, die gegen *Theophrast* geschrieben hatte; vgl. Plinius, *Hist. nat.*, *Praefatio*.

811 *Prolog:* Dieser Prolog wurde für die Ausgabe von 1552 verfaßt, der die vorliegende Ausgabe folgt.
Ἰατρός ἄλλων .... Euripides, Fragm. 1071, Kommentiert v. Erasmus. *Adagia* IV, 4, 32: Aliorum medicus ....

812 *De sanitate tuenda* ...: Plinius VII, 37, 124.
Asklepiades: Aus Kleinasien, in Rom im 1. Jh. v. Chr. als Arzt tätig (Plinius, *Nat. hist.* VII, 37.)

813 *der Tote dem Lebenden* ...: Überlieferte Rechtsformel. Der Erbe ergreift unmittelbar nach Ableben von der Habe des Verstorbenen Besitz.
Ariphron aus Sikyon: Hymnendichter des 5./6. Jhs. Hymnus an die Gesundheit, zitiert bei Athenaeus.

814 *Zachäus:* Lukas XIX, 16.
Sankt Ayl: Saint-Ay bei Meung sur Loire.
Jerusalem: In Wahrheit Jericho.
Dem Sohn eines Propheten ...: Vgl. IV Könige 6, 1 ff.
Franzose Aesopus: Anspielung auf den trojanischen Ursprung der Franzosen.
Maximos Planudes: Ca. 1255–1305, byzantinischer Gelehrter, Verfasser einer Äsop-Biographie.
Aelian: Varia historia X, 5.
Agathias Scholastikos (ca. 536–582 n. Chr.); gemeint ist sein Epigramm auf eine Statue Äsops. *Herodot* schreibt, Äsop sei mit der Thrakierin Rhodopis Sklave bei dem Samier Iadmon gewesen. Rabelais bezieht sich auf die äsopische Fabel: Der Holzfäller und Hermes.

816 *Presthan:* Der persische König Thaamus I., der mit *Soliman* Krieg führte.
Tataren: Beseitigung der Tatarenherrschaft durch die Moskauer Großfürsten.
Scherif Mohammed, der mit den Merinidenherrschern von Marokko und den Türken im Kampf lag.
Guolgotz Rays: Dragut Rays, Seeräuber, von Frankreich unterstützt.
Parma: Belagerung Parmas durch die päpstlichen Truppen.
Magdeburg: Kapitulation Magdeburgs vor Moritz von Sachsen (1551).
Mirandola: Östlich von Parma. Die Grafschaft stand auf seiten der Papstgegner.

Afrika: Die Unternehmungen Karls V. in Tunis.

Aphrodisium: Eine Stadt in der Nähe von Mahedia, die 1550 eingenommen wurde, hieß im Altertum A.

Tripolis: 1551 kapitulierte der Johanniterorden in T. vor der türkischen Flotte.

Gaskogner: Aufstand gegen die Salzsteuer.

verkrüppeltes Männchen: Karl V.

Ramus ... Galland: Streit zwischen den Humanisten Pierre de la Ramée und Pierre Galland über den Aristotelismus.

817 *et habet ...:* Und dein Glied hat Verstand.

Der verehrungswürdige ...: Rabelais folgt hier Julius Pollux, *Onomasticon (Vocabularium)* V,5.

Minos ... Kephalos: Kephalos stellt die Treue seiner Gattin Prokris auf die Probe. Diese unterliegt und flieht zu Minos, der ihr den Hund schenkt. Später wird Prokris von Kephalos auf der Jagd versehentlich getötet.

818 *Theumessos:* Stadt in Böotien.

Peter: Der General-Advokat Pierre de Cugnières hatte unter Philipp IV die Rechte der franz. Krone gegen die Machenschaften der Kanonisten und Kommentatoren der päpstlichen Dekretalen in Schutz genommen. Die Kirche rächte sich nach seinem Tode damit, daß sie eine steinerne Fratze im Chor von Notre-Dame, wo gewöhnlich die Kerzen gelöscht wurden, mit seinem Namen bezeichnete.

Pastophoren: Der Kirchenstaat und die Päpste.

819 *Antiochia:* Stadt in Syrien, 585 n.Chr. von Erdbeben zerstört.

Truthahnshausenburg: Frz. forteresse de Dindenaroys. Möglicherweise Anspielung auf Hieronimo Dandino, Erzbischof von Imola, Abgesandter Papst Julius' II., der mehrfach in Frankreich war und »le Dandin« genannt wurde.

Kyklopen ...: Vgl. Hesiod, *Theogonie* 140; *Aeneis* VII,425.

Ikaromenippos: Vgl. Lukian, Göttergespräche.

Mailand: Anspielung auf den Kampf der franz. Könige Ludwig XII. und Franz I. um das Herzogtum M.

820 *Rotheide:* Frz. Landerousse; ungedeutet.

Tubilustrium: Römisches Fest der Tubaweihe.

Josquin des Prés ...: Musiker in der Zeit vom Ende des 15. bis erste Hälfte des 16. Jhs.

820 *Als Jochen Lulatsch . . . :* Die Strophe wird Mellin de Saint-Gelais zugeschrieben.

823 *Martin von Cambray:* Name des steinernen Mannes, der auf dem Belfried von Cambrai mit einem Beil die Glocke anschlug.

Pathelin: Maistre Pierre P., V. 352.

Maulevrier: Michel de Balan, Seigneur de M.; wahrscheinlich derselbe, der 1525 vom englischen König als Bürge für die Summe, die Frankreich ihm schuldete, akzeptiert wurde.

827 *Sanità . . . :* Gesundheit und gutes Geschäft, mein Herr.

Guadaigne: Thomas Guadagni, florentinischer Bankier in Lyon.

828 *Vestalien:* 9. Juni (vgl. Ovid, *Fasti* VI, V. 427 ff. und 461 ff., wo Brutus und Cassius erwähnt werden).

Crassus: Vgl. Plutarch, *Leben des Crassus* II.

829 *Thalamega:* Griech. gebildetes Wort, das ein Fahrzeug mit Schlafgelegenheit bezeichnet.

Phengitidstein: Glimmer (Plinius, *Nat. hist.* XXXVI,45).

Prasinstein: Bastard-Smaragd.

topiarische Arbeit: Topiarium opus = Malerei mit pflanzlichen Motiven.

Heraklit, der weinende Philosoph im Gegensatz zu dem lachenden Demokrit.

830 *Psalm:* Bei Luther der 114. Psalm.

Jamet Brayer hieß ein mit Rabelais verwandter Kaufmann in der Loire-Gegend.

831 *Cataya:* China.

832 *Makreonen:* Vgl. Buch IV, Kap. 18 ff.

Inder . . . : Pomponius Mela (1. Jh. n. Chr.), *De chorographia* (Weltbeschreibung) III,5, 45, und Plinius, *Nat. hist.* II,67, zitieren einen Text von Cornelius Nepos (ca. 100–25 v. Chr.), wonach Quintus Metellus Celer vom König der Sueben etliche Inder geschenkt erhielt.

833 *Medamothi:* Nirgendheim.

Philophanes: Griech.: erscheinungsfreundlich.

Philotheamon: Griech.: schaulustig.

Engys: Griech.: nahebei.

834 *Meister Charles Chamois* arbeitete als Maler 1537–1540 in Fontainebleau, 1544–1547 in Saint-Maur-des-Fossés.

Megistos: Der Größte, d. h. Franz I.

Prokne: Vgl. Ovid, *Metam.* VI,576–586.

Echo: Die Nymphe E. ist sowenig darstellbar wie die Ideen Platons und die Atome Epikurs.

Statius Papinius: Ca. 45–96 n.Chr., römischer Dichter, Verfasser des Epos *Achilleis.*

Ovid: Metam. XII, V. 580 ff.

Quintus Calaber: Quintus von Smyrna, Verfasser eines Epos über den Trojanischen Krieg.

Euripides: Polyxena, V. 35 ff. und 518 ff.

Tarandus: Rentier.

Gelonen: Vgl. Herodot, *Historiae* IV, 108 ff.

835 *Thoen:* Schakale.

Lykaonen: Indische Wolfsart.

Chamäleon: Vgl. Plinius VIII, 33.

Anubis: Ägyptischer Totengott.

Die *Esel von Meung* sind grau wie die dortigen Franziskaner.

836 *Chelidon:* Meerschwalbe.

Gozal: Gosal = hebr.: Taube. Es handelt sich um eine Brieftaube.

838 *Hesiod:* Lukian schreibt in *Hermotimus* III Hesiod diesen Satz zu.

841 *Furnius . . . :* Nach Seneca, *De beneficiis* II, 25.

Stoiker: Seneca ibid. II, 31 ff.

844 *Gebarim:* Hebr.: die Starken.

Ohabe: Hebr.: mein Freund, mein Lieber.

845 *Puterjan . . . :* Die folgende Episode ist angeregt durch ein gleiches Abenteuer mit Hämmeln in Teofilo Folengos *Baldus.*

849 *Montélimar:* Am Roubion, einem Nebenfluß der Rhone.

Aquila: Aquileja im Golf von Venedig.

850 *clericus . . . :* Gelehrter oder auch Student.

Quintessentialen: Die Chemiker oder Alchimisten.

Eutrop: S. Buch I, Kap. 27.

851 *Dorkaden . . . :* Vgl. Sueton II, 71.

852 *Beschneidung . . . :* Reliquie der Beschneidung in der Abtei Charroux bei Civray (Vienne).

Coraxier: Vgl. Strabo, zitiert von Budé, *De Asse* (Über das Pfund) IV.

Cancale liegt bei Saint Malo.

854 *Aristoteles: Historia animalium* IX, 3, 610 b. 23.

855 *Olivier Maillard:* Ca. 1430–1502, volkstümlicher franziskanischer Prediger.

856 *Theobald:* Schäfer in der Farce Maistre Pierre Pathelin.
Regnaut Belin: Ungeklärt.
In der *Schlacht bei Sérizolles,* 11. April 1544, wurden die
Kaiserlichen geschlagen. Die Schweizer Söldner ergriffen
beim ersten Ansturm die Flucht.
Mihi . . .: Mein ist die Rache (Paulus, Römer 12, 19).

857 *Ennasin:* Nasenlos.
rote Poiteviner: Der Name Poitu wurde von pictus (= bemalt) hergeleitet. Die Picten, Ureinwohner des Poitou,
sollen sich mit dem Blut ihrer Feinde rot gefärbt haben.

858 *Dies geschah . . .:* Vgl. Titus Livius, *Ab urbe condita* II, 49–
50. Vgl. Ovid, *Fasti.* II, 195–242; Aulus Gellius XVII, 21.

859 *Kurtisanen:* frz. manche = Stiel; Wortspiel mit it. mancia
= Trinkgeld.

863 *Cheli:* Hebr.: Scheli = Friede.
Panigon: Im Languedoc Brötchen, in übertragener Bedeutung: ein guter Kerl.

864 *Sankt Benedikt:* Der Orden, dem er angehört.
La Guerche: Ortschaft zehn Meilen südlich von Tours.

865 *Beati . . .:* Selig, die sich unterwegs nicht beflecken
(119. Psalm).

867 *Strozzi:* Der Großherzog von Toscana und Filippo Strozzi
besaßen berühmte Menagerien.
Formen, die . . .: Nach aristotelischer Anschauung verwirklicht sich die Form an der Materie.

868 *Antigonus:* Plutarch, Quaestiones convivales IV, 4, 2. Vgl.
Erasmus, *Apophthegmata* IV, Antigonus 17.
Antagoras: Verfasser einer Thebais.
Breton: Jean B., seigneur de Villandry, gest. 1542.

870 *Prokuratien:* Frz. Procuration.
frz. *Procultous* Procurcurs; dtsch. *Affikaten* = Advokaten.
Schinnöser: Frz. Chiquanous.
Romikolen: Rombewohner.
Cl. Gal.: Galen, *De methodo medendi* (Über das Heilverfahren) XIV, 16.

871 *Sankt Thibalt:* Saint Thibaut, aus der Champagne (11. Jh.);
geißelte sich heftig.
Basché: Assay – Gemeinde Indre-et-Loire.
aus einem langen Krieg: Julius II. bekriegte den Herzog von
Ferrara, dem Ludwig XII. beistand.

876 *equa orba:* Halbblinde Mähre.

877 *Klopfschwanz:* Frz. Etienne Tappecoue.

Brüssel: Zwischen 1441 und 1559 fanden in B. jährlich berühmte Mysterienspiel-Aufführungen statt.

878 *Osanière-Kreuz:* Hosiannakreuz bei Saint-Maixant; so genannt, weil vor solchen Kreuzen am Palmsonntag das *Hosanna filio David* gesungen wurde.

879 *Saulmur . . . :* Berühmte Passionsspielorte.

880 *Sechsundsechzig:* Frz. trois cents trois; Kartenspiel, bei dem vermutlich auf 303 Punkte gespielt wurde.

Imperial: Kartenspiel italienischer Herkunft.

Fingerratespiel: Bei diesem Spiel gilt es sofort zu erraten, wie viele Finger der Partner aufgezeigt hat.

884 *O-O-Gebete:* Die Gebete, die in den neun Tagen vor Weihnachten gesungen wurden, lauteten: O Sapientia, O Adonai, O Radix usw.

885 *Unsere liebe Frau von Rivière:* Romanische Kirche nahe bei der Ile Bouchard (Chinon).

de la Roche Posay: Jean Casteignier, seigneur de la Roche-Posay, Haushofmeister Franz' I. und Heinrichs II. Er hinkte infolge eines Musketenschusses, der ihm in der Schlacht von Pavia das Bein zerschmettert hatte.

886 *nach ihm nannte sich . . . :* Der Schinnos ist »Beauftragter des Königs«.

englisch: Frz. als Engel zitiert.

Festmahl der Lapithen: Lukian, *Symposium seu Lapithae* (Das Gastmahl oder die Lapithen) XLV.

887 *das Gold von Tolosa und das Sejanische Pferd:* Beides Gegenstände, die nach Ansicht der Römer ihren Eigentümern Verderben bringen.

888 *die Furcht Gottes:* Vgl. Paulus, Römer 3,18.

Heckenrichter: Lat. iudices pedani = Unterrichter. Die Pedan-Richter waren ambulante Richter, die »unter der Ulme« Recht sprachen und keinen festen Sitz hatten. Die Parteilichkeit dieser Richter im Dienst von Adelsherren und Kirchenfürsten stärkte im Laufe der Zeit die Volkstümlichkeit der königlichen Gerichtsbarkeit.

Neratius: Nach Aulus Gellius, *Noctes atticae* XX,1.

893 *Hans von der Ofenbank:* Jan de la Palisse; volkstümliche Verballhornung von »Apokalypse«: Johannes von der Offenbarung.

894 *Glockenhaube:* Frz. manche de la paroece = der Stiel der Gemeinde, der Glockenturm.

895 *Tohu und Bohu:* Zwei Worte aus dem Anfang der Genesis:

Et terra erat solitudo (tohu) et inanitas (bohu).

Blähnüsterich: Frz. Bringuenarilles.

Hypostasen und Eneoremen: Niederschlag und Schwebeteile im Harn.

Äschylos' Tod: Vgl. Erasmus, *Adagia* II, 9, 77, nach Valerius Maximus.

896 *Strabo: Geographica* VII, 3, 8.

Arrian: Arrianus (ca. 95–175 n. Chr.), griech. schreibender Historiker (*Anabasis*).

Plutarch: De facie quae in orbe lunae apparet VI.

Taprobaner: Erasmus, *Adagia* I, 5, 64, hat statt Pharnaces Taprobaner: Bewohner von Ceylon.

Aristoteles: Metaphysica IV, 23, 1023 a 20.

Anakreon: Griech. Lyriker des 6. Jhs. v. Chr.

Fabius: Vgl. Plinius, *Nat. hist.* VII, 7.

der Verschämte: Vgl. Sueton, *Leben des Claudius* XXXII.

899 *Grabinschrift:* Inschrift in einer Augustinerkirche.

Bassus: Vgl. Plinius XXVI, 4.

Philomenes: Vgl. Valerius Maximus IX, 12, nach Lukian.

Saufeius: Vgl. Plinius VII, 13.

Boccaccio: Decamerone IV, 7.

Zeuxis: 464–398 v. Chr., vgl. Erasmus, *Adagia* III, 5, 1.

Verrius: Auf V. beruft sich Plinius XII, 53.

Baptiste Fulgoso: Doge 1478–1483.

Bacabery der Ältere: Erfundener Autor.

900 *Teleniabin . . . :* Aus dem Persischen stammende und von den arabischen Ärzten übernommene Wörter für Manna = Rosenholz (Abführmittel).

Landgraf von Hessen: Philipp der Großmütige von Hessen (1504–1567) wurde von Karl V. gefangengenommen, obwohl die Zusicherung freien Geleites mit den Worten »ohne *einige* Gefängnis« gegeben worden war, aber in »ohne *ewige* Gefängnis« abgeändert wurde.

901 *Konzil von Chesil:* Konzil von Trient, das 1548 angefangen hatte.

902 *Kategiden . . . :* Griech. Wörter: Kataegiden = Sturmböen; Thyellen = Orkane; Lälapes = Wirbelwinde; Presteren = Gewitterstürme; psoloent = dämpfig; arget = grell; helizisch = flügelarmig; Typhones = Sturmwinde.

Chaos: Vgl. Ovid, *Metam.* I, 1 ff.

O dreimal . . . : Parodie auf Vergil, *Aeneis* I, V. 94 ff.

906 *Pyrrhon:* Nach Plutarch, *Quomodo quis suos in virtute sentiat*

profectus (Wie jemand seine Fortschritte in der Tugend empfindet) XI.

Astrophilus: Sternfreund (hier der Steuermann).

911 *Consummatum est:* Es ist vollbracht.

in manus: In deine Hände (befehle ich meinen Geist).

Zwischen Quande ...: Quande und Montsoreau liegen so dicht benachbart, daß keine Kuh zwischen beiden Orten weiden kann.

913 *in praesente:* Im Augenblick.

Cabirotaden: Gegrilltes Zicklein. Wortspiel mit *Cabiren:* Gottheiten, deren Kult von Phöniziern nach Griechenland gebracht worden war (Strabo, *Geographica* X,3, 13 ff.; von ihm werden *Orpheus, Pherecydes* und *Herodot* genannt).

914 *Apollonius* von Rhodos (3. Jh. v. Chr.), griech. Epiker. *Argonautica* I, V. 917 und Scholien zu dieser Stelle.

Pherecydes von Syros (6. Jh. v.Chr.), Verfasser einer Kosmogonie.

Pausanias: Graeciae descriptio IX,25,5 ff.

Herodot: Historiae II,51; III,37.

917 *Cäsar: De bello Gallico* I,39; *Fuhrmann:* Vgl. Äsop, Fabeln LXXII.

918 *Odysseus:* Vgl .Homer, *Odyssee* V f.

Dido: Aeneis IV. v. 457 ff.

Aeneas dem Deiphobus .... Aeneis VI, v. 505 ff.

Butrot: Buthrolum in Epirus; vgl. zum folgenden: Diogenes Laertius, *Anacharsis* V,11; Pausanias I,2,2; Sueton, *Leben des Drusus* I; *Historia Augusta: Leben des Alexander Severus* LXIII; *Anthologia Graeca* VII,395, 291 und 539; Kallimachus, *Epigramme* XVII; *Anthologia Graeca* VII, 247; Catull, *Carmina* CI; Statius, *Silvae* V,3.

Germain de Brie: Humanist, gest. ca. 1538.

Hervé: Anspielung auf die Bretonen H., der in der Seeschlacht von 1512 zwischen Engländern und Franzosen das franz. Flaggschiff befehligt hatte.

Herr mein Gott ...: Matth. 8,25.

Delphin: Anspielung auf die Errettung *Arions,* des Sängers, durch den Delphin.

919 *Beatus vir* ...: Wohl dem, der nicht wandelt im Rat der Gottlosen (1. Psalm 1,1).

Nikolaus wurde bei Stürmen angerufen (Lectio X seines Offiziums am 6. Dezember spricht ihm die Gabe, Unwetter zu besänftigen, zu).

Montagu: Mons acutus; Anspielung auf das Collège Montaigu.

Ixion: Büßer in der Unterwelt, wurde auf ein sich drehendes Rad geflochten.

920 *Fürchte nichts ...:* Verse aus einem poitevinischen Weihnachtslied.

Castor: Elmsfeuer an den Mastspitzen. Castor und Pollux bannten bei Seenot den verderblichen Einfluß der *Helena* (Plinius, *Nat. hist.* II,37).

Mixarchagetas: Beiname des Castor bei den Argivern.

922 *Ukalegon:* Name eines altersmatten Trojaners bei Homer, *Ilias* III. v. 148.

Agamemnon: Vgl. *Ilias* I, V. 225.

Sokrates ...: Vgl. Platon, *Apologie des Sokrates* 40; Cicero, Tusculanae I,8.

Homers Ausspruch: Vgl. *Odyssee* V, V. 312.

Aeneas: Vgl. Vergil, *Aeneis* I, V. 94 ff.

923 *Troßknecht Sankt Martius:* Der Teufel.

Lehre der ... Philosophen: Vgl. Erasmus, *Adagia* I, 2, 91.

924 *Paulus:* I Korinther 3,9.

Flaminius: Vgl. Livius, *Ab urbe condita* XXII,8.

Sallust: Verschwörung des Catilina LII.

Cato: Marcus Porcius C. der Jüngere (95–46 v.Chr.), Urenkel des Cato Censorius. Eine Rede von ihm bei Sallust.

Contra hostium ...: Vielleicht Anspielung auf Psalm 58,3. Gegen die Nachstellungen der Feinde.

925 *neun Ehefreuden:* Anspielung auf die *Quinze joies de mariage*, eine Schwanksammlung des 15. Jhs.

Wilhelm Ohnefurcht: Wilhelm von Oranje oder Wilhelm der Eroberer?

926 *Adam ...:* Vgl. Hiob 5,7 und I Moses 3,19.

Anacharsis: Vgl. Erasmus, *Apophthegmata* VII, *Anacharsis* 13.

927 *Cato:* Vgl. Plutarch, *Leben Catos des Censors* IX.

929 *Makreonen-Insel:* Die Insel der Langlebigen.

930 *slawonisch:* Altslawisch.

933 *der andern in Paris:* Die Isle Maquerelle in Paris.

Saint-Mathieu: Landspitze bei Brest.

Maumusson: Durchfahrt zwischen der Insel Oléron und der Halbinsel Alvert (Gironde-Mündung).

Satalie: Hafenstadt in Kleinasien.

Montargentan: Porto di Telamone.

Piombino: Hafen in der Toscana, gegenüber der Insel Elba.

Cap Melin: Kap Malia im äußersten Süden des Peloponnes.

934 *Karpathisches Meer:* Ägäisches Meer.

935 *wie die Fackel* ...: Der Vergleich steht bei Plutarch, *De defectu oraculorum* XVIII.

Guillaume du Bellay starb 1543.

Äneas: Vgl. *Aeneis* III, V. 707 ff.

Herodes: Vgl. Apostelgeschichte 12, 21 ff.

936 *Alkman:* Griech. Lyriker (ca. 650–ca. 600 v. Chr.).

die Seele eines Herren ...: Vgl. Flavius Josephus, *Antiquitates Judaicae* XVII, 6, 176 ff.

Tyrann: Es handelt sich hier jedoch nicht um Herodes Agrippa I., unter Tiberius König der Juden, sondern um dessen Großvater Herodes den Großen, gest. 4 v. Chr.

Nero: Vgl. Sueton, *Leben des Nero* XXXVIII.

Cicero: De finibus bonorum et malorum III, 19.

Seneca: De Clementia II, 2.

Dion Nicaeus: Dion Cassius, *Historiae Romanae* LVIII, 23.

Suidas: Ein Lexikon des 10. Jhs., Erasmus, *Adagia* I, 3, 80.

938 *die Todesstrafe* ...: Vgl. Erasmus, *Adagia* I, 5, 67.

939 *Ritter von Langey:* Guillaume du Bellay.

Assier ...: Sein Gefolge, darunter Rabelais.

940 *Stoiker:* Vgl. Plutarch, *De defectu oraculorum* XIX.

Pindarus: Fragm. CLXV, zitiert bei Plutarch.

Kallimachus: Hymnus an Delos.

Pausanias: Graeciae descriptio X.

Martianus Capella: Gelehrter des 5. Jhs. n. Chr.: *De nuptiis Mercurii et Philologiae* (Von der Hochzeit des Merkur und der Philologie) II, 167.

943 *Plutarch: De defectu oraculorum* XI.

944 *Da Epitherses* ...: Rabelais folgt hier Plutarch, *De defectu oraculorum* XVII.

945 *Palodes:* Hafen an der Küste von Epirus.

946 *der große Hirte:* Joh. X, 11.

Corydon: Vgl. Vergil, *Bucolica* II, V. 33.

947 *Kümmerlich:* Frz. Tapinois; Duck dich (Regis).

Fastenspeis: Frz. Quaresmeprenant.

948 *Ichthyophagen:* Fischesser.

Senftenberg: Vom Senf, der zur Fastenzeit gegessen wurde.

Vater ... *der Ärzte:* Rabelais hielt das Fasten für gesundheitsschädlich.

Spicknadel . . . : Vermutlich wurden in der Fastenzeit diese Gerätschaften ausgebessert oder neu hergestellt.

Quande: Zwei steinerne Nadeln erheben sich zu beiden Seiten der Kirche von Quande bei Chinon.

in meinem Brevier . . . : Die Fastengebete folgen im Brevier auf die beweglichen Feste.

958 *Korybanten:* Priester der Kybele. Sie waren mit der Bewachung des jungen Zeus beauftragt.

Camoxen: Lat. Urform von »Gemsen«.

Kreuz: Doppelsinnig: das Kreuz gleichzeitig als Körperteil verstanden. Vgl. Erasmus, *Adagia* I, 3, 75.

Schweinshaut: Obszöne Umschreibung.

959 *in den alten Fabeln:* Amodunt und Discrepantia. Die Anekdote ist dem ital. Humanisten Caelius Calcagninus entlehnt: *Apologus cui titulus gigantes* (Fabel mit dem Titel Giganten).

Tellumon: Erdgott, die männliche Entsprechung zu *Tellus.*

Affenmütter: Vgl. Erasmus, *Adagia* III, 5, 89.

Bäume: Die Vorstellung vom Menschen als Baum geht auf Platons *Timaios* 90 a zurück.

960 *Calvin:* Hier gibt sich Rabelais' Ablehnung Calvins zu erkennen, der seinerseits in *De scandalis* (1550) aus seiner Ablehnung Rabelais' kein Hehl gemacht hatte.

Putherben: Putherbi; Anspielung auf Gabriel de Puy-Herbault (lat. Putherbus), Mönch in Fontevrault, der Rabelais heftig angegriffen hatte.

961 *Physeter:* Wal. Nach dem Ausblasen des Wassers so benannt.

Pythagorasbuchstabe: Servius sagt in seinem Kommentar zu Vergils *Aeneis* VI, V. 136, Pythagoras habe das menschliche Leben figürlich dem Buchstaben Y gleichgesetzt. Der Grundstrich bedeutet die Zeit vor der Entscheidung, die Gabelung die Entscheidung zwischen Gut und Böse.

962 *Hiob:* 40, 20.

erlauchte Rosse: Vgl. Ovid, *Metam.* II, V. 153 f. = die Sonnenrosse.

Atropos: Die Parze, die den Lebensfaden durchschneidet.

963 *Mylord:* Georg, Herzog von Clarence, Bruder Eduards IV. (15. Jh.).

964 *Commodus:* Sueton schreibt die Geschicklichkeit im Speerwerfen Domitian zu (*Leben des Domitian* XIX).

indische Bogenschützen: vgl. Arrianus, *Indica* XVI.

967 *alte Franzosen:* vgl. Plinius, *Nat. hist.* XXV,25.

Parther: Vgl. Ravisius Textor oder Sabellicus, *Exemplorum libri* X (1507); Herodot, *Historiae* IV, 131–132.

969 *Nikander: Theriaca* V. 812.

973 *Dido:* Vgl. Vergil, *Aeneis* I, V. 562f.

974 *Bannfluch:* Vielleicht Anspielung auf Karl V., der wegen seiner Verhandlungen mit den Protestanten vom Konzil von Trient gerügt wurde.
Chesil: Hebr. kessil = toll, närrisch.

979 *Caracalla:* Vgl. Herodian, *Leben Caracallas* 9;10.
die Söhne Jakobs: Vgl. I Moses 39.
Galienus: Vgl. Trebellius Pollion VII.
Antonius: Vgl. Tacitus, *Annalen* II,3.
König Karl . . .: Im Jahr 1413.

982 *Moses:* Vgl. II Moses 17,8ff.
Pythagoreer: Vgl. Agrippa von Nettesheim, *De incertitudine et vanitate scientiarum* XV.
Augustus: Vgl. Sueton, *Leben des Augustus* XCVI.
Vespasian: Vgl. Sueton, *Leben des Vespasian* VII.
Regilian: Vgl. *Historia Augusta* X, Trebellius Pollion: Triginta Tyranni (Erörterung der natürlichen oder symbolischen Beschaffenheit von Namen).

985 *Briend Valée:* Briand Vallée von Douhet, Ratspräsident von Bordeaux 1527–44.
Alexander: Vgl. Plutarch, *Leben Alexanders des Großen* XXIV.

986 *Pompejus:* Vgl. Plutarch, *Leben des Pompejus* LXXIX.
Cicero, *De divinatione* I,46; Valerius Maximus I, 5,3.

987 *Aemilius:* Vgl. Plutarch, *Leben des Paulus Aemilius* X.

988 *Schlangen:* Die Giganten wurden häufig von den Hüften abwärts als Schlangen dargestellt.
Ithyphallos: Vgl. Agrippa von Nettesheim, *De originali peccato.* Die biblische Schlange wird mit dem männlichen Glied gleichgesetzt.

989 *Himantopoden:* Vgl. Plinius, *Hist. nat.* V, 8. Die H. können sich nur kriechend voranbewegen.
Hupf- und Juchzertanz: Frz. Trihori – bretonischer Tanz.
Erichthonius: Vgl. Vergil, *Georgica* III, 113, und Kommentar von Servius.
Ora: Vgl. Valerius Flaccus (1. Jh. n. Chr.), *Argonautica* VI, V. 48.

990 *Potiphar-Nabuzardan:* Vgl. I Moses 39. – II Könige 25,8.
Cicero: Vgl. Erasmus, *Apophthegmata* IV, Cicero 19.
993 *die Sau von la Riole:* Bergerac wurde 1378 unter Karl V., nicht unter Karl VI., eingenommen, und zwar mit Hilfe einer großen Belagerungsmaschine, genannt »die Sau«.
997 *Le Veneur:* Jean le Veneur-Carrouges, Bischof von Lisieux, Kardinal seit 1537.
Taillevent: Koch im 14. Jh.
Mondam: Die schottischen Schützen der königlichen Leibgarde sagten statt Madame Mondam.
999 *Marignan:* S. Buch II, Kap. 1.
1003 *Gänsefuß:* Eine Brücke in Toulouse war nach dieser Königin benannt.
'ΥΣ 'ΑΘΗΝΑΝ: Lat. Sus Minervam (Erasmus, *Adagia* I, 1,40).
1005 *Niphleseth:* Hebr. für das männliche Glied.
1008 *Hauch:* Hebr. rouah = Geist oder Hauch.
Siebenkükenstall: Siebengestirn.
1011 *Scurron:* Jean Schyron (gest. 1556), der Studienpate Rabelais' an der Universität Montpellier.
1013 *lib. de Flatibus:* Über die Blähungen.
Bohn-Ton: Frz. Sonnet = Tönchen.
1014 *Quinquenais:* Flecken bei Chinon.
1015 *Aeolopyl:* Physikalischer Apparat: Kugel mit Hals, dem Dämpfe entströmen.
1016 *Hippokrates: Über die Seuchen* V, 86.
1018 *Barbarossa:* Angeregt von Guillaume Paradin, *De antiquo Burgundiae statu* (Lyon 1542), S. 49 f.
Thakor: Hebr. Tachor = Feige (am After).
Ecco lo fico: Hier ist die Feige!
1019 *Sankt Peter:* Der Petersdom wurde erst 1620 vollendet.
1026 *Speise- und Proviantmeister . . . :* Ablaßkrämer.
1032 *Mahom . . . :* Der Teufel ist ein Ketzer. Er ruft Mahomet, Demiurgon (in den Mysterienspielen des Mittelalters ein Teufelsname), Alekto und Megera (Furien), Persephone (die Unterweltsgöttin).
1034 Die *Papimanen* (Papstnarren) sind das Gegenteil der Papstfötter (Ketzer).
vier unterschiedlich gekleidete Leute: Die vier Stände: Geistlichkeit, Adel, Beamtenschaft und gewöhnliches Volk.
1035 *Mose:* II Moses 3,14. Ego sum qui sum – Ich bin der ich bin.

Dekretalen: Die gesammelten Entscheidungen der Päpste. Die fünf ersten Bücher Dekretalen datieren von 1234. Das sechste oder *Sixtus* von 1298. Dann folgen die *Clementinen,* von Clemens V. (1313), schließlich die *Extravaganten* von Johannes XXII. und die *Extravagantes communes* (1500), so genannt, weil sie außerhalb – extra – der Sammlung stehen.

1036 *Schellen obendrein:* Nach der Legende folgte auf Papst Leo IV. (847–855) die »Päpstin Johanna«; Benedikt III. soll daraufhin verfügt haben, daß jeder Papst sich bei seiner Wahl einer Prüfung seiner männlichen Attribute zu unterziehen habe.

Stentor: Der Rufer im Heer vor Troja.

1037 *Lulatsch:* Frz. Homenaz = großer, kräftiger, aber einfältiger Kerl.

Hypopheten: Deuter.

Valfinier: ungeklärt. Vermutl. Anspielung auf einen Vorfall, der R. begegnete, als er 1534 unter Papst Clemens VII in Italien weilte.

1038 *uranopet:* vom Himmel gefallen.

Augustus: Vgl. Sueton, *Leben des Augustus* XXX.

1039 *Zoophor:* Eigentlich Tierträger. Es handelt sich um den Fries zwischen Architrav und Kranzgesims, der mit Statuetten, Skulpturen und Sprüchen geschmückt ist.

Mose: II Moses 32,16.

Delphi: Vgl. Plinius, *Nat. hist.* VI, 32, und Macrobius, *Saturnalia* I, 6,6.

das Wort EI: Vgl. Plutarch, *Über das EI in Delphi.*

Das Bildnis Kybeles: Herodian, Geschichte des Kaisertums nach Marc Aurel, I, 11.

Pesinunt: Persinus; Stadt in Phrygien.

Vgl. Livius, *Ab urbe condita* XXIX, 10 ff.

Euripides: Iphigenie in Tauris, V. 85 ff.

Oriflamme: Vgl. Froissart, *Chroniques* II, 125.

Ancyle: Ovid, *Fasti* III, V. 370 ff., Livius I, 20. 4.

Numa Pompilius: Vgl. Plutarch, *Leben des N. P.* XIII.

Akropolis . . .: Vgl. Pausanias, *Graeciae descriptio* I, 26,6.

Homer: Vgl. *Odyssee* IV, V. 477 und V. 581.

Diipetes: Vom Himmel gefallen.

1040 *Dekretalscholiasten:* Dekretalen-Erklärer.

nach unseren heiligen Dekretalen . . .: Vgl. Decretum III, 1,48 u. 51.

Trockenmesse: Behelfsgottesdienst ohne Wandlung.
1043 *Dädalus* war der erste bildende Künstler.
Gottesbein: Bein mit künstlich aufgemalten Wunden.
1044 *Nero:* Vgl. Sueton, *Leben Neros* XXXIII und Erasmus, *Adagia* I, 8,88.
unsere letzten Päpste: Anspielung auf Papst Julius II.
1049 *Clerice:* Anredeform von Clericus.
1053 *Dekretalipotens:* Robert Irland; er lehrte 1502–61 in Poitiers.
Catull: Carmina XXIII: Ad Furium, V. 20 ff.
Inian: Abkürzung von Saint Jean.
Hämorruthen: Hämorrhoiden.
1054 *Panormitanus:* Bischof von Palermo, s. Buch II, Kap. 10.
1055 *Estissac:* Offenbar der Neffe des Bischofs von Maillezais, Louis d'Estissac, wahrscheinlich Rabelais' Zögling.
Putherbe: Rabelais' Erzfeind; s. Anm. zu S. 960.
Diogenes: Vgl. Erasmus, *Adagia* II, 6,78 nach Diogenes Laertius VI, 67.
1056 *Sankt-Michaels-Muscheln:* Muscheln, wie die Pilger sie am Hut tragen.
1058 *Seit Dekret' Ales...:* Der Spruchvers findet sich seit 1536 in den *Proverbes* von Pierre Gosnet, dann bei Bonaventure Des Périers, Nouvelles recrèatives et joyeux devis nouv. XLVII., sowie bei H. Estienne, *Apologie pour Hérodote*, Kap. 39.
1059 *Execrabilis:* Extravaganten Johannes' XXII., III, 1.
De multa: Dekretalen Gregors IX., III, V, 28 usw.
1060 *Dekretisten...:* Das *Decretum* von Gratian war von den Dekretalen ausgenommen und wurde von den Gallikanern nicht angegriffen, sondern eher verfochten.
Sarrabowiten: Mönchssekte in Ägypten (bei Augustinus erwähnt).
1062 *Dekretaliarchengott:* Höchster Urheber der Dekretalen – der Papst.
1063 *Nicht jedes wächst...:* Vergil, *Georgica* II, 109–116.
si tu non...: Wenn du nicht geben willst, so leih doch bitte.
1066 *Antoninus:* A. Caracalla (Dion Cassius 77,17,1 erzählt, daß Caracalla eine Menge Horcher und Spitzel unterhielt).
1067 *pharsalische Schlacht:* Vgl. Erasmus, *Apophthegmata* V, 2, nach Plutarch.

mit Segeln und Riemen: Lat. Sprichwort (s. Erasmus, *Adagia* I, 4,18).

Freischütz von Baignolet: S. Buch II, Kap. 30.

Quinquenais: Ortschaft bei Chinon.

Demosthenes . . .: Vgl. Erasmus, *Adagia* I, 10,40 nach Aulus Gellius.

Petronius: Vgl. Plutarch, *De defectu oraculorum* XXII.

1068 *Gideons Vlies:* Vgl. Richter IV, 37 ff.

Aristoteles: Rhetorik III, 2 oder *Rhetorik* III, 1411 b 24 ff.

Antiphanes: Nach Plutarch, *De profectibus in virtute*, 15. Das Thema der gefrorenen Worte, von Plutarch entlehnt, war bereits von B. Castiglione in *Il Cortigiano* II behandelt worden und hatte Caelius Calcagninus zu zwei Fabeln (73 und 74) angeregt.

1069 *Grimmige Schlacht . . .:* Vgl. Plinius, *Nat. hist.* VII, 2; Herodot IV, 27.

Arimaspen: Ein Volk von Einäugigen.

Nephelibaten: Wolkentreter.

Mose: I Moses 20,18.

1070 *Demosthenes:* Vgl. Plutarch, *Leben des Demosthenes* XXV.

1071 *Jousseaulme:* Der Tuchhändler in der Farce Maistre Pierre Pathelin, der um sein Tuch betrogen wird.

1072 *Bauch:* Frz. Gaster (griech. γάστηρ = Bauch).

jener Berg: Mont Aiguille im Massif du Vercors.

Doyac: Karl VIII. ließ bei seinem Alpenübergang nach Italien den Mont Aiguille von Antoine de Ville, sieur de Dompjulien ersteigen. Die Überlieferung schrieb die Besteigung jedoch dem Ingenieur und Architekten Jean Doyac zu, der die Artillerie Karls VIII. über die Alpen brachte.

1075 *Hesiod: Werke und Tage* V. 289 ff.

Cicero: Nicht C. behauptet es, sondern Heraklit (Cicero, *De natura deorum* III, 14).

Merkur . . . Druiden: Vgl. Cäsar, *De bello Gallico* VI, 17.

Satiriker: Persius (34–62 n. Chr.) Epilog zu den Satiren V. 8 ff.

Platon: Gastmahl 203.

1076 *Harpokrates:* Horos, Sohn der Isis.

Candia: Kreta.

Bildnis des Jupiter: Vgl. Plutarch, *De Iside et Osiride* LXXV.

Gebrüll des Löwen: Vgl. Amos 3,8.

Somaten: Körperangehörige = Glieder.

Konzil von Basel: Im Jahre 1431.

plagt sich alle Welt: Vgl. Plinius, *Nat. hist.* XXVI, 28.

1078 *Vasconen:* Basken.

als Q. Metellius . . . : Vgl. Titus Livius, *Ab urbe condita* XXI, 14; Valerius Maximus VI, 6; Erasmus, *Adagia* I, 9, 67; Flavius Josephus, *Jüdischer Krieg* VI, 3.

1079 *Eurykles:* Ein athenischer Bauchredner, bei Aristophanes in *Die Wespen* V. 1019 erwähnt. Die Beispiele, die Rabelais anführt, sind den *Lectiones antiquae* V, 10 von Caelius Rhodiginus entnommen.

Platon: Sophist 151 c.

Plutarch: De defectu oraculorum IX.

Dekreten: Decretum II, 26, 3/4 (über die Weissagung).

Hippokrates: De epidemiis V, 63.

Sophokles: Fragment 59.

1080 *Jacoba Rodogina:* S. Buch III, Kap. 25.

1081 *Weisheitslehrer . . . :* Vgl. Homer, *Ilias* XVIII, V. 104; Plinius, *Nat. hist.* IX, 52.

1083 *Plautus: Rudens* V. 535.

Juvenal: Satiren III, V. 174. *Pompejus Festus: De verborum significatione* XI.

Sankt Clemens'-Drachen: Der Clemens-Drachen stellte ein Ungeheuer dar, das der heilige Clemens ertränkt haben soll.

1090 *Heliogabal* ließ sich vom Senat ein kostspieliges Standbild setzen und befahl, daß ihm aufwendige Opfer dargebracht werden sollten.

Baalsbild: Die siebzig Priester des Baal in Babylon verzehrten heimlich die Spenden, die man dem Götzenbild darbrachte, bis Daniel sie dabei ertappte und den Mißbrauch aufdeckte (Daniel XIV, 2).

1091 *Antigonus:* Vgl. Plutarch, *Apophthegmata* (Antigonus, 7), und *De Iside et Osiride,* 24.

1093 *Jovispriester . . . :* Vgl. Pausanias, *Graeciae descriptio* VIII, 38, 4.

Die *Methanensier* begruben einen weißen Hahn, nachdem sie ihn um ihren Weinberg getragen hatten, und beschwichtigten dadurch den Wind (Leonicenus, *Variae historiae* I, 67, II, 38 nach Pausanias).

1094 *Philebert de l'Orme:* Rabelais war mit Philibert de l'Orme in Italien zusammengetroffen. Bei dem Kardinal Du

Bellay in Saint-Maur-des-Fossés hat er ihn zur Zeit, da er an seinem Buch schrieb, vermutlich wiedergesehen. Der Roi Mégiste, der größte König, ist Franz I.

Oxydraken: Eine indische Völkerschaft, die von den Göttern im Kampf mit Blitzen unterstützt wurde (Philostratos, *Leben des Apollonius von Tyana* II, 33).

1095 *Fronton:* Frontin (Sextus Julius Frontinus, 30–104 n. Chr.) verfaßte Werke über Heerwesen und Landvermessung.

Plutarch: De sera numinis vindicta (Über späte Rache der Gottheit) XIV.

1096 *Sideritstein:* Eisen-, Magnetstein (Plinius, *Nat. hist.* XXXVI, 25).

um die Leere...: Natura abhorret vacuum (die Natur scheut die Leere).

Aethiopis: Vgl. Plinius, *Nat. hist.* XXVI, 9.

Echineis: Aelian, De natura animalium II, 17; Plinius IX, 25,41.

1097 *Theophrast und Demokrit:* Werden Plinius XXV, 5 anläßlich des Krautes erwähnt, das Eisenteile herauszieht.

Dictam-Kraut: Plinius XXV, 8 vgl. Aelian, I, 10. 41 und XXV, 52ff.

Venus... Äneas: Vgl. Vergil, *Aeneis* XII, 412f.

den Blitz ablenkt: Vgl. Plinius II, 55; XV, 18. Plutarch, *Quaestiones convivales* V, 9.

Elefanten...Stiere: Plinius, XXIII, 7, Plutarch, ibid. II, 7,1.

Buchenzweig: Plutarch, *Questiones convivales* II, 7,1.

Neaden: Aelian, De natura animalium XVII, 28.

Flieder: Plinius, XVI, 37, erwähnt jedoch nicht Theophrast.

Löwe und Hahn: Plinius, X, 21; VIII, 19.

1098 *Pythagoräerbrauch:* Vgl. Erasmus, *Adagia* II, 5,47 *Ne a quovis ligna Mercurius fiat* – Nicht aus einem beliebigen Holz werde Merkur geschaffen, in übertragener Bedeutung: Nicht jeder taugt für die Wissenschaft. Erasmus zitiert das Wort nach Apulejus, *Apologia* I, 43, der es auf Pythagoras zurückführt.

1099 *Chaneph:* Hebr.: Heuchelei.

Heliodor: Theagenes und Charikleia (hellenistischer Roman).

1101 *Warum ist der Speichel...:* Vgl. Plinius VII, 2, XXVIII, 4.

Tarquinius: Vgl. Livius, *Ab urbe condita* I, 54.

1104   *Aristophanes: Ecclesiazusae,* V. 651 f.

bei den Persern ...: Vgl. Ammianus Marcellinus XXIII, 6,77; Erasmus, *Adagia* III, 4,70.

Plautus: Fragment der Komödie *Boeotia* V. 1f.

Diogenes: Vgl. Erasmus, *Apophthegmata* III (Diogenes 60).

Aufstehn um fünf ...: Das Sprichwort schloß mit der Zeile: »So lebst du neunzig Jahr und neun.«

Petosiris: Ägyptischer Mathematiker (Schriften aus dem 2. Jh. v. Chr.). Eine Anspielung auf die Vorschriften über die Essenszeiten bei Juvenal, *Satiren* VI, V. 580f.

Turin: Die Befestigungen von T. hatte Rabelais' Patron, der Sieur de Langey, angelegt.

1105   *Amphisbänen ...:* Die folgende Liste von Reptilien ist der lat. Fassung des Kanons von Avicenna entnommen. Er war ein klassisches Werk der medizinischen Fakultät.

1107   *Euripides: Andromache* V. 269–273.

Aristophanes: Byzantinischer Grammatiker (ca. 257–180 v. Chr.). Doch sprechen auch Aulus Gellius, *Noct. att.* XV, 26, und Valerius Maximus IX, 12 davon, daß Euripides durch einen Hund starb, so daß Rabelais auch den Komödiendichter Aristophanes gemeint haben kann.

1108   *Euripides: Cyclops* V. 168.

Atlas und Herkules haben den Himmel »gehoben«, so wie Pantagruel und seine Gefährten die Zeit »heben«. Im Deutschen spricht man ähnlich von »gehobener« Stimmung.

1109   *Amykläer:* Bewohner von Amyklai, einer Stadt im südlichen Peloponnes (Pausanias, *Graeciae descriptio* III, 19,6).

1110   *Ganabin:* Hebr.: Räuber.

Cerq und Herm: Seeräuberinseln im Ärmelkanal.

Poneropolis: Strafkolonie (Plutarch, *De curiositate* X).

1111   *Conciergerie:* Gerichtsgefängnis in Paris.

1112   *Akademiker:* Schüler Platons.

1116   *Pferde-Insel:* Die Insel Inchheith im Firth of Forth, die 1548 den Engländern von franz. Hilfstruppen, die auf schottischer Seite standen, abgenommen wurde.

1118   *Da Roma ...:* Von Rom bis dahier hab ich noch nicht mein Geschäft verrichtet. Bitte, nimm die Forke da in die Hand und mach mir Angst.

Se tu non ...: Wenn du nicht mehr tust, ist es so gut wie nichts. Strenge dich deshalb an, wackerer draufloszugehen.

Io ti ringrazio ...: Ich dank dir, lieber Herr, damit hast du mir die Unkosten eines Klistiers erspart.

Villon wurde 1463 verbannt. – Die Anekdote geht in ihrem Kern auf das 13. Jh. zurück. Sie steht in einer Beispielsammlung *(Compilatio singularis exemplorum)* und spielt sich zwischen König Johann und einem Gaukler namens Hugues Noir ab.

1119 *Bin ich kein Gimpel* ...: Quatrain aus dem Großen Testament François Villons.

1123 *Fragment des Prologs:* Er wurde in der Ausgabe von 1564 vervollständigt, aber die Ergänzung stammt sicher nicht von Rabelais.

languegot: Humanistische Umdeutung von Languedoc.

1124 *den Bock bei den Hörnern* ...: Vgl. Erasmus, *Adagia* I, 5, 25; frz. den Hasen bei den Ohren haben.

Der Dudelsack ...: Erfundenes Buch aus der Bibliothek Sankt Victor.

1126 *das siebenstimmige Tor* ...: Säulenhalle in Olympia mit siebenfachem Echo; vgl. Plutarch (*De garrulitate* I).

Memnons Grab: Vgl. Pausanias, *Graeciae descriptio* I, 42, 3.

Lipari: Vielleicht die Schmiede der Zyklopen, die man auf den Liparischen Inseln vermutete.

Bienenvolk: Vgl. Vergil, *Georgica* IV.

1127 *Latzlibus:* Frz. Braguibus.

Glatigny: Ortschaft bei Vendôme (Loire-et-Cher).

Quatember, ... *vier Winde:* Wortspiel: Quatre Temps = Quatre Vents.

Donat: Die lateinische Grammatik von D. war das Elementarbuch der Schüler.

1128 *feriae esuriales:* Hungerferien (Plautus, *Captivi*, V. 468).

Platon: Phaidros 243 c; Erasmus, *Adagia* IV, 7, 92.

1129 *Sitizinen:* Leichentrompeter.

Editus = Aeditus (Sakristan).

Capitus: Alejus Capito, römischer Jurist unter Augustus.

Marcellus: Ungeklärt.

A. Gellius: Noctes Atticae XX, 2.

Athenaeus: Deipnosophistae I, 20 a.

Suidas: Suda (Lexikon des 10. Jhs.).

Ammonius: Griech. Grammatiker, bei Athenaeus zitiert.

Prokne wurde in eine Schwalbe verwandelt, *Ithys* in eine Wildtaube, *Alkyone* in einen Eisvogel, *Antigone* in einen Storch, *Tereus* in einen Kauz.

1130 *die Kinder Metabonnes . . . :* In dem afr. Epos vom Schwanenritter.
phaluzische Männer: Ovid, *Metam.* XV, V. 356.
1132 *Duckmäuser:* Wahrscheinlich die Bettelmönche.
1134 *Zwei Papageien:* Das große Schisma im 14. Jh.
1137 *Valbrun:* Sieur de Roberval, Jean-François de la Roque, pikardischer Edelmann, der Jacques Cartier auf seinen Reisen begleitete u. Vizekönig von Kanada wurde.
1141 *Antistius Laber:* Römischer Jurist (50 v. Chr. – ca. 20 n. Chr.); vgl. Aulus Gellius, *Noct. Att.* I, 21.
apotropäisch = Abwehrzauber *pyhtagoräische Seelenwanderung* – die Pythagoräer lehrten die Wiederverkörperung der Seele.
bei den Äthiopiern . . . : Vgl. Plutarch, *De Iside et Osiride.*
Oromasis: Der persische Gott Ormuzd.
1142 *Finsternisse:* Gemeint ist die Reformation.
Nesseln: Im Französischen sagt man: »Die Kutte in die Nesseln werfen.«
1143 *Gaumritter:* Frz. les oiseaux gourmandeurs; Anspielung auf die Ordensritter.
Tripolion- oder Teukrionblüte: Dioskorides schreibt dem Tripolion-Kraut, Plinius dem Polium- oder Teukriumkraut die Eigenschaft zu, daß es dreimal am Tag die Farbe wechselt.
ein Abzeichen . . . : Das griech. und das lat. Kreuz. Es handelt sich um Ritterorden mit unterschiedlicher Farbe der Ordenstracht: Malteser, Sankt Lazarus, heiliger Johannes vom Schwert, Sankt Antonius.
1144 *die Seeküsten aufsuchen:* Zum Kampf gegen die Türken und Seeräuber.
Inschrift: Honny soit qui mal y pense: Devise des Hosenbandordens.
ein bezwungener Verleumder: Sankt Michael, der den Teufel bezwingt.
Widdervlies: Das Goldene Vlies.
1145 *wer schläft . . . :* Das franz. Sprichwort sagt: Qui dort dîne.
1146 *sieben Tage . . . :* Vgl. Plinius, *Nat. hist.* X, 47; Ovid, *Metam.* XI, V. 745.
Doris: Gattin des Meergottes Nereus.
1147 *nördliche Landstriche:* Länder, wo der Nordwind weht: Deutschland und England.

seit ... Jahren: Seit der Reformation.

Camarina: Frz. ont mu la Camarine. Die C. war ein schlammiger See, der, wenn man ihn aufrührte, einen pestilenzialischen Gestank verbreitete.

Die *goldenen Stäbe* sind wahrscheinlich die Banner und Zeichen der Mönchsorden bei der Prozession oder heraldisch aufzufassen.

1149 *Kriegsgott...:* Vgl. *Odyssee* VIII, V. 266 ff.

1150 *Non cibus, sed charitas:* Nicht Speise ist das, sondern ihr tut euch damit etwas Gutes.

Chastelleraudois: Chatelleraut im Poitou.

Esel: Das Mirebalais war für seine Eselszucht berühmt.

1152 *Neptun* waren die Pferde heilig.

Äsop CCLXII und CCLXXV.

1153 *arkadische Tiere:* Vgl. Plinius, *Nat. hist.* VIII, 68.

1155 *Plutos Helm ...:* Der Helm Plutos verlieh Pallas Athene Unsichtbarkeit im Kampf mit Ares. *Gyges* wurde durch einen unsichtbar machenden Ring König von Lydien. Ein entsprechend präparierter *Chamäleonfuß* macht unsichtbar (Plinius, *Nat. hist.* XXVIII, 29).

Wiedehopf: Panurge hält den Papst für einen W. wegen der päpstlichen Mitra, die wie ein Schopf aussieht.

Michel de Matisconne: D. h. von Mâcon. Rabelais kannte in Rom 1535-36 Charles Hémard, Bischof von Mâcon. Anfang des 16. Jhs. gab es auch einen Kanonisten mit Namen Jean de Mâcon.

1159 *Käuzchen:* Der Kauz diente als Lockvogel bei der Falkenbeize.

mit grünem Kopf: Wegen der grünen Verzierungen an den Priesterhüten.

Sufflackel: Suffragan = Unter- oder Weihbischof.

Prostnotar: Onokrotalis = Protonotar.

1161 *Artaxerxes:* König von Persien (404–358 v. Chr.); vgl. Plutarch, *Apophthegmata*, Artaxerxes Mnemon II; Leben des Artaxerxes Mnemon V u. XII.

1163 *Platon ...:* Vgl. Plutarch, *Quaestiones naturales* I, wo mit Berufung auf *Platon, Anaxagoras, Demokrit* die Auffassung vertreten wird, daß die Pflanzen in der Erde lebende Tiere sind.

Theophrast: Historia plantarum I, 2,3.

1164 *Schlitz:* Obszöne Anspielung.

1165 *Reinfall-Insel:* Frz. Ile de Cassade = Schwindel, Betrug.

Fontainebleau: Franz I. baute das Schloß F. in einer steinigen öden Gegend, die Ludwig IX. (der Heilige) »seine Wüste« nannte. Gewisse Könige vor Franz I datierten ihre Briefe »*de nos déserts de F.*«

1169 *Syrten:* Sandbänke.

Strophaden: Inseln im Ägäischen Meer, von den Harpyien bewohnt.

ägyptische Weise: Vgl. Plutarch, *De Iside et Osiride* X. Apollon ist die Einheit, Artemis die Zweiheit, Pallas Athene die Siebenzahl. Poseidon ist die dritte Potenz von zwei = 8.

1170 *Marmortafeln:* Der große Marmortisch im Palais de Justice in Paris.

1173 *Baretts . . . :* Die verschiedenartigen Kopfbedeckungen der Pariser Juristen.

Die *sechste Essenz* übertrifft noch die Quintessenz der Alchimisten, so fein sind die Ränke, die von den Advokaten gesponnen werden.

1174 *Hannibal . . . :* Vgl. Titus Livius, *Ab urbe condita* XXI, 1.

1177 *Der edle Lump . . . :* Aus Clément Marot, *Epitre au roy pour le délivrer de prison.*

Ägypter: Vgl. Macrobius, *Saturnalia* I, 20, 13.

Mörser: Klaufretter trug eine Mütze in Form eines Mörsers: die Stößel sind die Troddeln.

1178 *Bildnis einer alten Frau:* Parodie auf die Justitia.

Thebaner: Vgl. Plutarch, *De Iside et Osiride* X.

1180 *Verres:* Der Rhetor Hortensius hatte von dem Proprätor Verres, nachdem er ihn verteidigt hatte, als Honorar eine silberne Sphinx erhalten. Als Cicero im Prozeß gegen V. einen Zeugen befragte, erklärte Hortensius: »Dieses Rätsel verstehe ich nicht«, worauf Cicero: »Eigentlich müßtest du es, da du eine Sphinx zu Hause hast« (Plutarch, *Apophthegmata Romana*, Cicero XI).

1183 *Jungfrau:* Gemeint ist die Folter.

1184 *Midas:* Das Lösungswort des Rätsels ist M. und bezeichnet einen Rüsselkäfer, der aus einer jungen blondrosigen Rübe ohne Vater geboren wird; er geht aus dem Loch hervor, das er genagt hat, und zieht über Berg und Tal, bald fliegend bald am Boden; so daß Pythagoras, der Weisheitsfreund, zu der Ansicht kam, er habe auf dem Wege der Seelenwanderung eine menschliche Psyche empfangen.

1185 *Nattern:* Servius zu Vergil, *Georgica* III, 416.
1186 *Würzkörner:* Frz. les épices = die Sporteln.
Geierkraxen: Frz. griffons de montaigne; so hießen die savoyardischen Bergführer. Wortspiel mit griffe = Klaue.
1187 *im Verweslichen:* Vgl. Paulus, XV Korinther 42: Also auch die Auferstehung der Toten. Es wird gesät verweslich (in corruptione) und wird auferstehen unverweslich (surget in incorruptione).
1188 *Xenophon: De venatione* (Über die Jagd) I, Ende.
trachten sie ... Raufe: D.h.: die Güter des Adels wurden von den Vätern der heutigen Gerichtsbeamten gefressen: das ist die Raufe. Ihre Seelen gingen in die jagdbaren Tiere über, mit denen man die Söhne besticht: das ist die Krippe.
der große König: Der König von Frankreich.
1189 *Hypochonder:* Unterleib.
1191 *Befehl des Eurystheus:* D.h. der Befehl Pantagruels. Herkules stand im Dienst des mykenischen Königs Eurystheus und verrichtete in seinem Auftrag die berühmten zwölf Arbeiten.
Semele wurde von Jupiters Blitz heimgesucht.
Minos, Äakus, Rhadamantus: Die Totenrichter.
Dis: Der gallische Totengott.
Acheron ...: Die Unterweltsflüsse.
Calpe ... Abila: Die beiden Berge diesseits und jenseits der Meerenge von Gibraltar, die bekannten »Säulen des Herkules«.
1192 *gebacken ...:* In der Pastetenbäckerei des Innozenz, von der früher die Rede war.
1196 *Unbedarfte:* Frz. Apedephtes = die Unwissenden (griech. απαιδευτοι).
Ostade: ein in England hergestelltes Tuch.
Großverdiener: Frz. Gagnebeaucoup.
Die Listen: Frz. les Cahiers; offenbar ein bürokratisches Land.
1198 *Pintien:* Frz. Pithies, von griech. πίθος = Schlauch.
Wein-Herren: Die Herren Beamten.
Weingärtner: Frz. Wortspiel: Messieurs – messiers (Winzer).
1201 *Außerordentlicher Haushalt:* Anspielung auf den Schatzmeister des außerordentlichen Kriegshaushalts, Jean

Poucher, der wegen Unterschlagungen 1535 gehenkt und dessen Güter konfisziert wurden.

trinkbares Gold: Aurum potabile. Anspielung auf die Domänenverwaltung und die Besitzwechselsteuer, die vom Finanzhof erhoben wurde.

1204 *Korrektoren:* Steuerprüfer.

Lamballer Teufel: von Lamballe (Bretagne); Mummenschanz bei den Mysterienspielen.

Doppelbuß: Duplum oder duplex = Geldstrafe in doppelter Höhe.

Quadrupelbuß: Quadruplum = Geldstrafe in vierfacher Höhe.

Unterschleif: Unterschlagung.

Mann in Ketten ...: Die Revisionskammer oder das Apellationsgericht war seit 1520 eine eigene Behörde. Doch wurden so wenig Appellationen zugelassen, daß es dem angeketteten Beamten schlecht geht.

1206 *Auswärts:* Frz. outre, in der doppelten Bedeutung von ultra = hinaus und outre = Schlauch.

1207 *Platzl* = frz. crevailles.

Rouillac: Ortschaft bei Angoulème, auf der Poststraße nach Bordeaux.

1209 *Quint:* Quinta = das Reich der Quintessenz.

aushalten und sich enthalten: Epiktets Maxime: Ἀνέχου καὶ ’απέχου = Sustine et abstine (nach Aulus Gellius, *Noct. att.* XVII, 19, 6).

Saint-Mathieu: Kap im Süden von Brest.

1210 *Castor:* Elmsfeuer.

Plautus: Nicht bei Plautus, sondern bei Seneca, *Ep.* 47, 5; vgl. Erasmus, *Adagia* II, 3, 31.

Zunge: Vgl. Juvenal, *Satiren* IX, V. 121.

Hans Cotiral: Henri Corneille Agrippa, der in einem früheren Kapitel bereits als Herr Trippa aufgetreten ist.

Atgalmana: Legierung aus Quecksilber und einem anderen Metall.

Lunaria major: Mondkraut, Leberraute, bei den Alchimisten gebräuchlich.

Wir machen ihn: d. h. den Stein der Weisen.

1211 *Kinderkriegen:* Bezieht sich auf die Herstellung von Menschen – homunculi – in der Retorte.

Harmonie Platons; vgl. Buch III, Kap. 6.

1212 *Geber:* Verfasser alchimistischer Traktate, geb. in Sevilla

Ende des 7. Jhs. Cornelius Agrippa nennt die Alchimie die »Geber-Küche«.

1213 *Entelechie:* Wirkendes Prinzip in der aristotelischen Philosophie, das die Möglichkeit ins Sein überführt.

Matäotechnia: Eitle Künste.

Entelechie ... Endelechie: Endelechia bedeutet griech. »Fortdauer im Sein«. Entelechia bedeutet das Innehaben eines Telos (= Ziel, Absicht). Über die Schreibung kam es schon in der Antike zu Differenzen. In Lukians Gerichtstag der Laute beschwert sich das δ, daß es ungerechterweise verbannt worden ist. Im 16. Jh. wurden diese Kontroversen wiederaufgenommen. Rabelais belustigt sich über die philologische Haarspalterei.

1214 *Schotten:* Die Theologen, die dem Schotten Duns Scotus folgen.

Cicero: vgl. *Tusculanae* I, 10. Cicero widmete sich, als er aus der Politik ausgeschieden war, der Philosophie.

Diogenes Laertius: Leben des Aristoteles V, 32 f.

Gaza: Byzantinischer Priester des 15. Jhs., Ausg. 1564.

Argyrophilos: Argyropoulos (ca. 1415–1487), griech. Grammatiker in Konstantinopel, später in Padua, Florenz und Rom. Übersetzer des Aristoteles ins Lateinische.

Bessarion: Ca. 1403–1472, Kardinal in Italien, griech. Humanist des 15. Jhs. Übersetzer der Metaphysik des Aristoteles.

Polizian: Angelo Poliziano (1454–1494), übersetzte die Ilias ins Lateinische, übersetzte und erklärte griech. Prosawerke.

Budé: Guillaume B. (1467–1540), franz. Humanist, Anreger griech. Studien in Frankreich.

Lascaris: Jean L., Bibliothekar Franz' I., Freund Budés, Verfasser der *Exercitationes adversus Cardanum CCCVII*, die jedoch erst nach Rabelais' Tod erschienen, so daß an dieser Stelle ein Einschub des Bearbeiters wahrscheinlich ist.

Scaliger: Julius Caesar S. (1484–1558).

Brigot: Guillaume B., Professor in Tübingen, dann in Nîmes, franz. Humanist.

Chambrier: Camerarius (1500–1574), handelt von der Entelechie in seinem Kommentar zu Ciceros *Tusculanae* I, 10.

Fleury: In Frankreich lebender italienischer Humanist, der 1537 eine *Apologia contra vituperationem linguae latinae*

(Verteidigungsschrift gegen den Tadel der lateinischen Sprache) verfaßt hatte.

Aristoteles: De anima (Über die Seele) II,412 a 27; *Metaphysik* VIII,1050 a 23.

Gileaditen: Vgl. Richter XII,5 ff.

1216 *ein paar Könige:* Die Könige von Frankreich und England.

Quartanfieber: Malaria.

Pockholz oder Franzosenholz, Heilmittel gegen die Syphilis.

Sennisblätter: Frz. Turbik, ein Purgiermittel.

Abstraktoren: Frz. Abstracteurs; Läuterer der Essenzen.

Aschenbrenner: Frz. Spodizateurs; Verwandler der Metalle in Asche.

Durchwirker: Frz. Massitères; Kneter.

Vorschmecker: Frz. Pregoustes.

Küchenmeister: Tabachins; hebr. für K.

Weise: Frz. Chachamins, von hebr. Khakhanim.

Notabeln: Rabiebans; hebr. für N.

Erleuchtete: Frz. Reims = Nereins; hebr. für E.

Fürsten: Rozuins; hebr. für F.

Edle: Nedibims; hebr. für E.

Hochgelahrte: Mebims; hebr. für Lehrmeister.

Kopfriesen: Siborims = Giburinen (?); hebr. für Starke.

1219 *Parisatis:* Vgl. Erasmus, *Apophthegmata* V, Artaxerxes 30.

purpurdamasten: Frz. taffetas cramoisi.

1221 *Hieropolis:* Vgl. Macrobius, *Saturnalia* I,23; Lukian, *De Syria dea* XXXV ff.

ad panacaeam: Zur Panazee (= Allheilmittel).

Kategorien: Die aristotelischen K.

Sechaboten: Jehabot = Abstraktionen.

Emininen: Hebr. Wahrheiten.

Dimionen: Abbilder.

Harborien: Harhorim = Begriffe.

Cheliminen: Träume.

Intentiones secundae: Zu einer Substanz hinzutretende Eigenschaften.

Charadothen: Karadoth = verwirrende Gedanken.

Entitäten: Seinseinheiten.

Metempsychosen: Seelenwanderung.

transzendente Prolepsien: Vorgefaßte Begriffe.

diphtherischer Balg: Balg der Ziege Amalthea (Erasmus, *Adagia* I,5,24).

αἰγίοχος: Aigiochos = Aigis– (Ziegenfell-)Träger: Beiname des Zeus bei Homer.

wie Cicero sagt: Vgl. Plinius, *Nat. hist.* XIII,7,21.

1222 *Lucullus:* Vgl. Plutarch, *Lucullus* 41.

1223 *Cordax* . . .: Alte Tänze, die nur noch dem Namen nach bekannt sind.

1224 Die *tenedische Axt* war bei den Alten das Symbol für kurzen Prozeß (Erasmus, *Adagia* I,9,29).
Franziskusleiden: Die Armut.
Die *atrophische* Schwindsucht besteht im Hinschwinden einzelner Glieder, die *tabische* in allgemeiner Schwindsucht, die *galoppierende* (»macies«) in Abmagerung.
stabianisch: Von Stabies, Stadt in der Campagna, im Altertum für ihre gute Milch berühmt.
Pechöl: Droge aus Pech und Öl (Pechpflaster).
Pikartion: Eine andere Droge aus Pech, Öl, Salz, Pfeffer usw.

1225 *Euripides: Herakliden* V. 843 ff.
Phaon: Vgl. Lukian, *Totengespräche* IX,2.
Titon: Vgl. Homerische Hymnen V: An Aphrodite, V. 218 ff.
Aeson: Vgl. Ovid, *Metam.* VII, V. 164 ff.
nach dem Zeugnis . . .: Vgl. Hypothesis (Einleitung eines späteren Erklärers) zu Euripides' *Medea*, mit Berufung auf *Pherekydes* und *Simonides* (griech. Dichter, 556–468 v.Chr.).
Äschylus: Die Ammen des Bacchus in der Hypothesis zu Euripides' *Medea*.

1226 *Wie die Kämmerer* . . . *sich unterschiedlich betätigten:* Die folgenden Beispiele sind zum großen Teil den *Adagia* von Erasmus entnommen.
Weintrauben . . .: Vgl. Matth. 7,16.

1227 *Melun:* S. Buch I, Kap. 47.

1228 *Sokrates* . . .: Vgl. Cicero, *Tusculanae* V,4.
Aristophanes in *Die Wolken* V. 144f.

1229 *Sophisten:* Die Theologen der Sorbonne.
Durch Geber . . .: S. Anm. zu S. 1212.

1231 *Apicius:* Römischer Schlemmer (1. Jh. n.Chr.).
Goldene Platane: Vgl. Plinius, *Nat. hist.* XXIII,47 nach Herodot, *Historiae* VII,27.

1232 *Teigpasteten* . . .: Teig und Topf widerspricht sich und leitet die folgende Nonsens-Aufzählung ein.

Luetten: Eine Art Kartenspiel, das mit Tarockkarten spanischer Herkunft gespielt wurde und im Küstengebiet von Vendée, Brétagne und Saintonge sehr verbreitet war.

1233 *24. Kapitel:* Dieses und das folgende Kapitel fehlen im Manuskript und erscheinen nur in den gedruckten Ausgaben. Beschrieben wird eine Art Ballett in Form einer Schachpartie, wobei jede Spielfigur durch eine lebende Person dargestellt wird. Es ist dies eine Übernahme oder Nachahmung des Buches von Prosper Colonna: *Poliphili Hypnerotomachia,* ins Französische übersetzt von Jean Martin unter dem Titel *Songe de Poliphile* (1546).

Palme: Handlänge.

1239 *Enyo:* Die Kriegsgöttin.

1242 *Hemiol:* Das Anderthalbfache.

in phrygischer ...: Die Erfindung der phrygischen Tonart (neben der dorischen, lydischen usw.) wurde dem Satyr *Marsyas* zugeschrieben, der sich mit Apollon auf einen musikalischen Wettstreit einließ und von diesem besiegt und geschunden wurde.

Cusanus: Nikolaus von Cues, genannt C.: *De ludo Globi,* worin Cusanus aus dem Punkt auf der Kugel, welcher Gott ist, durch Evolution die Linie, das heißt die Welt, hervorgehen läßt.

Cato, der Sittenstrenge und *Crassus,* der Nichtlachende.

Timon, der Menschenfeind.

1243 *Heraklit:* Im Gegensatz zu Demokrit.

Ismanias: Thebanischer Flötenspieler. Doch hatte nach der *Suda* (10. Jh.) der Flötenspieler Timotheus auf Alexander diese anfeuernde Wirkung.

1244 *Wegerich:* Frz. Odes, von griech. ὁδοί = Wege.

Aristoteles: Physica VIII 1–6; Vgl. Buch III, Kap. 32.

Planeten: Planetes = umherirrende *Wandel*gestirne.

Faverolles: Häufiger Ortsname.

1245 *Pallas entgegen:* P. Athene bzw. Minerva, Göttin der Gelehrsamkeit.

»Invita Minerva« (gegen den Willen Minervas) war im Altertum eine sprichwörtliche Redewendung; vgl. Erasmus, *Adagia* I,1,42.

Heerweg: Straße von Bourges nach Orléans.

Tullia: Vgl. Livius, *Ab urbe condita* I,48.

der Weg von la Ferrière ...: Führte über einen Berg mit Namen »Großer Bär«.

1246   *Thales:* Vorsokratischer Philosoph (um 600 v.Chr.).
        Homer: Ilias XIV, V. 246.
        Philo: Philolaus (5. Jh. v.Chr.), pythagoräischer Philo-
        soph aus Kroton in Unteritalien.
        Aristarch: Astronom (ca. 320–250 v.Chr.).
        Seleucus: Mathematiker und Astronom (1. Jh. n.Chr.);
        vgl. Plutarch, *De placitis philosophorum* III,13; II,24;
        III,17.
        Panigon: Vgl. Buch IV, Kap. 10.
        Charmois: Vgl. Buch IV, Kap. 2.

1247   *Kluten:* Frz. Esclots = Holzschuhe, Schlappen.
        Brummelbrüder kommt also durch Tonverminderung
        (minder, mindest) zustande. Frz. Fréres fredons.
        Quint: Hier musikalisch aufgefaßt.

1248   *Luzifer:* Morgenstern.

1252   *nach dem pontanischen Ausspruch:* Nach dem Spruch des
        Joannes Jovianus Pontanus, ital. Humanist (1426–1503),
        der eine Abneigung gegen die Glocken hatte.
        merkuriales Wasser: Wasser aus einer dem Merkur heiligen
        Quelle.
        Ovid: Fasti V, V. 673.
        Cicero: Ad familiares X,3,2.
        Antiphone: liturgische Wechselgesänge.

1253   *Martial: Epigr.* XIII,14.

1255   *O daß Priap . . . :* Vgl. Horaz, *Satiren* I,8. *Priap* erschreckt
        die zwei Hexen *Canidia* und *Sagana* bei einer nächtlichen
        Geisterbeschwörung und verscheucht sie.

1264   *Thouars:* Ortschaft bei Bressuire (Deux-Sèvres).
        Synteresen: Von griech. Synteresis = Bewachung.

1265   *Arimaspianer:* Von Arimaspen = die Einäugigen (nach
        Herodot, *Historiae* III,116). Rabelais denkt an die »Ketzer«
        im Norden, die nicht mehr die Fasten einhalten.

1267   *Seidenschein-Land:* Frz. das Land Satin.

1268   *Juba:* Vgl. Plinius VIII,4.
        Pausanias: Graeciae descriptio V,12.
        Philostrat: Leben des Apollonius II,13.
        Aelian: De natura animalium IV,31.
        Plinius VIII,2.
        Kleberg: Heinrich Clerberg, deutscher Kaufmann in Lyon.
        Elefanten . . . : Nach Plinius VIII,29.
        Einhörner: Nach Plinius VIII,31.

1269   *Aristoteles: Historia animalium* II,11, 503 a 15 ff.

Charles de Marais: Bewerber um Rabelais' Nachfolge am Hôtel-Dieu in Lyon.

1270 *Laktanz:* Lactantius Firmian, christlicher Apologet (um 300), dem ein Gedicht über den Phönix zugeschrieben wurde.

Apulejus aus Madaura (2. Jh. v.Chr.) schrieb den Roman *Der goldene Esel.*

seleukidische Vögel: Erwähnt bei Plinius X,39.

Cynamolgen . . .: Die folgenden fünf Vögel werden bei Plinius genannt.

Remora: Plinius IX,25.

1272 *wie der Einsiedler* . . .: Ein Eremit leuchtete dem Heiligen, als er beim Überqueren des Flusses Jesus auf seinen Schultern trug.

Appianus: Aus Alexandria, 2. Jh. n.Chr.

Heliodor: Hellenist, Verfasser des Romans *Aethiopica* (Theagenes und Chariklea).

Athenäus: 2./3. Jh. n.Chr.

Porphyrius: Schüler Plotins (3. Jh. v.Chr.).

Numenius: Philosoph aus Agameia in Syrien (2. Jh. n. Chr.).

Seleucus von Tarsus; erwähnt bei Athenäus.

Nymphodorus: Erwähnt bei Plinius, *Nat. hist.* I.

Aelianus: Römischer, griech. schreibender Kompilator (3. Jh. n.Chr.).

Oppianus: Griech. Dichter (2./3. Jh. n.Chr.).

Matranus: Mutianus(?), Gewährsmann des Plinius.

Chrysippus: Arzt des 3. Jhs. v.Chr., erwähnt bei Plinius XXIX,3.

Aristarchus: Gemeint ist Aristomachus von Soli (zitiert nach Plinius XI,9).

Pierre Gilles aus Albi (1490–1555), Reisender und Naturforscher, Verfasser einer Abhandlung über die Fische.

1273 *Anakampserote:* Eine Pflanze, die nach Plinius XXIV,102 (167) die Liebe wiederkehren läßt.

Heliogabal: Vgl. *Historia Augusta: Leben des Antonius Elagabalus* XXV.

Bazacle-Mühle: Diese alte Mühle unterhalb Toulouse bestand seit dem 12. Jh. Bewunderung erregte vor allem der kühn angelegte Deich, der den Fluß querte und eine überraschende Kaskade bildete.

1274 *Troglodyten:* Höhlenbewohner; vgl. Herodot, *Historiae* IV, 183; Plinius V,8.

Himantopoden: Die »Kriechenden«.

Blemyen: Blemmyi, sagenhaftes Volk, das die Augen auf der Brust trägt; wie die übrigen sämtlich bei Plinius V,8.

Herodot . . .: Aufzählung von Geographen und Reisenden von den Alten bis zu den Modernen.

Solinus: C. Julius S. (3. Jh. n.Chr.); an Plinius anknüpfender Verfasser von Merkwürdigkeiten.

Beros: 3. Jh. v.Chr., Priester in Babylon, Verfasser der *Babylonischen Geschichten.*

Mela: Pomponius M. 1. Jh. n.Chr., Verfasser einer Weltbeschreibung.

Albertus: Albert der Große (ca. 1193–1280), bedeutendster Gelehrter des Mittelalters.

Jakobiner: Dominikaner.

Pierre Testemoing: Peter Martyr Anglesius (1455–1526), Verfasser eines Werks über geographische Entdeckungen.

Papst Pius: Enea Silvio Piccolomini (1405–1464), der 1458 Papst wurde, Verfasser geographischer und historischer Werke.

Volteran: Raphael Maffei aus Volterra in der Toscana (1450–1521).

Paulus Jovius: Paulo Giovio (1483–1552): *Historiae sui temporis* 1550.

Jacques Cartier: Aus Saint Malo (1491–1557), Entdeckungsreisender, der Kanada für Frankreich in Besitz nahm.

Haiton: Haithon der Armenier (12. Jh.), Verfasser einer *Historia orientalis.*

Marco Polo: 1254–1324, Asienreisender. Seine Reisebeschreibung *Il Milione* (1298).

Ludovic Romain: Ludovicus Vartomannus: Reisebeschreibung des Orients.

Piedro Alvarez: Pedro Alvárez Cabral (ca. 1460–ca. 1526), portugiesischer Seefahrer, Entdecker Brasiliens.

1276 *Leuchterland:* Frz. Lanternois. Vgl. Lukian, *Wahre Geschichte* I,29.

1277 *Pharos:* Leuchtturminsel vor Alexandria.

Nauplia: Nach der Sage von Nauplius erbaut.

Akropolis: Vgl. Pausanias I,26,7.

Lychnobier: Vgl. Erasmus, *Adagia* IV,51.

Nollenbrüder: Laienbrüder, die für gewisse Frauenklöster betteln.

Demosthenes: Vgl. Erasmus, *Adagia* IV,4,51.

Aristophanes: Der Grammatiker.

Kleanthes: Schüler Zenons (3. Jh. v.Chr.).

1278 *phenengitisch:* Durchsichtig wie Alabaster.

1281 *Epiktet:* Vgl. Lukian, *Adversus indoctos* 13.

Vielschnabel-Laterne: Lucerne polymyxos; Martial, *Epigramme* XIV,41.

Canope: Epigramm des Kallimachus in der *Anthologia Graeca* VI, 148.

Hängelaterne: Vgl. Plinius, *Nat. hist.* XXXIV,8.

Barthole: Bartolus wurde Lucerna juris civilis genannt.

das große ... der Apotheker: Luminare majus und Luminare apothecariorum (Ende des 15. Jhs.).

1282 *Die vier Viertel ...:* Vgl. Ovid, *Fasti* III, 581–876 und *Metam.* II, V. 485; Titus Livius, *Ab urbe condita* I,19,21; V,47; Plinius VIII,46; Vergil, *Aeneis* VIII, V. 194 ff.; *Buc.* II,40–42.

1285 *Lampades ...:* Unsere Lampen gehen aus.

Nur zu Martin: Aufzählung von Tänzen und Volksliedanfängen.

1288 *Lamy:* Wortspiel: Lamy: ma mie, d.h. die Gefährtin des Studiengenossen Rabelais, Pierre Lamy, die ihm nachts beim Studieren Gesellschaft leistete.

ogigesische Flut: Die Sintflut, die der von Deukalion und Pyrrha vorausging (Servius-Kommentar zu *Aeneis* VI,41).

1290 *Piqueardent:* Weinberg bei Pezenas, im heutigen Departement Jura, südl. von Dijon.

Verroni: Aus dem Land Veron oder Verron.

Nérac: In Südwestfrankreich.

1291 *Laub, Blüte und Frucht:* Plinius, *Nat. hist.* XVI,49.

1292 *Jupiters Priester:* Vgl. Plutarch, *Quaestiones Romanae* CXII.

1295 *Offenbarung:* 12,1.

Brigot: S. Anm. zu S. 1214.

1297 *Kain:* Vgl. I Moses 4,17.

Athéné: Vgl. Platon, *Kritias* 109.

Konstantin: Römischer Kaiser (306–337).

Adrianopel: Heute Edirne in der Türkei.

Cilicien: Südöstl. Kleinasien.

Kanaan: Sohn Hams, vgl. I Moses 10,15 ff.

Saba ... Sabäer: Vgl. I Moses 10,28; Saba war ein Nachkomme Sems.

Assor: Der Sohn Sems, vgl. I Moses 10,22.

Ptolemais: Nach den Ptolemäern.

Caesarea: Küste von Palästina.

Tiberium: Tiberias(?).

Herodium: Südöstl. von Bethlehem.

1298 *tetradisch:* Von Tetras = die Vierzahl.

1301 *Platon: Timaios* 31 ff.; Plutarch, *De animae procreatione in Timaeo* (Über die Erschaffung der Seele im Timaios).

Höhlenloch ...: Die Höhle des heiligen Patrick in Irland. Sie galt als die Eingangspforte zum Purgatorium (s. Calderón, *El purgatorio de San Patricio*).

Trophoniushöhle: Hier verkündete Trophonius, Sohn des Apollon, seine Orakel. Beide erwähnt bei Erasmus, *Adagia* I, 7, 77.

1302 *Tänara:* Vorgebirge und Stadt in Lakonien (Peloponnes), wo der Eingang zur Unterwelt vermutet wurde (Pausanias, *Graeciae descriptio* IX, 39, 12).

la Crau: Ebene in der Provence, wo Marius einen Kanal bauen ließ (Plutarch, *Leben des Marius* XV).

Herkules erwehrte sich zweier Söhne Neptuns mit Jupiters Hilfe durch einen Steinhagel (Pomponius Mela II, 5).

1303 *Aktäon* wurde in einen Hirsch verwandelt.

1304 *Zungenstille:* Lat. favere linguis.

1305 *Diamant* und *Knoblauch* heben die Kraft des Magneten auf.

1307 *Aethiopis:* Vgl. Plinius, *Nat. hist.* XXVI, 9.

Ducunt volentem ...: Senecas (*Briefe an Lucilius* CVII) Wiedergabe eines Verses von dem Stoiker Kleanthes (vgl. Erasmus, *Adagia* V, 1, 90; II, 3, 41).

1308 *Wie das Bodenpflaster ...:* Die Beschreibung folgt dem *Traum des Polifilo.*

Mosaikboden: Nach Plinius, *Nat. hist.* XXXVI, 64, kamen Mosaiken zu Sullas Zeit auf.

Asarotum ...: Orakel von Praeneste, nach Plinius XXXVI, 60 von *Sosus* in *Pergamon* angelegt. Asaroton oikon = ungefegte Wohnung, weil das Mosaik Kehricht und Abfälle naturgetreu wiedergab.

Ophit: Eine Porphyrart mit grünem Grund, weiß gesprenkelt.

Lykophthalm: Wolfsauge: vierfarbener Stein (vgl. Plinius XXXVII, 11).

Chalzedon: Eine Quarzart (Halbedelstein).

1309 *Zeuxis von Herakleia:* Berühmter griech. Maler (5. Jh. v. Chr.); vgl. Plinius XXXV, 36.

1310 *die Schlacht ... gegen die Inder:* Nach Lukian, *Dionysos* I ff.

1311 *Panaima:* Vgl. Plutarch, *Quaestiones Graecae* LVI.
Aristoteles: Problemata XX,2,923 a 9.

1312 *Bassariden* ...: Die Aufzählung der verschiedenen Arten von Mänaden ist vermutlich Caelius Rhodiginus, *Antiquae lectiones* XVI,2, entnommen.

1313 *Cordax:* Bacchischer Tanz.
Hoemypane: Hemipane = Halbpane.

1314 *Apelles:* Griech. Maler (5. Jh. v.Chr.).
Aristides aus Theben, Apelles' Zeitgenosse.

1317 *Nymphe Lotis:* Vgl. Ovid, *Fasti* I, V. 415ff.

1318 *Efeu* ...: Vgl. Theophrast, *Historia plantarum* IV,4,11; ihm zufolge wuchs Efeu in Indien nur auf dem *Berg Meros.*
Pompejus: Vgl. Plinius VIII,1.
Marius: Vgl. Plinius XXXIII,53.

1319 *Krokodile* ...: Vgl. Aelian, *De natura animalium.*
Apis ... *Osiris:* Vgl. Plutarch, *De Iside et Osiride* XXIX.

1320 *wunderherrliche Lampe:* Nach Colonnas Hypnerotomachia.

1321 *Kallimachus:* Vgl. Pausanias, *Attica* I,26,7.
Jupiters Tempel ...: Vgl. Plutarch, *De oraculorum defectu* 2.
karpasisch: Nach Karpasos auf Zypern.

1323 *Cimasellen:* Kleines wellenförmiges Ornament.
potrie: Die Ausgabe von 1564 hat »portrie«; ungeklärt.

1324 *AI AI* sind die Klagelaute um den tapfersten Helden, der nach der Weissagung Apollons ebenso in die *Blume* mit Namen Hyakinthos verwandelt wurde wie der versehentlich von ihm getötete und beklagte Jüngling (Ovid, *Metam.* XIII, V. 395).
anachitisch: Die Eigenschaft des Diamanten, Gifte unschädlich zu machen, kommt in dem Beiwort »anachites« (= schmerzverscheuchend) zum Ausdruck.

1325 *Serapis-Koloß:* Vgl. Plinius XXXVII,19.
König Hermias: Vgl. Plinius XXXVII,17.
Pyrrhus: 319–272 v.Chr., vgl. Plinius XXXVII,3.
hymettischer Honig: Vom Berg Hymettos bei Athen.
jovetanisch: Blei (nicht Zinn) aus Ovieto, bei Plinius XXXIV,49.
Aristonides: Vgl. Plinius XXXIV,40.
Atanas: zerschmetterte im Wahnsinn seinen Sohn Learchos.

1326 *Polyklet:* Polykleitos aus Sikyon; vgl. Plinius XXXIV,19.
Lee: Lat. Ledum. Rabelais fügt ihn der Aufzählung der goldführenden Flüsse bei Plinius XXXIII,21 hinzu.

Xenokrates von Ephesus als Gewährsmann für Kristalle bei Plinius XXXVII,10.

Nekepsos oder Petosiris: S. Buch I, Kap. 8.

1327   *die Sieben* ...: Vgl. Aristoteles, *Metaphysik* XIII,6,1093 a 13 ff.

Jarchos: Jarchas, Oberhaupt der altindischen Philosophenschule, Sternkundiger. Über den Pantarbes (Zauberstein) von Iarchas: Philostratos, *Leben des Apollonius von Tyana* III,46.

Kleopatra: Vgl. Plinius IX,35, auch *Lollia Paulina.*

1329   *Migdonien:* Mazedonien.

Alexander: Vgl. Plutarch, *Leben Alexanders des Großen* XIX.

1330   *Pithileus:* Pityllos, genannt das Leckermaul (Tauthes, nicht Theuthes), trug einen Zungenschutz, den er nur zum Essen ablegte).

jüdischer Heerführer: Moses; vgl. I Moses 16,15.

1331   *Philoxenus:* Vgl. Athenaeus, *Deipnosophistae* I,6b–c.

Nonie: Quelle bei Nonakris in Syrien (Pausanias, *Graeciae descriptio* VIII,17,6); Plinius II,106; Athenaeus II,43a.

Kontoporie: Die Kontochorien; Brunnen bei Korinth.

1333   *Numa Pompilius:* Vgl. Plutarch, *Leben des N. P.* IX ff.

Caeristes: Die Einwohner von Caere in Tuscien, auf die man das Wort »caerimonia« zurückführen wollte.

Judenhäuptling: Judas Makkabäus oder Moses.

1334   *Rhamnusia:* Die von den Einwohnern von R. verehrte Göttin der Gerechtigkeit: Nemesis.

Feronia: Altitalienische Göttin.

Tempel zu Ravenna: Apollotempel.

Chemnis: Vgl. Pomponius Mela I,9; Herodot, *Historiae* II,94.

1335   *Inthibones oder Thibones:* Bacchische Tänze.

Epilänie: Winzerlied.

1339   *Bourgueil:* Saint-Pierre de B., Benediktinerabtei bei Angers. Einer ihrer Äbte soll die Weinrebe in der Beaulne eingeführt haben.

wie es die Bienen ...: Vgl. Vergil, *Georgica* IV, V. 548.

1341   *Prophet:* Vgl. Hesekiel 2,8.

1342   *panomphäisch:* Allsprachlich, universal.

Hippias von Elis, Sophist (5. Jh. v. Chr.). Vgl. Platon, Hippias II,368b.

Akademiker: Vgl. Platon, *Kratylos* 406c.

1343 *Io Päan:* Ausruf beim Apollonkult.

1347 *Purpurflicken:* Vgl. Horaz, *Epistula ad Pisones*, V. 14–15.

1348 *Athenäus: Deipnosophistae* II, 37 f–38 a.

1351 *Ceres:* Vgl. Ovid, *Fasti* IV, V. 393 ff.

1352 *die Ägypter:* Vgl. Plutarch, *De Iside et Osiride* IX. – Folgende Beispiele bei Caelius Rhodiginus, *Lectiones antiquae* (Lyon 1560) XXIII, 4.

    Homer: Vgl. *Odyssee* I, V. 349. Es rühmen die Menschen am meisten/stets das neueste Lied (R. A. Schröder).

    Thales...: Hesiod, *Theogonie* 511. Erasmus, *Adagia* II, 4, 17.

1353 *Prophetenkönig:* Vgl. Psalm XLII, 7.

    Faß der Brahmanen: Vgl. Philostratos, *Leben des Apollonius von Tyana* III, 25 und 32. Vgl. Buch III, Prolog.

    Hyperboräer: Bei den Griechen ein sagenhaftes Volk im äußersten Norden, das, dem Nordwind nicht ausgesetzt, sich ewigen Frühlings erfreut. Die Hyperboräer-Insel ist vermutlich Zypern.

1354 *Caliges:* Zwischen Medien und Armenien.

    Das *Epigramm* steht nicht im Manuskript. Es erscheint in der Ausgabe von 1564. Die Signatur »Nature quite« ist sicher ein Anagramm, aber ungedeutet. Wahrscheinlich handelt es sich um einen Bearbeiter, der Rabelais' Werk zu Ende geführt hat.

NACHWORT

I

»Gelehrte und witzige Fülle« rühmt Jean Paul in der *Vorschule der Ästhetik* François Rabelais, dem »größten französischen Humoristen«, nach. In der Tat ist die Fülle oder *abundantia* das erste, wovon wir uns bei der Lektüre von *Gargantua und Pantagruel* überströmt fühlen. Und die Befürchtung, es möchte insonderheit »gelehrte« Fülle sein, die ein Studium des Werks erfordere oder voraussetze, mag viele von der Bekanntschaft abschrecken. Dieses Vorurteil verblaßt jedoch sehr bald angesichts der strotzenden Individualität Rabelais'. Diese beherrscht von Anfang bis Ende die Szene des Romans. Ein Verwandlungskünstler wie Proteus, aber fest verwurzelt im Boden seiner engeren Heimat, der Touraine im Umkreis der alten Stadt Chinon, apostrophiert er Freunde und Gegner, Gönner und Hämlinge, schwelgt er in Anekdoten, Wortspielen und Namensverketzerungen, zitiert er fingierte Bücher oder serviert er Zitate in einer gepfefferten Sauce nach eigenem Geschmack, würzt er auch noch seine seitenlangen Aufzählungen mit pantagruelischen Leckerbissen.

Die Rabelaisforschung, deren Verdienste um das Werk des größten französischen Humoristen und – man kann sagen – des ersten französischen Erzählers nicht hoch genug zu veranschlagen sind, flößt anderseits dem Leser so großen Respekt ein, daß er lieber auf den unbefangenen Genuß verzichtet als sich mit einem Kommentar zu bewaffnen. Stellte man Rabelais ehedem zu niedrig, indem man – wie Jean Paul sagt – »nur seine Speckgeschwülste und Leberflecken« sah, so stellt man ihn heute eher zu hoch, nämlich auf jenes Brett im Bücherregal, das mit den schwierigen, der Literaturwissenschaft vorbehaltenen Werken besetzt ist. Schlägt man aber seine Riesengeschichte beherzt auf und läßt sie sich von ihm erzählen, so fühlt man sich bald von diesem mächtigen Erzählstrom mit seinen Höhen und Tiefen getragen. Zwar stößt man immer wieder auf dunkle Stellen, rätselhafte Anspielungen, abgekürzte Zitate aus der antiken Mythologie, polemische Pointen, geschichtliche Reminiszenzen, lokale Kuriositäten, die der Erklärung bedürftig sind; aber so üppig und quellend ist der Fluß dieser Prosa, daß man an ihnen nicht hängen bleibt, und so eindringlich ist die Stimme des Erzählers, daß sie uns über Jahrhunderte hinweg persönlich anspricht.

Heute, in einer Zeit der Krisen und des Übergangs, vielleicht mehr denn je. Ein Wort von Petronius, das Ernst Robert Curtius seiner großen Untersuchung der lateinisch-mittelalterlichen Tradition der europäischen Literatur als Motto vorangestellt hat, macht deutlich, wie die Originalität Rabelais', der vermutlich 1494 geboren wurde, aufzufassen ist. Es lautet: ... *neque concipere aut edere partum mens potest nisi ingenti flumine litterarum inundata* – »Weder vermag der Geist Frucht zu empfangen noch zu gebären, er sei denn überschwemmt von einem ungeheuren Strom wissenschaftlicher Überlieferung.« Rabelais ist fruchtbar in dem Sinne, daß er der antiken und mittelalterlichen Überlieferung im 16. Jahrhundert zu einer zweiten Geburt verhilft. Deshalb ist es nicht richtig, wenn Emile Faguet von ihm sagt, er habe in jeder Hinsicht dem Mittelalter den Grabstein gesetzt. Indem er den wissenschaftlichen Kanon des Mittelalters an der Schwelle der Neuzeit individualisierte und in einem fortgesetzten Prozeß zur Rede stellte, befähigte er durch das Lebensblut seiner Sprache und die Leibhaftigkeit seiner Vorstellung die Schatten zum Fortleben am Tag des neuen Jahrhunderts. Indem er die hohe Schule der Spekulation humoristisch vernichtete, rettete er sie für die Nachwelt. Anders als Erasmus, der Rüge und Spott auf die Torheit abwälzt und diese, wie Jean Paul sagt, »als Selbstrezensentin Kollegienhefte der Weisheit aufsagen läßt«, entläßt Rabelais jede Torheit plastisch verkörpert aus dem Spiegel seines Ichbewußtseins und führt als Protagonist selber den Reigen an. Diese Versinnlichung und Individualisierung, das eigentliche Merkzeichen seines Stils, bezeugt sich nicht nur in Gestalten wie dem streitbaren Mönch Jan des Entommeurs, Panurge, dem auf allen Gebieten beschlagenen Rüpel und Hasenfuß, den Schwankfiguren des radebrechenden Scholaren, des geldgierigen Richters, des scheinheiligen Kurialbeamten, um nur einige herauszugreifen, nebst den alles überragenden Riesen Grandgousier, Gargantua und Pantagruel – sie dringt belebend bis in die Wurzeln der Sprache. Und zwar derart, daß nichts, was Rabelais in Gedanken berührt, abstrakt, begrifflich und trocken bleibt, sondern leibhaft aufblüht.

Mehr noch als die Fülle des Wissens überrascht bei Rabelais die Intensität, mit der er das Gehörte und Gelesene einschmilzt und es eigenwillig und stark wiedergibt. Dieser Schöpfer hat es umgekehrt wie der biblische nicht so sehr darauf abgesehen, Körpern seinen Geist einzublasen, als Geistern einen Körper anzuschaffen. Und da es in der Atmosphäre des Konstanzer Konzils von »Chimären« wimmelt, die »im Leeren herumsummen« und sich allenfalls von »hinzutretenden Eigenschaften«, aber von nichts Substantiellem ernähren, bannt er sie in einen Körper und beobachtet, wie ungebärdig sie sich darin benehmen. Der Disput zwischen dem Scotisten und Panurge über Grundfragen der Scholastik und der Geheimwissenschaft wird in der Finger- und Zeichensprache ausgetragen. Wir vermögen dem in schwindelnde Höhen der Abstraktion emporstrebenden Gedankenflug nicht zu folgen, aber wir sehen, wie unmäßig der Körper auf die metaphysischen Zumutungen reagiert und wieviel Wein vonnöten ist, um die ausgelaugten Gehirnzellen wieder aufzufrischen.

Das Widerspiel von Körper und Geist, von Sinnlichkeit und Transzendenz ist von jeher die Zündstelle des Humors. Im Kölner Hännesche-Theater fragt Tünnes den Schäl, dem der Kaiser eine Audienz erteilt hat, als Schäl wieder herauskommt, wo denn die Audienz geblieben sei, bestimmt hätte er sie aufgegessen, man sähe ja noch die Krümel in seinem Bart. Nach demselben Schema werden bei Rabelais aus den sagenhaften Kabirengöttern, die den Schiffern bei Sturm beistehen, Karbonaden, werden aus den Matutingebeten Prim-Suppen und aus den Geboten, die mit »Du sollst nicht« (= lat. *ne*) anfangen, ebenso viele Nasen, womit das Organ, das der Mensch ständig vor Augen hat und das im Französischen *le nez* heißt, über die abstrakte grammatische Negation triumphiert. Vermutlich hat Rabelais diese Wortwitze und Wortverdrehungen als Mönch in den Klöstern der Franziskaner und Benediktiner aufgeschnappt. Auch der klösterliche Küchenhumor, der bei ihm so ausführlich zu Wort kommt und der in der mittelalterlichen Literatur eine lange Überlieferung hat, wird in seiner *Chronique* an der Schwelle der Neuzeit zum letztenmal aufgefangen.

Indem Rabelais so die hohe Schule der Theologie, der Jurisprudenz, der Alchimie, der Medizin ins Parterre oder Souterrain der leiblichen Bedürfnisse herabnötigt, stellt er ihre Prätentionen auf körperliche Füße und die geistige Welt auf den Kopf. An einer Stelle beruft er sich auf Platon, der die Menschen mit umgedrehten Bäumen vergleicht, da sie die Wurzeln – nämlich die Haare – gen Himmel strecken und mit dem Beingeäst auf dem Boden stehen. Verhält es sich nicht ebenso mit Panurge, dessen universalgebildeter Kopf Pantagruel in sieben verschiedenen Sprachen zu verstehen gibt, daß er hungrig ist, daß der offensichtliche Tatbestand seiner Notdurft keiner weitschweifigen Erklärung bedürfe, daß der bellende Cerberus seines Magens auf die Suppe warte und daß der leere Bauch keine Ohren habe? Zieht er nicht sein Gesuch aus dem Sprachuniversum an den Haaren herbei und repetiert so die babylonische Sprachverwirrung, um seiner eindeutigen Notlage Ausdruck zu geben? Panurge, der Borger und Schuldner aller Wissenschaften, ist in den unmittelbaren Lebensfragen insolvent. Panurge, der, wie sein griechischer Name besagt, alles ins Werk setzt, aber nichts fertigbringt, ist mit seinem ersten Auftritt ein für allemal gekennzeichnet. In ähnlichem Sinne sagt im *Don Quijote* der Kanonikus von dem Verfasser des *Don Quijote*, Cervantes bringe etwas auf, führe jedoch nichts zu Ende. Vergegenwärtigt man sich die Abenteuer Panurges, die trotz großem Aufwand allesamt kläglich scheitern, so ist man versucht, ihn mit Don Quijote zu vergleichen, nur daß es ihn nicht wie den Ritter aus der Mancha in das Reich des Ideals und der Musterhaftigkeit hinaufzieht, sondern daß er umgekehrt aus dem Himmel der Wissenschaften in den Leib eines tüchtigen Ehemanns und Familienvaters hinabfahren möchte. Die Wissensfühler, die er ausstreckt, um von allen erdenklichen Instanzen Rat einzuholen, erteilen ihm hinsichtlich dessen, was er *ist*, stets die gleiche Auskunft.

Das Wunschbild des rüstigen Rammlers wird ihn ebensowenig davor bewahren, daß seine Frau ihm Hörner aufsetzt und ihn bestiehlt, wie das erlesene und zusammengelesene Idealbild Dulcineas an dem eingefleischten Junggesellenstand Don Quijotes je etwas ändern wird. Panurge ist liederlich, Don Quijote ist keusch. Panurge ist ein Abstractor, der sich nach dem Naturzustand des Menschen sehnt; Don Quijote ist ein verknöcherter Landedelmann, der sich zum Helden, wie er im Buche steht, abstrahieren möchte. Jedoch obwohl in der Tendenz ihres Strebens konträr, leben beide in dem gleichen Zwiespalt, erleben beide den schneidenden Kontrast zwischen Körper und Geist, zwischen der unbesiegbaren Notdurft des Leibes und der Unnahbarkeit des Ideals.

In Panurge ist der Humor Rabelais' Gestalt geworden. Das Gelächter, das er in seiner Umgebung hervorruft, täuscht nicht darüber hinweg, daß er mit eigenen Ängsten, Leiden und Anfechtungen, die seine Phantasie ins Riesenhafte verzerrt, fast immer die Zeche bezahlt. Die Abenteuer, die Pantagruel und seine Gefährten in der Wirklichkeit erleben, treten ihm schreckhaft verzerrt aus dem Hohlspiegel der Phantasie entgegen. Er hört den Höllenhund bellen, sieht die Parze die Schere zücken, den Teufel die Krallen nach ihm ausstrecken, den Behemoth seinen Rachen aufsperren, um ihn zu verschlingen. Zwar hält er es, indem er auf seinen Hosenlatz pocht, mit der Weisheit des lachenden Philosophen, jedoch was seine praktischen Erfahrungen angeht, hätte er ebensoviel Anlaß, an der Güte der Natur zu zweifeln wie Candide an der besten aller möglichen Welten. In seiner Vorstellung, über die er sich mit unversieglichem

Optimismus hinwegsetzt, ist die Welt ein Schreckensort, der Mensch ein Spielball unberechenbarer Zufälle, die Handlungsfreiheit ein Dilemma, das Weinen die Kehrseite des Lachens. Aber seiner unbändigen Vorstellungskraft verdankt er auch die Freiheit, sich über die Widerwärtigkeiten zu erheben. Indem er alles, was ihm zustoßen könnte, wissend vorwegnimmt, indem er jeden Vorfall der Wirklichkeit auf ein verbürgtes Muster bezieht und wechselweise in die Rollen seiner antiken und mittelalterlichen Vorgänger schlüpft oder sie als Schiedsrichter in einer peinlichen Notlage anruft, entschärft er den bedrohlichen Charakter des jeweiligen Vorfalls und verifiziert ihn an Hand eines Kanons gleichartiger Fälle.

In dieser diagnostizierenden Haltung trifft er sich mit dem Arzt Rabelais, den der Anblick der verkehrten Welt pessimistisch stimmt und dessen Optimismus allein in der Überzeugung von der heilenden und läuternden Macht des Wissens gründet. Wenn wir den Roman nicht als Ganzes, sondern in seinen einzelnen Teilen betrachten, werden wir gewahr, daß jedes Buch eine elliptische Bahn um zwei Brennpunkte beschreibt, die die Entscheidung zwischen dem Ja und dem Nein, zwischen Sinnenlust und Seelenfrieden, zwischen verkehrter Welt und wahrer Ordnung in der Schwebe lassen.

So zu verfahren ist berechtigt, da die einzelnen Teile des Romans keine in sich zusammenhängende Folge bilden, sondern jeweils einen Kranz von Episoden und Anekdoten unter dem Titel »Buch« vereinigen. Der *Gargantua* ist später entstanden als das erste Buch des *Pantagruel*. Eine Chronik der Taten Gargantuas, die Rabelais in die Hand fiel, brachte ihn auf den Gedanken, die Linie des volkstümlichen Riesen mit den Taten seines Sohnes Pantagruel fortzusetzen. Erst als er mit diesem Buch ungeahnten Erfolg hatte, nahm er sich das Urbild vor und ließ zwei Jahre später, 1534, seinen *Gargantua* erscheinen. Die Reihenfolge der beiden Bücher wurde später aus chronologischen Gründen umgestellt. Doch hängen sie, abgesehen von der Genealogie der Riesenfamilie, so locker miteinander zusammen wie das 1546 erschienene Dritte Buch mit den zwei ersten. Es dreht sich, von den Anfangskapiteln abgesehen, ausschließlich um die Frage, ob Panurge heiraten soll oder nicht. Panurge möchte gern heiraten, doch möchte er sich zuvor Gewißheit verschaffen, ob es rätlich und wohlgetan sei zu heiraten. Er wendet sich an das Versorakel, an die Träume, an eine alte Hexe, an einen im Sterben liegenden Dichter, an einen Stummen, zuletzt an einen Narren. Die Antworten fallen durchweg zu seinen Ungunsten aus, aber da die Natur ihm befiehlt zu heiraten, schlägt er die Warnungen entweder in den Wind oder biegt sie zu seinem Vorteil um. Schließlich, um ein letztes zu versuchen, beschließt man, das Orakel der Göttlichen Flasche zu befragen, das sich auf einer Insel im Indischen Meer befindet. Es ist dies nicht die erste Seereise Pantagruels. Schon im zweiten Buch fuhr er zu den Dipsoden und Amauroten, utopischen Völkerschaften, die er bekriegte und befriedete. Die Reise zum Orakel der Göttlichen Flasche erstreckt sich über das Vierte und Fünfte Buch. So wie die Natur mit sagenhaften Ungeheuern aufwartet, gefällt sich die ständische Gesellschaft in Verirrungen und Monstrositäten, in Kasteiungen und Schwelgerei. Pantagruel und seine Gefährten studieren unterwegs die Rechtsbeuger und Rechtsverdreher; sie geraten in einen furchtbaren Sturm, als sie die Insel Tohu und Bohu passieren, landen bei den Langlebigen und lassen sich von den Heroen erzählen, sichten einen riesigen Wal, verwundern sich über die Konstitution des Riesen Fastenspeis und erringen mit Hilfe der Köche einen glänzenden Sieg über die Untertanen König Karnevals, die Geschwollenen. Sodann besichtigen sie die Insel der Papstverächter und anschließend die Insel der Papstvergötterer, fischen auf der Weiterfahrt gefrorene Worte aus dem Meer, die beim Auftauen laut werden, und landen auf der Insel von Messer Bauch, ohne ihrem Ziel, dem Orakel, merklich näher gekommen zu sein. Das Vierte Buch erschien 1552. Ob Rabelais das Schiffsgeschwader seines Helden glücklich zum Eiland der Dive Bouteille gebracht, ob er die Etappen der Reise im Entwurf festgelegt hat, ist ungeklärt. Die Forschung nimmt an, daß das Vierte Buch, dessen zweite Fassung in einer Ausgabe vor Rabelais' Tod erschien, von seiner Hand stammt, während das Fünfte Buch vermutlich von einem Verleger aus hinterlassenen Papieren Rabelais' zusammengestellt, von einem Bearbeiter ergänzt und 1564 veröffentlicht wurde.

Für eine Betrachtung des inneren Aufbaus der einzelnen Bücher ist jedoch die Textfrage von untergeordneter Bedeutung.

Die idealen Partien des Romans, wo es Rabelais auf eine Botschaft abgesehen zu haben scheint, so in dem Brief Grandgousiers an seinen Sohn, in dem er ein Erziehungsprogramm aufstellt, in der Beschreibung der Abtei Thelem oder in der Heroenapotheose auf dem Eiland der Makreonen – Partien, die sich schon durch ihren klassischen Stil deutlich herausheben, sind nicht die Krönung des epischen Vorgangs, sondern eher dessen Kontrapost. Das Bildungsprogramm kann nicht vollständig absolviert werden, weil inzwischen der Krieg ausbricht, der Pantagruel in die bedrohte Heimat ruft. Die Gründung der Abtei Thelem wird ausgerechnet Bruder Jan anvertraut, der zwar ein wackerer Haudegen in der Kutte, aber beileibe kein Akademiker ist. Von der Insel der Heroen wird gesagt, daß sie ehedem wohlhabend und reichbevölkert gewesen sei, jetzt aber arm und verlassen, und daß ihre Tempelruinen in Wäldern begraben lägen.

Das Alte und das Neue gehen nicht bruchlos ineinander über, sondern das Neue trachtet danach, seine Wahrheit mit der Ordnung des Alten auszusöhnen, die im Laufe der Zeit mit der Welt- und Naturordnung identisch geworden ist. Zwischen der alten Ordnung und dem neuen Geist kommt es zu einem ähnlichen Zwiespalt wie zwischen dem alten Adam, dem Körper, und dem neugierigen Intellekt. Die Dichte und körperliche Gediegenheit verdankt Rabelais' Werk dem fruchtbaren Schlamm der Überlieferung, der es naturkräftig durchwirkt. Die Aufzählung allein der Orts- und Eigennamen ergäbe eine stattliche Summe. Auf Schritt und Tritt werden lokale Baudenkmäler, Kuriositäten und Inschriften erwähnt. Der Dialog ist gespickt mit idiomatischen Wörtern und Redewendungen. Rabelais kennt sich im Poitou aus und in der Langue d'oc. Er schöpft aus den Legenden, die sich an den Vagantendichter François Villon knüpfen, er zitiert aus der Farce von Maistre Pathelin und kennt eine Menge Volkslieder und Sprichwörter. Sein Werk ist ein Corpus französischer Volksüberlieferung, eine Fundgrube für Heimatforscher und Folkloristen. Politisch steht er in allen Fragen auf seiten der französischen Könige. Er belegt den Ketzer Calvin mit heftigen Scheltworten. Dem päpstlichen Stuhl gönnt er zwar die Einbuße an Geld und Macht durch die Ketzer im Norden, doch bestreitet er dem Papst nicht sein Hirtenamt. Er befehdet die Dekretalen, das heißt die weltlichen Rechts- und Besitztitel der Kirche, aber nicht ihre Dogmen. Als Erzähler fußt er in seinem Werk auf dem Gewordenen; aber dem Körper haucht er einen neuen Geist ein und bringt so ihre Zwieschlächtigkeit zum Vorschein. Denn das Gewordene hat in der Geschichte seinen festen Ort, der Geist aber wehet, wo er will.

Da sich das Sosein der Dinge nicht ändert, sondern das Bewußtsein, das wir von ihnen haben, sind seine Orakelsprüche tautologisch.

Der Spruch der Göttlichen Flasche lautet »Trink«. Der Wahlspruch der Abtei Thelem: »Tu was du willst.« Am Ende der Wahrheitssuche wird der Mensch in die Freiheit eigenen Tuns entlassen. Deshalb wäre auch eine Fortsetzung des Romans, auf die Rabelais anspielt, denkbar: Panurges Hochzeit und Ehestand, Pantagruels Abstieg in die Unterwelt, Pantagruels Reise zum Mond usw. Das Vexierspiel, das der Autor mit seinen Figuren treibt, als gäbe es außerhalb eine erstrebenswerte Wahrheit, nach der er sie auf die Reise schickt und die sich im Spiegel als ihr eigenes Selbst entpuppt, hängt mit Rabelais' Naturanschauung zusammen.

Für ihn ist die Natur der Inbegriff aller Dinge, die in der Ordnung sind. Insofern ich ein Körperdasein habe, nehme auch ich teil an dieser Ordnung. Bürgschaft für sie leistet jedoch etwas anderes: nämlich Inständigkeit und Spannweite meines geistigen Bemühens. Deshalb ist die Ordnung nur so lange in Ordnung, wie ich geistig für sie einstehe.

Die natürliche Odrnung der Dinge ist nicht anfechtbar. Indem ich zur Einsicht komme und sie wissend durchschaue, erkenne ich ihre Wahrheit. Der Spruch »Im Wein ist Wahrheit«, der über dem Eingang des Orakels der Flasche eingemeißelt ist, bedeutet, daß in der Natur selber die Quelle geistiger Erleuchtung ist. Erleuchten kann uns die Natur jedoch nur insofern, als wir sie denken und um eine ihrer ebenbürtige geistige Ordnung bemüht sind. Frönen wir dem Weingenuß nach Maßgabe unserer natürlichen Triebe, so erheben wir uns nicht zur Wahrheit, sondern sinken bis unter die Stufe des Tiers hinab. Wahrheit schenkt der Wein nur dem, der das natürliche Universum als ein geistiges anzuschauen fähig ist. Der Spruch der Flasche lautet »Trink«, weil die vernünftige Einsicht nichts anderes wollen kann als die Natur selber.

Rabelais teilt die Überzeugung der Humanisten, daß es einen Kanon der Naturweisheit gibt; nur müssen wir ihn vollständig und in seinem originalen Wortlaut studieren und dürfen uns nicht auf entstellende Kommentare, auf verderbte und interpolierte Texte verlassen. Rabelais glaubt die Natur an der Quelle zu studieren, indem er die gereinigten Texte der antiken Autoren studiert, und dies um so mehr, als zu seiner Zeit auch der Arzt vornehmlich in den Schriften der Auctores bewandert sein mußte. Die fortschreitende Naturerkenntnis sprengt jedoch an hundert Stellen den antiken Kanon, und was ehemals die Wahrheit einer geschlossenen Ordnung gewesen ist, bietet jetzt den Anblick eines von Wahrheiten übersäten Trümmerfelds. Man kann die Trümmer inventarisieren und katalogisieren, aber man kann die alte Ordnung nicht wiederherstellen. Den Fixsternhimmel antiker Wissenschaft scheint eine jener Erschütterungen betroffen zu haben, die nach der Anschauung arabischer Astronomen im Abstand von siebentausend Jahren eintritt und kein Gestirn an seiner früheren Stelle läßt. In unserer Weltvorstellung ist die Ursache solcher Erschütterungen die Verlagerung des geistigen Interesses, wenn dieses sich von einem bestimmten Aspekt der Wahrheit ab- und einem anderen zukehrt.

Von dieser Erschütterung zeugt Rabelais' Roman, und sein Gelächter täuscht nicht darüber hinweg, wie tief er sich von ihr betroffen fühlt. Die ursprüngliche Ordnung vermag er nur noch in Gegensätzen zu begreifen. Der Leib ist nicht länger der gutwillige Partner, sondern der Rivale und Possenspieler des Geistes. Beweis dafür ist etwa der übelgeratene König Pikrocholos, dessen Name verrät, daß er an einem Überfluß von schwarzer Galle leidet, und der sich von seiner unersättlichen Gier zu Alexanderträumen hinreißen läßt. Großmut, Besonnenheit, Edelmut und Friedensliebe Grandgousiers rücken die Habgier, die Maßlosigkeit und starrsinnige Verstocktheit des Verblendeten ins grellste Licht.

Pikrocholos ermangelt der Sophrosyne, leiht Schmeichlern sein Ohr und verschließt sich dem Rat Erfahrener und Wohlmeinender. Aus nichtigem Anlaß bricht er, ein Wüterich und Gernegroß, einen Krieg vom Zaun. Der Schauplatz ist begrenzt. Das Geschehen spielt sich im engsten Umkreis von La Devinière ab, dem Meierhof in der Nähe von Chinon, wo nach der Überlieferung Rabelais das Licht der Welt erblickte. Aber sagt nicht Schopenhauer: »Wie ein Kreis von einem Zoll Durchmesser und einer von vierzig Millionen Meilen Durchmesser die selben geometrischen Eigenschaften vollständig haben, so sind die Vorgänge und die Geschichte eines Dorfes und die eines Reiches im Wesentlichen die selben; und man kann am Einen wie am Andern die Menschheit studiren und kennen lernen.« Rabelais erweitert den Dorfmaßstab des Pikrocholinischen Krieges zum Maßstab eines imaginären Reiches. Grandgousier bleibt jedoch von dieser Übertreibung ausgenommen. In Kapitel 34 des *Gargantua* finden wir ihn kniend, entblößten Hauptes, vornübergeneigt in einem kleinen Winkel seines Schreibgemachs, betend zu Gott, er möge Pikrochols Zorn besänftigen. Heißt das nicht, daß Grandgousier moralisch seine natürliche Größe beibehält, während sie sich in der Vorstellung seines verblendeten Gegners ins Maßlose verzerrt? Will Rabelais damit andeuten, daß der Mensch, der mit sich selber in der Idee übereinstimmt, von den besonderen Umständen eines Kriegs weder Größe erborgen kann noch einen Zoll seiner Größe einbüßt, während der Trieblüsterne dem Größenwahn verfällt? Das würde bedeuten, daß gemessen an der Idee Klein und Groß dieselben Eigenschaften haben, daß jedoch bei wachsendem Maßstab die festen Begriffe wie die Umrisse der Gegenstände im Fernglas verschwimmen, dagegen scharf und klar hervortreten, je näher man sie vors Auge bringt und im kleinen und einzelnen betrachtet. Bleibt aber die Idee in allen Schwankungen sich selber gleich, so wie Grandgousier in der Idee seiner moralischen Person treu bleibt, so ist es die Natur einerseits und der Wahn des Menschen anderseits, die zu Übermaß und Ausschweifung neigen, sobald sie nicht mehr in der alten Ordnung gebunden sind. Pikrocholos, der seiner gallig-cholerischen Natur die Zügel schießen läßt, verrennt sich, von seinen eisenfresserischen Heerführern ermutigt, so heillos in seinem Wahn, daß er am Ende Thron und Land einbüßt und sich in einer fremden Stadt als Tagelöhner sein Brot verdienen muß. Ebenso ergeht es im *Pantagruel* dem König der Dipsoden, der bezeichnenderweise *Anarchos* (Nichtherrscher oder Unbändig) heißt. Bevor Panurge aus ihm einen Ausrufer grüner Tunke macht und ihn mit einer alten Vettel verheiratet, träumt Epistemon, der todwund auf dem Schlachtfeld liegengeblieben ist, den Traum vom Abstieg in die Unterwelt, wo er die antiken Heroen, die berühmten Ritter der Tafelrunde, Kleopatra und Semiramis, römische Kaiser, Päpste und Feldherrn unwürdige Tätigkeiten verrichten sieht. Worauf läßt diese Erniedrigung der Großen schließen? Ist sie umgekehrt wie die Aufblähung des Dorfkriegs zum Reichskrieg die Schrumpfung papierner Hoheits- und Ruhmestitel, wie sie der Zerfall einer nur noch auf Treu und Glauben hingenommenen Ordnung und der Einbruch einer neuen Wahrheit bedingen? Oder soll mit ihr der Mensch auf seinen eigentlichen Maßstab zurückgeführt und an die demütige Knechtsgestalt des Evangeliums gemahnt werden? Will Rabelais uns bedeuten, daß der naturhörige Mensch, der sich an seine Triebe hingibt, ebenso zur Unmäßigkeit neigt wie der naturvergessene Mensch, der sich in wirre Spekulationen stürzt, und daß es ein neues Maß, eine geistliche Naturwahrheit zu finden gilt? Vieles spricht dafür, daß Rabelais, indem er die Extreme verkörpert, einer neuen Idee des Menschen Platz schaffen will. Der tiefe Riß, der auch noch in Rabelais' Bewußtsein zwischen dem körperlichen und dem geistigen Wesen des Menschen verläuft, kann nur geheilt werden, indem man beide abwechselnd die Weltherrschaft ausüben und sich gegenseitig vernichten läßt. Das ist das große Schisma, das Rabelais' Werk durchzieht. Körper und Geist, anstatt sich zu finden und harmonisch zu ergänzen, wie es das Erziehungsprogramm Pantagruels und die Ordensregel der Abtei Thelem vorschreiben, streben vielmehr diametral auseinander und verselbständigen sich jeder auf Kosten des anderen. Schlukker und Schlemmer, Fastenspeis und König Karneval, Windige und Geschwollene werfen sich abwechselnd als Universalisten auf. Zwischen ihnen steuern Pantagruel und seine Gefährten hindurch und befolgen einen alternierenden Kurs. Auf See zieht ihnen der Hunger die Zähne lang, an Land tafeln und schlemmen sie nach Herzenslust. *Per antonomasiam* wird ihnen im Reich der Quintessenz, die sich nur von abstrakten Begriffen ernährt, das reichhaltigste und köstlichste Mahl aufgetischt.

Infolgedessen rückt das Ziel ihrer Reise immer weiter hinaus, da Totalitäten sich nur auseinandersetzen, zueinander in Gegensatz treten, einander anziehen und abstoßen, aber keine gemeinsame Verbindlichkeit eingehen können. Nun ist es aber Rabelais' vorzügliche und unvergleichliche Gabe, jede Erscheinung, jeden Gedanken, jedes Wort so zu individualisieren, daß ein runder Mikrokosmos daraus wird. Ein Ortsname zum Beispiel wie *Panzoust* ist sich auf Grund seiner lautlichen und oralen Beschaffenheit der Tatsache bewußt, daß er an *Panse* (= Bauch) anklingt. Ein Personenname wie *Grippeminaud* zeigt Krallen und Gesichtsausdruck einer Katze. Das *Satin-Land*, in dem alles wie Seide schimmert, ist gleichzeitig das Land des Scheins und trägt seinem Namen in vielfacher Beziehung Rechnung. Sogar aus den Zahlen macht Rabelais individuelle Gestalten gleich jenen

Putten auf der antiken Statue des Flußgotts Nil, die die dreißig Parasangen bezeichnen, um die im Frühjahr seine Flut anschwillt. Hiermit gehorcht er der Natur und ihrer unerschöpflichen Zeugungskraft, aber hierin gleicht er auch Panurge, der alles ins Werk setzt, aber nichts zu Ende führt.

Trotzdem ist Rabelais' Fülle mitnichten chaotische Fülle. Sie ist nach Maß und Zahl geordnet, unter Wahrung der Proportion und der Symmetrie. Die Kapitel seines Romans sind weder zu kurz noch zu lang, sondern gleichmäßig rund wie die Früchte an einem Baum. Als Humorist steht Rabelais schon deshalb nicht in Gefahr, dem Chaos zu verfallen, weil bei ihm nicht wie bei den Theologen und Metaphysikern der Körper ins Geistige auswandert, sondern das Geistige körperlich wird und an der Gestalt seine Grenze findet. Die beiden Kontrahenten in dem heillos verhedderten Prozeß, den Pantagruel durch einen Schiedsspruch schlichten soll, stolpern über einen Haufen dinghafter Worte, die sich zu einer einzigen Finsternis zusammenballen. Ihrer holprigen und unzusammenhängenden Rede läßt sich nichts entnehmen, nur so viel, daß die Wörter ein Haufen Schotter sind, solange sie nicht innerhalb eines geistigen Felds oder Plans zu einer spezifischen Bedeutung gelangen. Nicht die Verflüchtigung der Körperwelt ist die Gefahr, die Rabelais' Kunst bedroht, sondern ihre Ballung und Vereinzelung. Um die Fülle planend zu organisieren, das heißt um sie nach dem Gesetz der Natur in Ordnung zu bringen, wendet er sich an die Architektur, die Arithmetik, die Geometrie, die Grammatik, die Rhetorik, die Musik. Er entwirft zuerst den vollkommen symmetrischen Grundriß der Abtei Thelem. Er verweist immer wieder auf die Zahlenlehre der Pythagoräer und die Zahlenspekulationen Platons und Plutarchs. In Briefen und Reden bildet er die durchgegliederte Periode Ciceros im Französischen nach. Die Figuren der Rhetorik sind nicht nur Zieraten seines Prosastils, sondern Bauelemente der Komposition. Die Antonomasie ist das Prinzip, nach dem die Titel der Bibliothek Sanct Victor verketzert werden und nach dem sich die Tätigkeiten im Reich der Quintessenz bestimmen. Rhetorisch aufgebaut ist die Schilderung des Sturms im Vierten Buch. Das Duett, das der Hasenfuß Panurge und der furchtlose Bruder Jan anstimmen, setzt uns in Form einer antithetisch gehaltenen Teichoskopie über die äußeren Vorgänge in Kenntnis. In Rede und Gegenrede sind diese Kapitel außerdem ein Disput über die Art, wie sich der Mensch bei tödlichen Heimsuchungen verhalten soll. Im ganzen Roman sind die Dialoge das geistige und moralische Rückgrat der Handlung. Musikalisch ist die Abstimmung der einzelnen Partien und der häufig abrupte Wechsel der Tonart. In dem Kapitel vom Sterben der Heroen, das *maestoso* gehalten ist, heißt es am Schluß mit einem Sprung ins *Scherzo*, daß Pantagruel vor innigem Schmerz Tränen vergossen habe, die »so groß waren wie Straußeneier«.

Der »lachende« Philosoph Demokrit, dem Rabelais nach einer im Mittelalter geläufigen Formel den weinenden Heraklit gegenüberstellt, ist der Begründer der Atomlehre. Als Jünger Demokrits bejaht Rabelais den Zerfall des Kosmos in kleinste individuelle Elemente und die Umwandlung der ehemaligen Ordnung in freie Wissenschaft. »*Dans l'éclatement de l'univers que nous éprouvons, prodige! les morceaux qui s'abattent sont vivants*« – »Beim Bersten der Welt, das wir erleben, sind, o Wunder!, die Stücke, die niederstürzen, *lebendig*«, heißt ein Gedicht von René Char. Im gleichen Maß, wie die Ideen und Ordnungsbegriffe haltlos und ortlos oder – um mit Thomas More zu sprechen – utopisch werden, verwandeln sie sich in lebendige Stücke. Der Pantheologie hält Rabelais pantomimisch Widerpart. Aus dem Kontrast zwischen der Unendlichkeit menschlichen Strebens und seiner endlichen Beschränktheit zieht er den humoristischen Funken. Dem Unendlichkeitsstreben entspricht in seinem Werk ein körperliches Phänomen – der Durst.

Pantagruel ist in den mittelalterlichen Mysterienspielen ein kleiner Seeteufel, der den Matrosen, wenn sie im Schlaf liegen, Salz in den Rachen schüttet. Bevor Rabelais den Namen seines Helden einführt, schildert er die große Dürre, die vor seiner Geburt das Land heimsuchte, und motiviert mit diesem Naturvorgang die Signatur seines Charakters, die ihm später den Titel »Herrscher der Dipsoden«, das heißt der Durstigen, einträgt. Daß am Ende des Zweiten Buches Pantagruel die Amauroten, das heißt die Wirrköpfe, ins Land der Dipsoden führt »wie weiland Moses die Kinder Israel aus Ägyptenland ans Rote Meer«, deutet darauf hin, daß nach der Wahrheit zu dürsten rühmlicher ist als über die Stränge zu schlagen.

Im Dritten Buch treibt Pantagruel mit dem heiratslustigen Panurge ein listiges Spiel. Er veranlaßt ihn, sich über das Problem, das ihm auf dem Herzen liegt, jede nur mögliche Erkenntnis zu verschaffen. Es trifft wohl zu, daß Pantagruel, wie häufig bemerkt worden ist, im Laufe des Romans an leiblicher Größe abnimmt. Doch unbestreitbar ist, daß sein Horizont sich ständig erweitert und daß an die Stelle seiner turmhohen Gestalt die Erhabenheit seiner Anschauung tritt. Im Hinblick auf seinen koboldischen Namensvorgänger, der die Schläfer durstig machte, ist die Annahme berechtigt, daß Pantagruel das zweiflerische Dilemma Panurges – *Soll ich, soll ich nicht?* – dazu benutzt, seinen Durst nach Erkenntnis anzufachen. Die Salzkörner, die er ihm versetzt, indem er ihn rastlos von einer Instanz an die andere verweist, machen Panurge, da die Antworten jedesmal seinem natürlichen Wunsch widersprechen, immer durstiger, die Wahrheit zu erfahren. Ja, er wagt sich mit den Getreuen Pantagruels auf das salzige Element hinaus, um seinen Durst an der Göttlichen Flasche zu stillen.

Zu beachten ist, daß für Rabelais der Durst nicht eine Folge- oder Begleiterscheinung der Dürre ist, sondern daß die Dürre im Durst Gestalt annimmt. Geschieht dem Durst nicht Genüge, so wächst er seiner Natur nach ins Riesengroße und erzeugt nichts anderes als Durst und wieder Durst. Deshalb findet sich auch kein Hinweis darauf, daß Pantagruel Nachkommen hat, was doch angesichts seiner stattlichen Ahnentafel naheläge. Grandgousier, sein Großvater, ehelichte Gargamelle, eine handfeste Frau, die Tochter eines Heidenkönigs. Gargantua ehelichte Badebec, die Tochter des Königs der Amauroten in Utopien. Sie starb im Kindbett. Bei Pantagruel ist nicht einmal von Heiratsabsichten die Rede. Er wird als gehorsamer Sohn die Frau nehmen, die sein Vater für ihn aussucht. Das Problem Panurges berührt ihn nicht persönlich. Er behandelt es nach Art einer rhetorischen Frage, ohne für sich Schlußfolgerungen daraus zu ziehen. Was ihn veranlaßt, sich mit dem Eheproblem zu befassen, ist der schlafwandlerische Zustand Panurges, der ihm Gelegenheit gibt, Salz in seinen erkenntnisgierigen Schlund zu streuen.

Dies mag auch der Grund sein, weshalb seine Fahrt zum Flaschen-Orakel sich so lange hinauszieht. Wissen wir doch nicht einmal, ob er vor Rabelais' Tod das angestrebte Ziel erreicht hat und was ihm noch alles widerfahren wäre, hätte nicht ein anonymer Berichterstatter den Durst der Leser nach der Flasche gestillt. Kam es ihm, dem Dursterreger, denn vornehmlich auf den Spruch der Flasche an, von dem im voraus anzunehmen war, daß er lauten würde: *Trink*? War es nicht sein Bestreben, allerorten, auf jeder Insel, die er anlief, unter den Verkehrten, Verstockten, Verbogenen, Verblendeten, Unmäßigen und Abgestumpften den Durst nach Wahrheit zu wecken? Gab es einen stärkeren Beweis für die unumstößliche Tatsache, daß wir trotz der babylonischen Verwirrung unserer Köpfe eines einzigen Schöpfers Kinder sind, als Hunger und Durst unserer leiblichen Natur? Also stellte er den Menschen auf die Füße, daß er sie zur Wanderschaft gebrauche und nicht wie die Zellenhocker in den Klöstern, die Lehrstuhlinhaber, die Potentaten und Postendrücker, die Windschlucker und Mückenseiher die Welt nur aus einem Loch betrachte. Pantagruel und seine Getreuen schmausen und fasten, zechen und dürsten, rasten und reisen und erleben jeden Zustand als Widerspiel des anderen. Pantagruel zieht es im Gegensatz zu den Seßhaften vor, ein Irrfahrer des Durstes nach Wahrheit zu sein, die nur dem zuteil wird, der sich selber zu finden weiß.

II

In gleicher Breite, wie Rabelais den Strom der Überlieferung aufgenommen hat, gab er ihn in seinem Riesenbuch durch die Jahrhunderte weiter. Seit dem letzten Krieg scheint sich eine Rabelais-Renaissance anzukündigen. Im Gegenschlag auf die subjektivistische Weltverketzerung, die sich seit der Romantik wie ein schwarzer Strom durch die Literatur zieht, bestärkt er die Schriftsteller und die Leser in naiver Lebensfreude, vernünftigem Urteil sowie in dem Glauben an die reinigende Kraft des Wissens. André Gide stellte ihn 1891 in einer Tagebuchnotiz in eine Reihe mit Aristophanes und Shakespeare. Er verordnete sich ihn als Medizin und Gegengift, denn »ich habe in meinem Herzen genug Tränenseligkeit, um dreißig Bücher zu bewässern«. Das war aus der Stimmung des Fin de siècle gesagt. Rabelais gehört für ihn zu den »Kraftvollen«, vor allem den »Männlichen«. Während des letzten Krieges, 1944, schreibt er: »Ich finde bei Rabelais, den ich begierig und zum erstenmal von vorne bis hinten lese, folgende Worte des Gargantua (Kap. XLII): ›... zufolge wahrer militärischer Disziplin darf ein Feind nie zur Verzweiflung getrieben werden, denn ein solches Vorgehen vervielfältigt seine Kräfte und steigert seinen Mut, der schon im Sinken war, und es gibt kein besseres Mittel für Kreuzlahme und Mutlose, als zum Äußersten getrieben zu werden.‹« Ein guter Rat für Politiker!

Ein anderes Zeugnis für die Nachwirkung Rabelais' ist der *Colas Breugnon* von Romain Rolland, der 1918 erschien, aber schon am Vorabend des Ersten Weltkriegs druckfertig vorlag. Die Vorrede vom Mai 1914 schließt mit den Worten: »Mögen (die Leser) dieses Buch so hinnehmen, wie es ist, ganz freimütig, ganz rund, ohne Anspruch darauf, die Welt zu verändern oder zu erklären, ohne Politik, ohne Metaphysik, ein im guten Sinne französisches Buch, das für das Leben ein Lachen hat, weil man findet, es sei gut, und sich wohl darin fühlt.« Das Buch schließt mit einem Zitat aus *Pantagruel*: »Wie, sagte Bruder Jan, Ihr reimt auch? Gottsdonner, auch ich werde reimen, ich spür's schon; wartet nur, und haltet mir zugute, wenn ich nicht purpurfleckig reime.«

Der *Esprit gaulois*, der unbekümmerte gallische Witz, dem vor Rabelais die Fabliaux und die Farcen des Mittelalters ihre saftige Prallheit verdankten und der sich aus seinem

Werk in reichem Strom ergossen und die *Contes* La Fontaines, die Komödien Molières, die Erzählungen Voltaires und den *Roman comique* Scarrons befruchtet hat, scheint in Zeiten gesellschaftlicher Umwälzungen und geschichtlicher Krisen seine Lebenskraft immer aufs neue zu bewähren. Balzac bietet seine 1832–37 entstandenen *Contes drôlatiques* (Tolldrastische Geschichten) seinen Lesern mit einem rabelaisischen Vorspruch zum Genuß an. Er nennt seinen großen Vorgänger und Landsmann »König der Weisheit und des großen Lebensspiels«. Eben weil Rabelais' Roman ausschließlich von der Erfindungsgabe seines Autors lebt und in seiner offenen episodischen Form auf die Odyssee zurück- und auf den *Ulysses* von James Joyce vorausdeutet, stellt er in der Geschichte des Romans eine glückliche Ellipse dar. Er kann als Unterhaltungslektüre genossen und als Kunstwerk studiert werden. So wie er sich auf die Romane der Artusritter und Gralssucher, die er travestiert, als Vorbild berufen kann, bleiben ihm Victor Hugo in seinem Roman *Les Misérables*, ja noch Louis-Ferdinand Céline in seiner *Reise ans Ende der Nacht* verpflichtet.

Aber Rabelais' Wirkung erstreckte sich nicht nur auf Frankreich. Die Gestalt des Panurge enthält bereits wesentliche Elemente des spanischen *Pícaro*. Als ein gewichtiger Vorläufer des Schelmenromans, der seine Wirkung verstärkt, hält der Roman Einzug in England, wo Laurence Sterne, der empfindsamere und zugleich grausamere Sohn der Aufklärung, Rabelais zu seinem Meister erwählt. Die Seereisen Gullivers zu Riesen und Zwergen in Jonathan Swifts berühmtem Roman sind den abenteuerlichen Reisen Pantagruels nachgebildet. Auch hier werden in Monstrositäten und Travestierungen aktuelle Mißstände und Modetorheiten gegeißelt.

Das Dreigestirn der humoristischen Literatur trägt in Jean Pauls *Vorschule der Ästhetik* die Namen Rabelais, Swift, Sterne. Kein anderer als Jean Paul ist so würdig, es zum Viergestirn zu erweitern. Als Übersetzer und als Leser der Übersetzung von Walter Widmer habe ich die Erfahrung gemacht, daß die Wiedergabe der Vorreden und der Gesprächspartien Rabelais' im Deutschen unvermeidbar Jean-Paulschen Einschlag hat. Ich ziehe daraus den Schluß, daß Jean Paul die Eigenart Rabelais' im Deutschen am vollkommensten integriert hat, so daß der Übersetzer seine vorbildende Leistung nicht überspringen kann.

Auch Goethe hat in Straßburg sein Gemüt an der kraftvollen Prosa Rabelais' gelabt. »Montaigne, Amyot, Rabelais, Marot waren meine Freunde und erregten in mir Anteil und Bewunderung«, schreibt er in *Dichtung und Wahrheit*. Die Reihe, in die er ihn stellt, läßt darauf schließen, daß er sich insbesondere von den antikischen und mannhaften Zügen, von der stoischen Weisheit und der epikuräischen Unangefochtenheit des großen Meisters in der eigenen Haltung bestärken und von seinem Lachen anstecken ließ.

Der erste Übermittler Rabelais' in Deutschland war Johann Fischart, dessen *Geschichtsklitterung* 1575 – elf Jahre nach der französischen Originalausgabe – erschien. Fischart ist nicht so sehr ein Übersetzer als ein Nachschöpfer des Gargantua, vor allem seiner Wortkunst, die er aus dem deutschen Sprachschatz ebenbürtig nachbildete und in Einschüben überbot. Die erste vollständige Übersetzung gab 1832 Gottlob Regis. Auch sie ist eine sprachschöpferische Leistung.

Hierin ist auch die mittelbare Nachwirkung Rabelais' in der deutschen Literatur seit 1945 zu erblicken. Der Wortüberschwang in Paul Pörtners Roman *Tobias Immergrün* oder in Paul Schallücks *Don Quixote in Köln* läßt an Fischart und somit an Rabelais denken. Dieses Schwelgen in Synonymen, diese seitenlangen Wortaufzählungen, diese Wortspiele und Wortmalereien sind nicht nur Stilexerzitien. Sie entspringen einer Revolution des Sprachbewußtseins, das am Grunde der zerrissenen Begriffsnetze die Wörter wiederentdeckt. Was findet Jean-Paul Sartre am Grund seiner Philosophie? Die Wörter! Was ermöglicht Romain Rolland, einen Roman ohne Metaphysik, ohne Spekulation, ohne Politik zu schreiben, ein echt französisches Buch? Der Wortschatz seiner Heimat. Was gibt Balzac ein Recht, seinen Lesern ein »Leibspeisbuch, voll der saftigsten Leckerbissen und Würzen« zu versprechen? Die Wortgewalt seines »erlauchten Landsmanns François Rabelais, des Ruhms der Touraine«.

Die Sprache ist das Beständigste und zugleich das Wandelbarste. Sie ist das Bett und der Strom. Ein Buch, das den Möglichkeiten der Sprache, ihrem Reichtum und ihrer immanenten Denkfähigkeit Rechnung trägt, ist ein rabelaisisches Buch. Die Helden Rabelais' sind aus Wörtern geschaffen. Sie sind tausendäugig mit ihnen bedeckt wie der sagenhafte Argus. Aus jedem Auge sieht uns ein Ich an. Diese Individualisierung der Wörter, die so bezwingend ist, daß wir dem Erzähler auch die haarsträubendste Geschichte glauben, lediglich auf Grund seiner lebenspendenden Kraft, ist das Geheimnis der Humoristen, mögen sie Rabelais heißen oder – Günter Grass.

III

Zum Text

1562 erschienen unter dem Titel *L'Isle sonante* sechzehn Kapitel, die eine Fortsetzung der Seereise Pantagruels und des Vierten Buches darstellten. 1564 wurde das Fünfte Buch vollständig veröffentlicht. Es weicht in den sechzehn ersten Kapiteln vom Text der *Isle sonante* geringfügig ab. Ferner befindet sich in der Bibliothèque Nationale ein undatiertes Manuskript, das sowohl von der *Isle sonante* wie von der gedruckten Ausgabe des Fünften Buches abweicht. Es ist anzunehmen, daß die siebzehn Kapitel, die den Anfang des Fünften Buches bilden, von Rabelais stammen. Die übrigen Kapitel waren vermutlich von ihm vorgesehen, wurden jedoch von einem Freund Rabelais' nach seinen Entwürfen und Notizen nachträglich ausgeführt. Episoden wie das Schachballett und die Schilderung des Bacchus-Feldzugs auf einem Mosaik im Tempel der Göttlichen Flasche geben sich schon durch ihren Stil als Ergänzungen zu erkennen.

Die Pléiade-Ausgabe, nach der Walter Widmer übersetzt hat und die ich gleichfalls meiner Übersetzung zugrunde gelegt habe, folgt in den ersten vier Büchern dem von Rabelais durchgesehenen und korrigierten Text der endgültigen Fassung; das heißt, maßgebend für *Gargantua und Pantagruel* ist die Ausgabe von Lyon, 1542, für das Dritte Buch die Ausgabe von Paris, 1552. Dem Vierten Buch liegt die vor Rabelais' Tod erschienene zweite und endgültige Fassung zugrunde. Das Fünfte Buch folgt in den ersten sechzehn Kapiteln dem Text der Ausgabe unter dem Titel *L'Isle sonante*, vom 17. Kapitel an dem Manuskript der Bibliothèque Nationale. Da dieses jedoch von groben Fehlern wimmelt, mußte zur Berichtigung ständig die Ausgabe von 1564 herangezogen werden.

Karl August Horst

1494 wahrscheinlich, wird François Rabelais in La Devinière geboren, einem Meierhof im Besitz seines Vaters
Antoine Rabelais, Lizenziat der Rechte und Anwalt
am Gericht von Chinon in der Touraine. Der Vater hat
in Chinon ein großes Haus und mehrere Landgüter,
die ihm seine Frau zugebracht hat. Sie schenkt einem
Mädchen und drei Knaben das Leben. Der Jüngst-
geborene ist François Rabelais.
»Zwei Büchsenschüsse von La Devinière entfernt« befindet sich die Benediktinerabtei Seuilly. Hier soll
François den Elementarunterricht genossen haben.

1515–18 soll er sich in der Universitätsstadt Angers aufge-
halten haben, möglicherweise als Novize des Franzis-
kanerklosters La Baumette. Seine Verspottung der
scholastischen Theologie in *Gargantua und Pantagruel*
mag auf die verknöcherte Form, in der sie in den Klo-
sterschulen gelehrt wurde, zurückzuführen sein.

1520 oder 1521 richtet Rabelais Briefe an Guillaume Budé,
den berühmten Humanisten und Gräzisten, Verfasser
von *Kommentaren über die griechische Sprache,* auf den
die Gründung des Collège de France zurückgeht.
Einer dieser Briefe ist erhalten. Rabelais ist damals
seit mindestens fünf Monaten Mönch im Franziska-
nerkloster Puy-Saint-Martin in Fontenoy-le-Comte.
Als angehender Humanist hat er in seinen Studien-
plan die Erlernung der griechischen Sprache aufgenommen, ein seltener Fall insofern, als es keine Grammatik des Griechischen gab und Texte schwer zu be-
schaffen waren. Ein älterer Freund, Pierre Amy, den
er im Kloster kennenlernt, spornt seinen Bildungs-
eifer an. Ein anderer gelehrter Freund ist der Advokat
Tiraqueau, dessen Haus ein Treffpunkt humanistisch
aufgeklärter Geister ist. Von Tiraqueau stammt die

Abhandlung *De legibus connubialibus* (Über die Ehegesetze), aus der Rabelais im Dritten Buch seines Romans mehrfach zitiert. Sie ist antifeministisch, das heißt, sie führt den Nachweis, daß im Hinblick auf den untergeordneten Rang der Frau dem Mann in der Ehe die meisten Rechte gebühren. 1522 erscheint unter einem griechischen Titel eine lateinisch abgefaßte Gegenschrift von Amaury Bouchard, die statt eines Vorworts einen von Pierre Amy verfaßten lateinischen Brief an Tiraqueau enthält. Dieser entgegnet 1524 mit der zweiten Ausgabe seiner Abhandlung. Die »Frauenfrage« wird im Zusammenhang mit dem neuen Aufschwung der Philosophie Platons leidenschaftlich erörtert. In der Literatur des 16. Jahrhunderts nimmt sie breiten Raum ein. Die Heiratsabsichten Panurges bieten im Dritten Buch von *Gargantua und Pantagruel* Rabelais Gelegenheit, auf die Streitfrage der Feministen und Antifeministen zurückzukommen.

Die wissenschaftsfeindliche Einstellung des Franziskanerordens veranlaßt Rabelais, bei den wissenschaftsfreundlichen Benediktinern Zuflucht zu suchen. Man hat, gestützt auf das Verbot des Studiums der griechischen Sprache, das die theologische Fakultät der Universität Paris im Anschluß an den Kommentar des griechischen Wortlauts des Lukas-Evangeliums von Erasmus erlassen hat, seine und Pierre Amys griechische Texte konfisziert. Pierre Amy ist daraufhin in das Benediktinerkloster Saint-Mesmin bei Orléans geflüchtet. Rabelais erhält seine Bücher zurück, ist aber gleichfalls bestrebt, den Orden zu wechseln. Es bedarf dazu eines päpstlichen Indults. Für Rabelais erwirkt ihn der Bischof Geoffroy d'Estissac, der den Bittsteller zu seinem Sekretär und vermutlich zum Hauslehrer seines Neffen Louis d'Estissac macht. In dieser Eigenschaft begleitet Rabelais ihn auf dessen Reisen. Er besucht mit ihm Abteien und Burgen sowie die Städte Poitiers, Ligugé und andere und lernt das Poitou von Grund auf kennen. Gewöhnlich residiert Geoffroy d'Estissac, Bischof von Maillezais, im Priorat Ligugé. Hier treffen sich zahlreiche gebildete und studierte Männer, unter anderen Jean Bouchet, Staatsanwalt am Gericht in Orléans, dem Rabelais eine Versepistel gewidmet hat. Auch das in der Nähe von Ligugé befindliche Augustinerkloster, dessen Abt, den »edlen Ardillon«, Rabelais erwähnt, ist ein geistiger Sammelpunkt.

1528 verläßt Rabelais das Poitou und geht nach Paris. Er studiert an der Universität, legt vorübergehend das Ordensgewand ab und wird Weltgeistlicher. Wahrscheinlich unternimmt er von Paris aus Reisen durch Frankreich, um sich an anderen Universitäten über den Bildungsstand seiner Zeit zu unterrichten. Jedenfalls verraten die Anmerkungen zur Studienreise Pantagruels genaue Kenntnis der Lokalitäten.

1530 läßt er sich in Montpellier bei der medizinischen Fakultät immatrikulieren. Schon drei Monate später ist er Bakkalaureus, was auf eine ungewöhnliche wissenschaftliche Vorbildung schließen läßt. Thema seiner ersten öffentlichen Vorlesung sind die *Aphorismen* von Hippokrates und der Abriß der ärztlichen Kunst von Galenus.

1532 finden wir ihn in Lyon. Hier veröffentlicht er im selben Jahr die lateinischen Schriften des Ferrareser Arztes Giovanni Manardi über verschiedene medizinische Gegenstände und widmet das Werk Tiraqueau. Dann veranstaltet er eine Ausgabe der *Aphorismen* von Hippokrates nach dem griechischen Text und widmet sie Geoffroy d'Estissac. Das *Testament des Cuspidius*, das er Amaury Bouchard widmet, ist ein pseudo-antiker Text.

1. Nov. 1532 wird er als Arzt an das Hôtel-Dieu de Notre Dame de Pitié in Pont-du-Rhône berufen. Er schreibt einen verehrungsvollen Brief an Erasmus, in dem er ihn nicht nur seinen geistigen Vater, sondern auch seine Mutter nennt. Mit einer Reihe von Gelehrten und Dichtern der Zeit, darunter dem Hofdichter Jean Lemaire de Belges, knüpft er Beziehungen an.

Um diese Zeit fällt ihm das Volksbuch *Les Grandes Chroniques du grand et énorme géant Gargantua* in die Hand, von dem 1532 in Lyon eine Ausgabe erschienen war. Aber Gargantua war schon mindestens seit 1470 eine volkstümliche Sagengestalt. Rabelais, dem seine wissenschaftlichen Schriften nichts einbringen und der nicht begütert ist, hofft mit einem ähnlichen Buch den gleichen, wenn nicht größeren Erfolg zu haben wie sein anonymer Vorgänger. Er wählt als Helden seines Buchs den Sohn Gargantuas und nennt ihn *Pantagruel*. Im Herbst 1532 bringt er sein Buch auf den Markt. Er nennt sich im Titel nicht mit seinem wirklichen Namen, wahrscheinlich um seinen Ruf als Arzt und Gelehrter nicht zu gefährden, sondern wandelt ihn in *Alcofribas Nasier* um. In derselben Zeit veröffentlicht er einen Almanach mit dem Titel *Pantagruéline Prognostication pour l'an 1533*, der in spaßhafter Form Prophezeiungen künftiger Ereignisse enthält und sich erhalten hat, während ein anderer Almanach mit Prophezeiungen verlorengegangen ist. Im zweiten Kapitel heißt es zum Beispiel unter dem Titel »Von den Finsternissen dieses Jahres«: »So werden in diesem Jahr die Schanker seitwärts gehen und die Seiler rückwärts, die Schemel werden auf die Bänke steigen, die Spieße auf die Feuerböcke und die Hauben auf die Hüte; die Schellen werden etlichen mangels Jagdtaschen herunterbaumeln; die Flöhe werden meistenteils schwarz sein, der Speck wird in der Fastenzeit die Erbsen fliehen, der Bauch wird vorangehen, der Hintern wird als erster Platz nehmen; man wird die Bohne im Dreikönigskuchen nicht finden, man wird beim Poker kein As antreffen, der Würfel wird einem nichts flüstern, wie sehr man ihn auch hätschelt, und häufig wird der Glücksfall, den man erharrt, nicht eintreffen; an mehreren Orten werden die Tiere sprechen.« Auf die letzte Weissagung spielt Rabelais in seiner Fabel vom Roß und vom Esel an.

Der Titel *Pantagruelische Prophezeiung* bezeugt, daß

Rabelais mit seinem *Pantagruel* Berühmtheit erlangt hatte. Das Buch wird 1533 von der Sorbonne verdammt.

1534 Mit seinem neuen Gönner, dem Bischof von Maillezais, Jean du Bellay, reist Rabelais im Januar 1534 nach Rom und bleibt dort bis April. Während er an einer Topographie der Ewigen Stadt arbeitet, kommt ihm der Mailänder Marliani mit der Veröffentlichung seiner *Topographia antiquae Romae* zuvor. Nach seiner Rückkehr veranstaltet Rabelais eine Ausgabe dieses Werks in Lyon, mit einem Widmungsbrief an Jean du Bellay.

Im Mai ist er wieder am Hôtel-Dieu in Lyon als Arzt tätig. *Gargantua* erscheint wahrscheinlich im Herbst unter demselben Pseudonym wie *Pantagruel*. Die beiden Bücher stehen in keinem inneren Zusammenhang. Jean Boulenger schreibt in seiner Einführung zur Pléiade-Ausgabe, der ich hier im wesentlichen folge: »In diesen zwei ersten Büchern konnte Rabelais nicht umhin, er selber zu sein: ein Mann, der leidenschaftlich am Leben hing, das heißt, der von den ›Ideen‹ ebenso leidenschaftlich ergriffen war wie von den menschlichen Geschöpfen; und was er in diesem bäurisch derben Stil, mit diesem üppigen und wundervollen Schwung und dieser poetischen Wortkraft erzählte, waren nicht die Albernheiten im Geschmack der Großen Chroniken und sonstiger Marktware; es waren in erster Linie Kindheits- und Jugenderinnerungen, ferner die Erlebnisse in den Klöstern, an den Universitäten, Reminiszenzen auch an einen großen Prozeß«, der im Pikrocholinischen Krieg wiederauflebt.

Die Verspottung des Universitätsbetriebs, insbesondere der Sorbonne, und der herkömmlichen Erziehung, die Rabelais der Gefahr aussetzte, mit aufrührerischen Elementen in Paris verwechselt zu werden, läßt ihn bei seinem Gönner, dem Bischof von Maillezais, Schutz suchen. 1534 begleitet er ihn nach Italien, hält sich einige Zeit in Ferrara auf, wo er mit dem Dichter Clément Marot zusammentrifft, und begibt sich von da nach Rom, wo er sieben Monate bleibt.

1536 trifft er mit dem Kardinal du Bellay in Lyon wieder zusammen. Du Bellay ist Abt des Benediktinerklosters Saint-Maur-des-Fossés bei Paris. Er läßt Rabelais in die Abtei, deren Säkularisierung geplant ist, eintreten, um ihm zu einer Leibrente zu verhelfen. Die anderen Anwärter auf die Präbende bereiten ihm jedoch Schwierigkeiten, und er muß ein Bittgesuch an den Papst richten.

1537 nimmt er an dem Festbankett für Etienne Dolet teil. In Montpellier schließt er seine medizinische Studienlaufbahn ab und erlangt den Doktorgrad. Im Sommer ist er wieder in Lyon, wo er über den Leichnam eines Gehenkten eine anatomische Vorlesung hält. Im Herbst findet in Montpellier die vorgeschriebene Antrittsvorlesung statt. Und zwar erläutert Rabelais den griechischen Text der *Prognostica* von Hippokrates.

1539 reist er zum drittenmal nach Italien, diesmal im Gefolge des Sieur de Langey, Bruders des Kardinals du Bellay. Guillaume du Bellay ist zum Statthalter von Piemont ernannt worden. Rabelais nimmt Aufenthalt in Turin. Er schreibt die Geschichte der Feldzüge des Sieur de Langey und gibt ihr den Titel *Stratagemata*. Ein natürlicher Sohn, den er in dieser Zeit hat, stirbt zweijährig. Als sein Gönner sich für sechs Monate nach Frankreich begibt, begleitet er ihn bis Lyon.

Hier gibt er bei dem Verleger François Juste die endgültige Ausgabe von *Gargantua und Pantagruel* heraus. Um sich keiner Verfolgung auszusetzen, hat er die Wörter, die bei der kirchlichen Zensur Anstoß erregen können, durch Deckwörter ersetzt. Fast gleichzeitig läßt Etienne Dolet ohne Erlaubnis des Autors die frühere ungereinigte Ausgabe erscheinen. Dieser Vertrauensbruch wird von Rabelais um so schmerzlicher empfunden, als Franz I. seit 1538 die Reformierten mit Härte unterdrückt.

1542 hält er sich bei Etienne Lorens auf dessen Schloß Saint-Ayl in der Nähe von Orléans auf. Im Mai folgt er dem Sieur de Langey nach Piemont. Dieser erkrankt und stirbt auf dem Rückweg nach Frankreich am 9. Januar 1543 in Saint-Symphorien bei Tarare. Rabelais gibt dem Leichnam das Geleite bis Le Mans und wohnt der feierlichen Bestattung bei.

1543 Im März wird *Gargantua und Pantagruel* von der Sorbonne verdammt. Trotzdem erhält Rabelais ein Druckprivileg für sein Drittes Buch, das 1546 in Paris erscheint. Offenbar hat er immer noch Gönner, die sich für ihn verwenden, auch nach dem Tode des Sieur de Langey und seines früheren Herrn Geoffroy d'Estissac.

1545 läßt er einen neuen Almanach erscheinen, der jedoch verlorengegangen ist.

1546 Das Dritte Buch unterscheidet sich wesentlich von den zwei ersten. Es ist weniger abenteuerlich und spricht trotz volkstümlicher Elemente mehr die Gebildeten an. Das Problem, ob Panurge heiraten soll oder nicht, wird in Form einer Abhandlung mit verteilten Rollen durchgespielt. Die einzelnen Episoden bieten Gelegenheit, die Vorteile und Nachteile des Ehestands, die physische und moralische Natur der Frau, den theologischen, medizinischen und juristischen Standpunkt in der Frage zu erörtern. Das Dritte Buch zeigt im Unterschied zu den beiden ersten jenen enzyklopädischen Hang Rabelais', der im Vierten und Fünften Buch noch stärker zur Geltung kommt.

Auch das Dritte Buch wird von der Sorbonne verdammt. Rabelais muß fliehen und findet Zuflucht in Metz, in einem Haus, das seinem Freund Saint-Ayl gehörte und wo dieser abstieg, wenn er im Auftrag der du Bellays mit den deutschen Protestanten unterhandelte. Er wird zum Stadtarzt ernannt, aber seine Einkünfte bleiben gering.

1547 Nach dem Tod Franz' I. begleitet Rabelais den Kardinal du Bellay nach Rom. Unterwegs übergibt er in

Lyon dem Verleger Pierre de Tours ein elf Kapitel umfassendes Manuskript seines Vierten Buchs, das in dieser Form 1549 erscheint. Zwei Jahre lang weilt er mit dem Kardinal in Rom. Unter dem Schutz des Kardinals Odet de Châtillon kehrt er nach Frankreich zurück. Ihm widmet er später die Ausgabe des Vierten Buchs. Seine Einkünfte bezieht er aus zwei Pfarreien: Saint Martin-de-Meudon und Saint-Christophe de Jambet in der Diözese Le Mans. Er läßt sie durch einen Vikar verwalten, an den er einen Teil der Einkünfte abtritt.

1552 erscheint das Vierte Buch. Es schildert die Seereise Pantagruels und seiner Getreuen zum Orakel der Göttlichen Flasche, um über Panurges Heiratsproblem Gewißheit zu erlangen. Der Einfluß der Reisebeschreibungen und der Entdeckungsfahrten ist in diesem Buch spürbar. Die Neugier der Leser auf exotische Schauplätze, rege seit Vasco da Gamas Indienfahrt und Jacques Cartiers Entdeckung Kanadas, wird hinreichend befriedigt. Zugleich bieten die Inseln, die von der Reisegesellschaft angelaufen werden, Gelegenheit, die Torheiten der Zeit zu geißeln und die politischen und gesellschaftlichen Mißstände bloßzustellen. Die Satire auf Rom und den päpstlichen Stuhl erweist Rabelais als einen Parteigänger der Politik der französischen Könige, die unter Heinrich II. antipäpstlich war und die finanziellen Ansprüche Roms anfocht. In den Kapiteln, die von den Dekretalen handeln, greift Rabelais in diese Auseinandersetzungen unmittelbar ein.

1552 Inzwischen ist jedoch durch Vermittlung des Kardinals von Tournon zwischen dem König und dem Papst eine Einigung erzielt worden. Die Sorbonne verurteilt das Vierte Buch. Über Rabelais' Schicksal fehlen zuverlässige Nachrichten. Es heißt in Lyon, er sei ins Gefängnis geworfen worden.

1553 verzichtet Rabelais auf seine zwei Pfarreien. Wahrscheinlich im April desselben Jahres stirbt er in Paris.

INHALT

ZWEITES BUCH
Pantagruel König der Dipsoden, wieder in seine ursprüngliche Gestalt gebracht, mitsamt seinen Taten und erschreck-

DRITTES BUCH

Alle Rechte, einschließlich derjenigen des auszugsweisen Abdrucks und der photomechanischen Wiedergabe, vorbehalten. Verlegt 1968 im Winkler Verlag, München. Gesamtherstellung: Friedrich Pustet, Graphischer Großbetrieb, Regensburg. Gedruckt auf Persia-Bibeldruckpapier der Papierfabrik Schoeller & Hoesch, Gernsbach/Baden. Printed in Germany 1979.